La maison des Viale

DU MÊME AUTEUR :

L'Angleterre, un monde à l'envers, Hachette, 1967.
Darling Gwendolyne, Hachette, 1971.
En collaboration : *Vietnam, l'heure décisive*, Laffont, 1968.

Paul-Michel Villa

La maison des Viale

Presses de la Renaissance
37, rue du Four
75006 Paris

Si vous souhaitez recevoir notre catalogue et être tenu régulièrement au courant de nos publications, envoyez vos nom et adresse en citant ce livre aux

Presses de la Renaissance
37, rue du Four 75006 Paris

et pour le Canada à

Edipresse
5198, rue Saint-Hubert
Montréal H2J 2Y3

© Presses de la Renaissance, 1985.
ISBN 2-85616-348-3

H 60-3398-9

Pour Louis
Pour Edouard
Pour Monique

Et in memoriam Marie-Joséphine Ferrandi Viale

1

La mer. Au loin, on voit les îles. Et quand le vent plonge des montagnes, déblayant l'horizon, une ligne grise, ténue, fragile apparaît : l'Italie. Généralement, c'est l'hiver. Froide, dure, la lumière désincarne les choses. On se sent pris, figé. Le malheur guette derrière tant de beauté, ta beauté, mon île, consolation poignante dans notre envie de fuir ; de s'arracher plus que de fuir. Qui n'a connu le déchirement des départs en mer ne peut bien comprendre. L'avion, maintenant, a gommé l'angoisse millénaire. Mais dans le cœur, l'arrachement demeure, avec le souvenir. L'eau noire qui remue, dérangée, inquiète, sous la quille ; la plainte des cabestans, la sirène rauque, et les larmes, en silence, tandis que sur le quai les mouchoirs et les gestes s'estompent, et les visages aimés...

Au loin, très loin, un autre monde. On l'appelle le Continent. On l'appelait la Terre Ferme, du temps de Salvatore, et c'était l'Italie.

La nuit tombait. L'air frais sentait le feu de bois. La petite place de la Dogana di Terra est bordée de hautes colonnes de marbre gris, dépolies, crevassées, une douzaine, prises dans le mur d'une bâtisse sans art, et montant jusqu'au toit. C'est tout ce qui reste du temple romain d'Antonin le Pieux, sauvé pour avoir été transformé en douane pontificale. La place grouillait de monde autour des diligences. Les ombres accusaient les reliefs, dans un dernier poudroiement de lumière, et les groupes qui se faisaient et défaisaient dans ce décor formaient autant de tableaux à effet. Salvatore les contemplait, les yeux et le cœur, soudain, en fête.

Rome! Il y était enfin arrivé ! Tout ce qu'il voyait était plus beau qu'il ne l'espérait, plus beau que tout ce que lui en avaient raconté son père ou l'abbé Santamaria, en marge des leçons de latin sur les textes antiques ; tellement plus beau et plus vivant qu'il ne l'avait jamais imaginé, là-bas, de l'autre côté de la mer, lorsqu'il rêvait à la fenêtre de la maison, sur le port de Bastia. Il avait seize ans, les sens prompts au tumulte. Sa vie commençait.

Les palais rouges et ocres, et les colonnes, les statues, les

13

fontaines aperçues dans l'échappée des ruelles, sur le Corso que la diligence avait pris au pas, étaient là, maintenant, autour de lui, à l'infini, comme un fabuleux labyrinthe dont le secret l'attendait. « *Fausto Felixque Ingressui* » : ainsi, le cœur battant, confiant dans cette promesse de bonheur, avait-il franchi la porte du Peuple et déchiffré l'inscription qu'avec la fraîcheur de son âge il jugea sublime et nota aussitôt sur son calepin. Jusqu'à son extrême vieillesse, il le racontera avec le même plaisir, le même éblouissement, jamais terni, des jours heureux.

La nuit était tombée. Il commençait à faire froid. On était en décembre. Le voyage avait duré quinze jours, quarantaine comprise, à Livourne. « Piazza San Pantaleo », dit-il au portefaix qui avait chargé son bagage, une malle et deux ou trois petits colis, sur une charrette à bras. Par des ruelles obscures, bordées de longues façades sans lumières, mais jalonnées aux carrefours d'autres statues, d'autres fontaines aux eaux bruissantes, de lumignons tremblotants sous des Madones au coin des murs, il arriva chez l'oncle Tommaso, qui l'attendait en compagnie de l'abbé Poletti.

Tommaso Prelà à Paul-Augustin Viale : « Rome, le 10 décembre 1803. Mon très cher beau-frère, je pensais que mon frère était le crétin de la famille, mais, avec tout l'amour que je vous porte, permettez-moi de vous dire que vous m'avez l'air aussi crétin que lui. Votre fils est arrivé. Il n'a pas su nous dire combien d'argent vous lui avez donné. Il ne sait pas pour qui sont deux coupons de drap et diverses petites caisses sans adresse qui paraissent contenir des figues sèches. C'est un beau gâchis ! Deux ou trois Corses de vos relations se disputent les figues. On n'a pas encore trouvé le destinataire du drap. Je ne sais qui est le plus idiot, du fils ou du père. Vous auriez pu m'éviter, en tout cas, d'être mêlé à ces disputes.

« J'ajoute qu'avec beaucoup de bon sens, assurément, vous avez placé un jambon au milieu de ses chemises blanches, comme pour les salir exprès. J'ai vu aussi, pêle-mêle, des mouchoirs sans ourlet et beaucoup de linge sale. Il y a des livres dans les poches de tous ses vêtements. Bref, ce qu'il faut pour payer, en bon couillon, beaucoup de douane ; ce qu'il a fait. J'ai vraiment raison de dire que vous êtes une bande d'abrutis. Pour comble, l'enfant est arrivé en se grattant les mains et le dos : il a attrapé la gale en route, ce qui est gênant pour ses études et sa santé. Cela dit, l'enfant me plaît beaucoup ; il a l'air bien élevé et docile. J'espère qu'il réussira et ne doutez pas que, de mon côté, je ferai tout pour son bien. Dites toute mon affection à Nicolaja. Soyez en paix et croyez-moi votre très affectionné, Tommaso [1]. »

Salvatore Viale à Paul-Augustin Viale : « Rome, le 10 février 1804. Mon très cher père, la première lettre que j'aie reçue de vous, le 20 janvier, m'a mis, en vérité, dans une agitation extrême. Sauf votre respect, les reproches que vous m'infligez sont injustes. Je les ai

14

cependant reçus avec la résignation d'un fils, et même en vous plaignant puisque vous deviez répondre aux accusations portées contre vous par Monsieur mon oncle. Je vous affirme donc que le jambon n'a rien sali du tout. Il était bien empaqueté et cousu dans une toile. Demandez-le à Poletti qui a tout vu, lui, alors que Monsieur mon oncle n'a rien vu du tout, parce qu'il se soucie peu non seulement de voir mes affaires, mais de me voir moi-même.

« Et d'ailleurs, dites-moi si c'est une façon d'écrire, celle de Monsieur mon oncle ! Pourquoi dit-il que je ne lui ai pas remis les cent écus que maman m'avait cousus dans la culotte ? Je lui ai exactement remis tout l'argent. Je n'en ai pas gardé un sou. Quant aux figues sèches, ses propos m'étonnent. Je lui ai apporté toutes les caissettes. Sur la sienne il y avait D.P., Dottor Prelà. Je lui ai dit qu'elle était pour lui. Est alors arrivé un Don Santo Pasqualini, un Corse, ami de Monsieur mon oncle, qui a dit que les initiales pouvaient être les siennes. Quant aux six écus donnés par Maman et le peu d'argent que vous m'avez donné vous-même, je les ai dépensés dans les quinze ou seize jours qu'a duré le voyage. Cela vous paraîtra une énormité, mais si vous saviez comme l'argent volait aux postes frontières, surtout dans les villages les plus isolés ! Malheureux qui s'y arrête ! Il fallait payer, pour ainsi dire, la terre même où l'on mettait le pied... »

L'accueil du signor zio* n'était pas celui auquel Salvatore s'attendait. C'est sur les conseils de l'oncle Thomas, pourtant, que son père l'avait envoyé à Rome. Il devait y faire ses études de médecine. Tout avait été prévu en famille. Il aurait tout d'abord suivi les cours de théorie médicale, avec ceux de mathématiques et de philosophie, à la Sapienza, la prestigieuse université romaine.

Il ne serait entré qu'ensuite à Santo Spirito, centre du système sanitaire et hospitalier des Etats du pape, dont Tommaso Prelà, « médecin de la famille pontificale », était l'un des grands patrons. « En le faisant entrer directement à Santo Spirito, nous gâcherions ses études et l'exposerions à perdre rapidement la vie », avait écrit Thomas à Paul-Augustin. « Après la Sapienza, laissez-moi le soin de le placer au mieux à l'hôpital, pour qu'il y fasse ses travaux pratiques avec profit. »

Tommaso était méticuleux. Sa correspondance à ce sujet avait été abondante et précise. Il s'y montre plein de prévenances, presque affectueux, pour son jeune neveu. N'était-il pas le fils aîné de son beau-frère préféré ? Et quoi de plus naturel, pour un oncle corse, célibataire et déjà arrivé ? Tout cela promettait un bel avenir. Mais Salvatore était à peine là que tout s'effondrait.

Etait-ce révolte contre l'accueil rébarbatif du signor zio ? Son tempérament explosa-t-il soudain avec la découverte de la liberté, ce tempérament violent que tout jeune insulaire porte en lui, avec le sentiment de son indépendance et de sa dignité ? Je ne sais. Salvatore ne le savait sans doute pas lui-même. Alors que les

---

* Monsieur Oncle.

premières lettres de Tommaso et de l'abbé Poletti annoncent à son père, avec satisfaction, qu'il s'est mis au travail, il donne lui-même une tout autre version de sa vie et de ses intentions à un ami bastiais, Pietro Santo Confortini. « *Quandu haju ricevutu u vostru stronzu di lettera janizzara pocu manco ch'eju un mi ne nettassi u culu*...* » C'est un tissu de grossièretés, en patois corse macaronique, et le ton de celui de quelqu'un bien décidé à profiter de son indépendance toute neuve. « Ne le dites pas à mon père », conclut-il. Mais Salvatore était distrait. Il se trompa d'enveloppe, et adressa la lettre à son père, auquel il écrivait par le même courrier...

La correspondance était lente, confiée aux hasards des voyages de compatriotes amis entre Rome et Bastia, avec parfois de longues quarantaines à Livourne. Salvatore avait la conscience tranquille, lorsqu'il écrivit à son père, le 25 février :

« Mon très cher père. La présente est pour vous prévenir de ma décision, afin que vous n'ayez pas, ensuite, à vous plaindre que je vous ai trahi. Je vous préviens donc, et déclare sincèrement que ma vocation est le sacerdoce. Vous vous plaindrez, je pense, que je ne l'aie pas manifestée en Corse, et de vous avoir dit, au contraire, que je voulais faire ma médecine. Mais je vous réponds d'avance que je vous ai seulement dit que je sentais quelque propension, sans plus, pour la médecine. C'est si vrai que vous m'aviez répondu qu'en tout cas, si je voulais ensuite être prêtre, je pourrais être à la fois prêtre et médecin.

« Voici donc ce que je vous propose : si vous pensez qu'il faille faire les mêmes dépenses pour être prêtre ou médecin, laissez-moi à Rome. Autrement, rappelez-moi en Corse, ou envoyez-moi à Florence, à Pise, à Gênes, en Amérique, que sais-je, pourvu que je puisse suivre ma vocation. Il signor zio m'a encouragé à vous le dire. Donc décidez. Quelle que soit votre réponse, je me plierai à votre volonté, comme il convient à un fils docile et obéissant, tel qu'en demandant votre bénédiction je proteste d'être. Salvatore. »

Paul-Augustin à Salvatore : « Bastia... mars 1804. Mon fils, j'ai reçu quatre lettres de vous, mais celle qui m'a causé le plus profond dégoût est celle du 25 février, reçue la première. Vous m'y dites que vous avez décidé de choisir le sacerdoce. Vous n'aviez pas besoin de le dire en des termes aussi ampoulés. Ah ! vous iriez jusqu'en Amérique pour suivre votre vocation ! Comme si je ne serais pas content que vous vous fassiez prêtre ! Mais ce retournement m'offense beaucoup et montre que vous êtes un imbécile, capable de changer de vocation au gré du vent. Pendant un an, je vous ai pressé de choisir un état. Vous m'avez dit clairement que vous ne vouliez pas être prêtre mais médecin. Vous m'avez fait dépenser plus de cent cinquante écus, et voilà qu'après deux mois à peine à Rome vous vous êtes aussitôt décidé. Comme si l'Esprit Saint ne soufflait pas en Corse comme à Rome !...

---

* « Quand j'ai reçu votre conne de lettre janissaire, peu s'en fallut que je ne me torchasse le cul avec... » (12 janvier 1804.)

« Et vous n'avez pas honte de me le dire après ce que vous avez dit à Pietro Santo ! Je l'ai su sans le vouloir, car Dieu vous a aveuglé quand vous avez fermé vos enveloppes en mettant dans la mienne cette très stupide lettre à Pietro Santo... D'ailleurs, votre oncle me dit que vous n'avez en tête que l'étude du grec, que vous dépensez tout votre argent en livres grecs. Est-il nécessaire pour un prêtre de connaître le grec ? En vous envoyant à Rome, je n'attendais pas que vous dépenseriez votre temps et votre argent pour je ne sais quelle érudition, mais pour y trouver un état.

« Puisque vous voulez être prêtre, vous devez maintenant étudier à fond la théologie. Les Belles-Lettres, vous les étudierez après, et sans dépenses. J'ai donc décidé de vous laisser à Rome pour trois ans, y compris l'année en cours, avec cent trente ou, au plus, cent trente-cinq écus romains par an, tout compris. Je ne veux pas voir vos comptes. Si vous croyez pouvoir vivre à Rome avec cette somme, je vous la ferai verser tous les six mois, d'avance. Sinon, je vous mettrai au couvent des missionnaires à Florence, où vous porterez le petit habit, sans soutane, pour ne pas faire d'autres dépenses... »

Paul-Augustin à Tommaso : « Bastia... mars 1804. Mon très cher beau-frère, je réponds à vos deux dernières et charmantes lettres... Vous savez ce que Salvatore me fait subir sur le choix de son état... Voilà qu'il m'annonce maintenant qu'il veut se faire prêtre ! Ma première réaction a été de le rappeler immédiatement à Bastia ; mais par égard pour ce qu'on dirait en ville d'un retour aussi précipité, et pour notre réputation comme pour la sienne, j'ai décidé de le laisser à Rome pour trois ans. Je ne pense pas que la dépense de cent trente ou cent trente-cinq écus l'an sera supérieure à ce qu'elle serait à Florence et je le laisse plus volontiers à Rome où, s'il était malade, il serait au moins soigné par vous. J'attends votre réponse pour arrêter définitivement mes dispositions. »

Salvatore à Paul-Augustin : « Rome, 9 mars 1804. Mon très cher père. J'ai fait les démarches nécessaires pour être admis comme interne au couvent des missionnaires, où se trouvent déjà plusieurs Corses mes amis, ou amis du signor zio. Je pourrais y entrer dès cette année ; mais comme, aussitôt entré, je devrais me consacrer à l'étude de la théologie, j'ai décidé de terminer d'abord mes cours de philosophie à la Sapienza, parce que je ne veux pas devenir, si je peux l'éviter, un prêtre ignorant... »

Paul-Augustin n'insista pas. Le fond de son caractère était débonnaire. On sait beaucoup de choses sur lui. Elles dessinent toutes un esprit doux et réservé, porté à la méditation, honnêtement humaniste dans les limites permises par l'Eglise dans sa jeunesse et qu'il ne franchira jamais, malgré les bouleversements de l'époque, car il restera toujours profondément croyant. Il avait peu de goût pour le négoce de drap et de soieries qu'il pratiquait avec ses cousins et pour lequel il n'était pas doué. Ses biens de famille le lui permettant, il lui préférait la tranquille harmonie de la grande maison à l'ombre de l'église Saint-Jean, où l'éducation de ses sept enfants l'occupait plus que les affaires.

C'était un bel homme, grand, brun aux yeux clairs (gris, selon son passeport de l'an VI, bleus, suivant celui de l'an IX), de santé fragile. Peu avant le départ de Salvatore, il avait ressenti les premiers coups du mal de poitrine qui allait bientôt l'enlever. Bien qu'il ait eu à peine quarante ans, peut-être se sentait-il affaibli et n'avait-il déjà plus la force de se mesurer à la jeune volonté de son fils, soudain révélée. Sans doute, aussi, le souci de la réputation de la famille, la crainte du qu'en-dira-t-on l'emportaient-ils sur sa déception. Certainement, sa colère passée, il redevint ce qu'il était : un père aimant et qui, pour le reste, s'en remettait à la Providence.

Salvatore, en tout cas, a gagné. Il reste à Rome et ne fera pas sa médecine. Quant à sa vocation ecclésiastique, manifestement des plus tièdes, il a encore le temps d'y penser. On peut le soupçonner de l'avoir envisagée comme un moindre mal. La cinquantaine venue, il avouera dans son autobiographie que son intention était bien d'entrer dans les ordres, mais « par amour pour les loisirs littéraires et non par vocation ». Sa vocation, en fait, il y a déjà répondu. Mais elle est autre. Le culte des belles-lettres, disait-on alors. L'engagement patriotique suivra, avec les troubles du temps. Mais l'essentiel est déjà là aujourd'hui, ou il n'a que seize ans, la vie devant lui, et Rome pour sa jeunesse, la liberté : le bonheur.

Les lèvres charnues, bien dessinées, le regard rêveur de ses yeux gris-bleu sous le front haut, encadré d'une masse de cheveux bruns légèrement bouclés, son visage ne pouvait être très différent de celui de son premier portrait, peint une dizaine d'années plus tard, à l'élégance près qu'il acquit entre temps. Mais c'est encore à peine plus qu'un enfant.

Son passeport — « Bastia, le 26 vendémiaire de l'an douze » (octobre 1803) — donne le signalement suivant : « Visage ovale, menton rasé, bouche moyenne, nez gros, front ordinaire, yeux gris, cheveux châtains, sourcils idem, taille de un mètre 564 millimètres. » Il n'a pas terminé sa croissance, puisque les passeports suivants lui donneront 1,68 m. Le passeport a été délivré « Au citoyen Sauveur Viale, âgé de 15 ans,... allant à Rome faire ses études [2] ». L'administration française, de récente installation en Corse, a francisé son prénom, mais « Sauveur » a signé Salvatore. C'était le prénom de son grand-père et il en gardera toujours l'harmonieuse sonorité italienne. On ne l'appellera jamais autrement, en famille.

La gale une fois guérie, Salvatore s'était inscrit à la Sapienza, aux cours de mathématiques, de philosophie et de grec. Son goût pour cette langue s'accrut de la chance d'avoir pour professeur le meilleur helléniste de l'époque, Giacomo De Dominicis, renommé pour ses commentaires des textes poétiques, et qui restera son ami. Le latin, Salvatore le connaissait déjà bien. « Je ne connaissais rien d'autre, à vrai dire [3] », écrira-t-il. Deux prêtres, les précepteurs de l'époque, lui avaient enseigné à l'écrire et parler couramment, en Corse : Don Domenico Franceschi et l'abbé Giuseppe Maria Santamaria.

Il leur avait été confié, avec son frère Louis, dans le petit village de Ville di Pietrabugno, perché sur une colline au-dessus de Bastia. C'étaient des hommes de grande qualité. Franceschi avait été le secrétaire du dernier évêque non jureur de la Corse, Mgr de Verclos. L'abbé Santamaria était un érudit aussi modeste que généreux et, de plus, un parent qui les entoura d'affection. Lorsqu'il mourra, dans sa cure de Sainte-Lucie, dominant la ville et le vaste horizon de la mer tyrrhénienne, Salvatore et Louis lui dédieront une plaque « *In segno di grata memoria* », dans l'église attenante, où elle se trouve toujours.

« *Champs ensoleillés, forêt sauvage, et ton murmure, ruisseau ; / Ici la nature a nourri mon âme de sensations simples et pures. Oh séjour aimé de mon enfance / où si souvent je reviens en pensée, / haute colline de Ville* [4]... » Salvatore gardera toute sa vie la nostalgie de ce village, où il aura vécu de sept à douze ans.

De livres grecs et latins, autant que des classiques italiens, ses poches seront toujours pleines — petits livres reliés en parchemin ou en veau, qui, annotés de sa main, sont encore dans la bibliothèque — ainsi que de calepins qu'il remplissait au hasard des lectures, des choses vues, des idées. « *Rerum verborum memorabilium confusa congeries...* », dans le petit carnet commencé en 1803 à Bastia, et qu'il continuera à remplir dès son arrivée à Rome, ses premiers vers se mêlent bientôt à ceux de ses poètes préférés, Horace, Ovide, Anacréon... Etranges lectures, s'il se destinait à la prêtrise !

Le printemps était arrivé, le doux printemps romain avec sa lumière légère, égayant la beauté de la ville des bouquets de ses arbres fruitiers, de ses fleurs en buisson, des hautes acanthes argentées au milieu des ruines. Et le ciel était comme un dais de satin. La sévère Sapienza elle-même exhalait un bonheur sensuel. Le matin, à la messe quotidienne, le soleil inondait Saint-Yves, sa chapelle. La coupole en forme d'abeille éclatait dans l'espace où l'imagination l'emportait.

Partout, les grands jardins, les prairies et les potagers qui, en plein centre, gardaient à Rome un air de campagne, s'ouvraient comme autant de fêtes. Le Forum, tout près, n'était qu'un vallonnement d'herbe grasse, parsemé d'abreuvoirs et d'étables, où les grands bœufs blancs de la campagne romaine ruminaient, paisibles, à côté des charrettes ou à l'ombre des platanes qui suivaient la trace de l'ancienne Voie sacrée. Quelques ruines seulement émergeaient du sol, le haut des colonnes, l'entablement d'un arc de triomphe. On l'appelait encore le Campo Vaccino, domaine des bestiaux et du rêve.

Salvatore travaillait moins et flânait beaucoup. Il allait assister aux concours d'éloquence disputés en fin d'année scolaire dans les grandes églises, aux joutes poétiques que l'académie des Arcades offrait aux beaux jours dans sa retraite champêtre sur le Janicule.

Le plus clair de son temps se passait en promenades avec quelques amis, toujours les mêmes, comme était toujours le même l'objet de leurs conversations : la littérature. « Cette belle littérature que j'étudiais sans maîtres, mais dans l'enrichissante compagnie de mes amis Ercole Armellini, Romain, et Carlo Francesco Paoli, un Corse de Carpineto, tous deux mes condisciples et amis. » Il y avait aussi Andrea Pasqualini un autre compatriote, né à Saliceto di Rostino, bon vivant, généreux, qui faisait ses études de médecine mais avait, comme eux, la tête et le cœur pleins de poésie. Jeune provincial encore mal assuré de ses goûts, Salvatore était impressionné, sinon séduit, par l'élégant classicisme des Arcades et le pouvoir de leur académie sur la société des beaux esprits.

Les premiers sonnets qu'il publiera seront dans leur style. Mais sa tendance naturelle était d'un sang plus vif, dans la veine insolente et parfois grossière de Francesco Berni. *Poésies burlesques* est d'ailleurs le titre de son premier recueil manuscrit. Il ne cessera de l'augmenter, mais le gardera en partie inédit. Cela ne sent pas la mélancolie. L'abbé Poletti, avec qui il vivait, était l'indulgence même et le laissait s'ébrouer. L'oncle, par contre, était de plus en plus mécontent. Pour lui, Salvatore n'était qu'un étourdi dont on ne ferait jamais rien.

Car.mo Cognato.

Sono nelle maggiori angustie. Vostro figlio è qua
rito dalla Segna. Per quanto abbia buona volontà di
studiare, non può, stando assieme con l'altro Salvadore,
che in vece di studiare lo provoca sempre a discorrere
ed in tutto lo distrae; a confessione dell' istesso vostro figlio.
Sicche' non sò che compenso pigliarmi. Non ostante
che vostro figlio si porti bene, quando scrivete sempre
rimproveratelo. Sappiatemi dire di chi fosse un taglio
d'anno più fino che portò vostro figlio, che non
ha saputo ricordarsi s'era dell' altro Salvatore; o
mio. Sappiatevi dire il Corrispondente che avete fissato
p. il Denaro. Vi prego dell' acclusa lettera al Sig.
Vincenzo Biadelli che tanto preme; in proprie mani.
Fissate anche in Livorno un corrispondente p. le lettere
Salutatemi Nicolaja; e siate persuaso che vi sono
di Cuore

Roma 10 Gennajo 1804   V.o Aff.mo Cognato
                              N. Tommaso Prelà

Tommaso Prelà à Paul-Augustin

Car.mo Padre

li 3. Marzo. 1804.

Vi fò sapere che ho tentato di poter entrare ai Missionari a Monte Citorio se ci posso entrare, ma però siccome entrato subito che sono lì dovrei darmi alla Teologia, così ho deciso per quest'anno d'ultimare il mio corso di Filosofia qui alla Sapienza, poiché non voglio riuscire se io posso prete ignorante; Dopo che ho finito il mio corso, allora mi metterò ai missionari, dove sono sicuro che c'avrò dei mezzi per riuscire più che a Firenze, ed più ogni altro luogo, così la sente il Sig.r Zio. Lì c'è Salvatore, a cui se mi raccomandate sono sicuro che mi copra pure le voci di Poletti; C'è ancora altro corso amico del Sig.r Zio, e c'è altri corsi amici miei. Intanto vi prego a mandarmi quanto prima i danari, poiché, benché sia già stato rimborsato dei trenta paoli, [scudi?] prestati a Zio Sebastiani, contuttociò do quelli levatone il mese passato che non avevo pagato, levatone altre spese di cui vi manderò il conto, non mi resta altro che per un mese. Dunque rimborsatemi presto, e sollecitatemi. Salutatemi a tutti di Casa, e chiedendo la vostra benedizione caramente v'abbraccio.

Vostro Aff.mo Figlio
Salvatore Viales

Salvatore à Paul-Augustin

2

Tommaso Prelà n'était pas commode. A trente-huit ans, c'était déjà une personnalité en vue, médecin et familier du duc Luigi Braschi Onesti, le neveu du pape Pie VI et favori de son successeur Pie VII, « *felicemente regnante* ». Celui-ci l'avait fait médecin de la famille pontificale, dès son élection au printemps de l'an 1800. L'avenir promettait d'être plus brillant encore. Sa compétence était indiscutée. Depuis dix ans, il était le patron, « *Primario* » de l'hôpital de Santo Spirito, où il était entré par concours, reçu premier à vingt-trois ans. Célibataire aux mœurs rigoureuses, travailleur acharné, sa seule passion, après la médecine, était sa bibliothèque qui, peu à peu, envahira toutes les pièces de son vaste appartement.

Un contemporain, qui fut sans doute son collègue et son ami, mais dont je ne connais que les initiales, D.R., le décrit ainsi : « Grand et beau de sa personne, le visage toujours jovial, il était l'un des hommes les plus renommés de Rome. Ses manières de gentilhomme, sa profonde science et l'aisance avec laquelle il s'exprimait lui avaient ouvert les palais des plus grands princes, à commencer par celui du duc Luigi Braschi Onesti, neveu du pape Pie VI, dont il était devenu le familier [5]. »

Le portrait est flatté. Grand et beau, sans doute : le tableau du musée de Bastia en témoigne. Mais jovial, c'était au mieux l'apparence que Tommaso réservait à la société. En privé, il ne l'était guère, tant s'en faut, et surtout pas en famille. De ses origines corses, il avait gardé un caractère entier, facilement querelleur, que la pratique des politesses curiales et la mollesse des mœurs romaines n'avaient pas entamé.

Sa correspondance avec Paul-Augustin, mari de sa sœur Maria Nicolaja, le montre sous un tout autre jour : dur, avare, égoïste, sujet à de violents emportements. L'objet essentiel de sa hargne et de ses récriminations, à l'époque, est son frère Anton Sebastiano Prelà. Il l'accuse de lui voler sa part de l'héritage de leur père, Benedetto, mort en 1803, mais il n'épargne pas leur propre mère, accusée de complicité. Le reste de la famille restée à Bastia est jeté dans le même sac. Il ne veut plus leur parler, leur écrire. Il ne fait d'exception que pour Paul-Augustin, parce qu'il l'estime, dit-il, probablement aussi parce qu'il sert d'intermédiaire. Mais il refuse d'écouter ses conseils et ses appels à la raison.

La situation est d'autant plus inconfortable pour Paul-Augustin que la femme d'Anton Sebastiano, Maria Giuseppa, était sa propre sœur, avec qui Tommaso voulait qu'il se brouillât aussi. « Mon frère, ce coquin » : ses lettres sont émaillées de ce genre d'épithète. Celle de « crétin » assenée à Paul-Augustin, lors de l'arrivée de Salvatore à Rome, est la moins méchante. Ses amis romains auraient été bien étonnés de tant de bile, s'ils l'avaient connue. Mais il paraît ne l'avoir déversée qu'en famille. Il montrera, plus tard, jusqu'où elle pouvait le porter, avec la meilleure réputation dans le monde.

Né à Bastia en 1765, trois ans avant que Gênes ne cédât la Corse à la France, Tommaso avait vécu sa petite enfance dans le bruit de la guerre. Bastia était une ville occupée militairement, la première place forte des troupes étrangères dans l'île, siège d'abord du gouverneur génois, puis de l'état-major français. C'est de sa citadelle que partaient les troupes du roi pour combattre les patriotes de Pascal Paoli.

De la maison Prelà, sur le chemin de la citadelle, comme de celle des Viale, à Terre Vecchia, de l'autre côté du port, on entendait jouer leurs fifres et leurs tambours et, quand le vent portait, jusqu'aux ordres de commandement lancés à l'exercice. Plus d'une fois on ne put aller jusqu'aux propriétés, dans les collines, au-delà des forts. C'est de Bastia qu'étaient partis, en 1768, les régiments français que Paoli avait battus à Borgo, à quelques kilomètres dans la plaine, d'où on les avait vus revenir avec leurs blessés et leurs morts. C'est de Bastia aussi qu'ils étaient partis, au mois de mai de l'année suivante, pour écraser à Ponte Novo le dernier espoir de l'indépendance de la patrie.

Les parents de Tommaso l'avaient alors envoyé en Toscane, en 1774, « pour y faire ses études de façon plus reposée ». Il avait neuf ans. A dix-sept ans, devant ses dons et son intelligence, ils décidèrent de lui faire poursuivre ses études à Rome auprès d'un oncle prêtre, Don Giulio Prelà, frère de Benedetto, qui le présenta à deux compatriotes haut placés, tous deux médecins.

L'un, Natale Saliceti, né à Oletta, près de Bastia, était archiatre de Pie VI et médecin chef de Santo Spirito. L'autre, Giuseppe Sisco, né à Bastia même, était chirurgien ordinaire du pape et médecin chef de l'hôpital Saint-Jacques. Il avait dix-sept ans de plus que Tommaso, mais leurs familles qui voisinaient dans la paroisse de Saint-Jean étaient déjà en rapport d'amitié depuis longtemps. Tommaso fit donc médecine et fut reçu premier, sur cinquante-huit concurrents, au concours pour la place de premier assistant à Santo Spirito. Il avait déjà donné suffisamment de preuves de ses capacités pour que ce succès ne fût pas attribué à l'amitié de ses éminents compatriotes. Il est probable cependant que cette amitié contribua à le lancer aussitôt dans l'entourage pontifical.

Tous les soirs, il y avait « *conversazione* » au palais Braschi. Les faveurs du pape en avaient fait le centre des mondanités que l'étiquette pontificale interdisait à la cour du Quirinal. C'en était en quelque sorte la bourse aux nouvelles. Autour de Don Luigi et de Donna Costanza, qui y menaient un train princier, tout ce que Rome comptait de personnages influents, de cardinaux, d'ambassadeurs ou d'étrangers illustres s'y pressait dans l'enfilade des somptueux salons, alors tout neufs, dont les fenêtres donnaient sur la place Navone.

Le cardinal Consalvi, secrétaire d'Etat, raconte dans ses *Mémoires* qu'il n'y manqua pas un soir, en trente ans, quand il était à Rome. Signataire du concordat avec Bonaparte, il avait alors la quarantaine et l'on disait qu'il était amoureux de la très belle maîtresse de maison. Les Romains l'avaient surnommé « la Sirène », tant il était affable et parlait facilement.

Il n'était alors, depuis six mois, nouvelles plus recherchées que celles touchant au nouvel ambassadeur de France, le cardinal Fesch. De sa personne, celui-ci était un assez grossier personnage, lent et lourd, sans esprit et que l'on n'eût pas remarqué hors de sa position. Son passé justifiait les pires ragots. Agitateur révolutionnaire en Corse, prêtre jureur, puis défroqué, il s'était enrichi comme courtier d'affaires dans la spéculation sur les fournitures de l'armée d'Italie. Mais il était l'oncle du Premier Consul, auquel il devait son ambassade et le chapeau. Il était là, disait-on, pour amener le pape à couronner son neveu empereur, bien pis ! à se rendre pour cela à Paris. Aucun roi n'avait jamais demandé à être couronné par le pape. Et Charlemagne, qui l'avait voulu, était venu à Rome.

Concordat ou pas, l'exigence était inouïe de la part d'un révolutionnaire, exorbitante par ses implications politiques. On était certes reconnaissant à Bonaparte d'avoir rétabli la religon en France, mais le sacrer était vraiment trop demander. Et à Paris, antre de la Révolution !

La curie était bouleversée. On n'y parlait que de cela. Les négociations étaient encore secrètes, mais c'était à Rome le secret de Polichinelle, surtout au palais Braschi où l'on en suivait les hauts et les bas sur les visages des protagonistes. Bien qu'il n'aimât pas les mondanités, Fesch était bien forcé, parfois, d'y paraître. Mais autant Consalvi était entouré, autant Fesch l'était peu, sinon par intérêt. Il n'avait pas ce que l'on appelle la manière et restait engoncé pour réprimer, en public, son tempérament sanguin. « Soyons circonspects », disait-il à son entourage. Ce n'est pas le goût des Romains.

Dès son arrivée en juillet 1803, Fesch avait d'ailleurs défrayé la chronique par ses démêlés avec le brillant et charmeur secrétaire de sa légation. Le vicomte de Chateaubriand avait été, il est vrai, maladroit. Auteur adulé du *Génie du christianisme* qui venait de paraître, s'estimant fort au-dessus de son rang diplomatique modeste, il avait prétendu accéder directement au Saint-Père. Par noblesse d'âme ou par légèreté, il s'était ensuite compromis, en rendant visite à quelques réfugiés mal vus du Premier Consul ou, pis, ses ennemis, comme le roi de Sardaigne. Jaloux de sa gloire et agacé par son assurance, Fesch avait demandé et obtenu son rappel.

Chateaubriand était parti sans regret. Il venait d'enterrer Pauline de Beaumont. Son rôle subalterne l'ennuyait. Dans les *Mémoires d'Outre-Tombe*, il se plaindra d'avoir été relégué sous les combles du palais Lancellotti — alors siège de l'ambassade —, son pantalon blanc couvert de puces, dans les fonctions de gratte-papier pour la signature des passeports.

Celui de Salvatore porte en effet sa signature, apposée lorsqu'il alla se faire enregistrer à l'ambassade, quelques jours après son arrivée. « Vu par le ministre plénipotentiaire de la République française. Rome le 17 frimaire an 12. Le cardinal Fesch. Pour le Ministre, Le secrétaire de Légation Chateaubriand. » La signature est nette, bien formée, comme appliquée. J'ignore si Salvatore vit lui-même Chateaubriand à cette occasion. Il n'y en a pas trace dans son calepin de l'époque ; il n'y notait pas encore les choses vues ou les souvenirs personnels, mais seulement ses lectures.

Donna Costanza, l'âme des lieux, était petite, bien en chair, les yeux vifs sous d'épais sourcils, brune, toujours en mouvement. Intelligente, elle aimait s'entourer de beaux esprits et, sous le pseudonyme hardi d'Egérie, participait activement aux joutes de l'Arcadia. Le poète Vincenzo Monti, phénix de l'époque, ou plutôt caméléon, avait été son sigisbée, d'aucuns disaient son amant, après avoir été le secrétaire de son mari. Très bien née, c'était une Falconieri, elle avait la tête politique.

Don Luigi l'avait beaucoup moins ; c'est une façon de parler, car il n'avait pas de tête du tout. Brillant mais léger, la fortune inespérée de sa maison la lui avait gonflée de vanité. Dans sa jeunesse, il avait failli faire échouer par sa balourdise le traité de Tolentino, et le cardinal Mattei, chef de la délégation, avait dû se jeter aux pieds du citoyen Cacault pour réparer les dégâts. Il avait, depuis, abandonné toute ambition politique et comme il n'était pas méchant, s'était assagi avec l'âge.

Grand, blond, les yeux bleus, les épaules larges, le visage imposant, il tenait admirablement son rang, le premier de la cour. Dans son uniforme vert de chevalier de l'ordre de Saint-Maurice, qu'il portait habituellement, il était à lui seul un spectacle. Les passements étaient surbrodés de diamants, la poignée de l'épée en or rehaussé de rubis et tout cela miroitait aux chandelles dès qu'il se déplaçait, ce qu'il faisait pompeusement, avec une grâce souveraine.

Sa richesse, considérable, était récente. Elle datait de son oncle Giovannangelo Braschi, le pape Pie VI, qui l'avait adopté avec son frère Romualdo. Luigi avait été fait duc de Nemi, comblé de privilèges, et Romualdo, qui était plus intelligent, cardinal, le tout-puissant cardinal-neveu. A travers eux, le pape Braschi — le dernier grand pape népotiste de l'histoire — avait voulu porter sa famille d'un seul coup au rang des plus anciennes et plus puissantes familles princières de Rome. Dans l'illusion d'être un nouveau pape Médicis, il avait fait construire pour Don Luigi un palais somptueux, le dernier palais princier que l'on ait bâti à Rome, et y avait rétabli l'ancien cerémonial prévu pour la famille du pape régnant. Sous son pontificat, Donna Costanza était ainsi devenue une sorte de reine de Rome. C'est à elle que les cardinaux nouvellement créés venaient faire leur première visite, chez elle que les souverains ou princes de passage venaient faire leur cour au pape. Flatté dans son goût du faste et dans ses ambitions familiales, Papa Braschi ne lui refusait rien.

Le confesseur de Donna Costanza était un obscur moine bénédictin, originaire de Cesena comme les Braschi, mais timide et austère, un certain Barnaba Chiaramonti, pour lequel elle avait obtenu facilement la mitre d'évêque de Tivoli. On racontait qu'un jour où Donna Costanza se trouvait avec le pape dans un salon du palais, son enfant dans les bras, et que le bon moine, devenu Monseigneur mais toujours aussi timide, était entré, elle s'était levée pour l'accueillir et avait mis l'enfant sur les genoux du pape. Comme Chiaramonti s'agenouillait devant ce dernier, l'enfant avait pris la calotte du pape et la lui avait posée sur la tête. Le pape avait ri. « Ne craignez rien, nous vous ferons cardinal », aurait-il dit. On disait aussi que Donna Costanza avait préparé la scène.

Chiaramonti, en tout cas, porté par le parti Braschi du cardinal Romualdo, avait succédé à Pie VI, mort en exil en France. Sans goût pour le népotisme ou les mondanités, sans famille d'ailleurs à protéger, Pie VII avait tout naturellement maintenu les Braschi au premier rang de la cour pontificale. Don Luigi avait été nommé premier capitaine, c'est-à-dire chef de la garde noble souveraine, et ses familiers avaient bénéficié de diverses faveurs. C'est ainsi que Tommaso Prelà avait reçu le titre de médecin de la famille pontificale.

Pour être plus près des Braschi, il s'était installé Piazza San Pantaleo, où s'ouvrait le grand portail du palais. Il n'avait que la place à traverser pour s'y rendre, dans l'exercice de ses fonctions, ou lorsque les événements du jour promettaient quelque « *conversazione* » riche d'informations. On le savait sur le même pied de confiance avec Donna Costanza qu'avec Don Luigi. Un peu plus âgé que ce dernier, il avait exactement le même âge qu'elle, et leur commerce quasi quotidien favorisait naturellement ses ambitions. Dans leur cercle doré, en cette ère de paix qui s'ouvrait enfin après les secousses de la République romaine, il pouvait tout espérer de l'avenir.

De cette brillante société, Salvatore n'apercevait que des reflets. L'oncle Tommaso ne l'y avait pas introduit. Il y avait trop peu d'affinités entre eux. Tommaso ne lui pardonnait pas de l'avoir déçu et Salvatore n'était pas homme à forcer les portes. Peu lui importait, d'ailleurs ; la politique ne l'intéressait pas, à cette époque, et les mondanités encore moins, qui ne l'intéresseront jamais. Son calepin n'est rempli que de citations ou de réflexions littéraires. Tout à la

27

découverte de Rome et de la poésie, de leurs beautés, de leurs messages pour son âme sensible, entre les cours de la Sapienza et les flâneries avec ses amis, il mène une vie calme et rêveuse chez l'abbé Poletti, en qui il a trouvé un second père.

Quand il évoquera, plus tard, cette période et ses influences dans son autobiographie, il ne mentionnera même pas l'oncle Tommaso, pourtant devenu célèbre, mais seulement le bon abbé. Salvatore « partit pour Rome vers la fin de 1803 et y resta cinq ans, sous la direction de l'abbé Bonaventura Poletti, excellent prêtre corse exilé, ami du général Pasquale Paoli [6] », écrira-t-il.

C'est Poletti, très probablement, qui lui inculqua l'admiration pour « u babbu », le Père de la Patrie auquel Salvatore restera fidèle toute sa vie, et qui sera sa seule référence politique. Et si l'on peut aussi penser que Salvatore avait pu être influencé par son milieu familial, il est certain que Poletti fut le premier à lui parler de l'action de Paoli en connaissance de cause, pour y avoir participé.

Paoli vivait encore, en exil à Londres. Il s'y était réfugié après l'échec de l'éphémère royaume anglo-corse qu'il avait essayé d'établir dans une dernière et illusoire tentative d'indépendance de la France. Il avait soixante-dix-neuf ans, souffrait des yeux, mais surtout du mal du pays.

Poletti avait été l'un de ses plus proches collaborateurs dans les dernières années de son gouvernement. C'est lui que Paoli avait envoyé auprès du ministre britannique en Toscane, Lord Hervey, avec pleins pouvoirs pour négocier un accord entre la Corse et l'Angleterre, en septembre 1793 [7]. Poletti avait ensuite été l'aumônier de l'un des régiments du royaume anglo-corse. A la chute de ce dernier, il avait choisi de s'exiler à Rome. Mais il restait fidèle à son engagement politique passé et assurait la liaison entre les autres exilés paolistes dans cette ville — Ferrandi, Colonna, Ferdinandi... — et leur ancien chef.

Il faisait lire à Salvatore les lettres que Paoli lui écrivait de Londres. En les commentant, il les enrichissait de ses propres souvenirs. A l'arrivée de Salvatore à Rome, il venait d'en recevoir une particulièrement émouvante dans laquelle Pascal Paoli disait toute sa tristesse d'exilé et recommandait aux Corses de renoncer à une révolte désormais sans espoir.

Pascal Paoli à l'abbé Poletti :

« Londres. Comme je reverrais volontiers moi aussi nos petits villages corses... Mais je suis vieux et le poids des ans est trop lourd à mes épaules pour que je puisse penser à de longs voyages, sinon vers le ciel. Si vous écrivez dans notre patrie, dites à tous de rester calmes et d'obéir à qui commande, et de prier le Seigneur Dieu pour la paix, par laquelle seulement notre Nation peut prospérer et réparer les dommages soufferts pendant quatre cents ans de guerre et de tyrannie [8]. »

Poletti était tout le contraire du signor zio pour Salvatore. Discret, indulgent, compréhensif, généreux, il se montre toujours prêt à le défendre contre la dureté de Tommaso, à le protéger contre un retour de sévérité de la part de son père. Pour ce dernier, il y réussissait sans peine. L'abbé et Paul-Augustin qui, d'après leurs lettres, paraissent se connaître et s'apprécier depuis longtemps, étaient en sympathie.

« Votre fils s'applique beaucoup. Il ne boit pas de vin, mais mange pour deux. Laissez-le donc étudier tranquillement », écrit Poletti à Paul-Augustin qui était revenu à la charge, par le biais des questions d'argent. « Vous dites que vous ne pouvez lui envoyer plus de cent cinquante écus par an. Je vous l'assure, cela ne suffit pas. Il lui en faut au moins deux cents » (28 février 1803).

Leurs dépenses, pourtant, se réduisaient au strict nécessaire. Nourriture, chandelles, blanchisserie, « de quoi écrire » : Paul-Augustin a gardé le premier décompte envoyé par son fils. Les livres n'y figurent pas. Où habitaient-ils ? Je ne l'ai pas trouvé. Le courrier est généralement adressé à Salvatore « auprès de la pharmacie Chieti », ou chez Tommaso Prelà, selon les porteurs. Mais l'intérieur devait être austère, lui aussi.

La grande malle de Salvatore lui servait de commode. Elle a, depuis, regagné le grenier rue Saint-Jean, belle malle en bois de châtaignier verni, une lourde caisse, en fait, renforcée de ferrures, avec les côtés taillés dans une seule planche et deux fortes serrures. Ses initiales S.V. sont largement tracées à l'encre sur l'envers du couvercle. Les comptes d'ensemble pour les cinq années d'études de Salvatore à Rome, tenus par Paul-Augustin puis Maria Nicolaja, au baïoque près, sont eux aussi toujours là. Ils sont en écus romains, en piastres, en louis d'or ou en monnaie de Florence, plus rarement en lettres de change. Le total, fait par Maria Nicolaja le 11 mars 1808 et converti en monnaie de Rome est de 543 écus romains et 47 baïoques.

On y apprend peu de chose sur la vie quotidienne, sinon que l'argent comptant était généralement confié, avec le courrier, à des voyageurs amis et qu'entre la Toscane et la Corse, les corsaires continuaient à faire leurs affaires. De la main de Maria Nicolaja, en 1805 : « Au mois d'avril, j'ai remis dix-huit louis d'or et une traite de 37 écus romains au patron pêcheur Anton Michele Mamberti pour qu'il les remette à mon fils Salvatore à Rome. Ledit patron Anton Michel ayant été capturé par des corsaires, ceux-ci ont pris les dix-huit louis et je n'ai donc renvoyé à Salvatore que la traite de 37 écus. »

A l'arrivée de Salvatore, un autre Salvatore, son cousin, Salvatore Prelà, fils d'Anton Sebastiano, habitait déjà chez Poletti. Il n'y faisait pas grand-chose, hormis des dettes. C'était un coureur, toujours en goguette, qui jouait bien du violon mais n'ouvrait jamais un livre et ne s'inscrivit même pas, semble-t-il, à l'université. L'oncle Tommaso, qui avait refusé de s'en occuper, alerta Paul-Augustin : « Votre fils manifeste une grande bonne volonté pour l'étude, mais il ne peut travailler quand l'autre Salvatore est là, car celui-ci, au lieu d'étudier, fait tout pour le distraire et le jeter dans la plus grande confusion » (10 janvier 1804). Salvatore Prelà, heureusement, n'avait pas tardé à rentrer à Bastia, sur un coup de tête, au grand plaisir de ses parents, et sans même prévenir l'oncle Thomas. Salvatore, qui n'éprouvera jamais beaucoup de sympathie pour lui, contrairement à Louis, fut sans doute tout aussi content d'en être débarrassé.

Rien ne troublait plus la perspective heureuse qui s'ouvrait devant lui : Rome, ses études, la poésie, l'affection de Poletti, l'amour et la confiance de son père qui les lui avait rendus avec sa liberté. Beaucoup de chances pour l'homme qu'il devenait.

Salvatore à Paul-Augustin : « Rome, 1er juin 1804. Mon père très aimé, je n'arrive pas à vous exprimer l'extrême soulagement que m'apporte votre lettre du 11 mai si longtemps attendue. La gentillesse et la bonté avec laquelle vous me parlez, et où je vois à l'évidence votre affection paternelle, me convainc plus que tout autre chose de ce que je vous dois. Je vous promets donc que je vous dirai ma décision définitive sur le choix de mon état au mois d'octobre, puisque vous me laissez l'entière liberté de ce choix...

« Quant à ma santé, malgré le mauvais air de Rome en été, elle est excellente, grâce aux précautions que je prends et aux soins de mon bon Poletti qui m'aime comme un fils et qui, croyez-moi, s'occupe de moi comme vous le feriez vous-même. Cet air de Rome me donne un appétit tellement excessif que je n'en dirai pas plus. J'ai tellement grandi qu'en comparaison avec mon départ de Bastia je suis maintenant homme.

« Sachez de plus (et je le dis seulement pour vous répondre et non pour me vanter) que j'ai acquis une bonne dose de cette jugeote dont je manquais si fort à Bastia, d'esprit, de politesse, de diplomatie, de vivacité aussi, et que j'ai tout à fait perdu cette rusticité bourrue et intraitable que j'avais prise à Ville di Pietrabugno. Je suis devenu un autre homme, plus sociable, moins niais et stupide...

« Je vous demande votre bénédiction paternelle et vous promets d'accepter vos conseils et de les satisfaire comme il convient à votre fils très obéissant et très affectionné. Salvatore. »

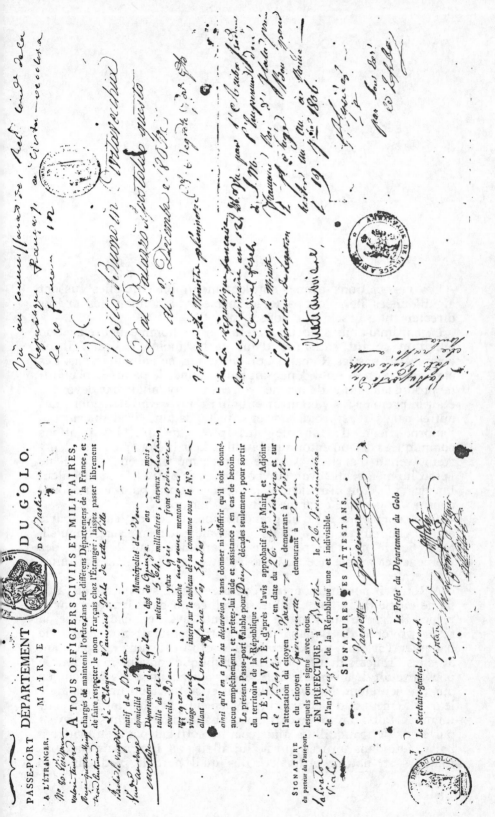

Signature de Chateaubriand sur le passeport de Salvatore

3

Les négociations avançaient lentement, bien qu'elles fussent aiguillonnées par Bonaparte lui-même, qui donnait ses ordres directement à Fesch et le bousculait.

Le cardinal-ambassadeur n'était pas un homme heureux. Son ambition se fût satisfaite d'une tâche moins délicate. Il ne comprenait pas les Romains qui, en retour, ne l'aimaient pas. Les sommes énormes qu'il dépensait pour animer le palais Lancellotti ne produisaient que de mornes soirées où l'on allait par devoir. Il était le premier à s'y ennuyer et bâillait aux « *conversazioni* » des autres palais. Il est froid, rude et se méfie de tout, disaient ceux qui l'approchaient. Il était, de plus, préoccupé par les relations compliquées de son entourage familial. Letizia Bonaparte, sa demi-sœur, venait d'arriver. Austère et plus méfiante encore qu'il ne l'était lui-même, elle avait suivi à Rome son autre fils, le turbulent Lucien, qui s'était brouillé avec le Premier Consul pour avoir épousé contre son gré une certaine veuve Jouberthon.

Tout cela n'était pas d'un grand réconfort. Corses, les Bonaparte étaient chez eux en Italie, où ils retrouvaient le même sang impulsif. Mais Fesch, né d'un père suisse, capitaine dans le corps des mercenaires au service de Gênes, n'avait pas les mêmes affinités ancestrales.

A Rome, il pouvait pourtant compter sur la sympathie et l'aide d'une partie de la haute noblesse, ralliée au parti français par le prince Borghese qui, l'année précédente, avait épousé Pauline, la sœur préférée de Bonaparte. Ce parti comptait notamment le banquier Torlonia, un parvenu qui avait fait fortune en spéculant avec les Français du temps de la République romaine mais dont le pouvoir était déjà considérable, et des gens comme les Braschi, eh oui, qui sentaient d'où venait le vent et se faisaient une raison de leur ralliement et de leurs futurs reniements. Fesch avait aussi pour lui un certain nombre de cardinaux pusillanimes, acquis au projet par désir de tranquillité. Mais cela ne suffisait pas à le mettre à l'aise. Jeté dans un rôle qui ne lui allait pas, il ne maîtrisait pas toujours sa nature ordinaire. Dès qu'il perdait pied dans les subtilités de la diplomatie vaticane, son caractère l'emportait. Ses colères étaient la fable de la ville. « Il a le sang très agité », disait-on.

On était ainsi arrivé au mois d'août. Le ton de Fesch montait avec la canicule. Consalvi lui-même en venait à perdre patience. Au Quirinal, on l'avait vu sortir, le visage empourpré, agitant nerveusement la main droite, et se précipiter dans son carrosse en proférant des mots incompréhensibles après un entretien avec l'ambassadeur. Au valet de portière qui s'était timidement approché et lui demandait où il fallait aller : « *A casa del diavolo ! a casa del diavolo !* » avait crié Son Eminence, le cardinal secrétaire d'Etat. La scène s'était passée sur l'escalier extérieur de la cour d'honneur. Trente personnes en avaient été témoins [9].

Consalvi, pourtant, avait accepté l'idée du voyage à Paris et du sacre. Conscient de la puissance de Bonaparte, il était convaincu qu'il ne fallait pas irriter le maître de l'Europe. Le souvenir du pape Braschi, enlevé par les troupes du Directoire et déporté en France, où il était mort, humilié, « *solo come un povero cristo** », le hantait. « Traitez le pape comme s'il avait 200 000 hommes », avait dit Bonaparte au prédécesseur de Fesch, Cacault. Ce n'était plus grand-chose pour Napoléon, devenu empereur. Consalvi le savait, il avait connu l'homme et sa violence en négociant le concordat à Paris.

Il acceptait donc et le sacre et Paris. Pour le sacre, il demandait seulement que la cérémonie ne bafouât pas la dignité de l'Eglise et ne validât pas le serment constitutionnel. Pour Paris, il souhaitait que le déplacement servît aussi à discuter les problèmes en suspens pour l'application du concordat et plus précisément les articles dits organiques. Fesch restait dans le flou et ne s'engageait pas. Il promettait chaque fois que tout allait s'arranger. Où ? Mais à Paris, voyons ! Si Consalvi insitait, il piquait une colère.

Tommaso piaffait d'impatience. Si le pape va à Paris, le duc Braschi l'accompagnera. Peut-être pourrait-il l'y suivre. Ce ne serait pas un petit voyage et la suite serait peu nombreuse. Il y aurait cent occasions d'approcher le Saint-Père lui-même, mieux qu'il ne pouvait le faire à Rome et plus familièrement. C'était une chance de s'installer mieux encore dans le cercle doré, d'avancer, comme il dit, sa fortune. En attendant, il lui faut se préparer et, d'abord, s'équiper. Il lui faut de l'argent. L'affaire de l'héritage, à Bastia, traîne en longueur, son frère et sa mère faisant la sourde oreille. Paul-Augustin lui-même se montre de plus en plus réticent à s'entremettre dans cette querelle de famille, où sont impliquées et sa femme et sa sœur. Tommaso se fait alors pressant. A partir de juin, lorsqu'il est clair à Rome que la négociation pour le voyage du pape est bien engagée, il multiplie les lettres, devient menaçant, insultant. Il exige qu'on lui envoie immédiatement cinq cents écus, sinon il criera publiquement au voleur.

---

* « Seul comme un pauvre Christ. »

Tommaso à Paul-Augustin : « Rome, le 2 juin 1804. Mon très cher beau-frère, j'ai bien reçu votre lettre sur la mission dont je vous ai chargé pour démêler mes intérêts avec mon frère. Bien que je sache que mon frère spécule avec mon argent, et s'il ne le faisait pas ce serait pure couillonnerie de sa part, pour un marchand, qui ferait perdre les intérêts de mille écus sur un an, je suis prêt, par excès de bonté, à n'en recevoir que cinq cents maintenant, mais immédiatement et comptant. Quant aux cinq cents autres, je voudrais que vous convainquiez ma mère, qui est tout amour pour moi mais tout intérêt pour mon frère, qu'il ne serait pas juste qu'on me vole par compassion pour celui-ci. Rien que dans la caisse du magasin, il devrait y avoir, sinon cinq cents comme le dit le testament que l'on veut faire croire de Polichinelle, du moins trois ou deux cents écus qu'elle doit m'envoyer immédiatement pour prouver la sincérité de son cœur. Quant à mon frère, je ne vois en lui pas la moindre trace de bonne foi... *(Suit un long rappel de leurs comptes et de ce qu'il lui reproche.)* Et il y a plus encore ! Je me rappelle qu'après la mort de notre frère prêtre, il refusa de m'envoyer la liste de ses livres, dont je sais qu'il y en avait de valeur, et, à part l'*Histoire de l'Alenzi* et cinq ou six autres en bon état, ne m'envoya que de vieux bouquins dépareillés. Pensez-vous que ce soit de la bonne foi fraternelle ? »

Le testament de Benedetto Prelà, dont Tommaso a envoyé copie à Paul-Augustin, est précis, jusque quand le détail et la description des biens, qu'il partage entre ses cinq enfants survivants, en laissant l'usufruit à sa femme. A ses deux fils, Anton Sebastiano et Tommaso Francesco, il laisse en plus l'argenterie et une somme de 12 000 francs à partager par moitié. 12 000 francs font environ 2 000 écus de France, soit 1 000 pour chacun. Ce sont ces 1 000 écus que Tommaso ne cesse de réclamer, selon des modalités diverses, mais avec un acharnement constant. Ainsi est-il prêt, en juin, à en laisser 500 en dépôt chez son frère, pour ne pas gêner la trésorerie du commerce familial, mais il en demande 8 % d'intérêt. « Je pourrais facilement les placer à Rome à 12 % l'an, mais je suivrai l'avis de nos théologiens qui ont publiquement fixé à 8 % l'intérêt acceptable sans heurter la conscience, et n'en demanderai pas plus. »

Pour les cinq cents qu'il réclame comptant, il est par contre intraitable. Il précise qu'il les veut en monnaie de France, et non de Rome ou de Florence, « même si c'est des pièces d'or », pour pouvoir jouer sur le change. Il faut les lui envoyer sans délai, par Livourne, mais sans frais d'intermédiaire, qu'il soit marchand ou agent de change.

Son frère lui fait répondre par Paul-Augustin qu'il n'en a pas tant en caisse et que, de toute façon, rien ne leur appartient car leur mère doit être considérée comme usufruitière de la succession tout entière. D'ailleurs, dit-il, les Prelà sont tellement pauvres depuis la mort de Benedetto, que « s'ils se font mouiller un jour de pluie, ils sont obligés de rester à la maison faute de chemise de rechange ». S'il croyait apitoyer Tommaso, c'est raté.

La réponse est véhémente. Pour confondre son frère, Tommaso envoie à Paul-Augustin la liste de l'argenterie qui, avec une somme de quatre mille écus, « fut mise en sûreté à Livourne le 10 juin 1791 au moment du siège de Bastia ». « Et je ne pense pas que vous ayez vu alors la famille Prelà sortir toute nue, ou dormir sans draps, ni que les quatre mille écus lui manquèrent pour se nourrir. La voilà, la sincérité de mon frère ! Lisez donc cette lettre à mon frère et à ma mère ! »

Fin juin, c'est sa mère qui lui répète, toujours par l'intermédiaire de Paul-Augustin, que la famille n'a pas cinq cents écus comptant et qu'elle ne peut pas brader à perte le stock des marchandises en magasin. Elle pourrait emprunter cette somme pour la lui envoyer, mais pas avant septembre. Tommaso n'accepte pas le délai. Suffit ! dit-il à Paul-Augustin, portez l'affaire au tribunal, agissez immédiatement. Et il lui envoie sa procuration, authentifiée par l'ambassade de France et signée du cardinal Fesch en personne. Paul-Augustin, comme toujours, lui répond en prêchant la modération : « Réfléchissez encore. Je voudrais que cette affaire se termine à l'amiable, pour ne pas faire rire tout Bastia en allant devant les tribunaux. Faites preuve de modération et donnez donc un coup de pied au diable pour en finir, même si cela vous coûte un peu. » Mais Tommaso ne veut rien entendre. Il a, dit-il, urgent besoin de cet argent. Le pape va aller à Paris et il compte être du voyage. C'est chose presque faite. Le secret est d'ailleurs levé sur les négociations entre Fesch et Consalvi, entre Rome et Paris, où Bonaparte, proclamé empereur, s'impatiente.

Tommaso à Paul-Augustin : « Rome, 18 août 1804. Mon très cher beau-frère. Il est urgent que je vous apprenne qu'on dit ici avec quelque fondement que le pape pourrait aller à Paris couronner Bonaparte empereur. En vue de certains projets que je forme, j'ai l'intention de tenter la chance de suivre le pape et suis obligé d'exiger de mon frère qu'il m'envoie les cinq cents écus. Le voyage se ferait au mois de septembre. Aussi, pour que je puisse me préparer et faire les achats nécessaires, il faut que vous vous dépêchiez de me les envoyer. Si je ne les avais pas, je pourrais manquer ma chance... »

Septembre arrive. Tommaso ne reçoit toujours rien. Le 16 septembre, il fulmine : « Basta ! Mon frère est un fripon. Maintenant, je veux tout mon argent, mes six mille francs calculés avec la plus grande précision en écus de France. Si, pour stimuler la justice, vous avez besoin de quelque lettre de recommandation du cardinal Fesch à quelque juge, préfet ou général, je peux vous l'envoyer, et, si cela ne suffit pas, je viendrai moi-même à Bastia et ferai un scandale... Voyez le tort que me porte le non-règlement promis pour septembre. Si le pape part pour Paris sans que je puisse faire les dépenses nécessaires pour m'équiper comme il faut, je perdrai la chance de ma fortune. »

Il n'est guère question de Salvatore dans cette correspondance. Une brève formule, en bas de lettre, se borne à un « Salvatore va bien et étudie », ou « Salvatore étudie et se porte bien », toujours la même, sans détails, sans chaleur. Tout à ses obsessions, le signor zio ne paraît se soucier de rien d'autre et ne répond même pas aux questions de Paul-Augustin sur la santé de son fils. Quel homme était-ce là ? Ils sont fascinants, ces dizaines de feuillets d'une écriture cahotique, zébrés de traits secs qui crèvent parfois le papier, encore scintillants d'une abondance de sable qui dit l'impatience du geste dans sa fureur mal contrôlée. Et pourquoi ? Rien dans la vie publique de cet homme raffiné et savant, comblé de dons qui tiendront leurs promesses, n'éclaire cette immense part d'ombre dans laquelle il plongeait dans son intimité.

Fin septembre, enfin, la nouvelle devint officielle. Napoléon, à son habitude, avait brusqué les choses. Le 29, le général Caffarelli, son aide de camp, arriva à Rome porteur de l'invitation impériale, qui était un ultimatum. Le pape fut atterré. Fesch rapporte que cette lettre l'avait mis « dans un état de douleur et même d'irritation impossible à concevoir ». « Je ne me serais jamais douté que le pape pût se mettre en colère », dit-il. Pie VII n'avait rien obtenu de ce à quoi il tenait. Il ne savait toujours pas ce qui l'attendrait à Paris. Mais il était trop tard pour refuser. Avec l'invitation, Napoléon avait envoyé un véritable ordre de marche, prévoyant les délais les plus courts pour le voyage, et jusqu'aux étapes. Un vrai travail de sergent fourrier, l'arrogance en plus.

L'empereur voulait que le pape fût à Paris en novembre. S'il n'était pas là le 2 décembre au plus tard, le couronnement se ferait sans lui et tant pis ! Cette fois, ce n'était plus Fesch mais le pape qu'il bousculait. « Comme s'il convoquait son aumônier militaire », disait-on à Rome. On était outré.

Tommaso Prelà était, bien entendu, du voyage. S'il était satisfait, cela n'apparaît pas dans ses lettres, qui continuent à frapper le même clou. « Faute d'argent, je ne ferai pas figure et risquerai de perdre ma chance. » Son frère ne lui a toujours rien envoyé, mais lui a vaguement promis qu'il trouvera les cinq cents écus à Paris.

Tommaso à Paul-Augustin : « Rome, 17 octobre 1804. Mon très cher beau-frère, ci-joint la lettre de mon frère. Faites en sorte que j'aie les cinq cents écus promis. Je vais donc à Paris dans la suite du pape, avec le duc Braschi. J'ai dû emprunter de l'argent pour mes achats d'équipement. J'aurai besoin, à Paris, d'une forte somme, sinon j'y ferai mauvaise figure, je serai angoissé par la crainte de compromettre ma position et je perdrai ma chance... Je pars avec le cortège même du pape, le 2 novembre. Le voyage durera un mois environ. Faites-moi trouver l'argent à Paris, où Biadelli et Negroni ont des correspondants. Empruntez-les vous-même s'il le faut. Pensez que mon sort en dépend. Salvatore va bien et se porte bien. Votre très affectionné. » C'est parmi ces achats d'équipement que se trouvaient les deux boucles de soulier en argent qui de génération en génération, égayent, depuis, la petite chronique familiale.

Mais Tommaso n'en a pas fini. La veille même du départ, il trouve encore le temps de relancer Paul-Augustin : « Rome, 1er novembre. Demain je pars avec le pape pour Paris. Faites-moi trouver ne serait-ce qu'une partie des cinq cents écus dans cette ville. Empruntez-les s'il le faut, mais n'y manquez pas car vous me feriez faire mauvaise figure. C'est je crois, le moment de ma plus grande chance. Aussi, je pense que ni mon frère ni vous-même ne voudriez me la faire manquer. Commandez si je puis vous être utile. Saluez-moi Nicolaja. Votre fils va bien. Adieu de tout cœur. Votre Tommaso. »

Pie VII se mit en route le 2 novembre au matin. Il avait quitté en grand cortège le palais du Quirinal vers la demie de sept heures pour se rendre à Saint-Pierre, où, après avoir écouté la messe, il s'était longuement attardé en méditation. Ses réflexions, comme celles de la majorité de sa suite, étaient sombres. On disait qu'il ne reviendrait pas de Paris, qu'il y resterait prisonnier comme son prédécesseur. Les Romains étaient inquiets et le manifestaient. Le pape avait lui-même pris ses dispositions pour une telle éventualité : Consalvi restait à Rome, avec les bulles du conclave.

De Saint-Pierre, le convoi avait pris la route de Toscane, par la Via Cassia, cette fois en berlines de voyage. Deux autres convois l'avaient précédé, la veille et l'avant-veille, avec les services et le personnel subalterne. Celui du pape comprenait une quarantaine de personnes, dont six cardinaux, le duc Braschi commandant la garde noble, l'archiatre et les autres médecins dont l'oncle Tommaso faisait partie.

Chaque convoi comptait une dizaine de lourdes berlines noires, aux capotes et rideaux de cuir épais, tirées par deux ou quatre chevaux. Elles étaient lentes, bruyantes et inconfortables, sur leurs roues pleines qui accusaient le moindre cahot ; et Dieu sait s'il y en avait, sur ces routes de terre, ravinées d'ornières profondes par les premières pluies de l'hiver.

Il fallut près de deux jours au convoi pour arriver au poste frontière de Radicofani, à une petite quarantaine de lieues. Les trois convois s'y regroupèrent pour passer en force les collines toscanes infestées de brigands. Il faisait froid. On voyageait dans un nuage de poussière, quand ce n'était pas sous la pluie et dans des torrents de boue. Les lourdes berlines peinaient dans les montées, où certaines s'attardaient. Les étapes avaient été mal préparées, à la hâte, et l'on commença presque aussitôt à rencontrer des difficultés aux relais de poste pour le change des chevaux.

On arriva cependant sans dommage à Florence, où le cardinal Fesch attendait le cortège. Le bruit s'y répandit qu'une épidémie avait éclaté à Livourne, qu'il faudrait établir des cordons sanitaires, et interrompre le voyage. Les médecins se consultaient, lorsqu'on apprit que la rumeur avait été lancée par un agent anglais. On repartit. Fesch pressait le mouvement. Il avait pris la direction des opérations et en rajoutait sur les instructions de Napoléon, qu'il recevait chaque jour par courrier militaire. Très vite, le désordre se mit dans le convoi qui perdit, pêle-mêle, toute ordonnance. Débonnaire, Pie VII se laissait mener. Il tenait salon dans son carrosse, où l'on avait installé un petit trône, sorte de gros fauteuil dont les accoudoirs s'ouvraient ingénieusement pour abriter son bréviaire, son chapelet et son tabac à priser.

Placé dans sa suite immédiate, Tommaso avait souvent l'occasion de lui parler, plus souvent sans doute que d'autres personnages d'un rang plus élevé, mais moins distrayants dans la monotonie de la route. « Il arriva que Tommaso Prelà plut beaucoup à l'illustre voyageur, par son affabilité et l'abondante connaissance qu'il avait des faits publics et privés, dont il l'entretenait pour son plus grand agrément », raconte son biographe D.R.

Quatre ans de pontificat n'avaient guère modifié la simplicité des manières du pape Chiaramonti. Plutôt petit, frêle, le teint pâle, l'esprit méditatif, doux et modeste jusqu'à l'humilité, sa force de caractère était tout intérieur. Il avait gardé la sobriété des mœurs monacales de sa jeunesse et son abord était facile et agréable, sans pose d'aucune sorte. Il prisait beaucoup, et sa soutane blanche portait souvent les traces du tabac qu'il y laissait tomber. On disait que sa culture classique était bonne, mais qu'à soixante-deux ans il n'avait toujours rien appris des affaires publiques et qu'il connaissait mal le monde.

Or, au bout du chemin, le monde l'attendait. Et quel monde ! Celui de la Révolution, de la Terreur, d'une nation sanguinaire qui avait guillotiné son roi, enlevé et fait mourir un pape, saccagé et pillé l'Europe, produit enfin ce général, ce Bonaparte, un petit Corse, sorti de rien, un illuminé qui se prenait maintenant pour Charlemagne ! Et tout cela en quinze ans à peine, quinze ans d'explosions et de chocs où tout raisonnement chavirait.

Corse, Tommaso l'était aussi. Il savait ce qu'on savait des Bonaparte dans une petite île où tout le monde se connaît, ce qu'on y disait de Napoléon et de son hasardeux destin qui n'avait été longtemps qu'un destin d'aventurier. Il y avait du génie dans cet homme, bien sûr ; c'était un grand capitaine, mais enfin... La conquête du pouvoir en France n'effaçait pas son passé, encore tout frais, là-bas, dans l'île, ni le caractère qu'en profondeur ce passé trahissait. Après tout, Bonaparte n'avait choisi la France qu'après avoir été chassé d'Ajaccio pour avoir trahi Pascal Paoli. Sa carrière, il l'avait commencée en renégat. Sans scrupules, mené par une ambition démesurée, il n'agissait que par intérêt, rétablissant la religion, aujourd'hui, comme il l'avait rejetée, hier, pendant la Révolution. Les anecdotes ne manquaient pas, sur lui et son envahissante famille qu'on avait vue nu-pieds, prête à tout et à n'importe quoi.

Et celui-là, le cardinal, *u ziu prete* de la tribu, mais prêtre jureur, puis défroqué, dont la vie éhontée était comme l'ombre portée de la carrière du neveu. Tommaso était trop prudent pour raconter tout ce qu'il en savait, et certainement pas au pape, surtout en route pour Paris. On en disait déjà trop, d'ailleurs, parmi les Romains du cortège, effrayés, mais fascinés aussi, par ce qui les attendait et qu'ils imaginaient mal. La plupart d'entre eux avaient connu la grande mascarade de la République romaine. Ils y avaient vu Joseph, le grand frère Bonaparte, en peplum et couvert de plumes. Ils avaient vu la Déesse Raison danser en voiles transparents sur la place d'Espagne.

Mais Tommaso avait d'autres souvenirs. Le siège de Bastia de 1791, par exemple, qu'il avait d'autres raisons de bien se rappeler. En avait-on parlé de Fesch, en ce temps-là ! A Bastia, il était venu pour l'élection du premier évêque constitutionnel de la Corse. C'était quasiment lui qui l'avait faite cette élection, intriguant comme un Bonaparte. Il avait été fait grand vicaire, en récompense. Mais les Bastiais lui avaient craché dessus. La population s'était soulevée : elle voulait garder ses prêtres, ceux qui avaient refusé de prêter serment. On avait sonné le tocsin à Saint-Jean. On avait fait une assemblée, signé une pétition. Benedetto Prelà, son père, en était, Paul-Augustin aussi, ils avaient signé comme toute la ville [10]. C'est pour cela que les troupes l'avaient assiégée, puis écrasée ; en juin. On s'en souvient encore, à Bastia.

Ah oui, Fesch, le bon apôtre ! Il pouvait bien s'affairer, maintenant, en postillon du pape...

En quittant Florence, le cortège prit par Pistoia et piqua vers Modène, d'où l'on passa les Apennins dans le froid de l'hiver. La pagaille s'était mise dans le convoi, étiré sur les routes enneigées. Un jour, on faisait dix-neuf lieues, le lendemain quatre seulement. Et à chaque halte, les courriers de Napoléon arrivaient, ordonnant d'aller plus vite. Le pape était fatigué. Dans la suite, plusieurs cardinaux âgés furent pris de malaises. L'inquiétude gagna les médecins. A Turin, Pie VII exigea que l'on prît du repos. « Nous nous dépêchons, écrivit-il à Napoléon, mais l'horrible état des routes, l'insuffisance des chevaux qui nous a séparés d'une partie de notre cortège, et la fatigue nous obligent à nous reposer un jour à Turin. »

Les Alpes furent franchies, encore sans dommage, par le mont Cenis ; mais, après, ce fut la débandade. La frontière passée, en France, Napoléon se prit à bouleverser les étapes et à modifier les itinéraires sans même prévenir : le 19 novembre, on arriva à Lyon, où on dut laisser le cardinal Borgia, qui y mourut quatre jours après. Le 23, ce qui restait du cortège se rassembla dans la plaine. Tout le monde était exténué. On avait perdu une partie des bagages. Le pape n'avait plus de secrétaires. « Je vous écris de ma propre main, sur cette feuille de papier peu convenable, mais nos secrétaires ne nous ont pas encore rejoint », écrit-il, de Cosne, à Napoléon pour le faire patienter. Napoléon répond en doublant les chevaux frais. Il ordonne à Fesch de reprendre la route immédiatement et presse le mouvement, comme s'il s'agissait d'un train de l'armée.

Le 25, peu après midi, la berline du pape, les portières boueuses, crottées jusqu'aux moyeux, arrive enfin en forêt de Fontainebleau. Elle est presque seule et va lentement. Au lieu-dit la Croix-Saint-

Hérem, on voit surgir plusieurs meutes de chiens et une petite troupe de cavaliers qui s'arrêtent, soudain, à quelques mètres.

C'est Napoléon, qui feint d'être à la chasse et d'être là par hasard. Immobile, il laisse le pape descendre de voiture avant de mettre lui-même pied à terre et d'aller à sa rencontre. Puis, toujours comme par hasard, six carrosses des écuries impériales, reluisants d'or et de blasons fraîchement peints, les chevaux bichonnés, tout cuivres astiqués, sortent à leur tour des fourrés. Napoléon monte le premier, pour prendre la place de droite. On part au grand galop vers le château, où l'on arrive au son du canon, devant la cour assemblée.

Droit devant le carrosse, sous les yeux du pape, caracolait un escadron de mamelouks, visages maures et turbans à aigrettes, la hampe de leur étendard surmonté du croissant de Mahomet.

La vue de Paris fit un grand effet sur les Romains de la suite pontificale, qui se sentirent immédiatement soulagés de la plupart de leurs craintes. Ce n'était certes plus l'antre de la Révolution ! Ce qu'ils voyaient, les laïcs surtout, c'était la capitale de la plus riche et puissante nation de l'Europe, en pleine expansion dans le bonheur de la paix retrouvée, avec toutes les apparences de la concorde civile, d'une société bien ordonnée, dynamique et tournée vers l'avenir.

Comme Rome était vétuste et provinciale, à côté ! Ce n'était, partout, que créations nouvelles. Partout, on leur montrait des plans, des projets. Et tout cela leur était présenté, de réceptions en fêtes, avec une allégresse, un esprit où ils retrouvaient l'image de cette France des lumières qu'ils avaient crue étouffée par la dictature militaire.

Tommaso était au comble du contentement. « Je n'arrive pas à vous dire la manière grandiose dont nous sommes traités ici, comme nous l'avons été pendant le voyage. Occasion plus belle ne peut être donnée à un homme, vivrait-il un siècle. Nous voyageons avec un souverain, et ce souverain est le pape », écrit-il à Paul-Augustin, le 22 janvier.

Avec ses collègues, il est reçu à l'Académie de médecine, à l'Académie des sciences, au Collège de France ; il visite les hôpitaux, il rencontre tous ceux qui comptent dans les sociétés savantes, elles aussi en plein renouveau. Il court aussi les librairies spécialisées.

« Sa passion pour les livres, qui déjà le dominait, s'accrut pendant ce voyage. Depuis cette époque, il ne parut plus d'ouvrage de médecine, botanique, minéralogie, chimie ou autre science similaire, en France, en Angleterre ou en Allemagne, sans qu'il s'employât avec ardeur pour l'obtenir au plus tôt, en chargeant ses amis et correspondants dans ces pays d'en explorer les publications savantes », rapporte son biographe, D.R. A Paris, il fit aussi des achats considérables pour la bibliothèque de Santo Spirito, la fameuse Lancisiana, et pour la bibliothèque de la Sapienza, qui le lui avaient demandé. Il écrit à Maria Nicolaja « par commission du gouvernement (pontifical) j'ai dû dépenser à Paris plus de huit cents écus en livres », somme dont il ne sera pas encore remboursé en décembre.

Pour son propre compte, il avait bien trouvé à Paris deux lettres de change de Paul-Augustin, dont il ne précise pas le montant, mais il semble qu'il n'ait pas été celui promis, car Tommaso revient à la charge et insiste pour qu'on lui fasse trouver à Rome « le reste des trois mille francs ». Jusqu'à présent je suis en déficit dans ce voyage, par la délicatesse de mes fonctions, et je ne sais quand je serai compensé ; mais je dois tout tenter pour assurer ma chance... Faites qu'à mon retour je trouve le reste de l'argent, parce que j'ai un plan bien commencé et j'espère, une fois à Rome, donner une impulsion plus forte à ma fortune » (à Paul-Augustin, 22 janvier 1805). Il n'oublie pas non plus, même à Paris, l'affaire de l'argenterie et c'est avec les mêmes insinuations offensantes pour son frère qu'il demande à Paul-Augustin d'intervenir encore pour qu'Anton Sebastiano lui donne sa part « en veillant scrupuleusement à ce que je ne sois volé ni en poids, ni en qualité ».

Il n'insiste cependant pas. La maladie pulmonaire de Paul-Augustin s'est aggravée et Tommaso s'en inquiète. La moitié de sa très longue lettre est consacrée à rassurer son beau-frère, en lui prodiguant ses conseils. Tommaso analyse les symptômes et suggère un traitement « à soumettre au médecin qui vous soigne », avec une délicatesse de ton qui plaide en faveur des qualités humaines qu'il devait avoir comme médecin, outre sa compétence. « Gardez l'esprit calme, modérez votre activité. Lorsque je serai rentré, je vous enverrai un très rare appareil que je suis le seul à posséder à Rome, appelé la pipe anglaise de Mr. Mudge, la plus utile dans une telle maladie pour respirer un air traité aux médicaments... »

Du sacre, il ne raconte pas grand-chose. Les Romains de la suite n'avaient pas apprécié la mascarade. Ils étaient indignés des humiliations dont Napoléon ne cessait d'abreuver le Saint-Père en public. A Fontainebleau, déjà, dès le premier jour, le pape n'avait pas reçu une seule marque de respect. Napoléon avait même exigé qu'il lui rendît visite le premier. Le cardinal Di Pietro, le plus influent de l'entourage, voulait protester. « Si nous devons nous disputer, que ce ne soit pas pour des questions d'étiquette », avait répondu Pie VII. Mais l'étiquette, pour Napoléon, était un instrument de pouvoir. Il fallait montrer que la religion était elle-même soumise aux lois de l'Empire. Le pouvoir, désormais, ne venait plus de Dieu, mais de la Nation. Le pape était un subalterne du nouvel empereur.

A Notre-Dame, le 2 décembre, le pape avait attendu pendant deux heures le cortège impérial, assis dans un fauteuil seul, triste, le cardinal Braschi debout à côté de lui, dans la nef transformée en salle du trône gréco-romaine. Son rôle s'était borné à oindre l'empereur du Saint-Chrème, avant la messe. Il n'avait pas touché à la couronne. Napoléon se l'était posée lui-même sur la tête, avec une arrogance délibérément symbolique. Aussitôt après la messe, le pape avait dû s'éclipser, pour ne pas assister au serment constitutionnel qui garantissait la liberté des cultes, refusée par l'Eglise catholique ; et il avait dû le faire discrètement, pour ne pas avoir l'air de partir avant leurs Impériales Majestés. Bref, il n'avait même pas joué un rôle de chapelain. Et la religion, dans tout cela ? Mgr de Pradt, le maître des cérémonies du clergé, toujours à un pas de Napoléon, n'avait pas cessé de bâiller.

Et le scandale de la veille ! Les Romains l'avaient appris en route pour Notre-Dame. Joséphine qui s'était jetée aux pieds du pape pour lui avouer qu'elle n'était pas mariée à l'Eglise ! Napoléon, prêt au sacrilège ! L'émotion du Saint-Père ! Fesch qui bénit l'union en pleine nuit, à la sauvette, dans la chapelle des Tuileries ! Fesch ! Ah oui, et la religion dans tout cela ?

Dans la suite du pape, on échangeait fiévreusement les dernières confidences. Qu'allait-on apprendre encore ? Quelle nouvelle humiliation le pape subirait-il ? Seul Pie VII paraissait ne jamais épuiser ses trésors de charité chrétienne. Le lendemain, 3 décembre, _Le Moniteur_ parla surtout du soleil qui avait brillé pendant la cérémonie. L'auteur du compte rendu annonçait qu'il peindrait le magnifique spectacle « une autre fois ». Les Romains l'attendirent en vain. Napoléon avait ordonné de faire en sorte que le bon peuple pût croire que le pape avait donné sa caution au serment constitutionnel. La relation officielle du couronnement ne fut jamais publiée dans la presse.

4

A Rome, les nouvelles du voyage du pape avaient été lentes à arriver. A la mi-décembre, bien après la date prévue pour le sacre, on ne savait pas encore s'il avait eu lieu. Les rumeurs les plus sinistres commençaient à courir dans la population et Consalvi s'en inquiétait. Le 17 décembre, dans la soirée, on apprît un événement extraordinaire, une sorte de prodige. Un gigantesque ballon était tombé dans le lac de Bracciano, à une dizaine de lieues de la capitale. « *Che è ? Che non è ?* » On le récupéra le lendemain. C'était bien un ballon, un ballon en soie gommée, entouré d'un filet soutenant une sorte de couronne impériale en fil de fer, avec quelques lanternes encore accrochées.

Une inscription disait qu'il avait été lancé le 16, à l'hôtel de ville de Paris, pour une fête donnée en l'honneur du couronnement de l'empereur. Son constructeur, M. Garnerin, « aéronaute privilégié de S.M. l'Empereur de Russie et ordinaire du gouvernement français » priait qu'on lui écrivît en précisant l'endroit où il était tombé. A Rome, on n'y crut pas. Trois cents lieues en vingt-deux heures, c'était impossible ; ou alors, c'était quelque diablerie des Français. Consalvi fit amener l'objet à Rome, où on l'exposa au Vatican ; on se pressa pour le voir, on s'extasia sur la marche du progrès. C'est ainsi que les Romains apprirent que le sacre avait eu lieu comme prévu, et par déduction que le pape était bien arrivé à Paris.

Noël vint, et les cérémonies à Saint-Pierre se déroulèrent sans le pape et sans qu'on annonçât son retour. Dans la population, comme dans la plupart des réceptions en ville, on commençait à murmurer sur la durée de son absence. L'habituelle rumeur s'amplifia, qu'on le retiendrait prisonnier à Paris. Le chevalier Artaud de Montor, qui assurait la représentation de la France en l'absence de Fesch, s'en fait l'écho et note dans sa correspondance avec le ministère à Paris que les « *conversazioni* » les plus courues étaient celles où l'on disait du mal des Français.

Le parti français, pourtant, se gonflait d'assurance. Profitant de l'absence du pape, il complotait ouvertement contre Consalvi. Le banquier Torlonia, devenu duc par l'achat du duché de Bracciano, et qui ne voyait pas de limites à son ascension, menait la cabale. Le cardinal secrétaire d'Etat lui refusait les marchés de l'Etat, le traitait publiquement de voleur et, pour que cela fût manifeste, refusait d'aller à ses réceptions. « Nous le ferons sauter, ce Consalvi, et dans sa culbute nous enverrons tous ses protégés les jambes en l'air », dit un soir, très haut, la nouvelle duchesse, cette redoutable intrigante d'Anna Maria, à une « *conversazione* » chez les Chigi. La princesse douairière Borghese s'y trouvait. On en fit un complot.

La duchesse Braschi n'en était pas. Elle avait d'autres soucis : Mme de Staël était arrivée à Rome et refusait de lui rendre visite la première. Donna Costanza lui fit dire qu'elle ne pouvait elle-même se déplacer car son sigisbée avait mal au pied. Elle lui prêta cependant Vincenzo Monti qui lui servit de cicérone. La plus illustre voyageuse d'Europe fut partout fêtée comme une reine. Elle l'accepta avec naturel et en rajouta en imagination. C'est d'une banale réception à l'académie de l'Arcadia qu'elle tirera la description du triomphe de Corinne au Capitole. Mais elle trouva les Romains futiles. Le chevalier Artaud, qui fut aussi son cicérone, note que « lorsque Mme de Staël partit, elle emporta, je ne sais pourquoi, des préventions contre les Italiens ».

L'hiver fut particulièrement pluvieux. Il tomba des cataractes sur Rome et sur les Apennins, dont les torrents engrossèrent le Tibre, qui déborda et inonda la moitié de la ville. En une nuit, le quartier de Ripetta, qui était alors port fluvial, fut couvert d'eau jusqu'au deuxième étage des maisons et la crue prit des proportions jamais vues. La trace en est encore marquée sur la façade de l'église de la Minerva, près du Panthéon.

Dans les eaux boueuses, on voyait passer des arbres, des charrettes et des cadavres de bœufs entraînés par un fort courant. Le vent du nord soufflait sans discontinuer. Toute la nuit, on entendit de grands cris : « Au secours ! Pitié ! Du pain ! » Consalvi, en grand manteau rouge, debout à l'avant d'une barque, apporta lui-même du pain aux victimes réfugiées sur les toits. Puis les eaux baissèrent en laissant une épaisse couche de boue nauséabonde, qu'il fallut rejeter rapidement dans le Tibre, par crainte des épidémies. Pour les Romains, c'était un présage de malheur.

Salvatore le prit à la légère. Pour se remettre de ses émotions, il avala, un jour, huit petits pains et huit doubles cafés à la suite et en fit un sonnet, qui resta heureusement inédit. Mais l'oncle Thomas le sut et fut très mécontent. Son neveu ne serait jamais qu'un étourdi. Ni les rumeurs sur le voyage du pape, ni les intrigues politiques, pourtant de notoriété publique et vertement commentées par Pasquino, ne paraissent intéresser Salvatore. Débarrassé de la surveillance du signor zio, heureux auprès de l'abbé Poletti, il continue sa vie tranquille, partagée entre l'étude et la rêverie poétique.

A la rentrée d'octobre, il s'était de nouveau inscrit à la Sapienza, mais cette fois pour y faire son droit. « *Descriptus fuit in matricula admissus inter autores in classe legale* » : le petit carton d'immatriculation porte la date du 25 novembre 1804. Cela se fit sans débats. Salvatore ne parle plus de sa vocation au sacerdoce. Celle de poète n'était guère avouable ; mais c'est en vers qu'il fait semblant de se rendre à la raison, dans le secret de son petit calepin :

> *Adieu Pinde, adieu Muses, Apollon adieu*
> *et vous aussi, lauriers amers...*
> *Mercure accueille-moi, dieu tutélaire*
> *de l'éloquence et des voleurs.*

Droit public, droit civil, droit criminel, jurisprudence, autant de petits cahiers, rédigés en latin, qu'il a soigneusement gardés de cette première année. Ils attestent le sérieux et l'application avec lesquels il suit ses cours, et la solidité des bases sur lesquelles il entreprendra sa future carrière de magistrat.

C'est à cette époque, aussi, qu'il découvre la littérature et surtout la poésie anglaises, dans laquelle il se plonge avec voracité. Pope et Byron, le premier surtout, apparaissent alors dans ses notes de lecture et les citations qu'il recopie pêle-mêle. Pour une partie de la jeunesse, en Italie, l'intérêt pour la poésie anglaise était souvent la manifestation d'une sympathie politique, par opposition à l'envahissante influence de la France. L'Angleterre était la seule nation qui tînt tête à Napoléon, la seule qui sauvegardât ces aspirations à la liberté que ses poètes faisaient maintenant passer dans leur souffle romantique. Byron exaltait les jeunes cœurs. Il est possible que l'admiration que Salvatore montrera pour lui toute sa vie — il le traduira et le commentera bientôt — soit née de ces mêmes sentiments. Ils concordent, en tout cas, avec ceux qu'il éprouvait pour Pascal Paoli, qui précisément avait choisi l'Angleterre pour son dernier exil.

A Paris, Napoléon faisait traîner les négociations, qui s'étaient enfin ouvertes après le sacre, mais n'avaient de négociations que le nom. L'empereur trouvait le pape « brave homme », mais l'aspect spirituel des questions que Pie VII évoquait lui échappait complètement. Le pape, d'autre part, n'avait pas pour conseiller Consalvi, mais le nonce à Paris, le cardinal Caprara, un triste personnage acoquiné avec Talleyrand. Pie VII avait eu quelques mots très durs pour lui. Le problème des six évêques constitutionnels avait été réglé avec ces derniers. Mais les Français ne voulaient rien céder sur les articles organiques. Quant au retour des Légations, que Bonaparte avait annexées à la République cisalpine, il ne voulait même pas en entendre parler.

Les difficultés auxquelles le pape se heurtait étaient maintenant connues en détail, à Rome, amplifiées par les ministres des cours étrangères ou les agents des gros négociants de Livourne. On recommença à dire tout haut que Napoléon ne cherchait qu'un prétexte pour garder le pape en France. Le chevalier Artaud, qui avait l'oreille tendue, rapporte la consternation avec laquelle on avait appris à Rome qu'un « grand officier » de Napoléon avait approché le pape pour lui suggérer de s'installer à Avignon.

Le projet français était assez avancé pour prévoir un palais pontifical à Paris et un quartier réservé aux diplomates accrédités auprès du Saint-Siège, avec statut d'extraterritorialité. C'était avouer que Napoléon prévoyait bien de transférer définitivement le Saint-Siège à Paris.

« Si vous me retenez ici, vous n'aurez entre les mains qu'un pauvre moine qui s'appellera Barnabo Chiaramonti », avait répondu Pie VII. Napoléon n'avait pas insisté. Ce n'était que partie remise.

Un soir il dit enfin, sèchement, que les négociations étaient terminées et que le pape pouvait repartir. L'entourage poussa un soupir de soulagement. « Nous partirons d'ici le 10 février. La première colonne partira le 4 ou le 5. Celle du pape, avec laquelle je voyage, le 10, et la troisième cinq jours après. Notre chemin sera autre qu'à l'aller et ne repassera pas par la Toscane ; aussi vous pouvez imaginer combien nous avons encore à jouir de belles choses », écrit fin janvier Tommaso à Paul-Augustin. Mais Napoléon fit encore retarder d'un mois le départ. Il allait lui-même partir pour Milan pour s'y faire couronner roi d'Italie, et exigea que le pape ne quittât Paris qu'après lui.

Le premier convoi prit la route, enfin, le 9 mars ; celui du pape le 15. Le voyage avait été mieux organisé. Il fut surtout moins bousculé et prit deux mois, là où on en avait mis un à l'aller. Partout, les populations accouraient saluer le Saint-Père, le long du chemin, avec d'autant plus d'enthousiasme, dès qu'on fut en Italie, qu'on avait cru le perdre.

A Rome, on apprit le 2 mai que le pape était à Parme et qu'il serait de retour le 16 dans sa ville. Le cortège entra par la porte du Peuple. Un soleil éclatant faisait miroiter les cuirasses et les casques de la garde, les croix processionnelles, les broderies d'or et d'argent des oriflammes et les dorures baroques des carrosses de gala, qui avaient pris le relais des berlines de voyage au Ponte Molle. Le tumulte populaire était indescriptible. La superstition, autant que la foi, en décuplait l'ardeur. Rome sans le pape était orpheline et son absence avait duré plus de six mois.

Princes et cardinaux avaient joint leurs carrosses au cortège, qui, par le Corso, gagna lentement Saint-Pierre dans un grand fracas de vivats, de trompettes, de canons. C'était un spectacle grandiose. Ce sera le dernier triomphe de Pie VII. Mais ceux qui ce jour-là y étaient, Tommaso en carrosse, Salvatore dans la rue, comme le caustique abbé Benedetti qui le raconte si bien dans son journal, ne le savaient pas [11].

Dans la basilique Saint-Pierre, après le chant du Te Deum et la bénédiction pastorale, le pape, qui s'était agenouillé, ne se releva pas et resta immobile sur son prie-dieu, figé sans un mouvement. Il commençait à faire sombre ; la basilique n'avait pas été préparée pour une cérémonie nocturne. Les trente mille personnes environ qui s'y trouvaient commencèrent à chuchoter, de plus en plus fort, surprises puis inquiètes de voir lentement s'effacer la frêle silhouette dans la montée des ténèbres. Consalvi s'approcha du pape et le tira doucement par le bras. Pie VII eut du mal à se mettre debout. Il était à bout de forces.

Les retrouvailles de Tommaso et de Salvatore furent dépourvues d'aménité. La décision de son neveu de faire son droit plut d'autant moins au signor zio qu'il n'y vit qu'un faux-fuyant pour mieux rêvasser tout à l'aise. Il le trouva d'autre part endetté sans vergogne avec l'abbé Poletti. Non, décidément, Salvatore ne donnait que des déceptions, et Tommaso n'avait qu'un désir : le voir repartir au plus tôt pour Bastia.

Tommaso à Paul-Augustin : « Rome, 24 mai 1805. Mon très cher beau-frère. Je suis anxieux pour votre santé. Donnez-moi de vos nouvelles... A mon retour à Rome, j'ai eu la surprise de trouver Salvatore couvert de dettes avec Poletti, auquel il doit 80 écus environ, ce qui est une marque de mauvaise éducation et d'ingratitude. Il a décidé de faire son droit, mais continue à se distraire beaucoup dans la vaine et inutile lecture des livres poétiques. Je vous conseille de le rappeler à Bastia, où il pourra étudier le droit autant qu'ici, et même mieux car il n'aura pas ensuite à s'adapter à la législation française... Quant à moi, les dépenses que je dois faire pour parvenir à de nouvelles distinctions, et tant que je n'en aurai pas tiré un avantage positif, m'empêchent de l'aider et de le prendre à ma charge. Mais croyez que je peux lui faire du bien même de loin... De mon voyage, jusqu'à présent, je n'ai même pas eu l'avantage d'un sou. Tout est espoir à venir et j'ai donc besoin d'argent, car en attendant les dépenses courent... »

Ce sera sa dernière lettre pour Paul-Augustin, qui mourra le 24 juin, d'une congestion pulmonaire. Il avait quarante-deux ans, et laissait sept enfants, dont la plus jeune, Maria Nunzia, n'avait pas trois ans. Salvatore et Tommaso l'apprirent plus d'un mois après, puisque le 1er août Salvatore écrit encore à son frère Louis pour lui recommander de bien veiller sur leur père, qu'il sait condamné. « C'est à moi qu'il reviendrait d'accomplir ce que je vous conseille, étant l'aîné, appelé à devenir le soutien de notre famille si le ciel nous frappe en le rappelant, mais cela ne m'étant pas permis par mon éloignement et l'état que mon père m'a assigné, c'est à vous que je suggère ce que je ferais avec une extrême affection. Pour ma part, je ferai en sorte, pendant ces deux ou trois ans qui me restent pour terminer mes études, d'être le moins possible à la charge de la famille, si je ne puis lui apporter d'avantages. » La nouvelle lui fut donnée par l'oncle Tommaso, puis il reçut une longue lettre de Maria Nicolaja qui lui faisait le récit de la mort, avec une grande pudeur et dignité.

Paul-Augustin s'était éteint à la maison, entouré de sa mère, de sa femme et de ses enfants, vers les quatre heures de l'après-midi, en gardant jusqu'au dernier moment sa fermeté d'âme et sa lucidité.

Maria Nicolaja à Salvatore : « Bastia, le 8 août 1805... vous devez savoir qu'avant de recevoir Jésus dans le Saint-Sacrement, et après

47

avoir dit ses prières avec sa mère très affectueuse et avec moi, son épouse, et après avoir exhorté vos frères et sœurs présents il vous a donné à tous sa paternelle et tendre bénédiction, en vous demandant d'obéir à ses volontés exprimées dans son testament qui vous recommande la sainte crainte de Dieu, l'union entre frères et sœurs et le respect de sa mère et de la vôtre... A vous et à Louis, qui était présent, il a aussi recommandé que vous fassiez pour vos frères ce qu'il a lui-même fait pour vous deux. C'est pourquoi, mon très cher fils Salvatore, je vous recommande de continuer avec sérieux et sérénité vos études de droit, afin de devenir, après Dieu, le soutien de notre nombreuse famille. Le talent ne vous manque pas, mon fils, aussi soyez ferme, constant, assidu... »

Maria Nicolaja dresse ensuite l'état de leur fortune et des affaires de famille. Celles-ci ont été brutalement compromises et presque ruinées par la mort de Paul-Augustin, car « les frères Gregorj, avec qui vous savez que votre père était en affaires pour 72 000 francs, en le voyant perdu de santé, l'ont assailli dans les derniers jours, pour sa plus grande angoisse, en prétendant d'être entièrement payés ». Les comptes sont complexes, mais donnent une idée de l'aisance de la famille et du commerce d'étoffes de Paul-Augustin, dans une ville comme Bastia (8 000 habitants environ, à l'époque). Le crédit des frères Gregorj, après un versement immédiat de 6 000 francs, restait de 44 000. Maria Nicolaja leur en avait rendu 29 000, dont 10 000 francs « en marchandises en magasin » et 19 000 « en argent comptant, comme Dieu a voulu ». Il restait 15 000 francs à payer, « dix mille à la fin du mois, en espérant que nos propres débiteurs nous payent », et 5 000 au mois de janvier suivant.

« Quel a été, et est encore, le tourment de votre mère et de votre famille, je vous le laisse penser, et certainement je n'aurais pas pu vous envoyer un sou si votre oncle prêtre Santamaria ne m'avait spontanément offert son petit pécule, pour que vous n'ayez pas à interrompre vos études ; et il m'aurait donné plus, s'il l'avait eu. Tout cela, je vous le dis non pas pour accroître votre douleur, mais pour encourager votre constance dans les études que vous avez entreprises, sans toutefois compromettre votre santé. En réussissant dans vos études, non seulement vous serez estimé, mais on respectera toute la famille... »

Dans quelle chambre sera-t-il mort, Paul-Augustin ? Laquelle des lourdes portes en châtaignier aura-t-on ouverte à deux battants devant son cercueil, pour le conduire à sa dernière messe à Saint-Jean ? C'est notre premier mort que je peux voir distinctement partir de la maison où il a laissé tant de traces encore vives.

Cheveux et sourcils châtains, front large, visage ovale, il avait les yeux clairs. On voit combien, physiquement, Salvatore lui ressemblait, quoique Paul-Augustin fût plus grand, 5 pieds quatre pouces (1,74 m). Il était né en 1753 et sa vie s'inscrit, presque parfaitement dans cet espace étroit de Terra Vecchia, entre le port et Saint-Jean, avec l'harmonie tranquille d'un quotidien en ton mineur que la Révolution, lointaine, ne fit qu'effleurer.

Non qu'il n'ait eu à faire la preuve de ses convictions et de son courage. « En novembre 1789, mon père participa à la révolution qui, de France, s'était propagée à Bastia. Une assemblée s'étant faite à Saint-Jean, composée de citoyens aimant la liberté, mon père fit partie de la députation envoyée au gouverneur pour qu'il s'y présentât... Le gouverneur fut menacé de mort s'il ne désarmait pas les milices », notera Salvatore, dans l'un de ses premiers zibaldons [12]. L'assemblée populaire demandait qu'on désarmât la garnison pour former une garde nationale, comme en France. La citadelle braqua ses canons vers la ville. Une fusillade éclata. Le gouverneur de Barrin, retenu dans Saint-Jean, finit par céder. Dans l'allégresse générale, les fusils avaient été distribués au peuple.

En 1791, autre assemblée populaire dans Saint-Jean, pour réclamer la liberté des prêtres non jureurs cette fois. Paul-Augustin avait été parmi les premiers à signer la pétition adressée à l'Assemblée nationale, qui répondit par une répression militaire.

Mais ce ne furent qu'événements passagers, dans la continuité profonde de sa vie, et Paul-Augustin ne fut jamais tenté par l'action politique.

Notable par ses origines familiales, sa vie fut celle d'un commerçant aisé, sinon riche, d'un honnête homme cultivé, apparemment en paix avec lui-même et ouvert à son entourage : sa famille (il eut sept enfants), sa paroisse (il fut prieur de la confrérie de Saint-Roch), et sa ville (il entra au conseil municipal en l'an IX, 1801). Son livre de raison, qu'il tenait succinctement, ne relate pratiquement que des événements de famille : naissances, baptêmes, mariages et morts, dans un cercle étroit de parentés serrées. C'est leur cousin l'abbé Santamaria qui marie en même temps, le 3 octobre 1784, à cinq heures du matin à Saint-Jean, Paolo Agostino Viale à Maria Nicolaja Prelà, et sa sœur Maria Giuseppa Viale à Anton Sebastiano Prelà, frère de Maria Nicolaja.

Les Prelà étaient du même milieu. Propriétaires et commerçants aisés, originaires de Ligurie comme les Viale, et comme eux enracinés en Corse depuis déjà près de deux cents ans, ils habitaient le même quartier de Terra Vecchia, au Carrughju Diritto, où les contrats de mariage avaient été signés, le 29 septembre, dans la maison de Benedetto Prelà. Maria Nicolaja faisait alors des élégances. Son trousseau comptait plusieurs robes longues en soie, dont une « couleur d'œil d'empereur » et six paires de souliers en velours et soie.

Rares sont les événements extérieurs que rapporte le livre de raison de Paul-Augustin ; et lorsqu'ils le sont, c'est généralement pour leur incidence familiale, telle cette vendange miraculeuse, « sans égale, de mémoire d'homme vivant », en octobre 1785, le mois où naquit Maria Orsola, son premier enfant. « L'on ne voyait partout que gens affairés à fabriquer tonneaux et baquets et tout le monde désespérait d'arriver à sauver tant de vin. » Il remplit lui-même soixante-douze tonneaux de vin pur, et pourtant, note-t-il, « mes vignes n'étaient pas chargées outre mesure, comme l'étaient tant d'autres ».

Paul-Augustin a également laissé plusieurs petits cahiers de notes et de réflexions intimes dont l'un tenu pendant une retraite dans un couvent. Un autre comprend un certain nombre d'exercices spirituels, avec, sur la page de garde, la phrase : « *Militia est vita hominis.* » On avait d'ailleurs le Chemin de Croix à la maison, avec les indulgences prévues pour ceux qui la suivaient à l'église. Paul-Augustin l'avait obtenu de Pie VII, sans doute grâce à Tommaso Prelà, en 1792, au moment où la Révolution se transformait en Terreur, et ce n'est peut-être pas simple coïncidence.

Les passeports de Paul-Augustin le qualifient de « marchand ». Une patente, délivrée le 19 octobre 1795, au nom de Son Excellence Gilbert Elliot, vice-roi du royaume anglo-corse, lui donne « faculté de tenir ouverte une boutique pour la vente publique de ses marchandises de drap, toile, soieries et autres objets de son commerce ». Renouvelée sous la République, la patente lui coûte 30 francs le 14 thermidor an VII. Un connaissement du 3 février 1797 à son nom fait état de huit balles de toile amenées de Livourne par la felouque l'*Assunta*. Un passeport lui a été délivré en messidor an VI (1798) pour se rendre à Lucques, ville alors fameuse pour ses damas. Un autre, de brumaire an IX, est délivré pour Marseille. Mais il avait d'autres revenus, de vignes et oliveraies notamment héritées de son père, Salvatore, armateur, qu'il consignait soigneusement dans ses livres de comptes. Le dernier se termine sur les frais de son propre enterrement à Saint-Jean — chandelles, torches de cire, aumônes... —, notés de la main de Maria Nicolaja.

Depuis que son cousin Sebastiano Viale avait émigré « pour raisons politiques » en 1791, Paul-Augustin était également « économe », c'est-à-dire administrateur principal de l'héritage des Favalelli. Cet héritage n'était pas encore partagé entre les deux branches de la famille Viale et la municipalité qui en réclamait une partie. Ce sera une longue histoire de cent ans. Le livre de comptes séparé, « *libbro di piggioni* » qu'il tenait méticuleusement pour les loyers, dit l'ampleur de cette fortune en maisons, boutiques, caves, magasins et terrains de toutes sortes. Mais les Viale ne pouvaient en disposer sauf il est vrai de la maison, qu'ils habitaient, la « *casa grande Favalelli* » située « dans la rue du Canto dell'Olmo, qui porte à Saint-Jean » — la maison de famille.

C'est là qu'était la vraie vie de Paul-Augustin, entre sa bibliothèque — où plusieurs livres portent encore son nom ou son écriture : les *Odes* d'Horace, l'*Art poétique*, un petit Thucydide en grec annoté de sa main — et sa famille, qu'il élevait avec une rectitude et une piété dont l'exemple marqua ses fils et qui explique sans doute, plus que son intelligence, l'estime que lui portait un homme comme Tommaso Prelà.

C'était là, c'est ici, et le temps est peu de chose, qui n'a pas effacé ces humbles traces de la mémoire du cœur.

L'aventure de Bonaparte se poursuivait, fulgurante, fascinante dans sa démesure qui sortait des normes humaines. L'empire du monde semblait à sa portée. A Rome, on s'en remettait à la Providence ; mais que sauverait-elle, si la Bête de l'Apocalypse était déchaînée ? L'Eglise, l'empereur l'acceptait. Elle était pour lui un instrument de domination, comme l'armée ou la police ; une sorte de police des âmes. Mais le pape se tenait entre les âmes et lui. Le chef de l'Eglise était, d'autre part, le souverain d'un Etat sur le trône duquel on ne pouvait le remplacer par quelque Bonaparte, Murat ou Beauharnais, par décret. Or son Etat coupait l'Italie en deux, cette Italie que l'empereur privilégiait dans ses rêves de gloire pour lui et pour sa famille, et dont il venait de se proclamer roi.

Entre Rome et Paris, la lune de miel était bien terminée et la tension montait de jour en jour. Fesch et Consalvi en avaient été les premières victimes. Leur mésentente avait atteint l'insupportable et le pape avait obtenu, en avril, que l'outrecuidant et incapable ambassadeur-cardinal fût rappelé à Paris. Mais sitôt arrivé auprès de son impérial neveu, Fesch avait exigé la démission de Consalvi et Pie VII n'avait pu le sauver. On l'avait remplacé par le cardinal Filippo Casoni, vieillard faible et nul. Puis les troupes françaises, en route pour la conquête du royaume de Naples, avaient laissé à Rome ce qu'on appelait pudiquement un détachement d'état-major, hôte menaçant. Il y avait eu Austerlitz, où Napoléon avait écrasé les empereurs d'Autriche et de Russie.

Maintenant, un an après, c'était Iena, l'écrasement des Prussiens. Seule, l'Angleterre restait debout. De Berlin, où il campait dans le palais du roi, Napoléon proclama le blocus continental pour l'étrangler. Personne ne paraissait plus en mesure de s'y opposer. Pourtant, à l'étonnement général, une voix s'éleva. C'était celle de Pie VII, le doux, le faible, l'innocent Pie VII, qui refusait de fermer les ports de ses Etats.

Napoléon était encore à Berlin. Il y convoqua sur-le-champ le premier représentant du pape qui se trouvât à sa portée, un certain Mgr Tommaso Arezzo, archevêque de Séleucie qui était à Dresde presque par hasard.

Arezzo partit le jour même, courut « comme un courrier de cabinet », arriva à Berlin à huit heures du matin, crotté, fourbu, vit Talleyrand qui n'était pas au courant, et alla se coucher. Il n'était pas plutôt au lit qu'un aide de camp vint l'en tirer : l'empereur l'attendait. Le pauvre Arezzo se rhabilla, se peigna, fit chercher une voiture et, à midi, se présenta au palais de Frédéric II, où il fut poussé chez l'empereur qui attaqua aussitôt :

« Ah ! le pape est un saint homme, mais il est mal conseillé. Il dit qu'il se laissera tuer plutôt que de céder. Mais qui veut le tuer ? S'il ne fait pas ce que je veux, je lui ôterai le pouvoir temporel. Je le respecterai toujours comme chef de l'Eglise, mais rien n'oblige le pape à être souverain de Rome. Les papes les plus saints ne l'ont pas été. Je lui donnerai un apanage de trois millions, pour qu'il puisse soutenir sa réputation avec dignité ; je mettrai à Rome un roi ou un sénateur, et je partagerai ses Etats en autant de duchés. Mais c'est assez. Au fait.

« Je vous ai envoyé chercher pour vous dire d'aller immédiatement à Rome signifier péremptoirement à Sa Sainteté qu'elle doit fermer ses ports aux Anglais et entrer dans ma confédération. Comment peut-elle s'imaginer que je vais laisser,

51

entre mon royaume d'Italie et le royaume de Naples, des ports que les Anglais pourraient occuper en cas de guerre ? Je veux être en sécurité dans ma maison. L'Italie m'appartient tout entière par droit de conquête. Tout doit être décidé d'ici au 1er janvier. Si le pape accepte, il ne perdra rien ; sinon, il perdra ses Etats. L'excommunication est passée de mode et mes soldats marcheront où je voudrai. Que le pape se souvienne que j'ai rétabli la religion, que tous les catholiques, ou presque, sont sous mon sceptre. La main de Dieu conduit mes armées... »

Napoléon, ajoute Arezzo, avait dit tout cela d'un trait, mais avec le plus grand calme, sur un ton familier de conversation, comme s'il disait la chose la plus évidente du monde. Il n'avait même pas écouté une timide réflexion, tentée par Arezzo, sur les fondements du pouvoir temporel. « Quand il eut fini, dit Mgr Arezzo, je lui dis que je partirai aussitôt, mais que j'étais âgé et malade et que je ne pouvais aller à marches forcées comme les soldats de Sa Majesté, et que Sa Majesté voulait me faire courir trop vite, spécialement pour la saison... », bref que le délai était trop court.

« Allons donc, répliqua Sa Majesté, vous me semblez jeune et robuste. Je ne dis pas que vous devez galoper comme un courrier, mais je désire que la chose se fasse vite. Pour le 1er février tout doit être décidé, à commencer par la fermeture des ports en cas de guerre. Et dites bien à Sa Sainteté que vous m'avez parlé dans le palais du roi de Prusse. »

Cela se passait le 12 novembre 1806. Le rapport que Mgr Arezzo rédigea pour le pape, sans perdre le temps de souffler, le jour même de son arrivée à Rome, resta secret[13]. Mais dans l'entourage pontifical on en eut vite connaissance et l'on sut ce qu'il signifiait : la condamnation de Pie VII. Napoléon ne lui laisserait plus longtemps son indépendance. Le parti français se fit plus arrogant. On vit les Braschi s'y rallier ouvertement.

Pas Tommaso Prelà. Sa fidélité au pape ne montra pas d'hésitation. Quoiqu'il fût français de nationalité, et toujours le bienvenu à l'ambassade à cause de ses fonctions et des relations qu'il avait établies avec les milieux scientifiques de Paris, il refusa toutes les avances. Cette attitude doit être portée à son crédit, quand on sait combien l'occupaient l'avancement de sa fortune et l'organisation de ses chances, comme il dit. Il est vrai qu'il était maintenant beaucoup plus proche du pape. Il avait ses entrées au Quirinal, dont il était l'un des médecins que l'archiatre en titre, le Dr Porta, appelait en consultation, le cas échéant. Il avait aussi commencé, à cette époque, ses cours de médecine à la Sapienza, qu'il poursuivra pendant trente ans, tout en restant Primario de Santo Spirito. Il était toujours, d'autre part, un familier des Braschi. Il assista, en décembre, au baptême de l'héritier tant attendu par Don Luigi et Donna Costanza, le prince Pio, premier garçon après vingt-sept ans de mariage. La naissance fut fêtée comme un évenement royal, dans le palais de la place San Pantaleo, enfin terminé, et dont le superbe escalier était la nouvelle merveille de Rome.

L'affaire de l'héritage continue pourtant à l'obséder. On peut se demander pourquoi, tant les sommes qu'il réclame paraissent dérisoires dans sa nouvelle situation et le seul résultat étant de le brouiller avec sa famille. Maria Nicoloja a en effet refusé de prendre le relais de Paul-Augustin comme intermédiaire et Tommaso a mis l'affaire entre les mains d'un ami bastiais, qu'il trouve trop prudent, puis d'un avocat. Il n'en veut cependant pas à Maria Nicolaja, qu'il appelle « ma sœur préférée » et ses rapports avec elle sont presque chaleureux. Elle lui envoie de la boutargue et du vin. Il lui donne plus longuement qu'il ne le faisait dans le passé des nouvelles de Salvatore. Pour la première fois, il paraît le suivre de près, mais il n'en est guère récompensé.

« Je souhaite, écrit-il à Maria Nicolaja en décembre (1805), que vous disiez à votre fils de cultiver quelque sentiment de religion, car je regrette de voir qu'il n'en a aucun. Il s'en vante presque, dans ses discours, et ne se confesse qu'une fois l'an. C'est le motif pour lequel je suis un peu froid avec lui, ce dont il se plaint. Voyez si vous pouvez le secouer. A part cela il travaille bien. »

La confusion entre temporel et spirituel qui régnait à Rome ne devait pas beaucoup inciter Salvatore, en effet, à des pratiques qu'entouraient trop d'hypocrisie morale et de scandales. Sa réaction contre le signor zio avait sans doute achevé de l'en détourner, malgré l'exemple de la tradition familiale. Il était jeune. Il s'affirmait dans la prise de conscience de sa liberté. C'est, au contraire, un excellent signe de santé morale. Le temps passant, il retrouvera le chemin de l'église mais, de son apprentissage romain, il gardera toujours une extrême méfiance à l'égard de tout cléricalisme.

Pour lors, il a d'autres tourments. La fièvre poétique le tient. Sa maîtrise de la versification italienne lui vaut déjà une petite réputation parmi ses condisciples, qui le flatte et l'encourage mais ne lui suffit pas. Ses aspirations ne sont pas d'être un rimailleur de plus, dans le goût des Arcades. Il a trop de personnalité pour cela, la fibre morale trop forte. Rome l'a policé, mais n'a pas édulcoré son caractère fier et entier de petit Corse. Elle lui aura ouvert l'esprit, sans affaiblir l'élan vital qui le porte. Ses choix éclairent alors ses ambitions littéraires.

Son maître n'est ni Monti, ni Berni, mais un poète du XVIIIe siècle, peu connu, homme de grand caractère, Ludovico Segardi, qui, sous le pseudonyme de Quinto Settano, avait notamment laissé de belles satires en latin contre Giovan Battista Gravina, l'un des fondateurs de l'Arcadia, et la société de son temps. Ces satires passionnent Salvatore et l'inspirent. Il les recopie soigneusement dans un gros carnet entre janvier et novembre 1806, et en traduit plusieurs ; traductions qu'il reprendra et publiera plus tard. Il y trouve surtout un encouragement à s'élancer dans son premier grand poème : « *Il sogno* » (« Le rêve »). « Ecrit à Rome en 1807 (le 6 septembre), après la traduction de plusieurs satires de Settano, en particulier de la 13e », a-t-il noté sur la première des neuf grandes pages, surchargées de ratures, qui portent encore la trace de la fièvre dans laquelle elles ont été écrites.

« *Ah ! Quel immense sujet ! / Jetant la muselière, / que ne dirais-je : l'honneur de l'Italie trahi / A ses lois, ses coutumes, ses arts et sa langue / un peuple rendu étranger, et à lui-même. / La Lombardie à nouveau asservie... / La fleur et l'espérance chaque année moissonnées... / De milliers de tués, je ferais entendre les imprécations / et des tombes, mes vers rompraient le silence funeste... / Va, tyran, usurpateur...* » Faisant ainsi parler le spectre de Settano, Salvatore ne modère pas ses sentiments contre le « Sire français ». La satire est rendue plus explicite encore par les notes qui précisent les allusions. On comprend que le poème soit resté prudemment inédit, dans ses tiroirs.

Napoléon venait de frapper du poing. Une partie des Etats du pape, les Marches et le duché d'Urbin, sur l'Adriatique, avaient été occupés par l'armée française.

Le 2 février 1808, c'est dans Rome qu'entreront les Français : plus de huit mille soldats en armes, sous les ordres du général Miollis. Napoléon dit qu'il les envoyait « pour protéger le pape ». Mais Pie VII n'avait rien demandé. Il protesta contre le coup de force.

Miollis dut faire enfoncer la porte du Peuple par ses sapeurs. Les grenadiers s'emparèrent facilement des canons en batterie sur la place de Monte Cavallo, devant le palais du Quirinal. Ils occupèrent le château Saint-Ange et l'état-major s'installa au palais Colonna. Le pape annonce alors qu'il se considère prisonnier et qu'il ne sortira plus de son palais tant que les Français seront là.

Salvatore les voit défiler sur le Corso. Mais il vient de tomber malade. L'air mauvais de l'été romain lui a donné la fièvre et les accès de la malaria se sont compliqués de troubles plus graves — il a beaucoup maigri — qui l'obligent à partir précipitamment pour la Corse, respirer l'air plus salubre des collines de Venzolasca. Le dernier envoi d'argent de Maria Nicolaja, par Livourne, est du 11 mars : 654,08 lires en monnaie de Florence, soit 100,62 écus romains. Il ne lui manquait que quelques mois pour terminer ses études à la Sapienza et recevoir son diplôme de licencié en droit.

5

Il était de retour. Du port, que domine la maison toute proche, il n'avait que cent ou deux cents mètres à faire, et même moins, s'il passait par le raidillon de la Caletta. La lessive séchait sur la terrasse. Le crépi ocre pâle s'était encore un peu plus écaillé, découvrant les grosses pierres irrégulières des murs. Jusqu'au premier étage, c'étaient de véritables rochers. Il poussa le lourd vantail en châtaignier.

L'odeur familière était là, dans la fraîcheur de la pénombre et le silence ; l'odeur de son enfance, senteurs de pierre froide lavée, de cire et de ces fleurs séchées que l'on appelle immortelles, toujours dans leurs vases sur les paliers. Et voici les hautes voûtes blanches, la pierre grise des marches, les larges dalles noires des paliers, la veilleuse tremblotant devant la niche de la Vierge, le rastrello, enfin, cet autre portail qui barrait l'escalier et isolait le reste de la maison jusqu'aux terrasses, comme une forteresse.

Et la cloche, dont l'écho tinte au loin, jusqu'à la cuisine, la porte qu'on pousse, le grand salon silencieux dans l'ombre des persiennes fermées, traversé de rais de lumières où danse l'impalpable poussière des heures dans le temps immobile. « C'est moi ! » cria-t-il. Il était rentré.

Et déjà, en criant, pleins de rires les petits se jetaient dans ses bras : Benedetto, Michel, Maria Aderia, que l'on appelait Daria, et Maria Nunzia, la plus jeune qui allait sur ses six ans, soudain intimidée devant ce grand frère qu'elle ne connaissait pas et qui était un homme. Et Maria Orsola, l'aînée, qui, depuis la mort de leur père, secondait sa mère dans leur éducation. C'était une grande et belle fille de vingt ans, aux cheveux noirs et longs, très intelligente, disait-on, et au cœur passionné. Et Louis ? « *Luigi dov'è ?* » Toujours dehors, à l'aventure, c'était le plus vif, menant une vie turbulente que ses dix-neuf ans et l'absence du père n'excusaient qu'en partie. Il était temps que Salvatore revienne.

Sa mère était en grand deuil ; mais elle ne le faisait certainement

55

pas peser. Maria Nicolaja n'avait sans doute jamais été belle. Mais à quarante-cinq ans, et malgré ses soucis, ses traits avaient gardé une fraîcheur d'expression qui les rendait attrayants, lumineux. Son portrait, peint quelques années plus tard, rayonne de vie. On dirait qu'elle se retient pour ne pas rire, avec ses petits yeux noirs et vifs, dont le regard paraît suivre votre conversation avec une intense curiosité. Toute son existence, qui aurait pu être écrasée par son veuvage précoce et la catastrophe financière de la famille, montrera qu'elle était à la fois femme de tête et femme de cœur, une de ces femmes fortes qui éclairent la vie d'un foyer.

Et puis, il y avait la grand-mère, Maria Daria, la mère de Paul-Augustin. Elle ne joue pas un grand rôle dans cette histoire ; mais celle-ci serait incomplète si elle n'y retrouvait sa place, en profil perdu, à la manière dont elle devait se tenir devant la cheminée, ranimant le feu et ses souvenirs pour ses petits-enfants qu'elle enchantait par ses récits.

Bien qu'elle n'eût que soixante-douze ans — et elle en vivra douze encore, avec tous ses esprits —, ses souvenirs familiaux couvraient plus de cent ans, remontant jusqu'au début du siècle précédent, jusqu'à la jeunesse du fabuleux chevalier Simon Gio. Favalelli, l'oncle qui avait élevé son mari. Grand-père Salvatore avait en effet trente-cinq ans de plus qu'elle et lui avait plus d'une fois rapporté les souvenirs que Simon-Jean racontait sur sa propre enfance.

Ainsi, par ces souvenirs qu'elle transmettait à son tour, grand-mère Daria ouvrait-elle aux enfants les portes du temps jusqu'à ceux de la famille qui avaient fait de la maison ce qu'elle était au siècle précédent. Sur le même ton familier dont on évoque les êtres chers qu'on a connus, par une image, une anecdote accrochée aux objets qui leur ont appartenu, telle cette Koré du grand-père Salvatore, à jamais devenue « la statue du pirate », Daria les ramenait ainsi à la vie, et chez eux, le premier grand Favalelli, un Salvatore lui aussi, et le premier des Viale de cette branche qui avait fait souche en Corse, Sebastiano, ou Bastiano, fils du gouverneur de Gênes, Benedetto, arrivé en 1641, à Bastia.

C'était l'époque où Favalelli et Viale s'étaient unis ; l'époque où les Favalelli avaient rebâti la maison à la mesure de leur fortune, sur le port en plein développement ; l'époque aussi où l'on reconstruisait Saint-Jean dans sa décoration baroque fastueuse, symbole de la prospérité marchande de la ville à peine émancipée de la tutelle militaire de la citadelle. Puis les Viale avaient pris le relais des Favalelli. Pendant que la famille, à Gênes, donnait deux doges à la République — Benedetto, en 1717 ; Agostino, en 1750 —, grand-père Salvatore et son frère Antoine s'étaient enracinés définitivement en Corse, en s'y embourgeoisant dans le commerce, alors prometteur [14].

Embourgeoisement encore relatif, d'ailleurs ; armateur et banquier, grand-père Salvatore s'était parfois fait corsaire, à l'occasion. Le « pirate », c'est lui. Tout cela eût déjà été très loin si Daria n'avait été là pour le raconter. Grâce à elle, c'était encore, à peine, hier. Fascinante grand-mère, prise dans son jeune âge dans le chevauchement des générations et témoin de tant d'êtres qui, par elle, retrouvaient un visage. Ainsi, dans la maison où ils avaient vécu, revivaient-ils, vie après vie, par la pensée et par le cœur, comme la vie de leur sang continuait dans celle des enfants qui, au coin du feu, écoutaient l'aïeule.

Michel était le plus doué. On le dira ensuite quand sa carrière l'aura prouvé ; mais c'est probablement vrai. Au retour de Salvatore, il avait dix ans. Il avait déjà senti l'appel de la vocation, à Saint-Jean, où il servait assidûment la messe, à l'écoute du mystère de ses phrases obscures et fulgurantes, *Introibo ad altare Dei, ad Deum qui laetificat juventutem meam*. Depuis un an, il avait reçu la tonsure et, les jours de fête, portait la redingote longue à collet fermé des ecclésiastiques.

C'était un enfant studieux et appliqué, à la conversation déjà brillante pour son âge, dit-on, mais au tempérament volontaire et d'un courage physiquement reconnu. Il n'avait pas quinze ans lorsqu'il avait sauvé de la tempête l'un de ses camarades en plongeant dans la mer furieuse qui menaçait de le jeter contre les rochers, sous la citadelle. Francesco Fantoni, le monseigneur de Bologne qui écrira sa biographie, le raconte [15]. La mort de son père — il était le plus jeune à y avoir assisté — l'avait sans doute précocement mûri. Il était né coiffé, et l'on vit dans cette singularité un présage.

D'autres récits accompagnent sa naissance. Il y a, dans l'une des pièces de la maison, un placard profond, qui était alors caché dans la tapisserie. Pendant la Révolution, les prêtres réfractaires y dissimulaient un autel portatif sur lequel ils célébraient la messe. C'est là qu'était le Crucifix « miraculeux », incrusté de reliques, que l'ancien prédicateur apostolique de la province corse des capucins avait donné à Maria Nicolaja en témoignage de reconnaissance. C'est là aussi qu'un grand-oncle maternel, qui s'était réfugié à la maison, où il mourut, le père Michel Cecconi, frère de grand-mère Daria, disait sa messe.

A Maria Nicolaja, enceinte de Michel, il avait demandé qu'elle donnât son prénom au futur nouveau-né. Il avait quatre-vingt-six ans et sentait sa fin prochaine. « D'en haut, je veillerai sur lui ; il défendra la foi et éclairera l'Eglise », dit-il. Et Michel était né le 29 septembre, jour de la Saint-Michel. Salvatore, à qui le grand-oncle Cecconi avait enseigné, ainsi qu'à Louis, les premières notions de catéchisme et de latin, le raconte dans une lettre à Benedetto, lorsque Michel sera créé cardinal [16].

De Benedetto, à cette époque, on ne sait rien de notable. Il avait douze ans. Il devait plutôt ressembler à Michel, avec qui il était élevé. Quant à Louis, c'est tout autre chose. Le front haut, le nez droit, les yeux gris-vert, l'air fier et résolu, à dix-neuf ans, c'était déjà un homme. Décidé à rétablir les affaires de la famille, il était impulsif, un peu aventurier, toujours en action.

C'était aussi un bon vivant, qui aimait danser, faire un bon repas avec des amis, chanter et faire de la musique — « ma passion », dira-t-il — avec eux. Il jouait du piano, du violon alto et de la guitare. L'une des nombreuses partitions de musique, achetées aux copistes de Livourne ou de Florence, qu'il a laissées, porte en titre « Scène et air à qui plaît la gaieté ». Elle semble écrite pour lui. Une autre, qu'il a lui-même recopiée, en l'ornant de ses initiales, s'intitule « La bataille de Marengo, pour forte piano, par B. Viguerie ».

Des notations illustrent la scène : « *allegro assai* — le corps commandé par Desaix charge l'ennemi à la baïonnette »... « *rallentando* — ce général est blessé »... « *vivace* — Kellerman avance à la tête de la cavalerie », entrecoupées de « coups de canon » ou de « galops des chevaux », jusqu'aux « trompettes annonçant la victoire », *SOL* — do mi la sol — *SOL* — *SOL*... et l'apothéose du « 2e air dans le genre égyptien ». *MI* — mi sol — *SOL* — *MI* mi — *LA* — *MI*... Pan ! faisait-on, en claquant des mains au « coup de canon », plouf, plouf, plouf sur les cuisses au « galop des chevaux ». Bravo ! ah ! ah ! criait-on, pendant que l'écho des derniers accords s'éteignait lentement dans le petit salon. Ah que c'était amusant, que l'on était heureux quand maman le jouait à son tour pour nous amuser, enfants [17]...

Heureux enfants, heureux Louis, qui avait aussi une belle voix et aimait chanter en chœur. On dira qu'il était celui qui lançait haut, en paghiella, « *E poi l'eterna gloria* » à la fin du « *Dio vi salvi, Regina* » ; bien qu'il préférât sans doute les grands airs de l'opéra italien, à en juger par le nombre de partitions qu'il possédait. D'un tempérament affectueux, avec cela, il s'entendait parfaitement avec Salvatore et tous deux se répartirent naturellement les tâches de leur père, Louis pour les affaires de famille, Salvatore pour l'instruction des petits. « Vous m'avez appris qu'il était plus nécessaire de bien réfléchir que de lire beaucoup », lui écrira plus tard Michel. Dans les papiers de Salvatore, un résumé de l'*Histoire de la Corse* de Gian Paolo Limperani, attentivement calligraphié, porte, de sa main : « écriture de mon frère Michel, sous ma dictée ».

Et les jours commencèrent à passer, tranquilles, « *i santi e i ghjorni* », comme on dit, et les saints et les jours se succédaient au rythme lent de la vie familiale.

De sa fenêtre, Salvatore voyait la mer. De la terrasse, la vue s'y perd dans ses couleurs changeantes suivant l'heure du jour ou son miroitement infini, dans le soleil. Quand le vent de libeccio s'abat du haut des montagnes, nettoyant le ciel des brumes de chaleur, alors on voit les îles, l'Elbe, Capraja et parfois, aussi, Pianosa et Monte Cristo. C'est déjà la Toscane. Il arrive même certains jours très clairs d'hiver, par grand vent, d'apercevoir la Terre Ferme, ligne grise tracée à l'horizon par les crêtes des Apennins : l'Italie.

Combien d'heures, au cours des jours de ces lentes semaines, si vides après la plénitude de Rome, Salvatore aura-t-il passées à réfléchir ou à rêver devant cet espace harmonieux, pris entre les montagnes de Bastia et l'étendue de la mer qui les rapproche de la Toscane plus qu'elle ne les en sépare ? Sur le parapet de la terrasse, dans le schiste marbré qui scintille au soleil, ses initiales sont profondément et largement gravées « S.V. », face à la mer et aux îles.

Au midi, la maison surplombe le port, et, au nord, où la mousse couvre plus vite les lauzes grises du toit, la place bordée de platanes qui, lors de la construction, était son jardin. Seuls les clochers de Saint-Jean la dominent, proches à toucher, et, au loin, les collines de Sainte-Lucie, les montagnes, le sommet du Pigno, le ciel. De cette maison ouverte sur la ville et l'espace, mais bâtie comme un bastion, il émane une impression de permanence, de constance et de force, comme d'un lieu de sauvegarde, dont, à y vivre, l'âme s'imprègne. On s'y sent gardé pour ce que peut valoir l'éternité des hommes, comme paraît le dire l'allusive devise que l'aïeul bâtisseur a fait graver sur le linteau de marbre du portail : « *Cernis custodia qualis.* » Tu sais qui nous garde.

Salvatore était loin, cependant, d'être un solitaire, replié sur ses tâches d'aîné d'une nombreuse famille. Au contraire ; de retour dans sa ville natale, il s'y trouve aussitôt lancé. Il a voyagé, approché la cour de Rome : il fait figure d'homme du monde. Il a du talent, de l'esprit, du savoir : il est bientôt le phénix d'une petite élite de jeunes lettrés, qui entourait alors un homme remarquable : F.O. Renucci, professeur d'éloquence au collège de Bastia.

Vieux républicain, Renucci s'était rallié à l'Empire, séduit par Bonaparte qu'il avait connu lors de l'entrée de l'armée d'Italie à Milan. Il était à l'opposé des idées politiques de Salvatore. Mais, maître au goût sûr, il ne voulut voir en lui que les promesses littéraires évidentes, et l'encouragea dans cette voie. Lorsqu'en 1811, il devra s'installer pour un an à Ajaccio, c'est à Salvatore qu'il confiera sa chaire, comme le seul capable de le remplacer. Dans ce milieu, et avec des amis de choix — Alessandro Petrignani, Anton Luigi Raffaelli, Vincenzo Biadelli, qui tous seront poètes délicats —, Salvatore retrouve les heures heureuses de Rome et remplit à nouveau ses carnets de poèmes et d'ébauches.

Ses vers sont alors, pour la plupart, de la veine burlesque ; mais les premiers poèmes qu'il publiera sont, pour complaire au goût du temps, deux sonnets très classiques, dédiés à une Dame Lucia Pasqualetti, pour son mariage, et « au grand mérite et à la piété » d'une lointaine cousine, de trente ans son aînée, Lucie Viale Rigo. Ce sont ses premières œuvres imprimées, chez l'éditeur Batini, en 1808 et 1809 [18]. De cette époque, il a aussi gardé dans ses papiers plusieurs « chansonnettes à mettre en musique », généralement écrites pour Louis et sa guitare, et qui chantent les peines et les espoirs d'un jeune homme amoureux, sur un rythme léger. Elles ont comme un air de sincérité qui le trahissent.

Il fallait cependant trouver une situation. Salvatore part à Pise passer sa licence en droit, en mars 1809, et, dès son retour, prête serment comme avocat, le 11 avril, au barreau de Bastia. Il n'excercera pas. Il aura, toute sa vie, ce métier en aversion, même quand il sera magistrat. « On ne peut y être sincère », disait-il.

Laissée à Louis, l'économie de la famille ne paraît pourtant pas des mieux assurées. Les dettes étaient payées mais le « magasin », établi par Paul-Augustin, était en sommeil. Louis, en tout cas, ne s'en occupait guère. La gestion l'ennuyait. Son caractère optimiste et actif le portait plutôt vers les affaires, si ce n'est vers la spéculation. Il était moins doué qu'il le croyait et se trompera souvent sur ses partenaires.

En 1809 — il a vingt ans — il se met de moitié avec personne d'autre que cette tête brûlée de Salvatore Prelà, son cousin, celui qui s'était si bien distingué par son insouciance d'étudiant à Rome. L'affaire, au départ, portait sur une vente de prises des bateaux corsaires, à Ajaccio. Salvatore Prelà se rend sur place et Louis reste à Bastia pour organiser le financement et la revente. Les opérations se compliquent très vite d'autres achats et de trafics de moins en moins clairs, sur du blé, avec Gênes, notamment.

Une trentaine de lettres de Salvatore à Louis, d'août à novembre, permettent de suivre l'histoire dans ses méandres. Elle se termine par une opération de contrebande de tabac, avec débarquement clandestin à Saint-Florent et convoyage à dos de mulet, de nuit, avec une escorte armée. « Vous viendrez vous-même, avec sept mulets, prendre le tabac que j'aurai à bord, lui écrit son cousin. Outre le muletier, qui sera Calisto, les personnes que vous devez emmener avec vous, dans cette affaire, sont Francesco, le cordonnier, Anton Giuseppe et Galino, notre parent de Carcheto, tous armés, que vous instruirez de notre dessein. »

En janvier 1811, Louis propose une autre affaire de contrebande ; et à qui ?... à l'oncle Tommaso Prelà !

« A Monsieur le Docteur Tommaso Prelà, à Rome. Bastia, 10 janvier 1811. Mon très cher oncle. Je vous adresse la présente, avide d'en recevoir une de vous, car je n'ai pas vu votre écriture depuis quelque temps. Je ne pense pas pour autant que votre affection pour moi ait tiédi, et me voici à vous en demander une preuve. Dans le désir d'améliorer les intérêts de notre famille, j'ai entrepris quelques affaires qui, si elles réussissaient, serviraient la prospérité de la maison. J'aurais besoin de votre aide pour l'une d'elles : une partie de sucre, cacao et café que je projette d'amener à Rome avec mon bateau, mais en contrebande, car on ne veut pas me donner ici les permissions nécessaires.

« Vous qui êtes intime du général (Miollis) et d'Olivetti, vous pourriez me procurer le moyen de faire passer les caisses contenant ces marchandises comme caisses de fourniture militaire ou d'affaires pour eux-mêmes. Je mettrai sur ces caisses l'adresse que vous m'indiquerez dans votre réponse. Une lettre de Miollis ou d'Olivetti me garantirait contre toute perquisition ; sans compter tout autre moyen que votre perspicacité pourrait trouver. Je vous prie de n'en parler à personne et de faire diligence pour me répondre par la poste. C'est un service qui vous coûterait peu, ajouterait beaucoup à ma reconnaissance et, qui plus est, à l'avancement de la famille... »

La réponse de l'oncle Tommaso se devine par la lettre suivante de Louis. « Bastia, le 16 mars 1811. Mon très cher oncle. Je réponds à votre dernière lettre, par laquelle vous m'illustrez les difficultés de la spéculation que j'envisageais et son incompatibilité avec votre position et ma propre sécurité. Je vous avais fait cette demande parce que plusieurs personnes m'avaient donné l'espoir que l'affaire pouvait réussir facilement ; mais, maintenant, j'approuve vos conseils et me range à votre avis... »

L'oncle Tommaso, étrangement, paraît avoir éprouvé beaucoup de sympathie pour Louis, ce qui explique sans doute la modération de sa réponse. Quelques mois plus tard, il se mettra en quatre pour lui trouver et expédier un piano. Depuis deux ans déjà, il l'avait vu à plusieurs reprises à Rome, où Louis amenait ses cargaisons par le Tibre, jusqu'au port de Ripetta, en plein centre ville, sur son propre bateau. C'était une gondole de onze tonneaux, à un mât, embarcation légère, généralement utilisée pour le cabotage. A vingt ans , il fallait du nerf et du courage pour l'utiliser dans ce genre de traversée, en hiver surtout. Louis, qui l'avait achetée en compte avec son cousin Salvatore Prelà, la barrait lui-même.

Les cargaisons variaient : des étoffes, du blé et même, entre Bastia et Livourne, des passagers, notamment des saisonniers lucquois. La notion de contrebande était d'ailleurs relative. Le transport du blé était souvent interdit. Le régime de la haute police tendait à isoler la Corse de la Toscane et de la Sardaigne, pour des raisons politiques et militaires plus que commerciales. Les entreprises de Louis n'étaient d'ailleurs pas douteuses. Entre 1809 et 1814, on les connaît avec précision par ses livres de comptes et ses registres de correspondance, qu'il a tenus avec la plus grande exactitude, et souvent d'abondance, comme il continuera à le faire toute sa vie [19]. Mais elles n'en étaient pas moins presque toujours risquées, dans ces eaux que la carence de la marine française abandonnait à la guerre de course et aux divers pirates qui en profitaient.

« On peut y perdre non seulement les marchandises mais la vie », écrit Louis en octobre 1810. Et à sa mère, pour la rassurer sur son arrivée dans l'île de la Maddalena en juillet 1811 : « Grâce à Dieu, après deux jours et deux nuits passés sur la plage (de Cervione), le fusil à la main, sans dormir ni me déshabiller, j'ai enfin pu terminer le chargement des planches et les transporter ici. » Son permis de port d'arme, du 2 mai 1810, est signé par le général Morand. Il précise qu'il peut porter le fusil, mais que « stylet, pistolet de poche et canne-épée sont des armes défendues ». En mars 1811, c'est le même général Morand, chargé de la haute police en Corse, qui signe son ordre d'arrestation pour « contrebande » et le met à l'amende de 500 francs.

Louis va s'installer dans l'île de la Maddalena, entre la Corse et la Sardaigne, mais ses bagages, envoyés de Bastia à bord d'un autre bateau, sont pris par un corsaire espagnol qui lui enlèvera son violon alto et ses partitions de musique. Comble de malchance, le nouveau gouverneur de la Corse, le général César Berthier, interdit tout trafic extérieur à l'île. Louis loue alors un brigantin et part vendre une cargaison de planches à Palerme. Il y reste deux mois, en août et septembre. Entre-temps, c'est son associé qui se fait voler le reste des planches par un corsaire turc. Au retour de Palerme,

Louis aura encore à faire à un chébec corsaire anglais, mais cette fois dans le port de Cagliari, pour essayer de racheter les objets personnels de deux de ses amis romains, piratés entre Livourne et Bastia.

Les bénéfices sont loin d'être à la mesure de l'énergie qu'il déploie. « Bien que j'élargisse toujours mes ambitions, je vois bien que le sort s'acharne à les freiner », écrit-il à Salvatore, au retour de l'expédition à Palerme. Mais rien ne paraît pouvoir entamer son optimisme ; sinon, parfois, la nostalgie de la famille. « Le grand émoi que j'éprouve en pensant à la maison et à la plus digne des mères me fait fondre le cœur de tendresse », dit-il à son frère. Pour le reste, pas un signe de découragement. La seule contrariété qui l'affectera est la prise de son violon alto et de ses partitions par le corsaire espagnol. A Pietro Calderai, marchand de musique à Portoferraio, dans l'île d'Elbe : « Bonifacio, le 18 juillet 1811... La présente est pour vous annoncer que mon bagage, expédié de Bastia par bateau, a été pris le 13 courant par un corsaire espagnol...

« La seule perte qui m'afflige est celle de mon violon alto, pour lequel j'éprouvais de la passion, et de la musique dont vous savez combien elle m'était précieuse. Pour le reste, je l'accepte de bon cœur... » Le violon alto et les partitions lui avaient été envoyés par Calderai en novembre 1810 : « Deux sonates difficiles pour violon et quatre duos, deux pour deux violons, un pour violon alto et guitare, un pour violon et violon alto, un recueil de valses, de menuets, d'allegretti ainsi que quelques polonaises, le tout de goût moderne... »

Dès qu'il est installé à Ajaccio, Louis se met en quête d'un nouveau violon, qu'il demande à son ami bastiais Stefano Progher, l'un de ceux avec lesquels il jouait en duo. « Tu sais combien j'étais passionné par cet instrument... Le violon alto de la bonne âme de ton père serait exactement ce qu'il me faudrait, si tu pouvais l'obtenir de ta mère. Pour le prix, je m'en remets à toi. Mais fais diligence... »

« Passion » est encore le mot qu'il emploie, à la même époque, en demandant à l'oncle Tommaso et à un certain signor Giuseppino, ami de Tommaso, d'acheter pour lui un piano à Rome. Le signor Giuseppino était maître de chapelle à l'église de San Pantaleo, et Louis s'était joint au chœur qu'il dirigeait, lors de l'un de ses voyages d'affaires à Rome. « Très estimé Signo Giuseppino... pourriez-vous vous employer à me trouver un piano forte, de bonne qualité, pour mon usage. C'est l'instrument auquel je m'applique depuis quelque temps sérieusement et qui est certainement devenu ma passion dominante... », lui écrit-il le 16 mars 1811.

Oui, vraiment la passion dominante de Louis n'était certainement pas le commerce.

La réclusion volontaire du pape, à Rome, était entrée dans l'ordre des choses. Les Français avaient dispersé le Sacré Collège, chassé de la ville les cardinaux « étrangers », génois, milanais, napolitains compris. La population en avait pris son parti. Sceptique et blasé, dépourvu de tout sentiment patriotique, le Romain en avait vu d'autres depuis deux mille ans. Sur la place de Monte Cavallo, devant la façade orange du Quirinal aux persiennes fermées, seuls les jeux bruyants des enfants du quartier mettaient un peu d'animation.

Le petit peuple et les pauvres étaient, il est vrai, mécontents qu'il n'y ait plus de cérémonies pontificales à Saint-Pierre. Non tant pour le spectacle — il était remplacé par les revues militaires — que par les indulgences et surtout les aumônes qu'elles rapportaient. Un quart de Rome en vivait. Mais lorsque le pape avait interdit les masques de Carnaval et les courses de barberi sur le Corso, les mêmes avaient applaudi Miollis qui les avait rétablis.

Sextius-François de Miollis, général gouverneur, Sestio Miollis pour les Romains, était aussi près qu'il se pouvait d'être aimé. Intelligent, fastueux, amateur d'art, cultivé, passionné par Rome et ses antiquités, il vivait en mécène au palais Doria, au milieu d'une véritable cour. Artistes, écrivains, savants et lettrés s'y empressaient. Les Romains, nonchalants et habitués au laisser-faire du gouvernement pontifical, étaient certes choqués par l'esprit méthodique et autoritaire des Français. Ceux-ci avaient publié un arrêté interdisant la rue aux chiens errants. « Ces gens-là ne laissent personne en paix, même pas les chiens », disait-on. Mais les jeunes étaient fascinés par Napoléon, impatients de se mêler aux événements qui étonnaient le monde et, comme toujours, une partie de la noblesse et les commerçants s'étaient ralliés par intérêt. Au palais Doria, Miollis donnait fête sur fête, alternant *conversazioni*, académies musicales ou littéraires, bals et réceptions. « Hier soir, académie chez Miollis. Il y avait beaucoup de monde et, qui l'aurait cru ? Braschi était au premier rang », note en ronchonnant l'abbé Benedetti. Lucien aussi recevait beaucoup, dans son palais de la place Bocca di Leone. Le parti français triomphait.

Un matin, on se réveilla au son du canon, de fanfares, de salves d'honneur. Rome était annexée à l'empire. C'était le 10 juin 1809.

L'Europe était à nouveau en guerre. Depuis mai, Napoléon était remonté à cheval, avait battu l'Autriche, était entré dans Vienne. C'est là, le 17, qu'il avait signé le décret rayant l'Etat pontifical de la carte et proclamant Rome ville impériale. Au pape, il assurait deux millions de livres de rente. Pie VII répliqua par l'excommunication.

La bulle fut clouée dans la nuit au portail de l'église Saint-Marc, sur la place de Venise, et aussitôt arrachée par la police française. On l'apprit, malgré tout. On parla d'aller renverser les cierges dans la basilique Saint-Pierre, en signe de deuil. On vit la main de Dieu dans la mort subite de la princesse Borghese, la douairière, frappée d'apoplexie en pleine *conversazione* au palais Chigi après s'être moquée de l'excommunication. On dit des messes. Mais ce fut tout.

Seul Napoléon en fit un drame, comme chaque fois qu'il se sentait défié. « Il ne faut plus avoir d'égards ; c'est un fou furieux qu'il faut enfermer », écrit-il à Miollis le 20 juin 1809. Et il ordonne à Murat, roi de Naples, d'envoyer à Rome quelques régiments en renfort. Si le pape « prêche la révolte », il faut l'arrêter, lui dit-il. Miollis, devenu romain d'adoption vit l'énormité de la chose, mais comment l'éviter ? Il essaya d'atténuer le coup. A Radet, général commandant la gendarmerie, il dit d'aller au Quirinal arrêter le cardinal Pacca, secrétaire d'Etat, puis de demander à Pie VII de renoncer au pouvoir temporel.

A l'aube du 5 juillet, donc, Radet, ses gendarmes, les Napolitains de Murat, la milice romaine, plus quelques sbires et serruriers montèrent au Quirinal. Miollis s'était installé dans le belvédère de la villa Colonna, d'où il donna le signal. Tout paraissait dormir, au palais. Mais dès les premiers coups de hache contre le portail, les cloches se mirent à sonner à la volée. Une petite foule accourut.

La troupe tenait solidement la place. Radet avançait déjà de salon en salon, bousculant les Suisses et brisant à la hache les portes fermées. Quelques Romains libéraux le guidaient. Pour aller chez Pacca, il faudra traverser l'appartement du pape, disaient-ils. Mais soudain ils se trouvèrent devant la porte de la salle des audiences, grande ouverte. Derrière un bureau, Pie VII se tenait debout, le crucifix à la main, l'étole dorée et la mosette de soie rouge sur sa soutane blanche, frêle, pâle, mais serein.

Radet, aussi pâle que lui, se figea. « Que voulez-vous, avec les Suisses, dans l'escalier, c'était facile ; mais quand j'ai vu le pape, à cet instant, j'ai pensé à ma première communion », racontera-t-il à Artaud. Parmi la dizaine de prélats qui entouraient Pie VII, il y avait le cardinal Pacca. Radet demande au pape de s'en séparer. Le pape refuse. Alors, j'ai ordre de vous demander de renoncer au pouvoir temporel, dit Radet. « *Non posso, non debbo, non voglio* * », dit Pie VII fermement. Radet : « Alors, j'ai ordre de vous emmener. » Le pape lui demande la permission d'aller prendre dans son appartement l'anneau de son prédécesseur Pie VI, également déporté par les Français. Radet le suit. Croyant n'être vu de personne, il lui prend la main, s'incline et y pose les lèvres avec émotion. Le cardinal Pacca ne l'accable pas, dans ses *Mémoires*, le chevalier Artaud non plus.

Dans la cour, une banale voiture à deux chevaux attendait, du type qu'on appelait « *bastarda* ». Le volet droit, du côté du pape, avait été cloué. Pie VII y monte avec Pacca, un gendarme ferme les portières à clef et Radet se hisse à côté du cocher, en assurant que les bagages suivraient. Sur la place, les troupes présentèrent les armes et Pie VII les bénit. Au trot, escortés de gendarmes à cheval, on contourna les murs de la ville jusqu'à la porte du Peuple, où on attela des chevaux de poste et l'on prit la route de Toscane.

Pie VII fouilla dans ses poches. « Je n'ai qu'un papetto », dit-il au cardinal. « *E mi, tre grossi* », répliqua ce dernier. « Voilà, vraiment, ce qui s'appelle voyager comme les apôtres » (« *Questo è viaggiare à l'apostolica* »), commenta le pape en souriant [20].

Dans Rome, personne ne bougea. C'était l'été. Hors des églises, le clergé se tut, terrorisé devant l'énormité du sacrilège et son

---

* « Je ne peux, je ne dois, je ne veux. »

impunité. Quant au pouvoir temporel, la police et les gendarmes français étaient là pour rappeler qui le détenait désormais. L'émotion populaire, une fois de plus, se termina en pasquinades. L'entourage immédiat du pape, ou ce qu'il en restait, se dispersa en silence.

Tommaso Prelà fut de ceux qui se firent honneur, ils furent rares dans cette circonstance. Il renonça publiquement à toutes ses charges et fonctions, et ne garda que celle d'inspecteur des médecins, chirurgiens et pharmaciens des pauvres, qui ne rapportait rien. Des temps difficiles s'ouvraient devant lui, dont il n'y avait pas apparence qu'il en serait un jour récompensé. Ce fut d'autant plus méritoire de sa part qu'étant français, offres et sollicitations, à nouveau, ne lui manquèrent pas. Mais il resta intraitable dans sa fidélité au pape.

Don Luigi n'eut pas de ces scrupules. Dès la constitution du conseil municipal de Rome, en novembre, il fut élu maire de la ville et en redevint l'un des principaux personnages, que les Français exhibaient volontiers. « Le duc Braschi, neveu du pape précédent, est d'une si haute naissance, si beau et d'un si noble aspect, que les Français ne perdent pas une occasion de le mettre en devanture, avec son lieutenant Luigi Boncompagni Ludovisi, prince de Piombino, duc de Sora et neveu de trois papes », note l'abbé Benedetti. Braschi partira bientôt pour Paris, à la tête d'une délégation chargée de féliciter l'empereur, en emportant dans sa poche une adresse où il le comparait à Trajan.

Quant à Donna Costanza, un peu vieillie, très engraissée, on la verra danser la tarentelle au son des mandolines et déguisée en paysanne du Latium, dans un bal masqué, chez Miollis.

Les premiers prêtres déportés arrivèrent à Bastia en 1811, venant de Rome ou de Toscane. Ils débarquaient par groupes de plusieurs dizaines à la fois, encadrés de gendarmes, avec leurs pauvres ballots, fatigués, humiliés. Chaque fois, la même scène se renouvelait sur le port, au milieu des bénédictions et des exclamations de pitié. La population accourait pour les réconforter et leur offrir l'hospitalité de ses maisons. « *Beate e case in duv'ellu c'è un ziu prete* » ; bénies soient les maisons où il y a un oncle prêtre, dit le proverbe corse. C'était chaque fois une scène d'intense émotion, qui bouleversait la ville.

Cette année-là, il en arriva quatre cents environ [21]. La plupart étaient des ecclésiastiques de rang modeste, réfractaires au serment exigé par l'empereur ou chassés de leurs couvents fermés. Mais il y avait déjà parmi eux des personnalités éminentes ; Mgr Arezzo, par exemple, le « courrier » de Berlin, et plusieurs autres monseigneurs qui deviendront, comme lui, cardinaux : Serlupi, Falzacappa, Tiberi. Quelques-uns étaient envoyés à Corte ou à Calvi ; la plupart restaient à Bastia, relativement libres d'aller et venir en ville.

La maison de la rue Saint-Jean fut l'une des premières à leur être largement ouverte. La famille était déjà connue aux nouveaux arrivants par ses attaches avec Rome. Le chanoine Michele Belli avait été l'un des professeurs de Salvatore à la Sapienza. Plusieurs étaient des amis ou des relations de l'oncle Tommaso, qui les recommandait chaleureusement. C'est ainsi que le chanoine Bartolomeo Lombardi, prieur de l'hôpital de Santo Spirito, s'installa à la maison. Les autres y venaient souvent. Pour eux on tenait table ouverte, Mgr Carlo Felici, vicaire général de l'évêque de Frascati et latiniste distingué, un jeune monseigneur de Florence, dont il deviendra l'archevêque, Ferdinando Minucci, ou les deux frères Falzacappa, prélats de curie tous deux, « aussi hautains et prétentieux l'un que l'autre », dit Louis. « Avec les Galeazzini, nous nous employons à leur procurer tout le confort possible et soyez certain que nous leur apporterons toute notre aide, comme nous l'avons fait pour tous ceux que vous nous avez recommandés et qui sont, aujourd'hui, bien installés », écrit-il à l'oncle Tommaso, le 3 mai.

Il y avait aussi tous les inconnus qui s'adressaient à Maria Nicolaja et à ses fils en confiance, et dont il reste à la maison des dizaines de billets touchants, datés de Bastia, ou de lettres de reconnaissance, écrites de Rome après leur libération. L'un demande une intervention auprès des autorités militaires pour obtenir plus de liberté de mouvement, l'autre d'être présenté à un fonctionnaire de la mairie, à quelque commerçant. La famille servait de caution. Plusieurs lui confiaient leur petit pécule, ou laissaient leur malle ou des livres à la maison. Ils ne recevaient des autorités que du pain de munition pour toute nourriture et les repas de Maria Nicolaja étaient appréciés, dans la chaleur familiale qui les entourait.

Il y avait ceux, enfin, qui, pour une raison ou une autre, étaient emprisonnés dans la citadelle. « Pouvez-vous envoyer un de vos enfants... » Ces mots reviennent dans plusieurs billets adressés à Maria Nicolaja et datés du Donjon ou des *Turchine*, la prison de la citadelle. Michel et Benedetto assuraient les liaisons, faisaient les petites courses. Tous les matins, ils servaient la messe. Attentifs au mystère de ces hommes venus de l'horizon et à leur exemple, leur esprit s'ouvrait à tout ce qu'ils apportaient avec eux, à la maison, de culture et d'idées d'un plus vaste monde.

Car, au début, les conditions de la déportation n'étaient pas trop sévères. Le chanoine Lombardi pouvait aller chasser avec Louis jusque dans la plaine d'Aleria. C'était un bon vivant, « corpulent et toujours jovial », dit Salvatore, auquel il inspira plusieurs poésies burlesques [22]. Minucci avait une belle voix et aimait chanter en duo avec Louis, dans la saletta. Chantaient-ils ces partitions-ci, « *Vidi un giorno un vago oggetto* », duo avec accompagnement de guitare, ou « *Crudel perchè ferire* », duetto de Mozart, transcrit par Louis ? On parlait aussi beaucoup littérature, autant que religion et Salvatore composait des poésies sur leurs aventures. Mgr Felici écrira d'ailleurs un *Hymne à la Corse*, en hexamètres latins, que Salvatore traduira en italien [23]. Mais cette relative liberté ne dura pas.

Napoléon essayait encore de convaincre le pape, détenu à Savone. Il avait fait venir à Paris la majorité du Sacré Collège, vingt-neuf cardinaux, avec les archives du Vatican, la Daterie, les bureaux des tribunaux ecclésiastiques. Il y avait fait transporter la tiare elle-même, bien que ce fût un vol pur et simple. Il ne manquait plus que l'acceptation de Pie VII pour que le Saint-Siège pût être installé officiellement en France et l'Eglise annexée à l'Empire. Mais Pie VII maintenait son refus. Il ne donnait aucun signe de faiblesse, malgré les conditions de plus en plus éprouvantes de sa détention. Napoléon convoqua alors à Paris un concile des évêques de l'Empire, pour essayer de tourner ce refus. L'ouverture du concile coïncida avec le baptême du Roi de Rome.

Rien ne se passa comme prévu. Le concile tourna court et se termina dans la plus grande confusion, avec l'arrestation manu militari de trois évêques par trop indociles. Quant au baptême, il provoqua l'arrestation — Napoléon croyait à cette méthode — de cent quarante-huit chanoines des trois basiliques romaines de Saint-Pierre, Saint-Jean et Sainte-Marie-Majeure, qui avaient refusé de chanter le *Te Deum* pour l'héritier nouveau-né. L'Eglise n'était pas prête à capituler devant l'empereur. A Bastia, les gendarmes arrêtèrent l'archiprêtre de Sainte-Marie à la sortie de la messe de l'Assomption, le 15 août, « parce qu'il avait parlé en chaire du Dragon et que l'on avait entendu Napoléon ». C'était un saint homme très populaire, Mgr Sebastiano Pino, et la foule manifesta bruyamment. Mais on n'y pouvait rien, moins qu'ailleurs.

La Corse était domaine militaire, la seule province française encore soumise au régime dit de la haute police, dont l'autorité suprême était un général, alors « l'infâme » Morand, bientôt l'imbécile Berthier.

La deuxième vague de déportés débarqua au début de 1812. Vingt-sept trappistes avec leur supérieur arrivèrent sur le même bateau.

De Rome, Tommaso Prelà multiplie les lettres de recommanda-tion. « A Rome, on ne parle que de votre famille, particulièrement de votre mère. Tous m'en demandent l'adresse. On vante la sollicitude et la cordialité dont vous faites preuve à l'égard des malheureux, ce qui me réjouit et dont je vous remercie », écrit-il à Salvatore le 10 février.

Il s'employait lui-même, à Rome, à atténuer la dureté de leur sort. « Il se valait du crédit qu'il avait auprès des autorités françaises pour tempérer les rigueurs du gouvernement en faveur de nombreux personnages illustres, ecclésiastiques et civils, qui devaient être déportés », dit son biographe. Mais il maintient son refus de collaborer.

Sa fidélité au pape lui coûte cher. « Actuellement, j'ai de quoi vivre et rien de plus. L'enchantement de mes plaisantes espérances s'est bien dissipé. Si vous dormez sur un lit d'épines, je ne repose certainement pas sur les roses », écrit-il le 20 juillet à Salvatore. Ses lettres montrent combien divers pouvaient être les nouveaux déportés.

Ce ne sont plus seulement des prêtres ou des moines, mais également des civils, surtout beaucoup d'avocats de curie. L'un d'eux est Antonio Dissel, fils du maître d'hôtel des princes Falconieri, les parents de Donna Costanza, dont Tommaso est aussi le médecin de famille. Parfois, le tempérament grincheux du signor zio reprend le dessus : « Pardonnez le dérangement, mais je ne peux me désengager des insistances de parents de déportés tels que ceux-là », écrit-il en transmettant une lettre pour un autre avocat, un certain Bonfily, emprisonné à Corte. C'est aussi le cas pour l'abbé Benedetti, également avocat de curie et déporté à Ajaccio pour avoir refusé de prêter serment à l'empereur.

Parmi les derniers déportés arrivés à Bastia, il y avait surtout Raffaello Lambruschini, qui deviendra l'un des meilleurs amis de Salvatore et aura sur sa vie une influence déterminante, en l'orientant vers la Toscane. Il avait alors vingt-cinq ans, un de moins que Salvatore, un de plus que Louis ; mais il était déjà beaucoup plus mûr de caractère, d'expérience, de culture. Prêtre, il avait été arrêté comme vicaire général clandestin du diocèse d'Orvieto, où il remplaçait l'évêque Giambattista Lambruschini, l'un de ses oncles, lui-même déporté en France en 1810. Un autre de ses oncles deviendra cardinal et secrétaire d'Etat. Raffaello avait fait de solides études à Rome, non seulement en théologie mais également en sciences et philologie, à la Sapienza. Salvatore l'y avait peut-être déjà rencontré, mais leur intimité date de cette époque difficile à Bastia. Raffaello y lut les œuvres publiées en France sur l'éducation, sur l'étude des mœurs, qui stimulèrent son esprit réformateur et commencèrent à orienter ses recherches. Salvatore s'y intéressait lui-même, depuis les cours qu'il avait faits au collège en remplacement de Renucci, et c'est par ce biais que leurs esprits se lièrent. J'ignore si Lambruschini habitait à la maison. Mais il y fut très vite intime. Il fut aussi l'un des rares déportés, apparemment, que le général Berthier ne jeta pas en prison.

Le général comte César Berthier, frère du maréchal prince, venait de remplacer Morand, de sinistre mémoire. « Il n'était pas féroce, mais léger, inconsistant, coléreux, toujours prêt à courir inconsidérément aux extrêmes et certainement peu apte à diriger des peuples intelligents et sensibles. Investi lui aussi du pouvoir de la haute police, il fut le second pacha à trois queues de la Corse. » C'est F.O. Renucci, peu suspect d'opposition systématique au régime, qui le dit. La tâche principale de Berthier était de donner la chasse aux insoumis, dont le nombre ne cessait de croître dans l'île.

Dès son arrivée, il avait organisé ce qu'il appela « une battue générale ». Les moyens étaient ceux de Morand : maisons brûlées, familles prises en otage, exécutions sommaires pour l'exemple. Les colonnes volantes parcouraient le maquis, le bourreau marchant avec le régiment. « La Corse était considérée comme une colonie, un pays de conquête », écrira Salvatore de cette époque [24]. Renucci n'est pas moins sévère.

A Bastia, pour prévenir tout « complot », Berthier fit jeter en prison les déportés romains et toscans qui se trouvaient en liberté.

On en remplit la citadelle, ainsi que celles de Calvi et Corte. Rien ne le justifiait. La population en fut indignée. « L'injuste caprice, si peu politique, du général Berthier, mit le comble au ressentiment des habitants », dit Renucci qui raconte comment, à Corte, ce furent des « hommes de foi républicaine très pure, personnes honnêtes et en crédit » qui aidèrent Mgr Arezzo à s'évader de la citadelle.

A Bastia, Louis organisa l'évasion des Turchine du prieur Lombardi et de trois autres prêtres déportés qu'il conduisit lui-même à l'île de la Maddalena, proche de la Sardaigne. En partant de Bastia, ce n'était pas un petit exploit. Au retour, on le jeta en prison. Il a succinctement noté l'aventure dans un petit carnet :

« Le matin du 19 octobre 1812, j'ai quitté la Maddalena. Après huit jours d'un voyage parfaitement désastreux, je suis arrivé à Bastia sain et sauf, dans la nuit du 26, ou plutôt, au petit matin, à trois heures et demie. Le 29, j'ai dû commencer ma période de quarantaine, que j'ai passée dans le jardin du moulin de Toga. Le 23 novembre, au matin, on m'a laissé repartir. J'ai été arrêté et mis en prison le soir du 8 décembre mais ai été libéré le lendemain, 9, également le soir. » D'une écriture postérieure, Louis a ajouté : « J'ai été arrêté à cause de l'évasion des prêtres déportés et j'ai été inculpé d'avoir facilité la fuite de la prison des Turchine du prieur Lombardi et de trois autres prêtres. »

6

En balcon sur la mer Tyrrhénienne, dans la verte Marana, Borgo domine la plaine de ses murs gris et de son clocher trapu. Lucciana, le village le plus proche, est enfoui dans la verdure, à deux ou trois kilomètres de là. Entre les deux, le chemin serpente dans le parfum du maquis, la rumeur des sources, l'ombre généreuse des châtaigniers. C'est un lieu de bonheur. L'inimitié, pourtant, régnait depuis toujours entre les deux villages. On en avait oublié l'origine, mais les vieillards comptabilisaient les griefs, les jeunes en ajoutaient de nouveaux et un rien suffisait à enflammer les esprits.

Pâques est un temps de grâce et de rémission. Entre villages, les confréries échangent des visites de paix. Derrière leur croix, leur bannière et leur prieur, les hommes en camail rouge, vert ou bleu sur le surplis couleur d'innocence, vont en procession, dans l'église du village voisin, prier devant le reposoir fleuri.

Quand les cortèges se croisent, celui qui est sur le territoire de sa paroisse s'arrête et fait la haie. Les croix s'inclinent l'une vers l'autre. On se salue, on chante ensemble quelques *Ave Maria*, on bavarde un peu et l'on s'éloigne avec des sourires et des paroles aimables jusqu'à la rencontre suivante, au retour.

En ce Jeudi saint de 1812, les hommes de Borgo, sous la bannière de saint Appien, suivaient donc le chemin sinueux vers Lucciana, le cœur pur, en chantant, lorsque Tonin, leur porte-croix, aperçoit soudain la charogne d'un âne gisant sur le talus. C'était un âne galeux, efflanqué, mort sans doute de vieillesse. Mais la coutume veut, ce jour-là, que les chemins soient soigneusement nettoyés, en signe de bienvenue pour les hôtes. A la vue de la charogne, les hommes de Borgo « perdent la lumière de l'esprit », comme on dit. Ils croient à un geste de mépris, un affront délibéré des gens de Lucciana. Tonin, le prieur et les autres saisissent l'âne par les quatre fers, le jettent en travers du chemin, puis font demi-tour en vociférant.

Les hommes de Lucciana arrivent peu après, derrière la bannière de leur saint patron saint Michel, portée par un certain Michelaccio, connu pour son bouillant caractère dans tout le canton. Leur réaction est plus furibonde encore. Ils rentrent au village en désordre, tiennent une assemblée et, la nuit venue, vont jeter la charogne devant l'église de Borgo.

« Vendetta ! » cria-t-on de partout, au matin. On s'affronta, il y eut des coups de feu, des blessés. La bataille dura plusieurs jours. La gendarmerie arriva de Bastia, l'évêque fut saisi, le général commandant la citadelle intervint pour raccommoder les choses. On négocia longtemps et un acte de paix fut enfin signé en bonne et due forme, devant notaire et sur papier timbré, comme cela se faisait alors couramment en Corse pour ce genre d'affaire. La charogne fut enterrée à la frontière entre les deux villages.

A Bastia, on avait beaucoup ri de ce conflit rustique. Mais le rire, dans le petit groupe de Salvatore et de ses amis, s'était accompagné de réflexions amères. On avait là un exemple, plus qu'une caricature, du mal profond qui désolait le pays : la violence.

Un parent de Vincenzo Biadelli, Louis, l'avocat, avait participé aux négociations de paix. Il était apparenté aux maires des deux villages. Petrignani ébaucha une nouvelle sur le sujet. Tous deux encouragèrent Salvatore à en faire un poème, dans le genre burlesque qu'il maîtrisait si bien. Salvatore, alors, se cherchait encore. Ses cours sur la théorie des belles-lettres l'avaient mis en vedette, par la défense qu'il y présentait de la personnalité corse contre les modèles littéraires étrangers [25]. Il avait d'autre part écrit une amusante petite comédie, sur les ridicules des magistrats « *pinzuti* », ainsi qu'on appelait les Français, dépaysés à Bastia *Le Remède — ou une mascarade pour le Carnaval de 1811* [26]. Son talent et son esprit étaient reconnus ; mais il ne savait pas encore très bien lui-même à quoi les appliquer pour donner sa mesure.

Le sujet pouvait paraître léger ; il était mince. Mais le thème était bien corse. Salvatore en sentait profondément toutes les résonances. Il se mit au travail avec l'intention de donner à son poème l'ampleur d'une satire nationale.

Ses nombreux brouillons montrent qu'il était assuré de son ton et de la dimension épique qu'il voulait donner à l'œuvre, dès les premières ébauches [27]. Le poème prend forme très rapidement. La plus grande partie en est terminée avant la fin de l'année. Un gros cahier relié, au dos en parchemin, où, de son écriture pointue mais pour une fois disciplinée, Salvatore a recopié le texte au net, porte à la première page la date, de sa main : « 12 novembre 1812 ». La majorité des chants ont déjà la forme qu'ils auront dans la première édition et l'histoire est déjà bien en place, avec tous les personnages. Le titre est *Dionomachia ou la Charogne — poème héroï-comique* ; mais le mot *Dionomachia* est barré.

« *Pour une cause si futile, quelle guerre cruelle !* » : le vers de Pétrarque, mis en épigraphe, donne le la.

« *Je chante la funeste guerre civile ; / non pas celle, formidable, qui jadis à Rome éclata / pour le partage de l'empire du monde, / et répandit à Pharsale le sang latin ; / mais une autre, à peine moins*

71

La Dionomachia,

La Carogna:

Canto primo.

Io canto la civil funesta guerra
Non quella che già in Roma orribil arse
Pel contrastato imperio dell'Aterra
E di sangue latin Farsaglia sparse
Ma un'altra poco meno orrida e diana
che per un divin morto arse in Marana.

Dei gran fatti custode aonia diva
che di lauro al bel crin corona fai
Un l'estro in petto mi raccendi e avviva
Ne il vil soggetto disdegnar: vedrai
Come di Tasso nei sublimi carmi.
Misto coll'aria religione ed armi.

Marana piaggia fertile ed epica
All'orto di Bastia larga s'estende
E da Mariana alta cittade antica
Opera di Mario illustre il nome prende
Che or pochi appena infra i virgulti e l'erba
Delle ruine sue vestigi serba
Di due le ville più copriose e conte
che adornan questa piaggia opimare vasta
Corona il grego d'un acuto monte
E l'ampia piaggia domina e sovrasta
sublime il borgo, e poco indi lontana
Io un capo vallon giace lucciana.

horrible et insensée, / qui pour la charogne d'un âne ravagea la Marana. »

Le ton donné, Salvatore suit la chronique des faits, tels qu'ils s'étaient déroulés dans la réalité. Plus d'un protagoniste s'y retrouve tel quel, parfaitement reconnaissable par les contemporains, mêlés aux personnages historiques corses, évoqués comme exemples ; les usages, les mœurs du temps y sont saisis sur le vif. Sous cet aspect, la *Dionomachia* est le meilleur tableau de la Corse de cette époque que nous ayons, a-t-on dit. Mais usant des libertés du genre héroï-comique, Salvatore fait également intervenir les anges et les démons, Belzébuth, son complice Astaroth qui se glisse dans la charogne, l'archange saint Michel qui, triomphalement, l'en chassera. Il gonfle l'empoignade entre les hommes de Borgo et de Lucciana aux dimensions d'une vraie guerre avec batailles rangées à l'arquebuse, qui laissent le terrain jonché de morts. A cette guerre, il ajoute un conflit plus pathétique encore, entre les hommes de Borgo, ivres de sang, et leurs femmes qui tentent de les ramener à la raison, mais en vain.

Ces villageois furieux sont comiques, mais leur bruit et leur fureur évoquent les batailles qui ensanglantaient alors l'Europe. L'un des matamores de Borgo est un capitaine Panciotto, dont « le grand mérite fut d'avoir le ventre ouvert à Austerlitz — ce dont le récompensa une breloque en argent ». Mais, avec sa haine pour les violences et les guerres inutiles, Salvatore met surtout dans son poème tout ce qui lui tient profondément à cœur ; et, d'abord, son amour passionné pour la Corse, sa patrie. Il y exalte Pascal Paoli, « le héros corse », le drapeau à tête de Maure, « enseigne triomphale », les autres patriotes qui, avant Paoli, se battirent pour l'indépendance : Vincentello d'Istria, Sampiero Corso. De Borgo, il rappelle que, par deux fois, les régiments français y furent battus par les troupes corses. L'exaltation de sa jeunesse s'enracine dans l'histoire de son peuple.

Son amour pour le pays natal vibre aussi dans les évocations de ses coutumes et de ses mœurs : le vocero de la femme sur le cadavre de son mari, la plainte de la jeune épousée, la sérénade du berger Scappino à sa belle, surtout. « *O specchio d'e zitelle di la pieve / o la mio' chiara stella mattutina, / più bianca di lu brocciu e di la neve / più rossa d'una rose damaschina*... »*

Ecrite en langue corse, dont elle est le premier texte poétique qui ait jamais été imprimé, sa mélodie, sa tendresse disent l'enracinement de Salvatore dans sa terre natale comme dans sa culture populaire, même s'il préférait s'exprimer, comme toute la bourgeoisie de l'époque, dans l'italien le plus pur. Dans ce long poème en huit chants, qu'il écrit à vingt-sept ans, Salvatore met son âme. Au-delà du tableau de mœurs, de la critique d'une société, de la dénonciation politique, ce qu'il dit, ce pourquoi il écrit, est que la Corse est un pays exaltant et son petit peuple digne d'un meilleur sort.

---

* « *O miroir des jeunes filles de la pieve / ô ma claire étoile du matin / plus blanche que le fromage de brebis et que la neige / plus rouge qu'une rose de Damas...* »

A mesure qu'il les compose, il lit ses vers à haute voix à son ami Petrignani, ami de cœur et son confident, qui le conseille et le réconforte quand le découragement le prend. « Petrignani, doté des plus précieuses qualités de l'esprit et du cœur, avait reçu de la nature cette vivacité poétique qui naît facilement dans les montagnes de la Corse », dit-il de lui [28].

Ses nombreux brouillons, feuilles éparses ou petits cahiers encombrés jusqu'à l'extrême bord de la page de sa petite écriture pointue et désordonnée, avec les corrections, les ajouts, les renvois qui se chevauchent, zébrés de ratures et parfois assortis de petits bouts de papier annexes, épinglés ou collés, disent assez le travail de style auquel il soumettait son inspiration, pour associer les sonorités poétiques et l'expression la plus juste. Salvatore était doué et avait la rime facile ; mais il ne se contentera jamais de cette facilité.

Au début de l'année 1813, il avait ainsi terminé six chants sur huit. Petrignani était parti pour Aleria régler quelques affaires, avant de revenir se marier à Venzolasca, son village natal, où il avait donné rendez-vous à Salvatore pour les noces. Celui-ci, tout en travaillant au chant sept, confie le manuscrit déjà prêt à son autre ami Raffaello Lambruschini, pour qu'il lui en fasse la critique d'un point de vue moral. Le commentaire de Lambruschini a dix-huit grandes pages, qui suivent le poème chant par chant, suggérant notamment les corrections qu'il conviendrait de faire pour que l'auteur ne fût pas taxé d'impiété. Ce n'est pas tant le rôle de saint Michel qui est en cause que la description de plusieurs prêtres et moines que Salvatore traite avec beaucoup d'irrespect. Le sermon final du curé Patacca et son hymne au culte des reliques sont désopilants, mais pour l'Eglise, celui qui l'a composé ne peut être qu'un athée sacrilège, dangereux pour les bonnes mœurs comme pour la religion.

Salvatore avait commencé à composer le chant huit et dernier, lorsqu'il reçut le choc de l'atroce nouvelle : Petrignani, son « Petrignani bien-aimé », avait été assassiné sauvagement, dans un bois du canton de Serra, pour un médiocre motif d'intérêt, quelques arpents de terre contestés. Ses assassins l'avaient conduit, par traîtrise, jusqu'à une clairière, où le malheureux avait pu voir sa fosse déjà creusée, avant de mourir sous les coups de gourdin [29]. Salvatore en est bouleversé. Il réécrit le début du chant dans une envolée d'oraison funèbre pour son ami, abandonnant le ton héroï-comique pour fustiger cette « folie » de la Corse, la violence, avec un lyrisme passionné.

« *O Corse, quand donc éteindras-tu en toi / le goût sauvage de la violence / qui fait frémir Justice et Humanité ? / Ah, c'est bien ta faute si, inculte et privée de tes enfants, / te voilà transformée en désert à l'abord périlleux, / et si, plongée dans tes discordes meurtrières, / tu ignores les beaux-arts de la paix. Des malheurs qui t'accablent, / folle ! tu portes en toi la semence fatale.* »

Le poème est écrit en sizains endécasyllabiques à rimes croisées ; le rythme en est vif, les rimes sonnent bien. On peut le goûter encore et mieux encore si on le lit à haute voix. Niccolo' Tommaseo dira que c'est le meilleur poème héroï-comique écrit en italien, après la *Secchia rapita* de Tassoni, le modèle du genre. C'est probablement mieux que cela, valeur littéraire mise à part, car ce n'est pas le divertissement d'un lettré, fils d'une très ancienne culture. C'est le chant profond d'un jeune homme, le premier qui s'éleva avec autant de force et de talent d'un petit pays que les Muses des belles-lettres n'avaient pas visité jusque-là.

7

1814 se présentait mal à Bastia, avec une situation explosive. La Corse était coupée du continent par la flotte anglaise, le blé n'arrivait plus, la disette sévissait. Le commerce paralysé, Bastia, ville commerçante, était ruinée. Les Bastiais avaient un grief supplémentaire contre Napoléon : il avait déplacé la haute administration à Ajaccio, sa ville natale, qui n'était qu'une petite bourgade écartée, loin derrière les montagnes. Les caisses de l'Etat, d'ailleurs, étaient vides ; les militaires ne touchaient plus leur solde. Ceux de la garnison, à Bastia, se faisaient menaçants. C'était un bataillon de 950 Croates, oubliés de la Grande Armée, et un bataillon dit « colonial », parce que formé de réfractaires en instance de départ pour les colonies d'Amérique.

Les Croates tenaient le couvent Sant'Angelo, les « coloniaux » la citadelle. Ces derniers avaient donné des signes de mutinerie. C'est alors que le général Berthier, qui n'était jamais à court d'une mauvaise idée, décida de lever un emprunt forcé d'un demi-million de francs, dont deux cent mille sur les seuls commerçants bastiais. Ceux-ci furent convoqués par le gouverneur de la place, un certain général Delaunay, qui leur dit à peu près : Payez immédiatement, ou je vous jette au Donjon. Après les Gregorj et les Lota, les « frères Viale, fils de Paul-Augustin » sont en bonne place sur la liste, avec Anton Sebastiano Prelà [30].

L'indignation n'était pas retombée quand, le 11 avril au petit matin, la rumeur se répand·que les canons de la citadelle sont braqués sur la ville et que les « coloniaux » s'apprêtent à sortir pour la piller.

« Dès l'aube, on vit des hommes affairés sortir dans la rue, former des groupes, confabuler. Quoi de neuf ? Que se passe-t-il ? Ah ! les soldats coloniaux ont pointé les canons de la citadelle sur la ville, ils veulent faire une sortie, descendre tout piller, les maisons, tout. Eh bien ! Fuori ! Chassons les soldats coloniaux ! Fuori ! Sortons-les de la citadelle ! On le répète, les heures passent, les autorités se

76

réunissent, les commerçants les plus connus vont les supplier de déplacer les coloniaux. Dans la rue, j'entendais les jeunes gens crier : Fuori ! Dehors. On les aura. Dehors, les coloniaux. Fuori ! Fuori ! » Luigi Figarella, pittoresque figure bastiaise, alors garde national, a laissé, inédit un très vivant récit des événements auxquels il a participé. Salvatore, dont Figarella sera le collaborateur dans les jours suivants, en a gardé une copie manuscrite dans ses papiers « témoignage écrit avec beaucoup de liberté et de franchise », note-t-il [31].

Le temps passe. Les coloniaux ne bougent pas ; mais on s'agite de plus en plus en ville. « A midi, le tambour de la garde nationale sonne le rassemblement. Celui qui en a donné l'ordre n'a peut-être pas provoqué la révolution, mais il l'a bien avancée, c'est certain. Et ce qui est certain aussi, c'est que ce n'est pas le général Delaunay. Alors, des civils ? Moi, en tout cas, je monte au pas de course à la citadelle. Il n'y avait qu'un de nos officiers en uniforme, sur les dix-huit ou vingt qui auraient dû y être... Je ne sais si la conspiration était plus ou moins concertée ; mais il y a certainement eu conspiration. Il y avait beaucoup de paysans, venus de Furiani, de Biguglia. Ils étaient exaspérés. C'étaient des hommes de parti, du parti ami de la liberté... Les coloniaux mettent le nez à la porte du donjon. Sur la place de la citadelle, on était une bonne centaine d'hommes armés. On crie Fuori ! Fuori ! et tout le monde de se mettre à courir, de se jeter à plat ventre, de s'embusquer dans les angles, de se poster sous les embrasures. Quelques téméraires, des jeunots uniquement, restaient face à la porte, debout, le fusil épaulé. Comme cela, des minutes. Les coloniaux n'avaient pas envie de sortir, ils étaient désarmés, sans commandants. Ils ne mettaient le nez à la porte que par simple curiosité. » Mais on entend des coups de feu à l'intérieur de la citadelle. D'autres insurgés avaient tué deux gendarmes, les seules victimes de la journée ; des Corses d'ailleurs.

La porte du Donjon s'ouvre alors toute grande. Les coloniaux en sortent en masse, désarmés, derrière l'un des meneurs qui brandit une canne de tambour-major. « Aussi haute que lui, qui est petit et grassouillet. Je dirais qu'ils n'étaient pas beaucoup plus de trois cent. Au moment où ils franchissaient la porte, ils criaient : Vive Bastia ! Vive Bastia ! »

Dans son journal, Louis note, succinctement : « 11 avril. A une heure et demie de l'après-midi, la révolution a éclaté à Bastia contre le gouvernement de Napoléon. Le peuple qui s'est emparé de la citadelle était tellement enthousiaste que les enfants eux-mêmes couraient armés. »

Les Croates s'étaient joints aux insurgés. Le général Delaunay se cachait dans la maison Zerbi. Dans les rues, on ne voyait qu'hommes en armes, patrouilles par-ci, patrouilles par-là, tonneaux de poudre et charrettes de cartouches, et d'incessantes allées et venues entre les maisons des notables. L'effervescence se poursuivit toute la nuit. La marine, en particulier, grouillait de monde, marins, déserteurs, qui exultaient, mais en silence, car il y avait dans le port un corsaire français fortement armé, avec sa prise, un brick espagnol.

Les meneurs cherchaient une caution politique. Ils finirent par se

DECRETO.

IL COMITATO SUPERIORE
DELLA CITTA' DI BASTIA
CAPITALE DEL REGNO DI CORSICA.

CONSIDERANDO che il Dazio del Registro, stabilito dal passato Governo, aggravava eccessivamente il Popolo; e che riusciva malagevole e talor impossibile ai Cittadini, e sopra tutto ai Poveri, lo sperimentare le loro ragioni nei Tribunali per l'esorbitanti spese di Registramento, eccedenti talvolta il valore dell'Oggetto della dimanda, a cui si assoggettavano gli atti di Giustizia;

CONSIDERANDO che il fine del Popolo nell'eleggersi un Comitato, ed il fine del Comitato medesimo nel Governare il Popolo, è quello di sgravare i Cittadini dai pesi che gli opprimevano;

HA DECRETATO quanto siegue:

ARTICOLO PRIMO.

Il prezzo della Carta Bollata è ridotto al terzo.

ART. II.

I Dazj di Registramento sono egualmente ridotti al terzo.

ART. III.

Il Dazio di Registramento per successione diretta, è abolito.

ART. IV.

Le Multe sono ridotte nella stessa proporzione.

ART. V.

In caso di frazione di centesimo risultante dalle riduzioni stabilite nei precedenti Articoli, questa non sarà calcolata nel Dazio da esigersi.

ART. VI.

Il presente Decreto sarà eseguito a datare dai 18 Aprile 1814.

ART. VII.

Tutti gli atti seguiti avanti il detto giorno, e pei quali non fosse ancora spirato il termine al Registramento, saranno soltanto soggetti al Dazio fissato dalle disposizioni sopra espresse.

Ordina che il presente Decreto sarà stampato, pubblicato ed affisso.

BASTIA 17 Aprile 1814.

PER IL COMITATO,
VIDAU *Presidente.*
VIALE *Segretario.*

IN BASTIA 1814.

Décret du gouvernement provisoire

rassembler avec quelques notables chez Frediano Vidau, un juriste éminent mais aussi homme d'action ambitieux. Vidau avait été député à l'assemblée du royaume anglo-corse, à Corte. Il venait de rentrer de Toscane, où il était ministre de la Justice, ou l'équivalent, d'Elisa Bonaparte, princesse de Lucques et Piombino. C'était un ami de longue date des Viale. Je ne sais ce que fit Salvatore, cette nuit, mais il est probable qu'il en passa une partie chez Vidau, dans sa sombre maison, tout en haut du Carrughju Dirittu.

« Le lendemain à dix heures, raconte Figarella, les meneurs et le peuple montent en masse à la maison Vidau. Ils prennent celui-ci par le bras, on descend aux jésuites. Sur la place, du monde il y en avait beaucoup. Il y en avait aussi beaucoup dans l'église, avec armes, sans armes ; une table sous la chaire, des chaises autour, tournées vers la porte. » On échange des discours : modéré, celui de Vidau ; insurrectionnel et antifrançais, celui des meneurs. « Il signor Vidau répondit : vos raisons ne sont que trop justes. Procédons à la formation d'un gouvernement. Il me semble qu'alors Cacecco Benso se leva, monta en chaire, une liste à la main. Il lut des noms. L'assemblée répondait oui, non, non, oui, oui, non. On nomme ainsi le gouvernement, puis on fait de même pour la municipalité. »

Et qui voit-on, au gouvernement ? Salvatore. Les autres membres appartenaient aussi, en majorité, aux vieilles familles de la ville : Gregorj, Lota, Sisco, Morelli, Negroni. Salvatore était le plus jeune. Il semble avoir été le bras droit de Vidau. La plupart des décrets sont signés de leurs deux noms. « Membre et secrétaire » du gouvernement, Salvatore paraît également en avoir rédigé la plupart des proclamations. Il supervisait en tout cas les textes officiels, ce en quoi ses connaissances du droit et sa maîtrise de la langue le servaient. Louis prit également une part active au mouvement. Mais, plus modestement, il ne sera nommé que « contrôleur des Postes ».

Le gouvernement — quatorze membres sous la présidence de Vidau — avait pris le nom de « Comité supérieur de la ville de Bastia, capitale du royaume de Corse ». « Ce titre de royaume de Corse était vrai. On rétablit la langue italienne pour tous les actes publics. Sur la citadelle, sur les navires et sur les principaux monuments, on hissa le drapeau blanc à tête de Maure », raconte Figarella, qui entre au secrétariat confié à Salvatore. Ce drapeau hissé est plus éloquent que toutes les proclamations du Comité supérieur. Les mots de patrie, nation, liberté y apparaissent comme perdus dans les longues circonlocutions employées pour justifier l'insurrection. Du moins y sont-ils. On ne les avait plus entendus depuis Pascal Paoli.

Les Bastiais l'auraient sans doute rappelé, s'il avait été encore vivant. Mais il était mort, dans son exil, à Londres. Il fallait faire avec ce qu'on avait, qui était peu. La population ne voulait plus du régime impérial. Mais ces bourgeois n'étaient pas taillés pour l'action où ils se trouvaient jetés. Ils n'avaient pas la tête politique.

Leur courage n'en est que plus certain. Ils étaient les seuls à s'insurger, en armes, contre l'empereur tout-puissant. Personne ne pouvait, en effet, imaginer à Bastia que, ce même 11 avril, en France, Napoléon abdiquait à Fontainebleau. La France était envahie, mais en Corse les dernières proclamations de Berthier laissaient au contraire prévoir une contre-offensive victorieuse. Le 20 avril encore, un corsaire de l'Etat, *La Mouche*, qui entrera dans le port de Bastia avec le drapeau blanc des Bourbons, sera contraint de repartir sous la menace des canons. Les Bastiais avaient cru à un piège.

Les prêtres romains et toscans emprisonnés dans la citadelle avaient été délivrés par les insurgés dès le premier jour et portés en triomphe par la population comme un symbole de sa dignité retrouvée. L'un des premiers actes du Comité supérieur, le lendemain, avait été de les prendre sous sa protection et d'organiser leur rapatriement.

Il y eut une émouvante cérémonie, au cours de laquelle Mgr Giandomenico Testa dit la gratitude de tous et bénit la foule émue aux larmes et agenouillée. Il emportait à Rome une lettre de Salvatore à Tommaso Prelà, le mettant au courant de la situation et lui demandant d'intervenir auprès du pape pour obtenir son soutien moral. Lambruschini et Minucci partirent aussi, pour la Toscane. Les adieux, rue Saint-Jean, furent pleins d'affection et Salvatore, Louis et Michel les accompagnèrent jusqu'au port. Benedetto n'était plus à Bastia. Depuis plus de deux ans, il était à Rome où il avait commencé ses études de médecine à Santo Spirito, en février 1812.

Le Comité supérieur n'y alla pas de main morte. Après avoir rembarqué pour la France le général Delaunay et ses troupes, il remplaça tous les fonctionnaires de l'empire déchus de leurs fonctions. Puis, pour remplir les caisses vides, en évitant tout emprunt ou impôt, il mit en vente publique le contenu des magasins de l'Etat. Autour du bataillon de Croates, enfin, il forma une petite force armée, qu'il plaça sous les ordres d'un ancien officier du Provincial Corse sous Louis XVI, Gianbattista Rinaldi, l'un des meneurs du 11 avril. En même temps, il lançait un appel au reste de l'île, pour l'inciter à se rallier au mouvement. Des comités se formèrent à Saint-Florent et en Balagne, mais pas au-delà. Le sous-préfet de Bastia avait pris le maquis avec le commandant de la garde nationale, Vincent Biadelli, l'ami de Salvatore, et toutes les autorités avaient rejoint le général Berthier à Ajaccio, où personne ne bougea.

Le Comité, croyant toujours avoir à préparer sa défense contre la colère de Napoléon, envoya alors une délégation chercher protection sur la Terre Ferme : à Gênes, où se trouvaient les Anglais, ou en Toscane, occupée par les Napolitains du roi Murat, qui trahissait son beau-frère. La délégation commença par Gênes, où Lord Bentick, commandant en chef pour la Méditerranée, l'accueillit à bras ouverts. Il ne se fit pas prier pour aller occuper la Corse et le 24 avril, les premières troupes anglaises arrivèrent à Saint-Florent.

Le 28, le général Enriot Montrésor, nommé chef civil et militaire de l'île, débarqua dans le port de Bastia. C'était une vieille connaissance. Colonel au temps du royaume anglo-corse, il en avait commandé un régiment en garnison à Bastia, dont l'aumônier était l'abbé Bonaventura Poletti. Il avait alors connu Paul-Augustin. Il aimait le pays. Il croyait à son indépendance, sous la protection, bien entendu, de l'Angleterre. « Voici donc couronnés nos efforts pour la restauration de la Patrie », dit-il en arrivant. Il confirma que Napoléon avait abdiqué et que Louis XVIII était monté sur le trône, mais se conduisit comme si cela ne concernait pas la Corse, et comme si le royaume anglo-corse avait une chance de renaître.

Pour les Bastiais, l'affaire prenait un mauvais pli. Ils devenaient rebelles au roi de France. Mais Montrésor était plein d'assurance. On avait le temps de voir venir. Le sort de la Corse ne serait réglé que par le traité de paix, et tout était possible d'ici là, disait-il. Il convainc le Comité supérieur de monter une expédition contre Ajaccio, mais les troupes du Comité sont arrêtées à Corte, où elles laissent plusieurs morts. Montrésor négocie alors un modus vivendi avec Berthier, mais c'est au nom de Sa Gracieuse Majesté qu'il nomme les nouveaux chefs des administrations de Bastia et les membres des tribunaux, le 26 mai. La nomination de Salvatore comme juge au tribunal de première instance de Bastia, signée Montrésor, porte cette date. Comme ses collègues, il n'aura heureusement pas le temps de prêter serment au roi George. Sans attendre le traité de paix, Louix XVIII et les alliés venaient de signer la convention selon laquelle la France recouvrait tous ses territoires d'avant 1792.

La Corse reste donc française. Le 28 mai, le général Montrésor reçoit de Lord Castelreagh l'ordre de rembarquer avec la notification officielle que le représentant du Roi Très Chrétien arrivera le 1er juin à Ajaccio. L'insurrection de Bastia est terminée.

Le Comité supérieur décide alors de se dissoudre. Dernière preuve de naïveté, l'une de ses dernières décisions, le 29, est de nommer une délégation pour aller à Paris « rendre hommage au roi Louis XVIII et lui faire valoir les droits de Bastia à être reconnue capitale de la Corse ». Vidau en prend la tête. Salvatore reste à Bastia, chargé d'une mission autrement difficile.

« Au nom et à la demande des membres du gouvernement déposé », il doit rédiger une justification de leur action. Les accusations des royalistes étaient véhémentes. On accusait le Comité d'avoir voulu livrer la Corse à l'Angleterre. Plus bassement, on laissait entendre que ses membres avaient encaissé l'argent de la vente des biens trouvés dans les magasins de l'Etat.

Salvatore se mit aussitôt au travail, en s'isolant à la maison. C'est sans doute pour cela que de nombreux documents sur les événements sont restés parmi ses papiers personnels, notamment le registre des délibérations du Comité supérieur, du 11 mars au 5 juin. C'est un grand et gros cahier relié en carton, assez ordinaire, tenu d'une main de copiste à l'écriture claire et régulière. Ce n'est pas celle de Salvatore, qui n'était pas doué pour ce genre de travail. Il racontera qu'un jour où il venait de signer les comptes du Comité, il avait renversé dessus l'encrier en croyant les saupoudrer de sable.

Entouré donc de tous les actes et documents du Comité supérieur, il s'enferme rue saint-Jean où, sans presque sortir, il écrira la *Justification* en trois mois. Comme pour la *Dionomachia*, il écrit vite mais les brouillons montrent, ici aussi, l'extrême rigueur qu'il mettait dans la recherche du mot exact, de l'expression la plus juste de ses idées.

Ironie de la lenteur des communications, c'est en ces jours de défaite qu'il dut recevoir les lettres dithyrambiques de son bon abbé Poletti et de Benedetto qui le félicitaient du succès de l'insurrection. A Rome, on en était encore à son succès initial, annoncé par les ecclésiastiques rentrés de déportation.

L'abbé Bonaventura Poletti à Salvatore : « Rome, 11 juin 1814. Mon ami, je me réjouis de ce que vous avez fait, que tout le monde ici porte aux nues, et des raisons pour lesquelles vous l'avez fait. J'apprends avec plaisir que la Corse est de nouveau gouvernée par les Anglais. J'espère que les Corses seront maintenant contents et que fleuriront le commerce, l'agriculture et les études. J'ai envoyé l'autre jour à Louis une lettre pour le général Montrésor, qui était mon colonel quand j'étais l'aumônier de son régiment. J'espère que vous la lui avez remise... Votre oncle est devenu Premier médecin du Saint-Père... Votre frère se porte bien, il se comporte en jeune homme de bonne conduite et se fait honneur dans son travail... Si je reçois l'arriéré de mes pensions, je compte venir m'établir à Bastia pour y finir mes jours. Les amis prêtres qui en sont revenus sont pleins d'éloges pour les bienfaits qu'ils y ont reçus de tous les Corses... »

Benedetto à Salvatore : « Rome, 13 juin. Mon très cher frère, j'ai su par les prêtres arrivés ici les moindres détails sur votre révolution, dont ils font le plus grand éloge. Ci-joint le texte d'une inscription imprimée à Rome à la louange des Bastiais et que l'on parle de faire graver dans le marbre... On dit ici que la Corse pourrait revenir à la France, pauvre de nous... »

Puis ce fut l'oncle Tommaso, au mieux de son style emphatique. Tommaso Prelà à Salvatore : « Rome, 3 juillet 1814. Mon très cher neveu, le zèle que j'ai pour ma patrie m'a rendu chère la mission que vous m'avez confiée au nom de votre gouvernement provisoire et je me complais d'autant plus d'avoir pu l'accomplir comme vous le souhaitiez. J'ai pu d'autant mieux réussir, du fait de mon rapprochement de la personne sacrée de Sa Sainteté qui m'a accordé l'honneur d'être son médecin. Voici donc, ci-joint, une lettre pour le cardinal Consalvi, son premier ministre, qui se trouve à Paris, précisant l'intérêt de Sa Sainteté à votre égard, ce qui facilitera et protégera efficacement vos démarches auprès du Souverain, que Sa Sainteté a d'ailleurs déjà prévenu directement. Que vos délégués se hâtent d'aller à Paris et de voir le cardinal Consalvi qui, étant mon protecteur, sentira bien la part que j'ai prise à l'intervention de Sa Sainteté. Je peux, en attendant, assurer avec une exultation particulière les dignes représentants de Bastia que le Saint-Père a pris un vif intérêt à leur sort... » Signé : « Monsignore Tommaso Prelà. »

A Rome, Tommaso était, comme on dit, « *in gloria* ». Au retour de sa captivité en France, Pie VII l'avait nommé archiatre pontifical et camérier secret participant « en habit violet », avec le titre de Monseigneur.

On peut voir l'extrême satisfaction qu'il en éprouvait dans le grand portrait qu'il se fit peindre dans cette tenue, en grande cape violette entrouverte sur la tunique boutonnée haut, au strict collet blanc. Il tient ostensiblement dans la main gauche une feuille de papier, pliée comme une lettre, sur laquelle on peut lire : « A monseigneur Tommaso Prelà de Bastia en Corse Archiatre et Camérier Secret du Pape Pie VII. » Il est beau, en effet. Il a un front immense, largement dégarni aux tempes, ce qui le fait paraître plus grand encore, les cheveux frisés, le visage allongé encadré de favoris, avec un grand nez droit sur une bouche curieusement menue, aux lèvres retroussées, gourmandes, le menton glabre, volontaire [32].

Le courage dont il a fait preuve pendant l'occupation française a renforcé la confiance que Pie VII lui accorde depuis le voyage du sacre. Il est un de ses familiers et le voit presque tous les jours. Ses fonctions ne sont d'ailleurs pas une sinécure. Pie VII a soixante-douze ans, il n'a jamais été très vigoureux et les épreuves l'ont affaibli. Sa santé est fragile, et il faut l'entourer de soins constants.

Ami intime du cardinal Consalvi — « l'œil droit de notre oncle », dira Louis — redevenu secrétaire d'Etat à la chute de Napoléon, Tommaso est l'une des personnalités laïques les plus en vue de la cour. Aux cérémonies solennelles dans la basilique Saint-Pierre, l'archiatre pontifical, en cape rouge bordée d'hermine, suivait la sedia gestatoria du pape, aussitôt derrière le doyen de la Rote qui portait la mitre pontificale.

En ville, sa fermeté à l'égard des Français lui avait également valu une réputation flatteuse. Il avait notamment réussi à sauver une très vieille institution romaine, celle des médecins d'arrondissement, dont bénéficiaient les indigents, et que le ministre des Finances avait voulu supprimer par économie. Tommaso Prelà avait porté l'affaire devant l'opinion, dans un discours public dont on se souviendra encore, à Rome, trente ans après, comme d'un modèle de courage civique.

Premier médecin de Sa Sainteté, premier médecin émérite de l'hôpital de Santo Spirito, membre du Collège des médecins de Rome, professeur honoraire à la Sapienza, membre de l'académie des Lincei et de l'académie Sabina, Tommaso Prelà déborde d'activités, donnant la pleine mesure de ses capacités. Il est, en fait, le grand patron de l'organisation sanitaire de l'Etat pontifical.

C'est lui qui va créer, dans les quelques années qui suivront, et avec le soutien du cardinal Pacca, les deux premières chaires de clinique médicale et de clinique chirurgicale dans les hôpitaux romains, la première à Santo Spirito, qu'il confiera à son disciple préféré, Giuseppe De Mattheis, la deuxième à l'hôpital de San Giacomo. C'est à lui, également, que l'on devra la création de la première chaire de clinique obstétrique à Rome.

Mais son principal mérite restera d'avoir imposé la vaccination dans les Etats du pape, où elle était combattue par la doctrine cléricale de l'époque. Ce ne fut pas un combat facile, et il ne l'emporta, disent les contemporains, qu'avec l'appui personnel de Pie VII, devant lequel il plaida la cause en public, au Quirinal même. Tommaso Prelà consacrera sa victoire dans une communication retentissante, présentée devant l'académie des Lincei, en août 1824 : « Le Boa de Pline, conjectures sur l'histoire de la vaccination [33] ».

Novateur, Tommaso n'avait pas hésité à s'attaquer aux préjugés de l'Eglise en la matière. Il était cependant profondément soumis à sa doctrine, scrupuleux dans la pratique de la religion. C'est à cette époque, en décembre 1819, qu'il est admis dans la confrérie du Sacré-Cœur de Jésus, populairement connue à Rome sous le nom de confrérie des Sacconi Bianchi, à cause de la couleur de leur capuche, où il entrera dans l'ordre des oblats dix ans après. Le rôle de la confrérie était notamment l'assistance aux miséreux et aux condamnés. Les oblats ne prononçaient pas de vœux et restaient laïcs, mais s'engageaient à vivre selon une morale rigoureuse.

Tommaso n'en continuait pas moins à mener sa vie aisée dans le monde. Les Sacconi Bianchi, dont le siège était l'église de Saint-Théodore, au Palatin, ne se recrutaient d'ailleurs que dans l'aristocratie romaine et leur confrérie était l'une des plus fermées et des plus recherchées de la ville. Plus que jamais Tommaso fréquente le palais Braschi et les autres palais princiers ; mais on le voit aussi, rapporte Silvagni, dans les cafés, alors devenus à la mode, tels que celui du Veneziano, place Sciarra, ou le café de la place du Clementino, qui tenaient lieu de club aux savants.

Le succès lui va bien. Son caractère et ses manières s'adoucissent à l'égard de sa famille. Il est plein de prévenances, notamment, pour son neveu Benedetto, qui est pensionnaire à Santo Spirito, sous l'œil paternel du prieur Lombardi. Il est vrai que Benedetto lui fait honneur. Intelligent, travailleur passionné par la médecine, il marche sur ses traces, à la Sapienza comme à Santo Spirito ; caractère heureux, il est, d'autre part, toujours de bonne humeur. « Je meurs d'envie de lire votre poème. Filippo m'a récité la sérénade de Scappino, et j'ai ri de bon cœur ; j'en ris encore en y pensant », écrit-il, par exemple, à Salvatore, en juin.

L'oncle Thomas est tout aussi bien disposé à l'égard de Salvatore et de Louis, qui avaient si bien accueilli ses amis déportés en Corse. « L'accueil que vous avez fait à tous ceux que je vous avais recommandés m'a valu beaucoup de reconnaissance », leur avait-il écrit en janvier. Il les attend à Rome. « Disposez de moi, si je puis vous être utile », dit-il.

Pour Salvatore, ce n'est pas le moment de quitter la Corse. Il aurait l'air de fuir. Il est plongé dans la rédaction de la *Justification* de l'insurrection de Bastia et du gouvernement provisoire, qu'il appelle tantôt « Justification », tantôt « Mémoire », dans sa correspondance, et qu'il achèvera dès la fin du mois d'août 1814. Il l'intitulera alors *Suite raisonnée des événements qui se sont produits à Bastia du 11 avril au 28 mai 1814*, titre prosaïque, mais qui a le mérité de la clarté [34].

Ce n'est pas une œuvre littéraire, mais politique. Salvatore y justifie l'insurrection populaire, la formation du gouvernement provisoire et son action pour libérer la Corse de la tyrannie de l'empire, par les seuls arguments du droit et l'analyse des circonstances.

La *Justification* de l'insurrection de 1814

« La Corse, soumise au pouvoir institutionnel de la haute police, avait été mise hors de la Constitution. Le décret qui avait suspendu celle-ci dans cette province avait suspendu nos droits ; mais, en suspendant nos droits, elle avait aussi suspendu nos devoirs de citoyens français », écrit-il notamment.

Le tableau de la Corse, « traitée en colonie » par la France, sous le régime impérial, est peint avec vigueur. Le droit des Corses à reprendre leur indépendance, dans ces conditions, est fermement défendu. Ils avaient accepté l'union avec la France aux conditions et avec les garanties accordées par la monarchie, puis par la Révolution bourgeoise de 1789. La Convention les avait violées, pour la religion ; l'empire pour les droits de l'homme. Ce n'était plus la même France. Pour le gouvernement provisoire, Salvatore le dit clairement : « Nous ne cacherons pas que nous avions pris la ferme résolution de ne plus être français, si les Français continuaient à être les vils esclaves de Bonaparte. »

L'explication du recours aux Anglais est plus embarrassée, car les membres du Comité supérieur ne veulent pas reconnaître qu'ils ont été dupes de leur propre naïveté en leur faisant confiance. Mais du moins Salvatore plaide-t-il, ici aussi, avec fierté. Tout au long de sa justification, les mots clefs sont Patrie et Liberté.

Puisque Salvatore ne peut aller à Rome, c'est Louis qui s'y rend, pour profiter des bonnes dispositions de l'oncle Thomas envers la famille. Ses projets sont multiples : trouver une situation pour Salvatore et pour lui-même, organiser les études de Michel, voir Benedetto, faire des affaires, aussi, et... plaider auprès du pape la cause du Comité supérieur et de la ville de Bastia. Pour appuyer la mission de Frédien de Vidau auprès de Louis XVIII, à Paris, Salvatore et les membres de l'ex-gouvernement provisoire l'avaient en effet chargé d'une mission politique.

Louis devait demander à l'oncle Thomas de convaincre Pie VII d'écrire au roi de France pour lui recommander les Bastiais et, surtout, lui demander de rétablir leur ville comme capitale administrative de la Corse, à la place d'Ajaccio. Après tout, l'oncle Thomas n'était-il pas déjà intervenu auprès du pape et de son ami le cardinal Consalvi en faveur du gouvernement provisoire ? Comme toujours, Louis ne doute de rien.

Louis à Salvatore : « Rome, 11 août 1814. Mon très cher frère, aussitôt arrivé, le 5 de ce mois, je suis allé chez notre oncle auquel j'ai précisé tout ce dont j'ai besoin. Il me paraît bien disposé, pour tout, bien que son premier mouvement soit de trouver un tas de difficultés, vous le connaissez ; mais je le prendrai à sa façon et j'espère réussir en tout...

« Je vais préparer un mémoire pour le Saint-Père. Cela me donnera l'opportunité d'avoir une conférence avec lui sur les affaires de notre ville ; car je n'ai réussi, jusqu'à présent, qu'à lui baiser le pied, tant il est occupé. Je l'ai cependant déjà fait solliciter à cet égard par notre oncle, par Mgr d'Arezzo et par le cardinal Pacca... L'évêque de Saint-Malo est arrivé comme ambassadeur de France ; mais il ne s'est pas encore présenté au Saint-Père car il a oublié ses lettres de créance. Il les attend d'un jour à l'autre, et je suis sûr que, dès qu'il se présentera au Saint-Père, celui-ci lui recommandera notre cause avec chaleur...

« J'ai parlé de Michel à notre oncle, qui m'a assuré que, si Michel a la vocation ecclésiastique, il pourra le faire entrer au Collegio Romano, où il n'aura d'autre dépense que celle de ses vêtements, dès le début de l'année scolaire. Prenez donc Michel en tête-à-tête et faites lui toutes les observations nécessaires pour voir ce qu'il vous répondra sur sa vocation ; car je ne voudrais pas que l'oncle Thomas s'engage avec le Collegio Romano si Michel est, ou pourrait être, d'opinion contraire. J'ai également jeté le filet, chez notre oncle, pour une situation pour vous et pour moi. Dans l'immédiat, ici, il n'y a rien en vue. L'oncle m'a dit qu'en faisant une chose à la fois, on réussira à tout faire. Il va me donner une lettre pour le cardinal Consalvi ; elle sera très chaleureuse, dit-il ; mais le crédit que cette lettre aura, ça, je n'en sais rien. Je sais que le cardinal est l'œil droit de notre oncle.

« Soyez certain que je travaille avec une diligence extrême à tout ce pourquoi je suis venu ici. Empressez-vous de m'envoyer la justification, parce que notre oncle désire l'avoir au plus tôt pour pouvoir faire le nécessaire... J'ai vu Benedetto. Je l'ai trouvé très bien. Il étudie avec succès et commencera bientôt à faire des dissections sur les cadavres... »

Le dynamisme de Louis n'eut malheureusement pas grand effet. Il ne réussit à conclure aucune des affaires entreprises et qu'il est difficile de comprendre, car Salvatore et lui-même n'en parlent, dans leurs lettres, que par allusions. Ce qui est clair, c'est qu'elles n'aboutirent pas. Il ne trouva de situation acceptable ni pour lui-même, ni pour Salvatore. Celui-ci en montre quelque ressentiment à l'égard de l'oncle Thomas. « J'ai reçu deux lettres de Lambruschini, qui espère me trouver une situation. Il serait étrange que je la doive à un étranger, plutôt qu'au frère de ma mère », écrit-il à Louis.

Salvatore avait terminé d'écrire la *Justification*. « Le mémoire que vous attendez a été envoyé à l'imprimerie à Florence », lui dit-il le 6 septembre. Et le 17 : « Mon mémoire, imprimé à Florence, arrivera ici sous peu. Je vous en enverrai aussitôt plusieurs exemplaires, pour l'oncle Tommaso et pour vous... »

Comme pour prendre une revanche sur son échec en politique, il plonge dans l'écriture avec exaltation. Là serait sa victoire, et autrement durable. Enfermé dans sa chambre, devant la fenêtre ouverte, sur le port étincelant de la lumière de l'été, il n'a pas plutôt fini la *Justification* qu'il reprend le manuscrit délaissé de son poème sur la guerre entre Borgo et Lucciana. Il l'achève en octobre, comme en témoigne la date « 26 octobre 1814 », marquée sous le mot « fin », trois fois souligné, dans l'un de ses manuscrits.

Le manuscrit est encore intitulé *La charogne*, mais il comprend une assez longue préface dans laquelle Salvatore explique qu'il a longtemps hésité entre ce titre et celui de *Dionomachia*, formé avec les mots grecs Διᾶ ὄνον μάκη : la guerre pour l'âne. Le premier lui paraît vulgaire pour les oreilles sensibles ; le second trop savant et pompeux. C'est pourquoi il a décidé, dit-il, de mettre en frontispice *La guerre de Marana*. « Pour présenter sur le frontispice de mon poème un titre qui ne soit ni étrange et incompréhensible, ni grossier et équivoque, j'ai donc choisi d'y placer "la guerre de Marana" en y ajoutant, dans le texte, le titre plus simple "ou la charogne". Ce double titre me semble avoir aussi l'avantage de bien exprimer le contraste entre l'effet et la cause, ce qui est l'objet du poème. »

Plaidoyer collectif, puisque présentant la défense du Comité supérieur comme entité, la *Justification* était anonyme. « Si je n'y ai pas mis mon nom en 1814, croyez bien que ce ne fut pas par crainte, mais parce que, écrivant alors au nom de mes collègues (du gouvernement provisoire) autant qu'en mon nom propre, mon rôle était simplement celui d'un avocat, et je ne pouvais exprimer toutes mes idées personnelles », écrira d'ailleurs Salvatore à Niccolo'

Tommaseo, lorsque celui-ci projettera avec Vieusseux de rééditer l'ouvrage en 1841 [35].

Les premiers exemplaires arrivèrent à Rome au début du mois de décembre, expédiés par Salvatore au prieur Lombardi. « Bastia, 29 novembre 1814. Ami très cher, vous allez recevoir par le bateau de Civitavecchia un paquet de soixante exemplaires d'un petit livre que j'ai écrit pour justifier l'insurrection de Bastia. Ayez la gentillesse d'en accepter un pour vous, et de remettre les autres à mon frère qui, après en avoir donné à Poletti, à l'oncle Thomas et à nos amis les plus proches, les fera vendre par un libraire au prix d'au moins deux paoli l'exemplaire. Pour le prix, qu'il en convienne avec l'oncle Thomas. L'argent de la vente reviendra à Agostino Castellini qui l'a avancé pour payer l'imprimeur. »

Il en enverra deux cents autres exemplaires, le 19 décembre, à Louis, revenu à Rome d'un bref voyage à Bastia, où il était venu chercher Michel. « ... j'ai appris avec plaisir que la justification a eu du succès à Rome auprès de notre oncle et de nos amis de la curie, les anciens déportés, malgré les erreurs d'impression et les changements que Minucci a pris la liberté de faire au détriment de la dignité du style. Je l'aurais bien traduite ou fait traduire en français, avec de nombreuses additions, si Vidau n'était pas en train d'en faire imprimer une à Paris... »

Mais c'était déjà de l'histoire ancienne, et tellement mineure ! La cause du Comité supérieur et de Bastia n'intéressait guère la curie. Louis ne put avoir aucune « conférence » avec le pape. Probablement effrayé par l'assurance de son neveu, l'oncle Tommaso ne mit aucun zèle à la lui obtenir. Le prieur, chez qui Louis avait habité à son arrivée, l'avait accueilli chaleureusement. Mgr Arezzo lui avait donné plusieurs lettres de recommandation, entre autres pour l'ambassadeur de France ; Mgr Testa lui avait fait des frais. Mais ce fut à peu près tout. « Tous les autres ne sont que d'hypocrites coquins », écrit Louis à Salvatore.

Le seul résultat de son voyage sera, grâce à l'oncle Thomas, de faire entrer Michel au Collegio Romano, le petit séminaire de Rome, tenu par les jésuites. Sa vocation ne faisait aucun doute. Salvatore l'a confirmée à Louis : « Bastia, 21 septembre... J'ai sérieusement parlé avec Michel du choix de son avenir, en lui présentant le pour et le contre de l'état sacerdotal. Il me paraît fermement décidé à embrasser le sacerdoce. Vous pouvez donc aller de l'avant, en toute certitude, pour son entrée au Collegio Romano. Donnez-nous des précisions, au plus tôt, pour que nous puissions tout préparer. En attendant, j'essaye de l'y préparer moi-même par des instructions quotidiennes. » Michel y entrera pensionnaire au mois de novembre. Il avait seize ans.

Pour aller le chercher à Bastia, Louis avait pris une felouque à Fiumicino, à l'embouchure du Tibre, le 6 octobre. A l'aller, le voyage avait duré dix jours, avec des vents contraires et une forte tempête qui avait obligé à faire escale pendant deux jours à l'île d'Elbe.

« A Porto-Ferrajo, j'ai vu Napoléon en voiture avec le maréchal Bertrand », note Louis dans son journal.

8

Quatre mois après, le 26 février 1815, Napoléon quittait l'île d'Elbe, et Murat, roi de Naples, se ralliait à l'empire. Rêvant d'être roi de toute l'Italie, il déclara la guerre à l'Autriche, lança aux Italiens un retentissant appel à l'indépendance et à l'unité et mit ses Napolitains en mouvement.

« Ce n'est qu'un orage qui durera trois mois », dit Pie VII au chevalier Artaud. Mais quand il apprit que les Napolitains de Murat avaient franchi sa frontière à Terracina, il jugea plus prudent de s'éloigner. On murmurait à Rome que les fidèles de Napoléon pourraient l'enlever, pour le garder en otage. On disait, précise Artaud, qu'Elisa avait publiquement affirmé : « Bonaparte est en France et si on l'arrêtait, nous chercherons à faire arrêter le pape comme otage. »

Pie VII prit donc la route précipitamment avec le cardinal Pacca et une suite réduite, dont Tommaso faisait partie. C'était le 23 mars, un mercredi saint. Le projet était d'arriver jusqu'à Livourne, par Viterbe et Florence, et, de là, s'embarquer pour Gênes, sous la protection des Anglais. Le voyage n'avait pas été préparé, on agissait à la hâte, apparemment sans concertation. A Livourne, plusieurs bateaux se trouvaient dans le port, dont un brick anglais. C'est à lui que Pacca s'adresse. Le capitaine lui répond qu'il ne peut partir immédiatement, à moins que les Napolitains n'arrivent en Toscane et menacent directement le Saint-Père. Le cardinal va le rapporter au pape, et trouve ce dernier dans un état de grande agitation.

Il raconte : « Je rapportai ce que m'avait dit le capitaine du vaisseau anglais au Saint-Père, mais Pie VII, soit pris d'un mouvement de terreur panique dont on ignore la cause, soit poussé par les insinuations de quelqu'un d'autre, me répondit qu'il ne voulait pas rester à Livourne, mais qu'il voulait continuer le voyage vers Gênes par voie de terre [36]. »

Ce « quelqu'un d'autre » est apparemment Tommaso Prelà qui crut avoir ainsi déjoué la tentative d'enlèvement que l'on redoutait.

Cette autre version est en tout cas relatée par son ami D.R. qui affirme : « Le navire qui devait transporter le pape et sa suite à Gênes était déjà dans le port de Livourne, lorsque le regard pénétrant de Monseigneur l'Archiatre reconnut le commandant. C'était un israélite qui se prétendait chrétien et avait comploté de porter ce précieux gage sur une toute autre plage. » D.R. précise : « Nous ne pouvons taire cet épisode, qu'interprète de sa modestie nous aurions pu passer sous silence, bien qu'il nous ait été raconté par lui-même, s'il n'avait été rapporté par la *Gazette* de Bastia. Si nous ne le confirmions pas nous-même, on pourrait croire que ses compatriotes ont exagéré ou menti. »

L'un des articles nécrologiques parus à Rome à la mort de Tommaso et gardé par Salvatore dans ses papiers mentionne également cette version, avec une précision d'ordre politique qui met directement en cause le parti profrançais : « Le pape allait s'embarquer sur un grand et beau bateau mis à sa disposition par une personne très riche, lorsque Tommaso Prelà eut l'information sûre que cette personne était un israélite prétendument chrétien, très ami de ce rebelle qui en 1808 avait donné l'assaut au Quirinal et avait participé à l'arrestation du Souverain Pontife. Cette indication fut à l'origine de l'interruption du voyage, et valut à Mgr Prelà une pension annuelle avec lettres patentes pour services rendus au pape et au Sacré Collège. » Dans son carnet de voyage à Rome en juin 1831, Salvatore notera : « Le pape accorda à l'oncle Thomas une pension de 200 écus pour le récompenser du service qu'il avait rendu à lui-même et au Sacré Collège. Le pape croyait en effet que l'oncle Thomas l'avait sauvé du danger d'être capturé et remis au roi de Naples. »

Quoi qu'il en soit de cette version, l'intéressant est que Tommaso Prelà l'ait lui-même racontée. On peut aussi constater qu'elle a été rendue publique, dans un texte assez largement diffusé à Rome en 1846, alors que de nombreuses personnes qui avaient bien connu l'archiatre, Pie VII, le « rebelle » et les événements, vivaient encore pour témoigner, et qu'elle n'a pas été démentie.

Le pape et sa petite suite prirent donc la voie de terre, dangereuse et malaisée, jusqu'à Lerici, où l'on ne trouva que les petites felouques locales pour rejoindre Gênes. « Cela me mit dans une grande agitation d'esprit » raconte Pacca. Il se souvenait que, lors d'un précédent voyage dans les mêmes eaux, on lui avait dit que ces felouques avaient été plus d'une fois arraisonnées et pillées par des barbaresques en embuscade à Portofino. Mais la voie de terre était, de ce côté-là, encore plus dangereuse, montagneuse, infestée de déserteurs et de brigands. Pie VII, Pacca, Tommaso et quelques prélats s'embarquèrent donc sur une felouque, le regard scrutant l'horizon, d'autant plus inquiets qu'il faisait très beau, qu'il n'y avait pas de vent, et qu'il fallut faire le trajet à la rame, si lentement qu'on dut encore faire escale, pour la nuit, à Rapallo.

Murat n'avait même pas eu le temps de rêver. Le 2 mai, les Autrichiens avaient écrasé l'armée napolitaine à Tolentino. Le

15 juin, c'était Waterloo. A peine arrivé en France, il en était reparti pour sa dernière aventure : Bastia, le 25 août, Vescovato, le maquis corse, puis cette plage de Calabre où, roi déchu, il sera fusillé en grand uniforme, comme un bandit.

Pie VII était rentré à Rome dès le 7 juin. Tommaso, plus glorieux que jamais, ne l'avait pas quitté d'une heure pendant son épuisant voyage. Le cardinal Consalvi rentra lui aussi, peu après. Il ramenait du Congrès de Vienne la restitution des Légations à l'Etat du pape et on lui fit un triomphe. On revenait de loin. A Rome, comme en Europe, on disait que tout allait recommencer comme avant. Benedetto, à Santo Spirito, avait dix-neuf ans. Michel, au Collegio Romano, en avait dix-sept. Pour eux, c'est tout simplement la vie qui commençait.

Pour Salvatore et pour Louis, à Bastia, l'avenir était sombre ; pour Salvatore surtout, compromis dans l'insurrection de l'année précédente. L'affaire avait, certes, perdu toute gravité. Avec le recul du temps, l'entreprise du Comité supérieur ressemblait plus à une maladresse qu'à une trahison.

« Je ne condamnerai pas le soulèvement, si vous voulez, mais appeler les Anglais... » avait bougonné le ministre de l'Intérieur, l'abbé de Montesquieu, à Frediano Vidau, qu'il avait accepté de recevoir à Paris. A Bastia, la réaction s'était bornée à quelques vexations. « Nos adversaires irrités ont ordonné le désarmement général de toute la population. Ils ont pointé les canons sur la ville, garni les forts, multiplié les patrouilles, de jour et de nuit. On a fait des perquisitions dans toutes les maisons et on a arrêté et emprisonné ceux chez qui on a trouvé une vieille épée rouillée ou quelques cartouches de poudre. La population est restée calme », écrit Salvatore à Louis, encore à Rome. De lui-même, il dira dans l'*Utile-Dulci* : « Et monsieur Viale, sorti ni plus riche, ni moins pur de ce remue-ménage politique, retourna à sa vie privée. » Mais il y retournait échaudé, à jamais, par cette expérience malheureuse. Plus jamais, il ne sera tenté par la politique active.

Sa justification n'avait pas fait plus de bruit, hors de Corse, que les événements qu'elle s'efforçait d'expliquer. A Paris, un certain Jean-François Simonot en qualifia l'auteur d'« antifrançais [37] », mais son vieux maître et ami, F.O. Renucci, le défendit dans son *Histoire de la Corse*. Dans les faits, il n'y eut ni répression ni persécution. Après tout, les Bastiais étaient — à quelques exceptions près — tous du même côté : contre l'empire.

Les commerçants retournèrent tranquillement à leurs comptes. Vidau, Salvatore et quelques autres furent simplement écartés de la redistribution des places. Pour Salvatore, sa nomination comme juge au tribunal, signée Montrésor, était annulée. Les affaires de famille, négligées par Louis, d'autre part, allaient mal. Après le départ pour Rome de Benedetto et de Michel, on avait fermé « le magasin ». Maria Nicolaja s'inquiétait.

Le retour de l'empereur fut salué en Corse avec enthousiasme. A l'annonce de sa chute, on avait jeté son buste à la mer, à Ajaccio, et l'on sait ce qui était arrivé à Bastia. Mais les Bourbons ne s'étaient pas fait aimer. Le torrent d'insultes que les monarchistes français, Chateaubriand en tête, déversaient sur les Corses, à cause de Napoléon, avait d'autre part révolté dans l'île jusqu'aux ennemis de ce dernier.

« Les libelles français couvrent tous les Corses des insultes dont ils outragent Napoléon. Que les Français disent s'ils n'ont aucune responsabilité dans la conduite de ce Corse, qui aurait certainement régné moins despotiquement, ou moins longtemps, dans sa patrie », écrit fièrement Salvatore, dans sa *Justification* de 1814.

A Bastia, le drapeau tricolore fut hissé le 5 avril sur la citadelle et sur le clocher de Saint-Jean, où l'on chanta le *Te Deum* de routine, avec le même enthousiasme que pour Louis XVIII l'année précédente. On changea les autorités avec le drapeau, et l'on assista de nouveau à quelques belles arrivées dans le port. Louis les note dans son Journal. « 1er mai — Le duc Arrighi (de Padoue) a débarqué en qualité de gouverneur de la Corse, envoyé par Napoléon »... « 19 mai — Madame Letizia, le roi Jérôme et le cardinal Fesch ont débarqué à Bastia, dans leur voyage de Rome à Paris, et sont repartis après être restés six heures environ. »

Mais les partisans de Napoléon étaient moins tolérants que ceux des Bourbons. En apprenant que les Alliés étaient repartis en guerre et s'approchaient des frontières, craignant quelque agitation chez les monarchistes, Arrighi et le préfet Giubega décidèrent d'arrêter préventivement ceux qui auraient pu faire figure de meneurs. Tous furent avertis par des amis et se mirent en sûreté. Un seul resta chez lui, Giovanbattista Rinaldi. Aimé de tous et n'ayant d'ailleurs rien à se reprocher, l'ancien chef des forces du Comité supérieur était trop fier pour se cacher. Mais lorsque les gendarmes vinrent l'arrêter dans la nuit, Rinaldi en tua deux, en blessa plusieurs autres et se barricada avec son fils aîné, Salvatore.

Le combat n'avait cessé qu'à l'aube, lorsque les gendarmes, s'étant emparés de sa femme et de son fils cadet, s'en étaient fait un bouclier pour s'avancer. Le général Simon, commandant la place, était présent. Il avait donné sa parole que Rinaldi pourrait partir pour la Toscane, s'il se rendait. Mais sitôt dehors et désarmé, Rinaldi fut lié, jeté en prison, remis à une commission militaire convoquée sur-le-champ et condamné à mort. Le jugement était illégal. Les commissions militaires avaient été abolies. « L'historien consciencieux ne peut pas ne pas constater que la condamnation de Rinaldi fut loin d'être fondée juridiquement », écrit l'honnête Renucci.

On l'avait fusillé place Saint-Nicolas, en public, le 24 juin, jour de la saint Jean-Baptiste. « Il marcha au supplice avec ce même courage avec lequel il s'était défendu et avec cette piété chrétienne que lui inspirait, dans ses derniers instants, la fête solennelle de ce jour de la saint Jean-Baptiste, qui était aussi le jour de sa fête », écrit Salvatore [38].

La personnalité de Rinaldi, son courage et celui de son fils, le manquement du général à la parole donnée, l'illégalité de la sentence, cette cynique exécution au grand soleil de juin sur la place publique, indignèrent les Bastiais. Lui seul avait sauvé l'honneur de tous ces tièdes qui, de part et d'autre, n'avaient pas tiré un coup de feu pour leur cause. Salvatore dit son indignation en public. Rinaldi était un ami. La façon dont il avait été pris, trahi, exécuté, entra certainement pour beaucoup dans la décision que Salvatore prit de s'éloigner de Bastia et de s'exiler à Rome. « Dans les tumultes de 1815, il quitta sa patrie pour chercher le calme à Rome », écrira-t-il avec son habituelle retenue dans l'*Utile-Dulci*.

Le 8 septembre 1815, « le sieur Viale Sauveur, avocat de profession, propriétaire, âgé de vingt-sept ans, taille 1,68 m, cheveux noirs, yeux bleus, visage ovale, etc., etc. Signe particulier : le visage marqué de la petite vérole », fait donc viser son nouveau passeport à l'ambassade de France près le Saint-Siège. Cette fois, c'est le chevalier Artaud qui l'accueille.

Salvatore est plein d'espoir. Il se sent libéré et respire à nouveau l'air du large. A Rome, il a retrouvé Michel, pensionnaire au Collegio Romano, et Benedetto, qui habitait encore chez le prieur Lombardi. Avec Benedetto, il loue un petit appartement de trois pièces, « très commode ». J'en ignore l'adresse ; toutes les lettres de cette époque lui sont adressées aux bons soins de Bartolomeo Lombardi, chanoine et prieur de Santo Spirito. Celui-ci le comble de prévenances ; il l'introduit partout au Vatican et y guide ses premiers pas. Il lui prête de l'argent quand il est en difficulté. Il lui arrive même d'arrondir les angles dans les rapports avec l'oncle Tommaso, qui sont redevenus difficiles. « Il ne nous ferme pas sa porte, mais nous écoute avec impatience. On ne peut faire qu'une chose à la fois, répète-t-il », écrit Salvatore à Louis.

Il a également retrouvé l'abbé Poletti, plein de considération pour ce qu'il appelle « les exploits » de Salvatore à Bastia, mais que préoccupe surtout sa retraite, pour laquelle il réclame une pension au gouvernement britannique. Une nouvelle génération de Bastiais forme une petite colonie remuante. On se rencontre souvent pour échanger services et nouvelles du pays : Andrea Pasqualini, Antonio Viale, un cousin, Antonio Guasco, Frattini, Nasica. C'est un autre cousin, Anton Michele, un Santelli, qui fait le va-et-vient entre Bastia et Civitavecchia avec son bateau et assure le courrier. A travers lui, c'est aussi un constant échange de boutargue, et de ballots de farine de châtaignes en provenance de Corse, de chocolats, en retour de Rome. Salvatore retrouve aussi ses anciens camarades de la Sapienza, et surtout un certain nombre des prêtres romains, jadis déportés à Bastia, qui peuplent maintenant la curie. C'est sur eux qu'il compte pour se faire comme on dit, une situation.

L'époque est favorable. On attend la première promotion de cardinaux de l'après-guerre, ce qui entraînera un profond remaniement du Sacré Collège, la transformation et le renouvellement, à tous les échelons, du gouvernement et de l'administration du Saint-Siège. Les places ne devraient pas manquer. La trentaine de lettres de Salvatore à Maria Nicoloja et à Louis, cette année-là, sont pleines de projets.

Le ferme espoir de Salvatore est d'obtenir rapidement un poste au tribunal de la Rote, comme secrétaire de quelque auditeur. On lui a fait des promesses. Son diplôme de docteur en droit de l'université de Pise, sa pratique de la jurisprudence romaine, ses qualités reconnues d'esprit clair et sérieux sont des gages plus que suffisants pour l'obtenir. Il ne doute pas que cela se fera. Certes, il ne rejette pas toute idée de revenir un jour en Corse. Il dit son attachement à la famille, à la maison ; mais il est bien décidé à attendre à Rome que les esprits se soient calmés à Bastia.

Il ne veut plus entendre parler, en attendant, de la politique locale et de ses affrontements subalternes. Là-bas aussi, c'est la course aux places ; mais la Restauration n'est qu'une grande lessive. L'esprit de parti triomphe. Ses anciens collègues du Comité supérieur lui demandent de reprendre la plume et d'écrire une deuxième « justification » du gouvernement provisoire, cette fois pour contre-attaquer. Salvatore refuse. A Louis, qui lui transmet la demande, il répond catégoriquement non. « Ce deuxième mémoire aurait un désavantage sur le premier, et c'est que le premier était une justification, ou légitime défense, alors que celui-ci devrait être une accusation et prendre souvent une tournure personnelle. Or, les accusations sont odieuses et, avec le temps, peuvent devenir nuisibles », écrit-il à son frère.

Salvatore compte sur l'oncle Tommaso et sur les monseigneurs de la curie qu'il connaît, Felici, Testa, Arezzo, surtout, qui le prend en amitié et qui a « une grande influence sur cette cour ». C'est Arezzo qui le présente à l'ambassadeur de France, l'évêque de Saint-Malo, et qui lui procure des lettres de recommandation pour lui-même et pour Louis. Pour l'aide apportée aux prêtres déportés, Salvatore a d'ailleurs été fait compagnon de Saint-Jean-du-Latran et chevalier de la Milice Dorée, « *sacri palatii apostolici et aulae lateranensis comitem atque aurae militiae equitem* ». Le bref pontifical, en date du 30 juillet 1815, calligraphié sur parchemin enluminé, est signé de Michele Belli, devenu archevêque de Naziance et référendaire à la signature, à son retour à Rome. C'était un des monseigneurs accueillis par Maria Nicolaja, rue Saint-Jean, en 1812. Elle était intervenue auprès de l'autorité militaire pour qu'il ne fût pas jeté dans le Donjon. « Les nombreuses obligations que je vous dois pour toutes les faveurs dont vous faites bénéficier Michele... », lui avait écrit de Rome Giuseppe Belli, son frère.

Certainement, tous ces monseigneurs maintenant au pouvoir favoriseraient-ils Salvatore d'autre chose que d'un beau parchemin enluminé et de titres purement honorifiques.

En attendant, il fallait vivre. Salvatore entre donc comme « *minutante* » chez un magistrat haut placé, Mgr Cuneo d'Ornano, « *uditor camerale* » au tribunal de Montecitorio. C'était un compatriote, un Ajaccien, et il est probable que Salvatore lui aura été présenté par Tommaso Prelà. La fonction n'était pas exaltante. C'était un travail de secrétaire, parfois même de simple copiste, et bénévole, ou presque. Salvatore préparait la documentation pour les procès, faisait des recherches de jurisprudence, rédigeait des résumés, des synthèses. Du moins, ses connaissances juridiques trouvaient-elles à s'employer. C'était une place d'attente honorable pour se faire une réputation et aspirer à un meilleur emploi.

De bonne famille ajaccienne, Mgr Cuneo d'Ornano était en relations amicales avec les Bonaparte qui s'étaient réfugiés à Rome, autour de Madame Mère, à la chute de Napoléon. C'est en sortant de chez Lucien, un soir à Frascati, qu'il avait été agressé par des brigands, mésaventure dont tout Rome avait parlé. Cette année-là, l'une des causes qui lui étaient soumises était intentée par Pauline à son mari, le prince Borghese, dont la sœur de Napoléon s'était séparée. Il s'agissait de savoir qui habiterait le palais de famille. Dans ce milieu, Salvatore élargit le cercle de ses relations. Il peut envoyer à Louis une autre lettre de recommandation, cette fois pour le nouveau gouverneur de la Corse, le marquis de Rivière. Il se prépare lui-même à exploiter la première occasion de bien se placer.

Il écrit à Louis : « Je me prépare avec soin à saisir la première ouverture dans la nouvelle organisation du gouvernement qui est imminente à Rome... en attendant, pour ne pas perdre de temps et me trouver déjà en selle à la première occasion, je continue à travailler quotidiennement dans l'étude de l'un des juges les mieux introduits de Monte Citorio, Mgr Cuneo d'Ornano, Corse, qui me dit être très content de ma collaboration. »

Fin janvier, enfin, la promotion est faite : plus d'une vingtaine de nouveaux cardinaux sont créés, la moitié du Sacré Collège. C'est un véritable bouleversement dans le monde politique romain. Incidemment, la fortune de l'oncle Tommaso s'accroît d'autant ; il touche trente écus de chacun, comme rente de situation. Parmi les nouveaux promus, Arezzo est l'un des plus influents. Un autre est le cardinal Fontana, qui ramènera à Rome Raffaello Lambruschini. Salvatore croit toucher au but. Il va et vient d'un palais à l'autre, s'engouffre dans le tourbillon des visites de félicitations, que l'on appelle à Rome des visites « de chaleur », dans les méandres des intrigues et machinations qui les accompagnent et où chacun essaye de se placer parmi les familiers et les protégés.

« Cette promotion de cardinaux m'a tant occupé en visites et autres affaires que je n'ai pas eu le temps de respirer. Je connais six ou sept des cardinaux qui viennent d'être faits, et parmi eux j'ai un puissant moyen d'action avec Lambruschini, qui vient à Rome comme auditeur du cardinal Fontana », écrit-il à Louis le 30 janvier. Et encore, le 20 avril, après l'arrivée de son ami Lambruschini : « Par son cardinal, par son oncle, Mgr Luigi, et par ses propres relations il connaît beaucoup de monde et haut placé. Vous savez l'amitié qu'il m'a toujours portée ; il la proclame aujourd'hui plus que jamais. »

Assuré d'une situation à Rome, Salvatore apprend sans regrets les nominations dans la magistrature en Corse, dont l'informe Louis. « J'ai apris la nomination des nouveaux membres de la cour royale de Bastia. Peu m'importe de ne pas en faire partie, puisque je compte en être suffisamment compensé ici... Je suis assuré d'une place de secrétaire parmi les nouveaux auditeurs du tribunal de la Rote, déjà nommés mais qui ne sont pas encore entrés en fonction. Le traitement n'est pas considérable, puisqu'il n'est que de 12 à 14 écus romains par an ; mais c'est une situation stable et qui m'occupera modérément. Je pourrai faire autre chose... »

Ici, Salvatore se trahit. Il n'en souffle pas mot dans ses lettres, mais il a été repris, dès son arrivée, par la passion de sa première jeunesse romaine : l'amour immodéré des belles-lettres. Sans doute pour ne pas inquiéter Maria Nicolaja, il n'y fait jamais la moindre allusion dans sa correspondance. Il insiste, au contraire, sur ses démarches pour obtenir une situation solide qui lui permette de rétablir les finances familiales ; mais le fait est là : il passe une grande partie de son temps dans les réunions littéraires, il est membre de deux académies, la Tiberina et l'Arcadia, il y récite des vers. Ses carnets intimes sont à nouveau pleins d'ébauches poétiques.

Salvatore avait été admis à l'académie Tiberina, « membre résident », deux mois à peine après son arrivée à Rome. C'était une nouvelle académie littéraire, fondée par Giuseppe Gioacchino Belli et quelques jeunes poètes modernistes en réaction contre l'Arcadia. Son but était de « concourir au progrès des sciences et des belles-lettres », Belli avait vingt-cinq ans. Il n'était pas encore l'auteur des féroces sonnets en dialecte romain qui lui vaudront la célébrité, et il continuait lui-même à rimer en arcade, mais il encourageait à l'audace, donnait déjà un ton nouveau. C'est lui qui reçoit Salvatore, le 20 novembre, à l'Académie. Salvatore s'y engouffre, s'y ébroue, y lit d'abord quelques-unes de ses poésies burlesques.

Dès l'année suivante, en mars 1816, dans la même semaine, où il entretient gravement sa famille de son futur emploi au tribunal de la Rote, il y présente un commentaire, aussi impertinent qu'érudit, sur une traduction de l'*Iliade* en vers italiens par Melchior Cesarotti [39]. Son commentaire fit grand bruit. Cesarotti était un littérateur à la mode, pompeux et révéré, l'un des érudits les plus renommés de l'époque, et sa traduction passait pour géniale. Salvatore dit qu'il était parfaitement inutile de transformer les beaux vers grecs en mauvais vers italiens et relève au passage quelques absurdités de traduction. On admira son audace, son originalité, sa connaissance du grec. Dans ce milieu attentif et curieux, son talent et ses connaissances commencèrent à compter.

Il était également membre de l'académie de l'Arcadia, sous le nom pastoral d'Eleuterio Despiense. Mais plus, semble-t-il, par gourmandise littéraire et pour les mondanités qui entouraient l'activité de cette académie. Sa lettre de réception, les quelques convocations, qu'il a gardées, aux rendez-vous du Bosco Parrasio, avec leurs grands beaux papiers, leurs dessins raffinés, leur charme qui, à l'époque, devait déjà avoir un goût suranné, mettaient enfin une note d'élégance dans les paperasses dont, comme toujours, il s'encombrait. Les joutes oratoires de l'Arcadia étaient encore de ces événements dont on parlait ensuite longuement dans la société.

Lambruschini y allait souvent. Et Salvatore, fin, cultivé, bien introduit, n'était plus le petit Corse sauvage de 1803.

Quand il le faut, on le voit suivre la mode des vers de circonstance, offerts aux bonnes relations lors de quelque mémorable événement privé, comme cet épithalame en forme de chansonnette, imprimé avec les vers d'un groupe d'amis pour le mariage de l'un des leurs, qu'il offre en novembre 1816 à Domenico Chiodi. Plaquette légère, noms oubliés, mais que le temps d'un regard suffit à rendre à la vie des souvenirs, encore aujourd'hui, à cette vie d'un jeune homme dans ses moments d'insouciance, à la grâce de Rome [40].

C'est de cette époque également que date son portrait de jeunesse en beau ténébreux, avec son air romantique, son élégance discrète... Cher Salvatore, toujours si proche de nous grâce à ce regard, cette présence de grand frère un peu mystérieux, qui a veillé sur notre enfance. Si proche aussi, pour tant d'autres souvenirs d'êtres chers, qui, maintenant, ont rejoint les siens...

9

Le temps passait. Ses fonctions auprès de Mgr Cuneo d'Ornano ne rapportaient toujours rien à Salvatore et la poésie ne nourrit pas son homme. Les uns après les autres, tous les postes à la Rote sont pourvus et les portes se referment. Il se trouve en difficulté pour acheter des souliers à Michel, de la quinine à Benedetto, qu'il continue à appeler « les enfants », « *i ragazzi* », et sur lesquels il veille comme un père.

« Benedetto et Michel sont un peu incommodés par une fièvre tierce, mais sans gravité... Ne craignez pas que je leur donne de la farine de châtaignes à contre-temps », écrit-il à Maria Nicolaja. Plusieurs fois, aussi « *i ragazzi* se font honneur », où l'on sent sa fierté. Mais la bourse reste plate. Poletti lui prête dix écus. Salvatore se restreint encore. Maria Nicolaja et Louis ne peuvent rien lui envoyer de Bastia, à part des vêtements pour l'hiver. Malgré son dynamisme, Louis n'arrive pas à rétablir l'équilibre financier de la famille. Au lieu de s'appliquer à une gestion minutieuse, avec persévérance et modestie, il multiplie les « affaires », pour lesquelles il emprunte. Dans l'espoir toujours déçu de gagner le gros lot, il ne réussit qu'à accumuler les difficultés de remboursement, avec les intérêts. Il a acheté une nouvelle gondole, cette fois entièrement à son compte, mais n'est pas meilleur armateur qu'il n'est commerçant. Il fait lui-même trop de crédit.

La situation s'améliore un peu lorsque Benedetto, en février, reçoit son premier poste à Santo Spirito : assistant surnuméraire du titulaire de la chaire de clinique médicale. Il vient à peine d'avoir vingt ans. C'est un beau poste, à cet âge. Et, ce qui n'est pas négligeable, il prendra une partie de ses repas à l'hôpital, où le prieur Lombardi complète son ordinaire. « Presque chaque matin, je prends mon petit déjeuner chez lui », écrit-il. Cela soulage d'autant la bourse de Salvatore. On en est là. Du moins l'avenir s'éclaircit-il de ce côté. Benedetto commence bien sa carrière. « Son professeur de clinique est très content de lui, et son travail à Santo Spirito lui permet de continuer à suivre les cours de pratique médicale et d'aller à l'université », écrit Salvatore.

Le titulaire de la chaire de clinique médicale était toujours le professeur Giuseppe De Matthaeis, le disciple préféré de l'oncle Thomas. Ce fait ne dut sans doute pas être étranger à la préférence qu'il avait donnée à Benedetto ; mais Benedetto avait toutes les qualités pour la mériter. De Matthaeis le prend ainsi sous son aile et son estime se change vite en affection, une affection qu'il étend à Michel et à Salvatore, élargissant autour d'eux le cercle romain de la famille.

Mais une nouvelle épreuve s'abat alors sur la maison. Salvatore à Louis : « Rome, 6 mars 1816. Mon frère très aimé. Votre lettre du 16 dernier, que je garde toujours sous les yeux, m'a fait pleurer et je n'ai pu cacher mes larmes à Benedetto. Mais vous avez bien fait de me prévenir, même si ce triste secret me laisse abattu et inquiet. Votre lettre me fait craindre pour la santé de Maria Orsola. Ne me cachez rien, par pitié, sur l'état de santé physique d'une sœur dont vous savez combien je l'aime. Dites-moi quelle autre maladie, outre la maladie de son esprit, est survenue ; si elle est alitée, qu'en disent les médecins... J'ai déjà écrit à Maria Orsola, par Anton Michele, pour lui expliquer que je ne suis pas encore en état, actuellement, de la faire venir auprès de moi. Je le lui écris à nouveau, par Nasica. Mais, à vous, je dis de ne pas hésiter à l'envoyer à Rome, après avis des médecins si vous pensez que cela peut être bon pour sa santé. Je la prendrai avec moi. Notre devoir est de chercher par tous les moyens à rendre la santé à une sœur très digne et aimante, et je serai heureux de soulager la famille, et surtout notre excellente mère, de ce poids, parmi tant d'afflictions... »

Maria Orsola avait trente-deux ans. Une poésie que Salvatore écrira sur elle, bien plus tard, au moment de sa mort, laisse penser qu'un amour passionné et déçu l'avait bouleversée en entamant son équilibre mental [41]. Elle vivait, depuis, la plupart du temps, en recluse volontaire à la maison, ne quittant celle-ci que pour aller aux offices à Saint-Jean. Mais les accès de mélancolie profonde qui l'abattaient par périodes n'avaient pas encore totalement obscurci son esprit ; ils ne l'avaient pas empêchée, jusque-là, de pouvoir se conduire, par ailleurs, normalement. Salvatore croyait encore pouvoir la raisonner, en lui écrivant de Rome.

Maria Nicolaja le détrompe. Elle ne croit pas que Maria Orsola puisse aller à Rome, même pour entrer au couvent. Elle préférerait que Salvatore rentrât à Bastia pour l'aider. Sous les mots mesurés, dont la dignité cache mal la détresse, c'est un véritable appel au secours qu'elle lui adresse. Louis lui écrit en même temps que, pour lui trouver une situation en Corse, la famille a fait le tour des parents et amis.

L'un d'eux, parmi les mieux placés, Alexandre Colonna d'Istria, procureur général à Bastia, leur a donné l'espoir qu'il pourrait faire entrer Salvatore dans la magistrature locale. La perspective ne sourit pas à Salvatore. Il ne prévoyait pas de revenir de sitôt. Mais il n'hésitera pas longtemps.

Salvatore à Louis : « Rome, 11 mai. Très cher frère, si je ne pensais qu'à moi-même et voulais faire comme notre bon oncle, c'est-à-dire ne me soucier de personne, je ne vous cache pas que je m'en serais tenu au parti que j'avais pris de rester à Rome. Mais rien ne pourra jamais me faire oublier ma famille, à laquelle je suis prêt à tout sacrifier. L'affectueux Lambruschini et notre Lombardi lui-même font tout pour m'en dissuader ; mais je suis prêt à rentrer à Bastia puisque mon retour peut avoir quelque avantage pour la famille. »

Il faut dire aussi que ses espoirs d'entrer dans la magistrature romaine s'amenuisaient de plus en plus. L'oncle Tommaso Prelà ne s'en occupe pas. Il n'ignorait certainement pas, dans ce gros village qu'était encore la Rome pontificale, que Salvatore consacrait plus de temps aux débats littéraires et autres sornettes qu'aux travaux de Mgr Cuneo d'Ornano. Ce neveu-là était bien décevant.

Benedetto à Maria Nicolaja : « Rome, 14 mai 1816. Depuis neuf mois que Salvatore est à Rome, votre frère n'a pas été capable de prononcer un demi-mot en sa faveur, bien que cet homme soit, pour ainsi dire, le despote du pape. Mais que dis-je ? Vous savez combien le rôle de conseiller chatouille l'orgueil du superbe ; eh bien, il ne paraît pas suffisant à contenter l'orgueil de cet égoïste. Quant à moi, il y a quatre mois que je ne l'ai approché et j'espère que je n'aurai ni motif ni besoin de le faire. J'espère que l'école de clinique médicale où j'ai été admis comme jeune assistant et à laquelle je me consacre avec toutes mes forces, me mettra un jour à même, et largement, de lui faire les cornes, et ce sera justice. Mais laissons tomber. L'incomparable Lombardi continue à me manifester cet amour paternel qu'il a toujours montré pour moi, avec la plus sincère et la plus extrême bienveillance. Je suis heureux de l'avoir soulagé de l'embarras de mon entretien, mais il continue à me combler toujours de quelque nouveau bienfait. »

Bartolomeo Lombardi avait pourtant traversé une mauvaise passe. Dans le remue-ménage général de l'administration pontificale, la direction de Santo Spirito avait elle aussi changé et le nouveau conservateur, autorité suprême, avait démis le chanoine de sa charge de prieur. Ce conservateur, apparemment trop expéditif, avait heureusement été à son tour démis de ses fonctions peu après, et son successeur avait non seulement rétabli Lombardi, mais l'avait également nommé économe majeur, inspecteur de la table des chanoines et enfin « *maestro di casa* ». « C'est la première charge de l'hôpital », annonce Salvatore à Louis. Mais s'il peut beaucoup pour le bien-être matériel et moral de Benedetto, le bon Lombardi ne peut rien pour procurer une situation à Salvatore.

Quant aux monseigneurs de la curie, ils ont maintenant d'autres chats à fouetter. Chacun est bien trop occupé par le train général des choses qui ont repris leur cours. Salvatore est resté au bord de la route. On lui prêche la patience. Il n'est pas homme à se résigner, mais il n'est pas doué, non plus, pour l'intrigue, et la patience n'est pas son fort. Il ne sait pas faire sa cour. Pour tout dire, il manque de souplesse. « La rectitude de votre caractère, que j'ai toujours profondément admirée... », lui écrit Lambruschini. Pour lors, c'est plutôt un handicap, et l'admiration de Lambruschini ne lui est d'aucun secours.

Ce n'est pas l'amitié de Lambruschini qui est en cause. Elle est profonde et sincère. « Viale ne trouva fondement à ses espérances que dans l'amitié de Raffaello Lambruschini », reconnaîtra Salvatore dans l'*Utile-Dulci*. Mais Raffaello est lui-même déçu par ce qu'il voit à Rome et, plus que déçu, blessé.

Le triomphalisme de la restauration pontificale et la réaction cléricale qui l'accompagne lui déplaisent. Trop de pompe et pas assez de religion. Et beaucoup trop d'abus, d'arrogance, de bêtise. Il a pris la mesure du pouvoir temporel et en rejette le principe et l'application. Il est en pleine crise morale. Sans remettre en cause sa vocation sacerdotale — il restera prêtre toute sa vie —, il lui cherche une autre orientation.

Ses réflexions s'orientent vers une réforme fondamentale des méthodes pédagogiques, alors paralysées par les contraintes cléricales. A Bastia, il a lu les œuvres du pédagogue suisse Pestalozzi, disciple de Rousseau, qui n'étaient pas censurées en France. Il en discute avec Salvatore, il l'interroge sur sa propre expérience pédagogique au collège de Bastia. Il projette de quitter Rome pour retourner dans sa propriété familiale de San Cerbone à Figline Val d'Arno, en Toscane, réfléchir au problème moral que pose le pouvoir de l'Eglise et aux moyens de réformer ce dernier par l'éducation. Par la profondeur de son esprit, la chaleur de son amitié sereine, il a une grande influence sur Salvatore. Il lui fait prendre conscience de la dimension morale de toute politique, que Salvatore n'avait jusque-là saisie qu'instinctivement.

Lambruschini est, pour Salvatore, l'exemple contraire de celui de l'oncle Tommaso Prelà. Celui-ci cependant avait des excuses. Ses fonctions d'archiatre pontifical n'étaient pas une sinécure avec un pape de soixante-quatorze ans, recru d'épreuves morales et physiques, affaibli et las, qu'il voit chaque jour et dont il est devenu par la force des choses le confident. Ami de Consalvi, le secrétaire d'Etat, il participe d'autre part activement à la réorganisation du système sanitaire du Saint-Siège, centré sur l'établissement hospitalier de Santo Spirito, à celle des études médicales et aux activités de l'académie pontificale des Lincei qui essaie, avec difficultés, de préserver les acquis scientifiques de la Révolution et de l'Empire face aux théologiens les plus réactionnaires. Bref, Tommaso Prelà a quelques excuses pour négliger les états d'âme d'un neveu qui ne lui paraît pas avoir les pieds sur terre, avec lequel il n'a aucune affinité et qui se permet même, à présent, de critiquer le pouvoir temporel des papes. Tommaso Prelà était un esprit scientifique et pratique, éminent dans son domaine ; ce n'était pas ce qu'on appelle « une belle âme ».

Salvatore aurait d'ailleurs tort de s'en plaindre. Zio Tommaso a été pour les Viale aussi généreux que sa nature le permettait. C'est grâce à lui que Michel est entré sans difficultés au Collegio Romano et Benedetto à Santo Spirito. Parce qu'ils lui font honneur, il veillera sur leurs premiers pas dans leur carrière romaine. Tout autre est le traitement que Tommaso réservera à ses autres neveux, les Prelà, enfants d'Anton Sebastiano, qui portent pourtant son nom. Tommaso n'avait ni oublié ni pardonné l'affaire de l'héritage paternel. Son frère avait un fils et trois filles. Il n'était plus question que le fils, Salvatore Prelà, revienne à Rome après les frasques de sa jeunesse. Tommaso ne veut plus en entendre parler. C'est donc une des filles, Maria Anna, que les Prelà envoient à Rome pour tenter de faire la paix avec l'oncle à héritage. Sa tante Pavola Francesca Prelà, la seule sœur de Tommaso, célibataire, l'y accompagnera et les cousins Viale, Salvatore et Benedetto, ont été chargés de prévenir Tommaso et de préparer le terrain.

Voici comment le signor zio prit la nouvelle, ainsi que Benedetto le raconte à Louis : « Rome, 29 janvier 1816. Salvatore a annoncé à zio Tommaso le projet de voyage de zia Pavola à Rome sur le bateau d'Anton Michele. Zio a répondu : "Ah, je m'en réjouis beaucoup. Elle vient certainement demander le pardon du pape pour l'argent qu'elle m'a volé." Je lui ai ensuite apporté la boutargue que zia Pavola lui envoyait en cadeau, avec sa lettre. J'ai remis le tout à son domestique, car zio n'était pas à la maison. Eh bien, le jour même il m'a renvoyé lettre et boutargue, par le même domestique, sans rien vouloir accepter. »

Zia Pavola Francesca et Maria Anna arriveront au mois d'août, exténuées de peur et de fatigue. Maria Anna à Louis : « Rome, 17 août 1816. Enfin nous sommes arrivées à Rome après dix-huit jours d'un voyage effroyable. Il fallait accoster tous les soirs dans quelque port, par crainte des pirates, dont on disait que la mer était infestée. Mais on nous interdisait de débarquer et on dormait à bord. » Dès leur arrivée, elles étaient allées voir l'oncle Tommaso, qui leur avait rendu la visite le lendemain et la rencontre avait aussitôt mal tourné. Sur les conseils de Salvatore, Pavola Francesca avait apporté quelques livres à son frère, sans doute pris dans la bibliothèque familiale. Mais Tommaso Prelà avait exigé une lettre précisant que ces livres « venaient en déduction de ce qu'on lui devait pour l'héritage ». Pavola Francesca avait refusé et Tommaso n'avait pas accepté les livres.

On ne l'avait plus revu. Sa sœur avait compté sur son aide, au moins pour son séjour. Il l'avait laissée sans un sou. « Pour avoir compté sur zio, elles se retrouvent maintenant sans un baïoque et doivent mendier à droite et à gauche le prêt d'un peu d'argent », écrit Benedetto à Louis. Maria Anna s'en plaint à Salvatore, qui se trouve alors à Bagnorea, il s'indigne : « J'ai été frappé au cœur par le mauvais accueil que vous a fait ce froid égoïste, cet insensible renégat de son sang. Je regrette d'avoir été la cause innocente de l'inutile transport des livres. Mais, s'il ne les veut pas, il est inutile d'insister ; car à tant d'autres belles qualités, il ajoute celle d'être plus inflexible qu'une paire de cornes. »

J'aimerais en savoir plus sur Maria Anna. Entre elle et Salvatore, peut-être y eut-il du tendre. « Cousine très aimée... si tu te plains de mon éloignement de Rome, je le regrette doublement, n'ayant pu t'embrasser à nouveau... Indique-moi un moyen sûr et direct de t'adresser mes lettres ; je t'embrasse du plus profond de mon cœur, ton Salvatore. »

Salvatore a gardé cette lettre dans ses papiers ; c'est la seule à Maria Anna qu'on ait de lui. Maria Anna mourra célibataire, sans laisser d'autre trace que sa tombe à Belgodere, dans la propriété

Prelà, à côté de celle de Pavola Francesca où elle disparaît sous les ronces. Leur aventure romaine dura deux mois. Elles ne la prolongèrent que par crainte du qu'en-dira-t-on si elles revenaient trop vite à Bastia. Ce fut le prieur Lombardi qui leur avança l'argent du retour en diligence jusqu'à Civitavecchia.

Depuis le 8 juillet, Salvatore était à Bagnorea, entre Orvieto et Viterbe, dans la superbe propriété du marquis Gualtieri dont il était l'hôte, comme précepteur de son fils unique, le marchesino Gigi. Les Gualtieri étaient parents des Lambruschini et c'était Raffaello qui avait proposé ce dépaysement à Salvatore, pour les mois d'été. Il s'y reposerait le corps et l'esprit, dit-il, en s'éloignant des soucis qui le minaient à Rome, où, de plus, il dispersait son talent. Ce serait une sorte de retraite studieuse, en somme, ménagée par l'amitié. Salvatore avait aussitôt accepté. Sans doute sentait-il lui-même le besoin de prendre du champ, de se retrouver. Comme il partait pour peu de temps, il n'emporta qu'un bagage léger ; mais il y mit l'épais manuscrit de son grand poème, encore inédit.

Un milieu accueillant et cultivé, une maison superbe dans cette nature bénie des dieux qu'est l'antique Etrurie, la saison lumineuse, l'amitié qui l'entoure et du temps devant soi : il est séduit dès le premier jour. Tout, soudain, lui paraît aisé.

Ce sera l'un des intermèdes les plus heureux de sa vie et les longues lettres qu'il écrit de là-bas à Maria Nicolaja ou à Louis sont empreintes d'une égale sérénité. « Je suis traité avec une courtoisie, une considération et une générosité extrêmes... » En petit comité, il est plus à l'aise qu'en public. Sa discrétion ajoute une qualité supplémentaire à sa culture, à son ironie souriante ; sa timidité et sa discrétion sont un charme de plus. Le jeune Gigi, diminutif de Luigi, se montre affectueux ; il suit ses conseils et ses leçons avec plaisir. C'est une qualité de plus aux yeux de ses parents. Ceux-ci, « mettent au-dessus de tout l'éducation de leur fils, qui est fils unique et seul héritier présomptif de toutes les branches de cette famille, l'une des plus considérables de la province d'Orvieto », écrit Salvatore à Louis.

Son rôle de précepteur est de ceux pour lesquels il est doué. Il aime enseigner ; il aime la jeunesse et sait comment s'en faire écouter. Il l'a prouvé avec ses frères et avec les élèves du collège de Bastia. Gigi étant un petit Italien, Salvatore demande conseil à Lambruschini sur les textes à étudier et celui-ci lui envoie une liste de livres avec ses commentaires. En août, Salvatore en reçoit une longue lettre affectueuse, une de ces lettres dont l'amitié, en s'épanchant, réchauffe le cœur. Rafaello lui donne des nouvelles de leurs amis communs, commente la dernière séance de l'Arcadia, les idées dans l'air du temps. A l'usage de Gigi, il lui expose surtout quelques-uns des principes auxquels le conduisent ses propres réflexions sur l'éducation. « Il ne faut jamais faire écrire les jeunes sur des sujets fictifs », « le but de l'éducation est de réveiller dans les jeunes le bon sens et leur penchant intime vers la vertu ».

C'est l'ébauche des idées qu'il développera toute sa vie, dans son œuvre réformatrice de la pédagogie, où vertu et esprit civique ne font qu'un. Les aspirations morales du Risorgimento sont déjà là. Elles étaient inacceptables dans les Etats du pape, dominés par l'immobilisme dogmatique de l'enseignement religieux. Mais elles rejoignaient les réflexions de Salvatore dans le domaine de la création littéraire. Elles ne pouvaient que l'encourager à persévérer dans cette voie.

Il avait, au surplus, le temps et le recul pour y réfléchir. Sans préoccupations immédiates, il est libre de tout souci d'argent. Défrayé de tout, et largement, les huit écus par mois qu'il reçoit comme traitement lui servent d'argent de poche. On le voit s'habiller avec plus de recherche. Il se fait couper une nouvelle redingote, demande à Louis des gilets et des cravates de couleur. Les leçons qu'il donne à Gigi ne l'accablent pas. Les longs après-midi d'été se passent en promenades et en conversations ; le soir, on fait souvent de la musique. L'anniversaire des petites cousines Gualtieri et Lambruschini est fêté par des saynètes et des pièces de vers, que l'on fait imprimer à Viterbe [42].

Le marquis, « très simple », *alla buona*, et qui parle bien le français, lui fait visiter la région. Peut-être assistent-ils ensemble à l'étonnant transport de la *« macchina di santa Rosa »*, cette gigantesque tour illuminée que l'on promène, à bras, dans les rues de la ville jusqu'au sanctuaire de la sainte, en septembre, l'une des plus belles fêtes populaires d'Italie et l'une des moins connues, à laquelle Salvatore fera allusion dans l'une de ses dernières œuvres [43].

L'esprit libre, profitant de cette retraite sereine, Salvatore reprend alors le gros manuscrit de son poème héroï-comique sur la petite guerre de 1812 entre Borgo et Lucciana. Il est, depuis longtemps, achevé ; mais, scrupuleux à l'excès, Salvatore trouve encore de nombreuses corrections à y apporter. Le voilà enfin prêt. *La charogne* ou *Dionomachia ?* D'après ses manuscrits, Salvatore semblait avoir définitivement opté pour *La charogne*. C'est pourtant *Dionomachia* qui l'emportera, j'ignore sous quelle ultime influence, à Bagnorea, ou le mois suivant, à Rome, où il rédigera la préface de la première édition.

On était maintenant en octobre. Les monts Cimini avaient perdu leur parure de genêts dorés. Salvatore prolongeait plus longtemps que prévu son séjour à Bagnorea, où les Gualtieri faisaient des projets pour lui confier Gigi à Rome, lorsque Maria Nicolaja lui annonce qu'il vient d'être nommé substitut du procureur du roi à la cour prévôtale de Bastia, grâce à Colonna d'Istria.

C'était un tribunal criminel extraordinaire, une juridiction d'exception nouvellement créée en Corse pour lutter contre le banditisme, et Salvatore accueille la nouvelle sans enthousiasme. Ce n'est pas le genre de fonction qu'il souhaite dans la magistrature. Il accepte cependant, « à la prière et pour la convenance de sa famille », dira-t-il [44] ; mais il ne se presse pas de rentrer. Louis vient de lui annoncer qu'il part pour Rome avec Maria Orsola, y chercher quelque couvent hospitalier. Salvatore s'en était déjà occupé, avant son départ pour Bagnorea.

Au lieu d'aller s'embarquer à Livourne sur le premier bateau pour Bastia, il prend donc la diligence pour Rome, où il arrive le 29. Gigi, le marchesino, l'accompagne. Son père espère encore que Salvatore renoncera à rentrer en Corse et compte sur Lambruschini pour l'en convaincre. Mais à Rome, Salvatore a retrouvé Louis, arrivé le 14, avec Maria Orsola. Ils s'embrassent en pleurant. D'un seul coup, le malheur de sa famille le reprend à la gorge. Il est l'aîné. Il ne reniera pas sa promesse. Sa place est rue Saint-Jean.

Pour Maria Orsola, le voyage, dans la gondole de Louis entre Bastia et Livourne, puis en diligence pendant six jours à travers la Toscane, s'était bien passé. Le mouvement et le dépaysement paraissaient même avoir eu un effet bienfaisant sur son esprit et l'avoir distrait de ses « extravagances ». Louis l'écrit, avec espoir, à Maria Nicolaja. Il est attentif, patient, tout entier à son « rôle de cyrénéen », comme il dit. A Rome, ils ont tout d'abord habité quelques jours chez le prieur Lombardi, le temps de chercher un petit appartement tranquille, que Louis trouve enfin dans le Borgo Nuovo, près du Vatican. L'oncle Tommaso est à Castelgandolfo avec le pape ; mais Benedetto, Michel, les cousins, les amis viennent leur rendre aussitôt visite. Lorsque Salvatore arrive à son tour, c'est la première fois, depuis le départ des « petits » pour Rome, que les quatre frères se retrouvent ensemble.

Dans la tristesse de cette réunion autour de leur sœur aînée dont l'esprit vacille, l'épreuve leur fait ressentir plus fortement que jamais combien est profonde leur entente familiale. Louis l'écrit à Maria Nicolaja : « Mère très aimée, seule la consolation que j'éprouve à nous voir, tous les quatre frères, si unis, me fait parfois oublier mon angoisse. »

Avec Salvatore, il a entrepris la tournée des couvents de Rome. « C'est encore là que notre malheureuse sœur sera le mieux, et je pense que nous arriverons à en trouver un qui lui convienne, à condition cependant qu'elle soit fermement décidée à y entrer », écrit Salvatore à sa mère. Ce ne sera pas facile. Tommaso Prelà n'est d'aucun secours. « Zio ne veut se mêler de rien. Il dit même qu'il ne peut venir la voir, car nous habitons trop loin », écrit Louis. On s'aperçoit vite, d'autre part, que l'état mental de Maria Orsola lui interdit de prendre le voile. Du moins, certains couvents prennent-ils des pensionnaires, qui peuvent s'y retirer à l'abri des difficultés de la vie. Louis l'explique à Maria Nicolaja qui s'inquiète. « Chacun peut y mener sa vie en particulier. La vie commune est prescrite seulement pour les exercices religieux. Pour le reste, chacun fait ses affaires à sa façon. » La pension, en moyenne, est d'une dizaine d'écus par mois.

C'est ainsi que Maria Orsola entre à la fin novembre dans le vénérable monastère de Sainte-Marie-des-Vierges. Sa chambre donne sur un grand jardin. Elle est meublée d'un lit, un prie-dieu, une table, cinq chaises, avec deux tableaux religieux au mur et une lampe en étain. Un bréviaire est posé sur le prie-dieu. Une note, gardée par Louis, détaille également le trousseau et le linge d'hiver et d'été. « Elle n'a voulu y entrer que si je l'y accompagnais, ce qui a retardé mon départ », écrit Salvatore à Maria Nicolaja. Celle-ci le pressait de rentrer à Bastia. On l'attendait à la cour prévôtale pour prêter serment et l'on commençait à s'étonner de son peu d'empressement. « Que Salvatore se hâte, s'il n'est pas encore parti », répète chaque lettre de Maria Nicolaja ou de Daria à Louis. Mais Salvatore n'a aucune intention de se hâter ; et s'il part, enfin, le 29 novembre, c'est par la voie de terre, la plus longue, qui passe par Florence où il veut encore trouver un éditeur pour la *Dionomachia*.

Il commence d'ailleurs par une halte imprévue. Distrait au départ de la diligence, il a oublié le ballot de son linge de corps au comptoir. Salvatore perdra toujours quelque chose, en voyage. Mais le ballot contient aussi un costume d'été de Gigi Gualtieri, que Salvatore aurait dû déposer à Viterbe, en passant. Il s'arrête donc au relais d'Acquapendente, d'où il écrit à Louis et au marquis et où il passe deux jours, pour organiser avec ce dernier et le postillon l'acheminement du costume du marchesino. Quant à son ballot, il le retrouvera enfin à Livourne, après diverses péripéties qui paraissent au demeurant lui donner peu de soucis.

A Florence, il perd encore quelques jours pour rien. Les prix des imprimeurs sont trop élevés pour sa bourse et on lui conseille de traiter avec ceux de Livourne qui ont, de plus, l'avantage d'être en rapport d'affaires avec les libraires bastiais. Il s'attarde cependant, pour plaider auprès du ministre de Grande-Bretagne la cause de la pension de l'abbé Poletti. Près de deux semaines ont ainsi passé lorsque Salvatore arrive à Livourne. Il est à quelques heures à peine de Bastia ; mais le temps est à la tempête. Bonne raison de retarder encore son retour d'une dizaine de jours, qu'il emploiera à faire imprimer son poème, sans même se préoccuper de faire patienter le procureur qui l'attend.

Salvatore à Louis : « Livourne, 13 décembre 1816. Je profite de mon séjour à Livourne pour traiter l'impression de mon poème, ce que je ferai entre aujourd'hui et demain, avec un imprimeur qui fait moins de difficultés que je n'en ai rencontré à Florence et qui m'a promis de faire le travail à de bonnes conditions. Demandez à De Romanis, où vous avez retiré mes traductions, quel est le prix d'une feuille in-12 bien imprimée. Répondez-moi vite pour que je puisse signer en connaissance de cause. Si vous restez encore quelque temps à Rome, je vous dirai à qui vous adresser pour trouver des souscripteurs. Pour la Corse, je m'en occuperai moi-même. »

« Livourne, 19 décembre 1816. Le mauvais temps retarde le départ du bateau et je passe le temps en corrigeant mon poème dont l'impression est déjà commencée. J'espère pouvoir en emporter deux chants imprimés. Entre l'impression et la reliure de mille exemplaires, la dépense ne dépassera pas 40 francesconi. Sans qu'il soit nécessaire de faire de la publicité, vous pourrez trouver à Rome des souscripteurs parmi nos amis... L'impression est belle et le prix de chaque volume ne pourra être fixé à moins d'un demi-écu. »

A Bastia, le prix de la souscription, chez Giovanni Fabiani, libraire, sera fixé à 3 francs ou 5 paoli de Toscane. Cette première édition est un petit in-12, assez misérable d'aspect, pauvrement imprimé, sur mauvais papier, à couverture marronaille et plein de fautes d'impression. On dirait une édition clandestine. L'ouvrage est d'ailleurs anonyme et sans nom d'éditeur. Le nom de Salvatore Viale n'y figure nulle part. Sur la page de titre, la seule indication est : « Londres 1817 » [45].

« Londres » n'a été mis là que pour éviter la censure du pudibond *Buon Governo* toscan, que les libertés prises avec la religion auraient pu alarmer.

Salvatore était d'ailleurs tenu, par son serment d'avocat, à « ne rien dire ou publier de contraire aux lois et aux bonnes mœurs ». Le Buon Governo toscan se douta, cependant, du subterfuge et ouvrit une enquête, lorsque l'œuvre commença à être connue. Dans le *Copia-Lettere*, le registre de copie des lettres du gouverneur de Livourne, on trouve, en 1822, l'entrée suivante : « Florence, 11 juin 1822. Le président du Buon Governo demande au gouverneur de Livourne si l'œuvre intitulée *Dionomachia* a été imprimée à Livourne en 1817, par trop y étant intéressées la moralité publique et la décence des mœurs. Le gouverneur a répondu le lendemain que l'on ne croyait pas ce qui était supposé, mais que l'on ne pouvait l'assurer [46]. » Le Buon Governo ne sera pas le seul à juger la *Dionomachia* audacieuse, pour l'époque. Le gouvernement de la Restauration en fera saisir un lot à Bastia même, ce que Salvatore raillera dans une poésie pleine d'humour [47]. Quant aux douaniers pontificaux, ils la confisqueront à plusieurs reprises dans ses bagages, et encore en 1850 à Civitavecchia.

Arrivé enfin le 25 décembre à Bastia, Salvatore prête serment à la cour prévôtale le 31. Mais la joie de son retour, pour la famille, est obscurcie par les nouvelles reçues de Rome. Maria Orsola était sortie du couvent et replongeait dans son « extravagance ».

Louis à Salvatore : « Rome, 16 décembre 1816. Mon frère, mon frère, je n'en peux plus. Maria Orsola n'a pas voulu rester au couvent. Elle dit qu'elle veut s'installer à Rome, toute seule, avec la seule compagnie d'une domestique... Ses propos sont de jour en jour plus extravagants. Pour la paix de ma conscience, j'essaierai de la satisfaire ; mais c'est le dernier effort que je fais... »

23 décembre : « C'est le premier jour que Maria Orsola est dans notre nouvelle maison ; mais je n'ai pu encore trouver une domestique qui lui plaise... Mon existence n'a jamais été aussi malheureuse. Je suis là, sans rien faire, à la manière des vagabonds... Elle est le seul objet de mes soins. »

20 janvier : « Zio Tommaso ne veut pas qu'elle reste à Rome... Il craint pour sa réputation. Il me menace et laisse entendre qu'il me privera de sa protection et de son héritage. Mais vous savez combien

La première édition de la *Dionomachia*

nous faisons tous, et moi le premier, peu de cas de l'une et de l'autre. »

6 février : Maria Orsola est entrée dans le conservatoire de la Scala, près du palais Corsini, sur la Lungara du nord du Tibre. « Elle paraît contente et a de quoi l'être. Le bâtiment est beau ; c'est une sorte de monastère pourvu de toutes les commodités de la vie et chacun peut y mener la vie qu'il veut, en dehors des offices religieux. Il ne lui manque rien. Avec 9 écus et demi par mois, elle aura le train aisé d'une demoiselle. Mes frères et le prieur pensent de même... Depuis deux jours, enfin, il m'est permis de respirer... »

8 février : Maria Orsola est ressortie. « Elle veut rester à Rome, ce qui est difficile à organiser dans son état. Elle ne veut pas, en tout cas, revenir à Bastia et moi-même je le déconseillerais, car son esprit est devenu tellement lunatique que ce serait mettre un morceau d'enfer à la maison... »

Maria Orsola rentrera pourtant à Bastia avec Louis, le 27 mars. Avec le temps, ses crises d'« extravagance » disparaîtront en même temps que sa raison. La vie, entre la maison et Saint-Jean, ne sera plus pour elle qu'une longue et mélancolique atonie, dont elle ne sortira qu'une heure avant sa mort. Sa présence sera légère dans le cours de cette histoire ; mais elle ne devait pas l'être toujours dans la vie quotidienne en famille. Elle y vivra trente ans encore, entourée de l'affection protectrice de ses frères et sœurs et de ses neveux. On aura toujours pour elle cette sorte de vénération dont, autour de la Méditerranée, on entoure les faibles d'esprit, témoins révérés des mystérieuses intentions de la Providence.

10

Bastia : l'horizon rétréci, quand on est jeune et poète, et qu'on a pris le large. Et ces fonctions qu'il détestait ! La cour prévôtale avait été supprimée au bout d'un an et Salvatore était devenu juge d'instruction au tribunal de première instance. Il était chargé de la préparation des procès criminels. Beaucoup de procédure, peu de vie, aucun rêve. « Les deux cents écus que je gagne par an ne me compensent pas l'amertume et le dégoût de cette charge, si contraire à mon caractère et à mes goûts », écrit-il à l'oncle Tommaso. Il désire une chaire dans l'instruction publique ; il n'y en avait pas. Il demande à être nommé conseiller à la cour ; c'était trop tôt.

Ces fonctions, cependant, lui apportaient beaucoup. Elles l'enracinent dans le concret, dans la réalité psychologique profonde de sa terre et de son peuple. La violence qu'il a dénoncée dans la *Dionomachia*, il la voit maintenant chaque jour, à l'état brut et de près, dans ses protagonistes, ses mécanismes et ses motivations. Avec la même passion intérieure bouillonnante, les procès en répétaient le spectacle dans une mise en scène à peine moins dramatique.

Les prévenus, les plaignants, les témoins se présentaient avec une forte escorte de frères, de cousins, d'amis, d'amis des cousins, parfois par villages entiers, formant parti, le plus souvent armés, sur leurs gardes. Ils ne pouvaient s'exprimer qu'en dialecte. Sombres, tendus ou vociférants, ils se tenaient prêts à de nouvelles violences au premier affront, et préparaient déjà les revanches.

Au contact de ce peuple fruste, descendu des montagnes et auquel, bourgeois, il avait eu peu d'occasions de se mêler jusque-là, Salvatore faisait l'expérience de la Corse obscure. Elle sera la source du meilleur de son œuvre, de celle qui survit encore. Profondément corse lui-même, il avait le cœur à pouvoir la comprendre, même quand il en réprouvait l'instinct de violence. Et comment ne pas le comprendre, cet instinct lui aussi, dans ces villages reculés, coupés du monde, où Salvatore devait se rendre à dos de mulet, pour les transports de justice. Dans ses calepins, dans ses notes prises sur le vif, sur place, il se borne à enregistrer ce qu'il voit et ne juge jamais.

La violence était dans l'air qu'on respirait. « Un bon fusil est le meilleur des juges », dit un proverbe. Les magistrats continentaux de la cour royale de Bastia, qui écrivaient des livres sur leurs expériences en Corse, diront tous la même chose jusqu'au Second Empire : « Il se commet plus d'assassinats dans ce seul département, dont la population ne s'élève pas à 170 000 âmes, que dans tout le reste de la France », écrit, en 1819, le conseiller Réalier-Dumas. Et, trente ans plus tard, l'avocat général Sorbier : « Aussi loin que la balle peut atteindre, les Corses se croient souverains. En Corse, le crime a pour ainsi dire sa noblesse [48]. »

Héritage d'oppressions séculaires, où l'autorité représentait l'injustice, cette morale fondée sur le sentiment de l'honneur et la solidarité familiale les désorientait. Le temps des grandes rébellions nationales était révolu — la dernière, dans le Fiumorbo, est de 1816 — laissant le champ libre aux violences privées. Les séquelles des troubles de l'époque, les haines accumulées sous le régime de la haute police multipliaient les vendettas privées. La maréchaussée n'osait plus s'aventurer dans certains villages et, en 1822, on dut créer un corps de volontaires corses pour la seconder. Mais le remède fut pire que le mal. Les volontaires mirent leurs uniformes au service de leurs propres vendettas et en suscitèrent de nouvelles. Un Corse ne plie jamais devant la force. Il se bat. On peut le convaincre, non le soumettre. En 1823, il y aura 400 contumax dans le maquis.

L'Etat paraissait impuissant. Les Bourbons ne s'intéressaient pas à la Corse, patrie de l'Usurpateur. Le gouvernement s'employait à la répression, sans chercher à porter remède aux causes profondes du mal, au retard de la civilisation : manque de routes, d'industrie, de commerce, d'instruction.

La loi elle-même était laissée pour compte. Le rétablissement de la justice ordinaire, prévue par la Charte, ne s'appliquait pas à la Corse. L'institution du jury n'y avait pas été restaurée, comme elle l'avait été dans le reste de la France. Il y avait certes des raisons : l'étendue de l'insécurité, la difficulté de trouver des jurés qui ne fussent pas partisans et sensibles aux pressions clientélaires des clans ou aux intérêts de famille. Mais justement, disaient les libéraux, le rétablissement du jury était l'un des moyens de faire prendre en main par les Corses leur propre destin. Leur campagne n'aboutira qu'à la révolution de Juillet. Salvatore y participera efficacement. Il publiera plusieurs études sur le sujet et, une fois l'institution du jury rétablie, contribuera à en améliorer le fonctionnement par ses interventions auprès de ses amis, députés à la Chambre, tels que Joseph Limperani.

C'est au palais aussi que Salvatore ressentit concrètement l'autre drame de la Corse. Française depuis deux générations à peine, l'île commençait sa mutation profonde, dans le déchirement d'un véritable traumatisme culturel. La culture de la Corse était la culture italienne. Depuis la nuit des temps, la terre nourricière de sa religion, de ses coutumes, de ses mœurs, de sa langue était l'Italie, si proche pour les échanges, et d'où venait la majorité de sa population.

Avant l'oppression de Gênes, on avait connu l'influence bénéfique de la République de Pise. Les élites se formaient en Toscane — à Pise, Prato ou Florence — ou à Rome. Mais même le plus rustre des bergers du Niolo pouvait comprendre le toscan, le plus pur des dialectes italiens, qui était la langue des sermons religieux, celle aussi des grands poèmes épiques que les conteurs de village récitaient par cœur : *Le Roland furieux, La Jérusalem délivrée*. Il fallait les voir, maintenant, ces bergers, leurs familles, toute leur parenté, devant une justice qui les jugeait dans une autre langue, une langue qu'ils ne comprenaient pas, symbole d'un autre monde, d'une autre culture, qui leur était totalement étrangère.

Dans la justice, l'administration, l'instruction publique, tout était fait pour remplacer l'italien par le français, en forçant la nature, avec l'habituel raideur centralisatrice du gouvernement de Paris. Les ancêtres des Corses n'étaient pas les Gaulois. En leur enlevant leur langue, on leur enlevait leur mémoire. Privé de la protection de la langue maternelle, le dialecte corse était condamné à une dégradation certaine, la culture corse à la mort.

Ecrivain corse de langue italienne, Salvatore luttera toute sa vie contre cette spoliation, ce déracinement ; un drame national, qu'il vivra comme un drame personnel.

La publication de la *Dionomachia* avait confirmé son talent, et c'est vers lui que se tournait maintenant le petit groupe d'écrivains et d'intellectuels bastiais qui formaient, dans l'ancienne capitale de l'île, une société littéraire, relativement nombreuse, cohérente, dynamique, comme il n'y en avait pas encore eu en Corse ; et comme il n'y en a d'ailleurs plus eu, depuis.

Peut-être était-ce l'effet de l'éloignement politique de l'Italie, alors que la France n'était pas encore proche, culturellement ; peut-être simple coïncidence ; mais c'est un fait : il y avait alors à Bastia l'esprit d'une véritable académie : la production littéraire ou érudite de cette petite société de bons esprits est là pour témoigner de son autonomie. Ses membres écrivaient tous, bien entendu, en italien.

La plupart étaient, comme Salvatore, magistrats ou avocats au palais, l'un des foyers de rencontre, l'autre étant l'imprimerie de l'entreprenant libraire Fabiani, qui éditera nombre d'entre eux. Le doyen en était le vieux maître F.O. Renucci, qui venait de créer la bibliothèque municipale de Bastia et commençait alors à écrire son histoire des événements contemporains. Pio Casale, Anton Luigi, Raffaelli, Luigi Tiberi, Joseph Limperani, Nasica, Giovan Carlo Gregorj, Vincenzo Biadelli, que de noms aujourd'hui injustement oubliés...

Lorsque l'écrivain anglais Robert Benson arrivera en Corse au mois d'octobre 1823, il sera étonné de découvrir, dans une aussi petite ville que Bastia, un cénacle de lettrés et d'érudits aussi florissant. Il le racontera dans ses *Sketches of Corsica*, l'un des premiers récits de voyage qui se réfère à une réalité culturelle corse et s'intéresse aux mœurs populaires de l'île, sans les travestir [49]. Le livre fait une place d'honneur à Salvatore, et reproduit une trentaine de strophes de la *Dionomachia*, dont la sérénade de Schiappino, ainsi que des extraits de ses traductions de Byron en italien ; mais il mentionne aussi Raffaelli, Renucci, Tiberi, d'autres encore qu'il rencontra chez Salvatore ou dans les couloirs de la cour royale.

Benson restera longtemps en correspondance avec Salvatore et l'invitera à plusieurs reprises à venir à Londres. Il était fier, disait-il de posséder le seul exemplaire de la *Dionomachia* qui se trouvât en Angleterre. Pendant son séjour, il s'était passionné pour l'histoire d'une impressionnante vendetta, dont l'un des héros, Luca Antonio Viterbi, condamné à mort par la cour royale, s'était laissé mourir de faim dans la prison de Bastia pour échapper à l'infamie du supplice, en tenant le journal de son agonie. Cela s'était passé deux ans à peine auparavant, en 1821.

Le courage et la force d'âme de Viterbi avaient ému en sa faveur l'opinion publique unanime. Salvatore, qui avait instruit le procès et assisté à l'autopsie, dira plus tard à Guerrazzi : « Moi, je ne l'aurais pas condamné. » Au palais, Benson recueillit le journal tenu en prison par Viterbi et le publiera dans ses *Sketches of Corsica*. Salvatore s'en inspirera pour un de ses poèmes d'inspiration purement corse : « Les derniers vers d'Antonio Uberti. »

A la Restauration, le premier acte de cette petite société de lettrés bastiais avait d'ailleurs été de former effectivement une académie, en ressuscitant une société savante qui avait jadis existé mais que Napoléon avait supprimée : la Société centrale d'Instruction publique. Ils avaient été aidés par un sous-préfet dynamique et intelligent, le chevalier d'Eymard, qui encouragea et facilita leurs démarches. Vidau en fut nommé vice-président, Renucci, Casale et Salvatore secrétaires et la première séance solennelle s'était ouverte le 30 novembre 1818, au milieu d'un nombreux concours d'autorités et de citoyens.

Salvatore y lut un mémoire sur « L'encouragement aux exercices littéraires appliqués à la Corse », dans lequel il aborde d'emblée le problème essentiel pour les intellectuels corses : celui de l'identité culturelle de l'île par rapport à l'assimilation de la Corse par la France. Il n'est pas contraire à cette assimilation, puisque l'histoire a tranché ; mais il dit qu'elle sera lente, longue et difficile. Il exalte d'autre part le souvenir de Pascal Paoli, toujours lui, et rappelle fermement que la Corse attend encore que le gouvernement respecte le legs du « *babbu* » pour la création d'une université en Corse. Les communications étaient en italien ou en français les premières plus nombreuses de beaucoup. La Société publiait un *Bulletin*, où ces communications étaient réunies. Touchants bulletins, imprimés avec soin, sous leur couverture beige pâlie, et qui gardent l'air de sérieux et de modestie, mais de satisfaction aussi, dont ces messieurs entouraient leurs travaux...

La Société centrale d'Instruction publique était ouverte à l'extérieur. Dès 1819, par exemple, Salvatore y fait inscrire Raffaello Lambruschini ; l'année suivante, il y lira la communication envoyée par ce dernier de Figline sur le pouvoir de l'éloquence : « La déclamation considérée comme l'un des Beaux-Arts ». En août 1821, c'est son frère Benedetto, en vacances à Bastia, qui y lira une « Comparaison entre les phénomènes du corps humain et ceux de la matière inorganique », premier témoignage que l'on ait sur son intérêt pour la recherche et la chimie. Salvatore y lira lui-même des poésies inédites, ses interprétations du latin de Quinto Settano, ses premières traductions de Byron, une excitante nouveauté pour Bastia.

Mais elle ne sentait ni le renfermé ni l'érudition livresque, la petite bande qui, hors du palais ou des institutions publiques, cultivait les muses. Dès les beaux jours, on allait souvent à la campagne où les uns et les autres avaient des propriétés. C'était celle de Bistuglio, où le charmant, le mélancolique Anton Luigi Raffaelli aimait rêver en paix à sa fiancée, Elisa, dont la mort l'avait laissé inconsolable. Tous ses vers lui étaient consacrés et il lui arrivait parfois de graver un sonnet sur l'écorce d'un arbre [50]. C'était celle de Vincenzo Biadelli, à la Marana, entre les communes de Borgo et de Lucciana. Pour inaugurer un petit bâtiment dédié aux Muses qu'il y avait fait construire, Biadelli y avait donné une grande fête champêtre au printemps de 1818. Le curé de Lucciana l'avait béni.

On avait beaucoup mangé, bien ri, improvisé des vers. Comme Salvatore, Biadelli avait fait partie, dans sa jeunesse à Rome, de l'académie de l'Arcadia, sous le nom d'Elio Dirceo. Pour prolonger le souvenir de la fête et de leur amitié heureuse, Salvatore composera ensuite un dithyrambe plein de charme et d'entrain où il évoquera les bonheurs de sa propre enfance à Ville di Pietrabugno et l'air léger des collines de Bastia [51].

De cette heureuse petite bande, Salvatore paraît avoir été l'un des boute-en-train. Il aimait rire, plaisanter, et son humour s'exprimait facilement. Il ne reculait certainement pas devant les mots triviaux ou crus, et continuait à tourner, à l'occasion, des poésies burlesques qu'il lisait à ses amis, mais gardera soigneusement inédites. L'une d'elles commence ainsi : « Je vais chanter le cul de Monseigneur », l'autre est une variation sur les différentes sortes de pets et de leur effet sur l'environnement. Il s'amusait aussi à caricaturer les plus pompeuses des personnalités bastiaises. Le grotesque « Tagliabo », dans son manuscrit, est le procureur Juchereau de Saint-Denis. Il se moquait aussi, plus gentiment, de Giacamo Tarallo, dit Bandora, « poète et pharmacien », ou du chanoine Straforelli. L'une de ces poésies, qui décrit bien leur heureuse petite bande, s'intitule « La compagnie des désœuvrés ».

Tout cela sent bon les amusements de province, entre amis qui grandissent ensemble dans le même petit univers fermé, où l'on fait des farces pour échapper à l'ennui qui vous guette, en Latins un peu gras. On n'a aucune peine, dans ces feuillets qui font encore sourire, à imaginer l'effet que Salvatore obtenait en les récitant, encore tout frais de l'anecdote qui les avait inspirés. Mais Salvatore n'était pas méchant et ne voulait pas blesser. A la fin de sa vie, l'un de ses amis, Regolo Carlotti, demandera à publier quelques-unes de ces poésies inédites. « Quand suffisamment de temps sera passé pour que les allusions soient moins irritantes », lui répondit Salvatore [52]. Dans son épais cahier de *Poésies burlesques* inédites, où elles furent ensuite choisies par Carlotti, il a lui-même marqué « oui » ou « non » en marge de chacune, et parfois « non, absolument exclus ».

A la maison, dans le calme de sa chambre ouverte sur le port et sa rumeur familière, il retrouvait les projets plus exigeants qu'il avait toujours en chantier. Encouragé par le succès de la *Dionomachia*, il en avait repris le pauvre petit exemplaire de Livourne pour en préparer une nouvelle édition, corrigée et amplifiée. Jusqu'à sa mort, il ne cessera de la reprendre, de la corriger, d'en réécrire des strophes entières, et plusieurs fois, sur les feuillets intercalés entre ceux de la précédente édition et qu'il recopiait sur un autre exemplaire lorsque celui qu'il avait corrigé était trop surchargé. Plusieurs exemplaires, surtout de la deuxième édition, foisonnent ainsi de variantes et d'annotations. Il ne cessera non plus de soumettre la nouvelle version à ses amis ou à ses proches, comme il l'avait fait avec Lambruschini, pour leur demander leur avis. « Je vous ai renvoyé les additions que vous avez faites à la *Dionomachia* avec mes propres observations », lui écrit Benedetto de Rome, en mai 1820, et Lambruschini lui enverra encore une nouvelle analyse critique de douze pages sur la deuxième édition.

Belle comme une villa médicéenne et sereine comme un couvent, blanche et grise, avec sa cour en forme de cloître au milieu d'un grand parc dominant l'Arno, la demeure de San Cerbone, où Lambruschini s'était retiré, à Figline Val d'Arno, est un de ces lieux de Toscane qui exaucent l'esprit. « *Hic angelus ridet* », disait Salvatore.

A l'écart de l'agitation politique de Florence ou de Rome, Raffaello y méditait sur ses idées de réforme des mœurs, et commençait à les mettre en pratique dans l'administration du domaine agricole qui en dépendait, pour améliorer le sort des paysans et leur donner ce qui leur manquait avant tout : l'éducation. C'est dans cette recherche d'une réforme en profondeur, intellectuelle et morale, de l'Italie, qu'il avait rejoint la pléiade d'esprits ouverts et généreux qui, à Florence, préparaient déjà le « *risorgimento* » de leur patrie.

L'un de ces hommes était le marquis Gino Capponi, dont le palais et son immense bibliothèque étaient le siège de la société des « Amatori di storia Patria* » animé par Giovan Battista Niccolini, lui-même auteur de tragédies célèbres et professeur d'histoire à l'université. L'objet de la société était de retrouver dans l'histoire ce qui unissait les Etats italiens et d'en exalter la leçon. A travers la connaissance des gloires passées, préparons les nouvelles espérances, disait Capponi.

---

* Amateurs de l'Histoire de la Patrie.

L'autre pilier était Gian Carlo Vieusseux, un Ligure d'origine suisse, qui, après de longs séjours à l'étranger, venait de s'installer à Florence, pour l'air plus libre qu'on y respirait intellectuellement. En 1820, il y avait ouvert, au palais Buondelmonti, un Cabinet de lecture scientifique et littéraire, sur le modèle de ceux qui existaient en France et en Angleterre mais pas en Italie, et où l'on pouvait recevoir et discuter librement les dernières publications étrangères. Il était lui-même plein de projets, avec Capponi et Lambruschini, pour la création de revues. Son cabinet, fréquenté par tous ceux qui voulaient repenser l'avenir de l'Italie, était déjà à Florence le lieu de ralliement de tous les étrangers de passage.

C'est dans ce milieu tonique que Lambruschini introduisit, cette année-là, Salvatore, au cours d'un bref voyage qu'ils firent ensemble à Florence, venant de Figline. Salvatore y fut d'emblée accueilli comme l'un des leurs. Il était la preuve vivante de l'italianité de la Corse, l'assurance que le même ferment de renouveau moral l'habitait, et que la grande île si proche n'était pas entièrement perdue, sinon pour la politique, du moins pour la culture italienne.

La perspective de ces Toscans, leur approche étaient totalement différentes de celles des Français de l'époque, plus sensibles au pittoresque de l'île qu'au drame qu'elle vivait. Ils comprenaient l'angoisse de Salvatore et celui-ci en reçut un nouvel élan. L'aspiration morale qui animait ses amis toscans était la même que celle qu'il ressentait. Il avait conscience que l'histoire avait déjà tranché, pour la Corse, en faveur du choix français ; d'ailleurs il ne se posait pas le problème en termes politiques. Mais il espère désormais qu'en gardant l'élan de sa culture maternelle, la Corse pourra bénéficier moralement du grand mouvement qui se prépare en Italie [53].

Après Lambruschini et avec Niccolo' Tommaseo, Vieusseux sera le plus intime et le plus fidèle de ses amis toscans, et le palais Buondelmonti deviendra sa deuxième maison. Mais si l'on en juge d'après la correspondance que Salvatore reçut à son retour, le plus chaleureux durant ce premier et court séjour aura été Niccolini. Anticlérical et républicain, de quinze ans plus âgé que Salvatore, il était déjà célèbre pour ses tragédies, en particulier *Nabucco*. Stendhal en jugeait les vers « admirables », bien que ce fût « une allégorie contre Napoléon [54] ». Niccolini, était très lancé. C'est lui qui introduisit Salvatore chez sa grande amie, Carlotta Certellini, dont le salon sera pendant quarante ans le rendez-vous obligé des artistes et hommes de lettres en Toscane.

A la maison, la place du chef de la famille était maintenant tenue par Louis. Il déborde d'initiatives et voyage beaucoup. A Gênes, « pour affaires », en 1816, à Livourne, toujours pour affaires, en 1817 ; à Gênes encore, en 1818, « pour acheter des vaches suisses ». En 1819, il achète un moulin à huile de ressence sur le torrent de Grisgione, aux environs de Bastia. Tout cela, il le note dans son journal intime qu'il commence alors à tenir régulièrement et qu'il tiendra jusqu'à quelques mois de sa mort, toujours en italien.

Par lui on connaît tout de ses voyages et de ceux de Salvatore à l'heure près, et la phrase dont il commente généralement son retour dit combien il était heureux, chaque fois, de se retrouver en famille : « A huit heures, enfin, je suis entré dans le port tant désiré de ma maison. » « *Nel sospirato porto di casa mia* », en italien, cela sonne comme un vers. Il consigne aussi les événements de la vie citadine. Il le fera avec plus d'attention encore quand il y participera, plus tard, activement. Pour lors, il est « conservateur de la santé » du port et lieutenant de la garde nationale.

Louis a une passion : la propriété familiale dans les collines qui dominent la ville, Belgordere, sur le chemin de Monserrato. Il y va souvent, manque s'y casser la jambe, sermonne le fermier, fait des projets pour de nouvelles plantations dont il espère un meilleur rapport. C'est une petite propriété, plutôt un grand jardin — quatre hectares, guère plus — mais elle est harmonieuse, soigneusement cultivée, ombragée, bien pourvue en eau par une source, avec une partie disposée en terrasses, que soutiennent de hauts murs en pierres sèches et que des marches aériennes, d'une seule dalle en saillie, relient les unes aux autres. Louis l'appelle « le jardin de Belgodere ».

La plupart des terrasses sont plantées d'orangers. Contre le mur de l'une des plus hautes, Paul-Augustin dort de son dernier sommeil. Maria Aderia, sa mère, viendra bientôt l'y rejoindre, un 13 août de 1820. La source, toujours vive, alimente deux grands bassins, l'un en haut, bordé d'un promenoir en lauzes, l'autre tout en bas, avec une fontaine qui chantonne dans l'ombre de trois vieux figuiers, aux fruits noirs. D'autres terrains, autour, portent des vignes et des oliveraies. L'entretien et la culture sont malaisés et le sol, montagneux, est plutôt aride. Mais, loin des chaleurs lourdes de la ville, l'été, c'est un asile de fraîcheur et de beauté, d'où le regard porte très loin, sur la plaine, l'étang, la mer et, au-delà, à l'horizon, les îles.

L'une des propriétés voisines, derrière l'oliveraie, en contrebas, appartient aux Prelà. Les deux familles sont très unies. Elles se voient souvent ; les enfants ont grandi ensemble.

Louis épouse Marie-Sébastienne Prelà le 30 avril 1820. Ils avaient demandé une dispense à l'autorité ecclésiastique car ils étaient cousins germains ; et doublement, puisqu'ils l'étaient des deux côtés paternel et maternel, Marie-Sébastienne étant la fille d'Anton Sebastiano Prelà et de Maria Giuseppa Viale. Elle avait vingt-quatre ans, il en avait trente et un. C'était une jeune fille réservée, timide. Son portrait montre un visage sans rides, régulier, impassible, au regard sévère, pris dans une coiffe d'une blancheur immaculée, bordée de dentelle. On ne voit, sur les tempes, que les dernières mèches de ses cheveux très noirs et bouclés, qui devaient être beaux si l'on en juge par le peu qu'elle veut bien montrer. Un grand col châle blanc, en dentelle, est la seule élégance de sa robe noire très stricte, qu'elle porte sans un bijou. Elle connaissait Louis depuis l'enfance.

Ce mariage, pourtant, contient un mystère surprenant. Dans son journal, Louis ne le dissimule pas, mais sans l'expliquer. « 30 avril 1820. A neuf heures du soir, mariage *in faciae ecclesiae* de Louis Viale avec Sébastienne Prelà. Le mariage a été célébré par le curé Bajetta, dans notre maison, avec la permission des supérieurs ecclésiastiques. » Et, un an après : « 9 avril 1821. Je me suis marié, le soir, à la mairie. Un acte enregistré précise que les enfants déjà nés, c'est-à-dire un garçon, le 2 juillet 1818, à deux heures et demie du matin, portant le prénom d'Auguste, et une fille, le 4 avril 1821, à neuf heures et demie du soir, portant le prénom de Pavola Vincenza, étant fils des susdits Louis et Sébastienne époux Viale, devront jouir des bénéfices et des droits que leur accorde la loi. »

Auguste avait donc près de deux ans lors du mariage religieux de ses parents, trois lors de leur mariage civil. Après le mariage religieux, Louis et Marie-Sébastienne, avaient encore attendu la naissance de Paolina pour se marier à la mairie. Etant ce qu'ils étaient et ce qu'était le climat familial et social autour d'eux, à Bastia, c'est incompréhensible. Ce que l'on pourrait raisonnablement supposer du drame quotidien que dut être leur liaison, pour les deux familles, serait sans doute en deçà de la réalité ; et, plus encore, si leurs familles n'étaient pas au courant de la naissance d'Auguste, et qu'ils avaient dû s'en cacher. L'abbé Bajetta était le curé de Saint-Jean ; il habitait la maison, au premier étage. Les témoins étaient tous des membres de la famille, avec Salvatore. Mais tout cela ne dit rien. L'explication manque. L'acte de naissance d'Auguste, inscrit dans les registres de l'état civil de la mairie de Bastia, épaissirait plutôt le mystère[55].

L'une des rares choses que l'on sache encore par Louis, est qu'à l'époque du mariage de ses parents, Auguste n'était pas à Bastia. Il n'y reviendra qu'à l'âge de six ans, avec ses oncles Benedetto et Michel qui l'y accompagneront. Louis le note ainsi, dans son journal, sans un mot de plus : « 1824. 1er mai. A quatre heures de l'après-midi, mes frères Benedetto et Michel ont débarqué à Bastia, venant de Rome. » En surcharge, il a plus tard ajouté, d'une écriture vieillie : « et mon fils Auguste, venant de Livourne, qui a vu son pays natal pour la première fois ». Le départ d'Auguste est noté de même : « 14 octobre. Mes frères sont repartis à minuit pour Rome, par la route de Toscane » ; Louis a ensuite ajouté, entre les lignes : « avec Auguste ».

Où était, où allait Auguste, cet enfant de six ans, déjà un petit garçon ? Où vivait-il ? Pas à Rome, auprès de l'un ou l'autre de ses oncles. Il n'y en a pas trace dans la correspondance, et qu'auraient fait de lui Benedetto, à Santo Spirito, ou Michel au Collegio Romano ? Presque certainement, il vivait à Livourne, dans la famille de Giuseppe Vanneschi, l'ami de Louis. Je dis « presque », car aucun document de l'époque ne l'atteste ; mais certainement car tout le confirmera par la suite. C'est à Livourne, dans la cathédrale qu'il sera confirmé par l'évêque, le 23 novembre 1826.

Les rapports d'Auguste et de Vanneschi, tout au long de leur vie, seront ceux d'un père et d'un fils adoptif. L'une des premières lettres d'Auguste à l'oncle Salvatore, datée de Livourne en juin 1827, est signée « Votre très affectueux neveu, Augusto Vanneschi ». Ecrivant de Rome à Giuseppe, il l'appelle « Mon très cher papa », et le charge de transmettre une autre lettre « au papa de Bastia ».

Lorsqu'il quittera définitivement Bastia, Auguste laissera à la maison un paquet de lettres de Vanneschi. Elles sont pleines de vie, à l'image de leur auteur. En 1847, Auguste avait vingt-neuf ans, Vanneschi l'appelle toujours « mon cher et très aimé fils Auguste » et signe « ton très affectionné papa ». En lui donnant des nouvelles de « ton Antonietta » — sa nièce — et de tous les siens, l'image qu'il peint pour nous est celle d'une famille adoptive chaleureuse, où Auguste est très aimé et où on le voyait vivre encore si longtemps après, avec ses farces et ses mots d'enfant.

Vanneschi était un homme sensible et bon, enjoué, énergique, toujours en mouvement et prêt à rendre service. Plusieurs papiers le qualifient de capitaine d'artillerie au service de la Toscane. Sa femme, Madeleine Pietrasanta était ajaccienne, et ils vivaient dans une bonne aisance. Louis et lui se connaissaient depuis 1817. Ils avaient dû se lier par quelque parrainage à Livourne, où Louis, jeune homme, allait souvent. Toute leur vie, et dès leurs premières lettres, ils s'appelleront « compère ». « Les relations d'intime et affectueuse amitié qui me liaient à mon compère depuis quarante ans m'ont fait éprouver une profonde affliction », notera Louis à l'annonce de sa mort, en 1857. Giuseppe lui servait parfois d'agent d'affaires ; mais leur abondante correspondance a la chaleur d'une profonde amitié. Il sera d'ailleurs très lié avec Salvatore également, et avec toute la famille. Son adresse à Livourne est le relais de tous les voyages et du courrier entre Bastia et Rome.

Mais tout cela n'explique pas pourquoi Auguste vivait chez lui. D'autant moins que Louis n'était pas homme à abandonner ses enfants. La naissance suivante, celle d'Angela Maria, en 1823, sera célébrée joyeusement, et encore plus, l'année d'après, celle de Paul-Augustin, le 18 décembre 1824. Pour parrain, Louis lui donne Giuseppe Vanneschi, qui le tint sur les fonts baptismaux à Saint-Jean et resta plusieurs jours dans la maison en fête.

Les six mois du séjour d'Auguste à Bastia seront les derniers qui verront la famille réunie au complet à la maison. Benedetto y reviendra encore une fois, l'année suivante. Mais Michel jamais plus. La vocation à laquelle il s'était consacré l'appelait ailleurs pour la vie.

Ses études de théologie terminées au Collegio Romano, il avait été ordonné prêtre le 29 septembre 1823, jour de la Saint-Michel et de son vingt-cinquième anniversaire. Les premières preuves publiques de ses qualités avaient révélé une personnalité exceptionnelle. « Il avait donné en l'an 1822 — rapporte Mgr Fantoni — une très belle idée de la valeur de son esprit et de ses vastes connaissances doctrinales, au cours d'un débat public en l'église de Saint-Ignace sur l'histoire ecclésiastique, sous l'égide du cardinal Annibale della

Genga, le futur pape Léon XII ; exploit qu'il répéta l'année suivante pour la théologie dogmatique, en le dédiant cette fois au cardinal Bartolomeo Pacca, qui présidait le débat dans la même église. Dans ces deux occasions, le jeune ecclésiastique donna une telle preuve de son savoir et de son intelligence qu'il reçut les premiers prix ; l'académie de Théologie, qui siège à Sapienza, l'inscrivit parmi ses membres ; les plus hautes louanges répandirent sa renommée dans Rome, qui d'une seule voix le proclama parmi les meilleurs, dont on attendait les plus hauts services pour l'Eglise. »

L'oncle Thomas en était fier et le disait très haut, jusque dans les couloirs du Quirinal. Huit jours à peine après l'élection de Léon XII au pontificat, il lui recommanda Michel, qui venait de dire sa première messe.

Michel à Louis : « Rome, 9 octobre 1823... Comme tu le sais déjà, c'est le cardinal Annibale della Genga, à qui j'avais dédié l'an dernier mon exposé dans le débat d'histoire ecclésiastique, qui a été élu pape. L'oncle Thomas, qui jouit depuis longtemps de son amitié, est allé le voir pour le féliciter, et, ayant été accueilli avec beaucoup d'affabilité, a saisi l'occasion pour lui parler de moi. Il lui a rappelé mon exposé d'histoire ecclésiastique de l'an dernier, puis lui a parlé de celui de théologie dogmatique.

« Le pape lui a répondu qu'il se souvenait très bien du premier et qu'il était au courant du succès du second ; et il a ajouté qu'il penserait à me pourvoir d'un bénéfice. Zio a alors suggéré un bénéfice de la basilique Saint-Pierre. Mais le pape lui a répondu : "Nous voulons que votre neveu continue à étudier. Il ne pourrait plus le faire s'il était pris tous les matins par le service qu'il devrait assurer à Saint-Pierre ; nous penserons donc à le pourvoir d'une autre façon." J'irai moi aussi, demain, lui baiser le pied et le féliciter ; et le remercier en même temps de s'être souvenu de moi. Je verrai ce qu'il me dira... »

Michel se rendit au Quirinal avec son professeur au Collegio Romano, l'abbé Ostini, qui chantait également ses louanges. « Nous sommes pleins d'espoir et cela nous aide tous les deux à oublier la gêne pécuniaire dans laquelle nous vivons, en pensant à la consolation qu'en aura la famille », écrit Benedetto. Mais près de trois mois après, on ne voit toujours rien venir.

Michel à Louis : « Rome, 26 décembre 1823... Quant aux espoirs que m'avait donnés le pape, il n'y a rien de neuf. Quand je lui ai rendu visite, je n'ai pu lui parler comme je l'aurais désiré car il y avait deux cardinaux avec lesquels il devait parler affaires. Il m'a simplement dit que je devais poursuivre mes études... J'ai écrit à Salvatore que j'avais absolument besoin d'une veste longue. Je te le demande à toi aussi, pour que tu m'en envoies une par la première occasion, car si on ne m'en avait pas prêté une, je ne pourrais dire la messe... » Michel ne recevra, en définitive, aucun bénéfice ni aucune pension. Mais il n'insista pas ; il détestait déjà les intrigues et les manœuvres de couloir.

Lorsqu'il remportera le concours pour une bourse accordée par le Collegio Romano, en mars 1827, il écrira à Louis : « ... et je ne te cache pas que j'en suis heureux également sous un autre rapport, c'est-à-dire pour montrer que je suis capable de me trouver tout seul un soutien, sans avoir recours aux brigues et aux tromperies, et sans avoir eu besoin d'engraisser un peu plus la bourse de ceux qui font marché des dignités ecclésiastiques. »

Mais Michel ne s'intéressait pas qu'aux sciences ecclésiastiques. Il avait également terminé ses études de droit et de philosophie à la Sapienza ; il écrivait et parlait « à la perfection », avec le latin et l'italien, le français et l'allemand, et connaissait bien les littératures de ces deux pays. Salvatore l'encourageait à faire des vers et Michel lui enverra plus d'une poésie de son cru, du moins jusqu'à son ordination. « Je tâcherai encore de vous envoyer des vers ; mais je ne vous promets rien de bon, car j'ai perdu la main », lui écrit-il.

Quoique sans la moindre trace d'arrogance, il paraît avoir été très sûr de lui, et depuis toujours. En septembre 1818, un jour qu'un prix de chimie avait été tiré au sort entre quatre élèves arrivés à égalité, il avait écrit à Salvatore (il le vouvoiera jusqu'à la fin de sa vie) : « Je peux vous assurer que je suis plus satisfait du profit de cette année que du résultat du concours ; et je ne me suis pas vu sans regrets mis au même niveau que les trois autres, car pour le travail de toute l'année, au jugement du professeur lui-même, je ne pouvais être comparé à personne et encore moins confondu avec d'autres. »

Son goût artistique, qui le portera à se composer une importante collection de peintures, son seul luxe quand il en aura les moyens, était d'autre part en train de s'affirmer dans l'étude des monuments classiques de Rome. Avec cela, et pour en terminer, il était de fréquentation agréable, selon tous les témoignages. « Il avait l'esprit cultivé et vif, aussi aimable que plaisant, les manières persuasives, l'allure très noble. Le tout fondu dans un sentiment très élevé de la foi et de la piété », écrira en résumant ces témoignages, dans sa biographie, Mgr Francesco Fantoni. Il sera le seul des quatre frères dont jamais l'oncle Thomas ne trouvera occasion de se plaindre. Lui-même d'ailleurs ajoutera, plus tard, le nom de Prelà à son nom de famille, en souvenir de l'oncle qui, à sa manière bougonne mais somme toute attentive, veillait sur leur jeunesse romaine.

De Benedetto aussi, Tommaso Prelà était, pour lors, de plus en plus satisfait. A l'hôpital de Santo Spirito, il avait failli mourir du typhus en 1817, mais il en était maintenant, à vingt-sept ans, l'un des jeunes médecins les plus prometteurs. Le professeur Giuseppe De Matthaeis, patron de la chaire de clinique médicale et disciple de Tommaso Prelà, l'avait pris en amitié. Benedetto avait d'autre part commencé ses recherches dans le domaine de la chimie, pour lequel il se passionnait. Cela lui donnait beaucoup d'atouts. Ses lettres, vives, amusantes, nous montrent d'autre part un heureux caractère, généreux, ouvert, aussi à l'aise dans le petit village de Campanie où il fait un remplacement, que dans les milieux littéraires romains qu'il fréquente quand il en a le temps. Dès sa parution, il enverra à Salvatore l'ode, aussitôt fameuse, d'Alessandro Manzoni sur la mort de Napoléon. Il commente chaque nouvelle œuvre de son grand frère. Cette longue lettre où, entre deux autres sujets, il lui dit avec quel soin il a gardé les notes prises à son cours sur les belles-lettres, au collège de Bastia, pour son plaisir et l'éducation de son goût, comme Salvatore a dû être heureux en la lisant...

La page des enfances était tournée.

Pie VII était mort en juillet 1823 et l'oncle Thomas avait renoncé à ses fonctions d'archiatre pontifical. L'agonie du pape avait été terrible. Pie VII avait quatre-vingt-un ans. Au délire succédaient de longues pauses de léthargie, puis à nouveau le délire. Tommaso Prelà n'avait pas quitté son chevet, veillant sur lui jour et nuit. On avait appelé les autres médecins du palais apostolique, tenu avec eux d'interminables consultations. Il y avait eu une violente dispute entre Tommaso et un certain Dr Bomba sur le diagnostic et la thérapeutique à appliquer. Tout Rome s'en était fait l'écho. Après la mort, l'autopsie du cadavre avait pleinement donné raison à Tommaso. Maintenant, les yeux du pape fermés, il avait déposé le grand manteau rouge bordé d'hermine, pour se consacrer entièrement à ses travaux académiques et, surtout, à sa passion de bibliophile.

Elle est grandiose, en effet, cette bibliothèque de l'oncle Thomas. La voici. Telle qu'elle était chez lui, piazza San Pantaleo, puis via delle Muratte, au palais Sabino, elle est rassemblée aujourd'hui dans plusieurs pièces de la bibliothèque municipale de Bastia, à qui il l'a léguée avec son portrait en monseigneur à la cape violette.

Le registre d'origine répertorie 15 500 volumes, remarquables par l'édition, l'illustration ou la reliure, « plus une quantité de petits volumes que l'on n'a pas estimé devoir décrire ». Tout y est, de la culture de l'époque : grec, latin, italien, français, anglais, allemand ; beaucoup de médecine, mais également d'histoire, de littérature, de livres sur les beaux-arts... Ce qui surprend le plus est le raffinement et la sûreté de son goût de bibliophile. Il y a les quatre in-folio de la très rare *Phytanthora iconographia sive conspectus* de Jean Guillaume Weinmann, Ratisbonne, 1737, avec ses 1 200 gravures de plantes relevées à la gouache, d'une beauté et d'une fraîcheur somptueuse. Il y a une *Jérusalem délivrée* illustrée par Piazzetta, une *Bibbia Maxima* en 17 volumes in-folio, *La Divine Comédie* avec le commentaire de Landin, en manuscrit de 1491. Une *Physique* de Don Paulo Boccone de 1597, sur laquelle Tommaso a noté : « Toutes les œuvres de Boccone sont rares, mais cette *Physique* est rarissime, et même introuvable. Elle m'a coûté 27 écus. »

Car sur les exemplaires les plus précieux, Tommaso a porté une annotation, qui concerne généralement la rareté de l'ouvrage, mais aussi, souvent, le prix qu'il l'a payé. Le « *Phytanthora iconografia...* : 115 écus romains. » « D'autant plus coûteux, comme celui-ci, qu'il est sur grand papier », marque-t-il sur le *Decameron* de Boccace, avant la mention qu'il a licence ecclésiastique de le lire. Voilà donc où allait tout son argent. Une passion. Ce sentiment paraît tellement étranger à l'oncle Thomas ; et pourtant, comme on le ressent, contagieux, au milieu de ces trésors discrets annotés de sa main...

Le projet de léguer sa bibliothèque à sa ville natale remontait déjà à quelques années. « Poletti me dit que vous avez pris la louable décision de laisser votre bibliothèque à la ville de Bastia », lui écrit Salvatore en décembre 1820. Ce n'était pas simple générosité. Tommaso voulait que sa bibliothèque restât intacte après sa mort, qu'elle lui survive telle qu'il l'avait créée. Il en a longuement parlé aussi avec son ami Giuseppe Sisco qui, Bastiais comme lui, a décidé de son côté de léguer sa petite fortune à ses jeunes compatriotes, sous forme de bourses d'étude à Rome.

A soixante-quinze ans, Sisco a abandonné toutes ses fonctions officielles, mais est toujours ingambe. Il est le médecin de Madame Mère et du cardinal Fesch, l'une des rares personnes que la mère de Napoléon reçoive encore, dans son appartement aux persiennes fermées, sur la place de Venise, où elle vit cloîtrée. Il lui léguera, à sa mort, une croix en or avec un morceau de la vraie Croix et une miniature représentant la Vierge Marie. Avec Tommaso Prelà, ils se voient presque tous les jours, chez Tommaso, ou dans son propre appartement de la rue des Cinq-Lunes, dont plusieurs pièces donnaient sur la place Navone, et qu'ornait une belle bibliothèque et une importante collection de gravures [56]. Un superbe Hippocrate de 1525, dans la bibliothèque de l'oncle Tommaso, porte cette dédicace : « Sisco donne à son intime et cher ami Prelà cette très rare et très belle œuvre de Fabio Calvi. 12 septembre 1822. »

Leur arrivait-il de parler en corse, entre eux ? Se pourrait-il, dans son jardin secret, que Tommaso eût été un homme détendu et heureux ?

11

La deuxième édition de la *Dionomachia* parut à Paris en 1823. C'est un beau livre, in-8°, bien présenté, la couverture tabac finement dessinée, les marges larges, le texte aéré, avec une amusante gravure de l'âne Bajon au milieu des vertes collines de la Casinca : le rêve d'un auteur. Le nom de Salvatore paraît enfin au grand jour. Le poème est « considérablement corrigé et augmenté. » L'éditeur est Dufart, libraire quai Voltaire [57].

On est loin de la miséreuse édition clandestine de Livourne. Salvatore pouvait en espérer quelque réputation à Paris, d'où dépendait désormais toute chance de consécration pour un Corse. Pour pousser un peu la fortune, il avait fait précéder la préface d'une longue et flatteuse dédicace à Pozzo di Borgo, son illustre compatriote, grand manitou de la Restauration. Salvatore ne s'en est pas caché : il agissait par flatterie, « dans l'espoir d'intéresser à l'amélioration de son état un célèbre personnage, son compatriote ». Il en fut pour ses frais. Pozzo di Borgo ne s'y intéressera pas. Salvatore fera disparaître la dédicace des éditions suivantes.

En France, la *Dionomachia* passa pratiquement inaperçue. *Le Mercure du Dix-Neuvième siècle*, héritier du *Mercure Galant*, lui consacra un assez long compte rendu, trois pages, en janvier 1824, mais dans la rubrique « Littérature étrangère ». Le critique parle longuement de sujet, félicite l'auteur de la perfection de sa versification italienne « parfaitement appropriée », de l'originalité de sa peinture des mœurs corses. Il juge de nombreuses descriptions « fort poétiques » mais l'ensemble, dit-il, a « plus d'esprit que d'imagination ». Le talent de Salvatore ne lui échappe cependant pas, ni la source de son inspiration. « En véritable patriote, M. Salvador Viale a heureusement amené un éloge des héros corses, dans quelques strophes écrites d'une manière plus noble et plus large », écrit-il. L'article était dans l'ensemble flatteur, mais il fut à peu près le seul. Ce n'était pas le succès.

Mais si, car Stendhal en parla. Voici ce qu'il en dit, après en avoir résumé l'intrigue et vanté l'effet comique : « Dans ce poème, M. Salvador Viale peint les coutumes populaires pratiquées de tout temps en Corse, telles que les lamentations improvisées par les femmes sur les morts, coutume que l'on retrouve chez les Grecs et les Irlandais d'aujourd'hui. Quelques strophes du quatrième chant sont en patois corse, mélange de toscan, de sicilien, de corse et de génois, qui ne manque ni de grâce, ni de naïveté. En somme, ce poème est une curiosité littéraire, puisque c'est l'un des très rares échantillons que nous ayons de la muse corse. »

L'article parut dans le *New Monthly Magazine* de Londres, dans sa livraison du 1er mai 1824[58].

Stendhal ! Un éloge de Stendhal. Ah ! c'est la gloire ! Mais non, car, en 1824, Stendhal était inconnu. Il signait encore Henri Beyle, et les chroniques qu'il donnait régulièrement au *New Monthly Magazine*, il ne les signait pas du tout. Henri Beyle venait à peine de terminer une *Vie de Rossini* et vivotait de travaux de librairie ou de collaborations comme celle du *New Monthly*. Il est presque certain que Salvatore ne l'a même pas su. Il y en aurait une trace quelque part. Stendhal, probablement, ne s'en souvenait même pas lui-même, lorsqu'il rencontrera Benedetto par la suite au palais Colonna à Rome. C'est Henri Martineau qui a retrouvé le texte et l'a ramené en France. Le fait reste que Stendhal a lu Salvatore et l'a apprécié.

Mais où Stendhal avait-il découvert la *Dionomachia* ? Le plus naturellement du monde apparemment : à Florence, au Cabinet Vieusseux. Il venait d'y être introduit, l'année précédente, au cours de son dernier voyage en Toscane et à Rome, en novembre 1823, par son ami Louis de Potter qui l'avait chaudement recommandé par lettre à Giovan Pietro Vieusseux lui-même.

Pendant les trois semaines de son séjour — et il s'y arrêtera également au retour de Rome, en février —, il avait assidûment fréquenté les salons du Cabinet, au palais Buondelmonti et ceux qu'il nommait « ses bons habitans ». De Paris, il avait d'ailleurs adressé à Vieusseux, avant son départ, les œuvres qu'il avait jusque-là écrites, en le priant de les placer dans son cabinet littéraire : « Un exemplaire de l'histoire de la peinture en Italie, une vie de Hayden, de Mozart, deux de la brochure intitulée Racine et Shakespeare. » « S'il convient à M. Vieusseux d'en rendre compte dans l'*Antologia*, M. Beyle demande à être jugé avec toute la sincérité et la sévérité possibles. La vérité sur tout est le premier des biens », lui avait-il écrit, en mai.

L'*Antologia* était la première revue créée par Vieusseux « pour combattre le pédantisme et l'esprit de clocher qui étouffent l'Italie ». « La littérature ne peut plus être désormais entièrement séparée de la morale et de l'histoire civique », écrit-il à Tommaseo. Les meilleurs écrivains de Toscane et d'Italie y rendaient compte des publications nationales et étrangères, dans l'esprit libéral du Risorgimento, et elle faisait déjà autorité.

« La plupart des articles de son journal sont écrits par les plus distingués littérateurs d'Italie et, quoique ceux-ci n'aient point pour énoncer leurs opinions autant de liberté que les écrivains d'Angleterre, l'*Antologia*, sous ce rapport, ainsi que sous quelques autres, se montre bien supérieure à toute autre feuille littéraire d'Italie », avait écrit Stendhal dans sa chronique du *New Monthly Magazine* de juin. Hommage qu'il répétera dans les *Promenades dans Rome*, en saluant « M. Vieusseux, libraire et homme d'esprit, éditeur de l'*Antologia*, le meilleur journal d'Italie ». « Cette revue, dit-il, est soumise à la censure, mais en revanche elle est écrite avec conscience, chose peut-être unique sur le continent. »

De Florence et de Rome, où il se rendit ensuite, Stendhal avait continué à envoyer chaque mois au *New Monthly* des comptes rendus sur les livres récemment parus [59]. Et l'un de ces livres était la *Dionomachia*. S'il n'avait pas fait grand bruit à Paris, il avait par contre été chaleureusement accueilli à Florence, par Niccolini, par Vieusseux, par Capponi qui avec Lambruschini, pensait déjà le plus grand bien du poème de leur nouvel ami corse.

Même s'il n'a fait que le feuilleter, le flairer, Stendhal a dû s'amuser en le tenant entre les mains. Admiré par ces esprits fins que sont les Toscans, écrit par un poète corse inconnu, quelle double curiosité ! Ce genre de découverte faisait partie du bonheur d'être qu'il n'éprouvait qu'en Italie.

« Nous désirons tous revoir à Florence le poète de Bajone », avait écrit Niccolini à Salvatore, lorsqu'était arrivée au palais Buondelmonti l'élégante édition de Paris et il lui avait répété tout le bien qu'on y pensait de son « gracieux poème ».

Lambruschini aussi le pressait de revenir. « On répète, ici, votre nom avec un grand sentiment d'amitié et d'estime ; sentiment que ma famille est la première à éprouver, vous le savez. Ceci n'est pas un vain compliment, et vous nous feriez une grâce en revenant nous rendre visite », lui écrit-il de Figline. Ils s'écrivaient souvent. Lambruschini avait commencé sa campagne pour une réforme de l'éducation et ses articles provoquaient des controverses à travers l'Italie. Salvatore l'encourage. « J'attendais avec un vif désir votre avis sur mon article. L'approbation d'un juge aussi droit et compétent que vous me flatte infiniment », lui répond Lambruschini. Vieusseux lui demandait constamment quand on reverrait son ami corse.

Antologia, cependant, fut lente à rendre compte de la nouvelle édition de la *Dionomachia*, par prudence. Le *Buon Governo* toscan avait censuré la première édition. La deuxième arrivait de Paris, ville qui sentait le soufre. La famille de Lorraine qui avait succédé aux Médicis était certes un modèle de tolérance parmi les souverains italiens dominés par l'Autriche. Le grand-duc Ferdinand, oncle de Marie-Louise, n'avait pas voulu déclarer la guerre à Napoléon, même quand ce dernier lui avait pris son Etat.

A son retour à Florence, un courtisan s'était vanté de n'avoir jamais collaboré avec les Français. « Vous avez mal fait. Si j'ai servi Napoléon, vous pouviez le servir aussi », avait répliqué le grand-duc. Avec un peu de prudence, on pouvait tout dire.

Mais enfin, la censure existait. Elle finira d'ailleurs par faire interdire la revue. L'*Antologia* fut donc prudente et ne rendit compte de la *Dionomachia* que dans sa livraison de mars 1825. Encore, une partie des exemplaires fut-elle amputée des pages portant le compte rendu, soit par le censeur lui-même, soit par autocensure. On peut voir la trace des ciseaux sur de nombreux exemplaires conservés dans les bibliothèques publiques, d'où l'article sur la *Dionomachia* a disparu. Du moins, l'article est-il du haut niveau auquel se situait la revue.

La chute en est : « Si l'auteur emploie parfois un autre style, il ne le fait que pour qu'on sente quelle est la véritable intention de son ingénieuse fantaisie. Que sa patrie en tire la leçon, pour son bénéfice et sa dignité [60]. » C'était parfaitement montrer le sens moral profond de l'œuvre. Ces Italiens ressentaient fortement la passion et ne croyaient pas, comme les Français, que « l'esprit » était la fin de tout.

Lorsque Salvatore arriva à Florence, en octobre 1825, venant de Rome où il avait passé un mois avec Benedetto et Michel, il fut surpris, dans sa modestie, de voir combien il était estimé et aimé dans le cercle du palais Buondelmonti. Vieusseux lui demanda d'écrire régulièrement dans l'*Antologia* et d'en être le correspondant en Corse. Lambruschini lui proposa lui aussi de collaborer à la revue sur l'éducation qu'il s'apprêtait à créer avec l'aide de Vieusseux.

Le cercle du palais Buondelmonti s'était élargi. Tommaseo n'était pas encore arrivé, mais Guerrazzi, Cioni, Ridolfi, Montanelli, Ricasoli s'étaient joints au petit groupe fondateur, écrivains ou grands propriétaires terriens, imbus de l'esprit de réforme, tous profondément conscients de l'unité intellectuelle et morale de l'Italie, et décidés à œuvrer pour la réaliser.

C'était un milieu à la fois effervescent et feutré, passionné mais serein, où les débats d'idées étaient d'autant plus ouverts qu'on y respectait la bienséance, l'un des foyers intellectuels les plus vivants d'Europe. Leonard Simonde de Sismondi en était le correspondant en Suisse. Alessandro Manzoni y venait, de Milan, pour frotter la prose de ses *Promessi Sposi*, qu'il s'apprêtait à publier, au fin parler toscan, et faire, comme il disait, sa « lessive dans l'Arno ». Salvatore s'y tiendra toujours discrètement, conscient qu'il était français et trop enraciné en Corse pour songer à un autre destin. Mais il y était chez lui. Sous la haute voûte de l'entrée, dans sa simplicité, l'étroit escalier du palais Buondelmonti, gris et blanc, avec ses marches raides, ressemble à celui de la maison, rue Saint-Jean.

Déplacé au palais Strozzi, tout proche, le Cabinet Vieusseux existe toujours, avec ses hautes bibliothèques en bois sombre, ses larges tables couvertes des journaux et des revues du monde entier sous les lampes aux lumières tamisées.

Un nouvel attaché venait d'arriver, ce mois d'octobre-là, à la légation de France à Florence. Grand, mince, portant beau, raffiné et mondain, Monsieur Alphonse-Louis de Prat de Lamartine était auréolé de la gloire de ses *Méditations poétiques*. Il avait déjà servi à la légation de France à Naples. Amoureux de l'Italie presque autant que de la jeune femme qu'il venait d'épouser, il était déjà la coqueluche de la cour et de la société.

Ses préoccupations littéraires, dans le goût élégiaque, différaient profondément de celles, toutes morales, des familiers du palais Buondelmonti, mais il y fut aussitôt accueilli de plain-pied, comme il était accueilli dans les salons aristocratiques de la ville. Libéral, il y apportait l'air de France. Poète et français lui-même, Salvatore avait plus d'une affinité avec lui, mais il était aussi réservé que l'autre était brillant et il semble qu'il lui parla peu lorsqu'ils se rencontrèrent.

Lamartine lui reprochera sa « modestie », et de ne pas s'être présenté comme poète. Malgré la pénombre des salons du palais Buondelmonti (ou était-ce au palais Capponi ?) éclairés au quinquet — c'est l'automne —, je crois bien les voir, pourtant, en conversation, Lamartine, un peu plus grand, légèrement penché vers Salvatore, et celui-ci qui l'écoute, sans doute intimidé par la facilité mondaine du séduisant attaché, mais déçu, peut-être, lui-même, de ne pas entendre le poète.

Pensait-il : « *Anch'io son poeta* » ? Il lui donna, en tout cas, un exemplaire de sa *Dionomachia*, dans la nouvelle édition dont il était si content. Lui aussi était imprimé à Paris. Et ce n'était pas rien, pour un poème en italien. Lamartine le lut après le départ de Salvatore pour Bastia. Il en goûta la « grâce », trouva « superbe » l'invocation à Petrignani. « Vous êtes un véritable et excellent poète », écrit-il à Salvatore, avec la générosité de sa jeunesse heureuse.

Alphonse de Lamartine à Salvator Viale : « Florence, 26 novembre 1825. Monsieur, recevez mes remerciements pour le charmant ouvrage que vous avez bien voulu m'offrir. Je vous en remercie avec connaissance de cause. Je l'ai lu. J'ai été étonné de n'en avoir entendu parler plus tôt. Comment une si jolie chose est-elle méconnue en France ? C'est un des badinages les plus spirituellement conçus et les plus gracieusement écrits que je connaisse. Je vous avoue que je suis honteux d'avoir ignoré que je possédais pendant un mois à notre porte un poète comme vous, d'avoir si peu joui de sa société ; votre modestie seule en est cause ; j'étais loin de me douter de ce qu'il y avait en vous, pourquoi vous êtes-vous révélé si tard ?

« Je prends du moins la plume pour faire amende honorable et si vous revenez à Florence je réparerai mes torts et je vous rechercherai d'autant plus que vous vous prodiguez moins.

« Vos vers sont si faciles, si brillants d'esprit, si pleins de grâce, si touchants quand vous vous permettez le sentiment élevé, que je crois devoir vous engager à vous remettre à un ouvrage d'un ordre différent, un poème sérieux ; vous montrez souvent que tous les tons vous sont bons, votre apostrophe à votre ami assassiné est superbe, écrivez donc dans le genre du siècle et non plus dans celui d'un temps qui n'est plus.

« Excusez, monsieur, mon griffonnage et pardonnez-moi de vous

127

avoir écrit. Je l'ai fait d'abondance de cœur pour vous dire, si vous l'ignorez, que vous êtes un véritable et excellent poète ; agissez donc comme tel et faites-nous jouir de vos ouvrages. »

Au retour, les perspectives de Bastia parurent plus étriquées que jamais à Salvatore, vues du palais de justice. Dans le havre de la maison, il était heureux en famille, avec ses sœurs, le jeune ménage de Louis, Maria Nicolaja, toujours forte et sereine. Il y avait du bonheur aussi dans l'heureux petit cercle de ses amis lettrés, dont il préparait chez Batini une première anthologie poétique [61]. Mais son travail de juge d'instruction, si contraire à sa nature et à ses goûts, lui était devenu insupportable. Va pour la magistrature, comme métier, mais il souhaitait de plus en plus impatiemment l'exercer à la cour, comme conseiller, et non au tribunal, où la procédure l'étouffait.

Il cherche un dérivatif. La chaire de grec au collège de Bastia était devenue vacante au début de l'année et Renucci, principal du collège, l'avait proposée à Salvatore. C'était un travail selon son cœur. Mais il était mal payé, 600 francs par an. Salvatore était prêt à l'accepter, à condition de rester en même temps, pour la matérielle, juge d'instruction. Avant de partir pour Rome et Florence, il avait écrit à Colonna d'Istria, devenu premier président de la cour, alors en vacances à Paris, en lui demandant d'intervenir auprès de Pozzo di Borgo pour qu'on lui accordât de cumuler les deux fonctions. « Vous n'ignorez pas que les lettres sont ma passion dominante », dit-il [62]. Mais le ministère avait refusé le cumul.

Salvatore écrit alors de nouveau à Colonna d'Istria, pour qu'il lui obtienne la première place vacante de conseiller à la cour. Il bat le rappel de ses relations. A Florence, Niccolini en parle chaleureusement à Lamartine.

L'impatience de Salvatore augmente à mesure que le temps passe. Début 1828, enfin, deux places se libèrent en même temps, celles de deux magistrats « continentaux », le conseiller Lafond et le conseiller Deligny. Salvatore pose sa candidature et, puisque tout se fait à Paris, décide de s'y rendre. Il y dispose d'un appui solide, celui du procureur du roi François Billot, qu'il avait connu lorsque celui-ci était procureur général à Bastia et qui est resté un ami. Il compte aussi sur Colonna d'Istria et sur le général Horace Sebastiani, auquel Joseph Limperani, neveu par alliance de ce dernier, l'a recommandé.

Plein de confiance, Salvatore part donc pour le continent, où il aborde, le 22 mai, à Saint-Tropez, pour débarquer, le 26, à Marseille.

C'est son premier voyage en France ; ce sera aussi le seul. Il durera huit mois, du 22 mai au 25 janvier, dont sept à Paris. Salvatore ne s'y plaira pas. Il n'aimera pas l'affectation des Parisiens, leur manière de toujours vouloir faire de l'esprit. « Le bon ton, à Paris, consiste en une perpétuelle ironie. Mais peut-on appeler cela du bon ton ? », ou encore : « Il m'est arrivé, au restaurant, de ne voir autour de moi que des visages de Parisiens, faux et affectés ; tellement que, pour poser les yeux sur une physionomie naturelle, j'étais obligé de me regarder dans les miroirs, bien que je ne sois vraiment pas beau. »

Une centaine de pages de son *zibaldone* de 1828 sont ainsi consacrées à ce voyage. Ecrites de la même encre, avec le charme de l'ingénuité, elles pourraient former le journal d'un Candide qui regarde les choses et les gens avec la simple curiosité du bon sens. Aucune recherche d'un effet littéraire dans ces pages, pas plus que dans la trentaine de lettres à sa famille, écrites pendant ce séjour. Son ingénuité est transparente.

En chemin, Salvatore s'est arrêté à Mâcon, chez Lamartine, qui l'a reçu dans l'intimité. Ils ont dû beaucoup parler de Florence et de leurs amis communs. « M. Viale, qui est dans ma chambre pendant que je vous écris, vous fait ses compliments », écrit Lamartine à Gino Capponi [63]. Il donne à Salvatore plusieurs lettres de recommandation, notamment pour le premier président de la cour de cassation, M. Henrion de Perny. Salvatore va voir ce dernier dès son arrivée à Paris. Il est déçu. Le premier président est un « vénérable vieillard plus qu'octogénaire ». Il va également voir aussitôt Billot, qui le reçoit affectueusement, avec sa femme Henriette, dans leur bel appartement de la place Royale, de même qu'Horace Sebastiani, qui lui ouvre sa maison et dont il devient rapidement le familier. Cela ne dut pas plaire à Pozzo di Borgo, encore tout-puissant. « J'ai vu Sebastiani, Pozzo di Borgo et Billot. Le second est tel que je l'imaginais, peut-être pire. Les deux autres m'ont très bien accueilli et me manifestent beaucoup d'intérêt », écrit-il à Louis.

Il ne verra Pozzo di Borgo que trois fois, avec de plus en plus de froideur de part et d'autre. « Il n'a rien fait et ne fera rien pour moi. Lorsque je repartirai, je me bornerai à lui laisser une carte pour prendre congé », dit-il à Louis. Sebastiani, par contre, a pris aussitôt la peine d'écrire une longue lettre de recommandation au ministre de la Justice, le comte Portalis, et de l'apporter lui-même à ce dernier, qui reçoit Salvatore peu après, le 4 juillet, et lui promet d'examiner sa candidature avec « une attention sérieuse ». L'affaire paraît ainsi bien engagée, et Salvatore pense à autre chose.

Sebastiani l'a pris en sympathie et le reçoit souvent à sa table. Né à La Porta, dans la Castagniccia, son fief politique s'étendait jusqu'à Bastia et ils avaient beaucoup de relations communes. Le général-comte, l'un des fidèles de Napoléon, était tenu à l'écart par le régime de la Restauration et une rivalité de clans corses l'opposait, de plus, à Pozzo di Borgo, ajaccien, mais son influence restait grande comme député de l'opposition et par ses relations personnelles. A la tête du 9e régiment de dragons, dont il était colonel, il avait contribué à la réussite du coup d'Etat du 18 Brumaire et Salvatore note le récit qu'il lui en fait, ainsi que plusieurs anecdotes sur les campagnes de Napoléon, ou sur son ambassade à Constantinople. Ils parlèrent aussi de la Corse et de littérature. Sebastiani était un homme charmant et cultivé, un esprit fin qui pouvait citer Virgile à propos. « En me montrant son très beau parc et sa maison, et faisant allusion à Napoléon, à qui il doit sa fortune, Sebastiani m'a dit : *Deus nobis haec otia fecit**. »

Salvatore prend son temps. Il s'est installé à l'hôtel des Ambassadeurs, rue Sainte-Anne, et visite tranquillement les monuments et les musées, en badaud. Il va à la Sorbonne, à Notre-Dame, flâne au Palais-Royal. Au jardin des Plantes, il s'attarde devant la girafe, puis devant les lions, pour les entendre rugir. Il va entendre la Malibran au Théâtre-Italien, passe deux soirées au Vaudeville. Il assiste aussi bien à une séance de l'Institut qu'aux manœuvres, qu'on appelle « la petite guerre », dans la plaine de Grenelle. Il flâne partout ; tout l'intéresse. Il voit aussi, bien entendu, tous les Corses qui comptent à Paris, et, entre autres, le Dr Antommarchi, rentré de Sainte-Hélène et très controversé, qui l'invite chez lui où il lui montre le masque mortuaire de Napoléon, sa longue-vue et une touffe de ses cheveux « qui sont d'un châtain clair », note Salvatore.

C'est au cours de ce voyage qu'il fit la connaissance de Pellegrino Rossi, en exil à Paris, et que Vieusseux lui avait recommandé d'aller voir. Mais l'ancien collaborateur du roi Murat, encore presque inconnu en France et qui hésitait entre Paris et Genève, n'était pas un homme chaleureux, pas plus que Salvatore n'était un interlocuteur politique intéressant pour lui. Leur conversation porta sur Byron et la difficulté de le traduire en italien. Rossi avait lui-même traduit *Le Giaour* (en vers italiens)[64], mais par désœuvrement, pour se distraire de son premier exil à la chute de l'Empire. Ce n'était pas un littéraire, mais un politique et leur rencontre tourna court.

Salvatore se lia par contre d'amitié avec un autre exilé italien, l'historien et homme politique piémontais Carlo Botta. Les premiers volumes de sa monumentale *Histoire d'Italie* venaient de paraître et il demanda à Salvatore de nombreuses informations sur l'histoire corse, pour l'inclure dans son œuvre et la compléter. Salvatore alla souvent le voir, chez lui, place Saint-Sulpice. « Je vous verrais volontiers, si vous me faites le grand plaisir de passer », dit un petit billet griffonné par Botta et resté entre deux pages du *zibaldone*.

Jacobin, lui aussi partisan des Français du temps de la République cisalpine, mais tenu à l'écart par Napoléon, il raconta à Salvatore plusieurs anecdotes sur ce dernier. « L'une des raisons pour lesquelles Napoléon ne m'a jamais regardé d'un bon œil est que je n'avais pas trouvé le moyen de parler de lui dans mon *Histoire de la guerre d'indépendance des Etats-Unis* », lui raconta-t-il notamment.

Salvatore n'oublie pas ses amis florentins, qui lui écrivent pour lui demander divers services. Vieusseux voudrait savoir comment faire pour diffuser plus largement l'*Antologia* à Paris ; Niccolini souhaiterait que l'on commente ses tragédies dans quelque revue française. Robert Benson, aussi, lui écrit de Londres, peu après son arrivée, pour l'inviter à prolonger son voyage par un séjour en Angleterre, où il désire le présenter à ses amis et relations littéraires

---

* « C'est à un dieu que je dois ce bonheur » (Virgile).

qui s'intéressent à la Corse. Il renouvellera plusieurs fois son invitation, en se faisant fort de lui trouver, s'il le désire, une situation à Londres. « Benson m'écrit souvent et m'invite à Londres, en m'affirmant qu'il m'y procurerait de quoi vivre à l'aise ; mais le climat et la nourriture m'ont fait décliner son invitation », écrit en septembre Salvatore à Louis. Il fait d'autre part imprimer un recueil de ses œuvres inédites, chez l'imprimeur Anthelme Boucher.

Sous le titre modeste de *Saggio*, le recueil paraîtra avant la fin de l'année mais Salvatore ne paraît pas y attacher un grand intérêt. *Saggio* veut dire essai, mais aussi échantillon et c'est plutôt de cela qu'il s'agit : une sorte de petite vitrine de ses divers talents littéraires. Elle comprend son étude critique sur le style de la traduction de l'*Iliade* par Cesarotti, deux poèmes originaux en italien et plusieurs traductions en vers de l'anglais (Byron), du grec (Anacréon) et du latin (Horace) [65].

L'affaire de sa nomination à la cour royale de Bastia n'avance cependant pas. Elle paraît même complètement ratée. La personne de Salvatore n'était pas en cause, mais le fait qu'il était corse. Le ministère préférait nommer des « continentaux » dans l'île. Il trouvait que les magistrats corses se montraient trop indulgents pour les crimes de leurs compatriotes. Salvatore est indigné. Il s'emporte, d'une grande colère de timide, et envoie au ministre une lettre de démission de son poste de juge d'instruction.

« Ma décision est prise. J'ai décidé d'abandonner une profession qui me remplit de dégoût et ne me donne aucun espoir », écrit-il le 9 octobre à Maria Nicolaja. Colonna d'Istria lui écrit de Bastia pour le raisonner ; il le supplie de reprendre sa démission, lui prêche la patience. « Je céderais à vos raisons si j'étais un peu moins jeune et si je n'aimais pas autant ma tranquillité et mon indépendance », lui répond Salvatore.

La famille est consternée. Salvatore avait quarante et un ans et se retrouvait sans situation ni fortune. Maria Nicolaja s'alarme. « Je serais désolée que vous retourniez à Bastia sans aucun emploi ; cela donnerait à nos ennemis l'occasion de rire », lui écrit-elle. Louis insiste ; Benedetto, aussi.

Salvatore n'en démord pas. « Je pars pour la Toscane, où je serai près de vous ; et je viendrai souvent vous voir », annonce-t-il le 13 novembre à sa mère. A Benedetto, il écrit, le 29 : « Tes conseils sont généralement bons ; mais, cette fois, ils ne sont pas conformes à ce que réclament mon âme et mon âge... Tu peux bien penser que je n'ai pas pris une telle décision sans avoir prévu une situation de rechange. J'aurais pu facilement m'installer ici, grâce à Sebastiani, ou à Londres, par Benson qui m'a écrit plusieurs fois à ce sujet. Mais le climat me fait préférer Florence, où je trouverai facilement une situation qui me conviendra mieux et où je pourrai être utile à la famille. » Raffaello Lambruschini l'y encourageait vivement, de même que Vieusseux, et c'est leur amitié généreuse qui avait emporté la décision. « Il aurait désiré passer le reste de sa vie à Rome, près de son frère Benedetto ; mais il jugea préférable le séjour de Florence, où l'appelait l'affectueuse amitié de Lambruschini », écrit Salvatore dans son autobiographie.

Mais alors que sa démission de la magistrature était déjà enregistrée au ministère, François Billot et Horace Sebastiani avaient fait une dernière et pressante démarche auprès de Portalis. Le 7 décembre, Salvatore était nommé conseiller à la cour royale de Bastia. « C'est presque sans exemple et doit d'autant plus satisfaire maman », écrit-il à Louis, en le lui annonçant.

Salvatore ne se pressa cependant pas de rentrer et il ne partira de Paris que le 27 décembre. Dans son bagage, il emportait une grande robe rouge de conseiller, celle dans laquelle il se fera peindre, plus tard, et qui va si bien à ses cheveux blancs. Il en a gardé la facture : « Au Chaperon Rouge. Salle Neuve du Palais de Justice, n° 29. Chez Duvoye, tailleur costumier des Cours royales et Tribunaux. 21 décembre 1828. Vendu à M. Viale. Robe de Conseiller en voile écarlate de première qualité et toque de velours avec deux galons en or. Plus une robe d° d°. Reçu comptant : 345 francs. »

Par le canal de Bourgogne, le coche d'eau le ramena à Mâcon, où il passa le premier de l'an chez les Lamartine en famille. Dehors il neigeait, il faisait très froid. La famille se réunit tout entière au déjeuner. Il y avait le père, la mère, la femme de Lamartine, sa fille, sa nièce et la fille de cette dernière. On parla italien. « La fille est une jolie et gracieuse enfant de neuf ans et il l'a baptisée du nom italien de Giulia. Elle parle le florentin avec beaucoup de charme. Sa femme, bien qu'anglaise, parle bien le français, avec l'accent, et également bien l'italien. Elle peint et le salon est décoré de ses tableaux. Celui qui est au milieu, et qui représente ce vieillard romain à qui sa fille donne le sein en prison m'a paru admirable... » Par Toulon, où il s'arrête encore plusieurs jours, Salvatore rentre à Bastia le 25 janvier. Le 27, il prêtait serment.

Il eut le triomphe modeste. « A Bastia, on me demanda le comment de ma soudaine promotion. Je dis la vérité, et tous crurent que c'était faux », note-t-il dans son *zibaldone*.

12

« Souvent, aux longues soirées d'hiver, près d'un bon feu, lorsque le libeccio soufflait dans les rues et la pluie fouettait les vitres, Salvatore Viale, entouré de ses neveux encore en bas âge mais capables de le comprendre et de goûter la simplicité de ses récits, racontait à son jeune auditoire les principaux événements de l'Histoire sainte, et quelquefois, passant du sacré au profane, il leur exposait tantôt les épiques péripéties de la *Jérusalem délivrée*, tantôt les homériques combats de l'*Iliade* ou de l'*Enéide*. Puis, quittant un sujet pour un autre, il abordait l'histoire romaine, l'histoire grecque, quelquefois le roman, les pérégrinations de Gil Blas, les excentricités de Don Quichotte, les chastes amours des fiancés de Manzoni ou les aventures de Robinson Crusoé. Les fables de La Fontaine n'étaient pas oubliées et il savait en quelque sorte les rajeunir, car il les racontait avec un charme infini et tout à fait original.

« Ce qui étonnait, c'est qu'avec sa mémoire prodigieuse, souvent il cessait tout à coup d'improviser et il récitait textuellement des tirades fort longues du Tasse ou de quelque autre poète se rattachant à l'épisode qu'il était en train d'exposer. Il se mettait cependant toujours à la portée de ses jeunes auditeurs ; quelquefois même, pour se faire mieux comprendre et goûter, il leur parlait le dialecte du pays, que du reste il maniait avec une rare connaissance de ses ressources et de ses finesses... »

Je laisse la date dans le vague, comme Auguste l'a laissée. Mais c'est vers cette époque que Salvatore donnait cette image à la maison, heureux au milieu de ses neveux qu'il aimait comme des fils, s'amusant lui-même à raconter ces histoires, comme des souvenirs de jeunesse, revivant celle-ci dans les rires, le bonheur de ces jeunes enfants, sa famille, sa maison.

La cheminée pourrait être celle de la saletta, où le libeccio fait le plus de bruit en s'engouffrant dans l'étroite rue Saint-Jean. Auguste avait une douzaine d'années, Paul-Augustin, Paolina, Angelina entre dix et sept. Nicolina n'était pas encore née. Auguste n'aura passé qu'un hiver de son enfance à la maison. Gentil Auguste, qui vieillira si bien, après tant de difficultés de jeunesse dont il n'était pas responsable. Cher « oncle » Auguste, toujours présent dans la maison, quittée pour le Continent, mais où il a laissé tant de lui-même avec le manuscrit de ses souvenirs sur l'oncle Salvatore[66].

La maison s'était vidée. Nunzia habitait Pino, dans le Cap corse, où elle avait épousé Damiano Tomasi. Daria était partie pour vivre à Rome, avec Benedetto, dès que celui-ci avait pu prendre un appartement assez grand, via dei Leutari, « près du Pasquin, au dernier étage ». Avec Salvatore et Louis, il ne restait plus auprès de Maria Nicolaja que la mélancolique Maria Orsola. Mais les enfants de Louis ramenaient la vie, l'ouvraient sur l'avenir. Il était lui-même beaucoup plus souvent là, voyageant moins, consacrant plus de temps aux siens, apparemment satisfait de l'horizon de sa petite ville, dont il note, dans son journal, les potins et les événements : l'arrivée du premier bateau à vapeur, par exemple. « Ce matin, 23 juin 1830, lundi, le premier bateau à vapeur, ou bateau poste, est entré dans le port de Bastia, à six heures du matin à l'étonnement de tous les habitants », note aussi Salvatore. On changeait d'époque.

Le mariage avait stabilisé Louis, de même que ses nouvelles fonctions qui l'ancraient dans la vie collective de la cité, et qu'il remplira consciencieusement pendant trente ans. Fredien Vidau, devenu maire, l'avait nommé secrétaire en chef de la mairie en octobre 1824. Louis était, en outre, depuis juin 1825, vice-consul de Grande-Bretagne pour la Corse. Il faisait fonction de consul, en fait, presque en permanence, car le titulaire du poste, Adolphus Petri Palmedo, Corse d'origine mais né au Hanovre, préférait y vivre avec sa femme, apparentée à la famille royale de cet Etat, quand il n'était pas à Londres, et lui déléguait largement ses pouvoirs. Même avec l'apport du traitement de magistrat de Salvatore, ces fonctions de secrétaire de la mairie et de vice-consul ne mettaient pas vraiment à l'aise pour faire vivre la famille, et Louis continuait à faire des affaires ; mais, semble-t-il, avec plus de pondération que par le passé.

Grâce à lui, la maison était à nouveau pleine de rires et de musique. Avec Stefano Progher, il y organise souvent des petits concerts autour de leurs duos de piano et violon. Louis jouait aussi bien du violon et de l'alto que du piano, Progher surtout du violon. Les partitions arrivaient de Toscane et, à plusieurs reprises, c'est Mgr Minucci, devenu évêque de Florence, qui leur en envoie, en souvenir des heureux moments « passés ensemble à faire de la musique et à chanter », dit-il, du temps où il était déporté à Bastia. Lorsqu'on créera la première école de musique à Bastia, en 1839, Louis, membre de sa Commission de direction, contribuera activement à son développement.

Rarement sans doute, depuis le temps du Magnifique Simon-Jean, la maison aura-t-elle connu autant d'animation. De Rome, Michel et Benedetto s'en réjouissaient, autant que Salvatore qui y participait avec ses propres activités et l'agrément de ses amitiés littéraires. Ils ne formaient qu'une seule famille, comme l'écrivait Michel. Pour tous, Louis était celui qui la relèverait de la disparition de leur père et la perpétuerait.

Michel à Louis : « Rome, 2 juin 1826. Mon frère très cher. Benedetto m'a dit comment, petit à petit, nous nous dégageons des dettes qui nous accablaient. Je sais bien que c'est difficile et pénible, mais je suis sûr que notre vie sera plus heureuse, car plus libre. Ce qui doit nous encourager, est de nous voir tous unis, tendus vers le même but. C'est vrai que, toi, tu es père de famille ; mais il est bien vrai aussi que nous ne formons qu'une seule famille ; et j'espère que cette union fraternelle qui nous a jusqu'à présent étroitement unis durera tant que nous vivrons. Nous savons tous combien tu t'es dépensé pour le bien-être de la famille, et sois certain que nous considérerons toujours tes enfants comme nos enfants à tous... Travaille donc avec ardeur, comme tu l'as toujours fait, au rétablissement de nos affaires et que ton esprit soit en paix... »

De nouveaux drames, après celui de Maria Orsola, avaient cependant troublé la maison. A l'âge de quatre ans, Angelina était soudain restée paralysée du côté droit. Elle s'était rétablie mais les doigts de la main restaient recroquevillés et le bras et la jambe ne croissaient plus normalement. La même année 1827 était née une petite Maria Nicolaja souffreteuse, qui ne survivra que deux ans, puis, en 1829, un petit Tommaso mort-né. On les avait enterrés là-haut, dans la propriété de Belgodere, où l'on enterrera bientôt deux autres enfants mort-nés : Maria Giuseppa, en 1834, et Giuseppa Palmira l'année suivante.

Chaque fois les rites les avaient ramenés à Saint-Jean, où les cloches des enterrements avaient sonné dans l'écho des baptêmes. Les parrainages ne sortaient pas du cercle le plus étroit de la famille : Prelà, Viale, Tomasi, ce sont les mêmes noms qui reviennent dans le journal de Louis, ceux d'une famille en effet très unie, dont les heurts et malheurs forment une succession de scènes intimistes, où les sentiments s'expriment à demi-mot, en confidences discrètes et où le temps passe lentement, par touches légères, à l'écart des événements de la ville, autour de Maria Nicolaja souriante et sereine dans sa piété de croyante.

C'est à cette époque que Louis a fait faire le portrait de sa mère, celui avec la coiffe à rubans, sur fond noir. On l'envoya à Rome, pour que Maria Nicolaja y fût présente parmi ses autres enfants. Il ne plut pas à Daria. « J'aurais souhaité que le portrait de maman eût été peint par un meilleur pinceau. Il est vrai qu'à Bastia, il ne faut pas faire les difficiles ; mais on aurait pu attendre une meilleure circonstance », écrit-elle à Louis, en juin 1827. Elle prenait elle-même des leçons de peinture et de dessin, et commençait à se donner des airs.

Lorsqu'éclate la révolution de Juillet, Salvatore est à San Cerbone, chez son ami Lambruschini. « Rentrez immédiatement, car c'est le moment d'assurer son état », lui écrit Louis, le 9 août. Il y avait des places à prendre partout, dans l'administration, la municipalité, la magistrature ; il fallait aussi défendre celle qu'on avait. Le duc d'Orléans est depuis le 8 roi des Français. On l'apprend à Bastia le 15 et déjà à cette date Louis peut envoyer à Salvatore une longue liste de nominations du nouveau régime. « Je regrette que vous ne soyez pas là, car ce sont des circonstances où il faut profiter vite de l'occasion », lui dit-il.

Le 20, l'annonce que le général Horace Sebastiani a été nommé ministre des Affaires étrangères — Louis écrit « de la Marine » — soulève l'enthousiasme de la population. Son buste est porté en procession dans les rues, au milieu des coups de fusil, des chants et des cris. « Le soir, on a brûlé une grosse gondole sur la place Saint-Nicolas, on a continué à défiler à la lumière des torches. Dans la nuit, on voyait de Bastia d'immenses bûchers brûler dans les villages des collines, Cardo, Ville di Pietrabugno, Lota », écrit Louis à Salvatore, le 24. C'était à qui manifesterait le plus fort son dévouement au nouveau patron de la Corse. « Dans les villages de l'intérieur, on a fait des folies. » Et, une fois de plus, il le presse de rentrer : « Faites en sorte de rentrer au début du mois, pour ne pas donner motif de vous nuire aux malveillants. »

Tout cela, manifestement, n'intéresse pas Salvatore. Il n'a aucune intention d'avancer son retour. Lorsqu'il quitte Figline, c'est à Florence qu'il va, avec Lambruschini.

Autour du Cabinet Vieusseux, c'est le moment des grandes entreprises et elles réussissent magnifiquement.

Après l'*Antologia*, animée par Vieusseux lui-même, c'est le *Guide de l'éducateur* de Lambruschini, en 1826 ; le *Journal agraire* de Lambruschini et Ridolfi, en 1827 ; la première Caisse d'Epargne, fondée par Lambruschini et Capponi, en 1829. A Brolio, Ricasoli fait de son domaine vinicole une petite république évangélique. Il y expérimente une réforme agraire, comme Lambruschini le fait à Figline ; Figline, où Lambruschini, toujours lui, vient de créer, en 1830, une école réservée à quelques jeunes gens de la société pour tester ses méthodes pédagogiques. Chaque semaine, au palais Buondelmonti, ceux d'entre eux qui sont à Florence se réunissent, le lundi, pour exposer leurs projets, étudier les résultats, se tenir au courant du mouvement des choses.

C'est un moment exaltant, pour ce petit cénacle d'hommes intelligents et probes qui voient enfin à portée de leurs espoirs cette réforme des mentalités qu'ils ont entreprise pour régénérer l'Italie. Et déjà Capponi commençait à préparer un projet de constitution politique. On comprend que Salvatore n'ait eu aucune intention d'abréger son séjour, même s'il y allait de son intérêt. Sa vraie vie est là. Il n'était pas médiocre et en donne ici la preuve. Comme en sont une preuve les profondes amitiés qu'il gardera toute sa vie dans cet exceptionnel milieu florentin.

Vieusseux le pressait toujours d'écrire pour l'*Antologia*. Le jury était une institution libérale, inconnue en Italie, et intéressait les divers projets de réforme en matière judiciaire. Ce sera sa première contribution. Le grand débat qui, avec la révolution de Juillet, rebondissait en Corse, où le jury allait enfin être rétabli, lui donnait matière à en traiter à la fois l'histoire et le fonctionnement.

Son étude parut en deux livraisons dans l'*Antologia*, l'année

GABINETTO SCIENTIFICO LETTERARIO

DI

G. P. VIEUSSEUX

OPERE DI MIA PROPRIETÀ

ARCHIVIO STORICO ITALIANO, ossia *Raccolta di opere e documenti finora inediti o divenuti rarissimi, risguardanti la Storia d'Italia.*

Dell'*Archivio Storico Italiano* vengono pubblicati 3, o 4 volumi all'anno, ciascuno di circa 30 o 40 fogli di stampa; e più, uno o due volumi di *Appendice* per dispense da 10 a 12 fogli.

Tutta l'edizione è in 8vo grande, carta de' classici.

Il prezzo dell'associazione è indistintamente di 25 *centesimi di lira italiana* per ogni foglio di pagina 16.

Sono pubblicati i Volumi seguenti:

I.° ISTORIA FIORENTINA di JACOPO PITTI, illustrata con documenti e note. *Firenze*, 1842. Vol. di pag. LIII e 473, fogli 33.

II.° DIARIO DELLE COSE AVVENUTE IN SIENA dal 20 Luglio 1550 al 28 Giugno 1555, scritto da ALESSANDRO SOZZINI, con altre narrazioni e documenti relativi alla caduta di quella repubblica. *Firenze*, 1842; fogli 40.

III.° CRONACHE MILANESI scritte da GIOVAN PIETRO CAGNOLA, GIOVANNI ANDREA PRATO e GIOVAN MARCO BURIGOZZO, ora per la prima volta pubblicate, con prefazione di CESARE CANTÙ. *Firenze*, 1842. Fogli 40 di stampa.

IV.° STORIA ARCANA ed altri SCRITTI VARJ inediti del Doge MARCO FOSCARINI, e Catalogo della celebre sua raccolta storica. *Firenze*, 1843. Fogli 35.

V.° VITE D'ILLUSTRI ITALIANI, Parte I.ª che contiene le vite di *Filippo degli Scolari* (detto *Pippo Spano*, *Bartolommeo Valori* (il Vecchio), *Lorenzo Ridolfi*, *Bernardo Giugni*, *Agnolo Acciaioli*, *Piero de' Pazzi*, *Bartolommeo Fortini*, e di *Alfonso I re d'Aragona e di Sicilia*, soprannominato *Il Magnanimo*; con documenti e note. Si aggiungono alcuni *Ricordi di cose famigliari*, scritti da *Guido dell'Antella* (1298), da *Cristofano Guidini*, Notajo Senese (1362), e da *Oderigo di Credi*, orafo (1405).

VI.° ISTORIA DI PISA di RAFFAELLO RONCIONI e CRONACHE VARIE, con note ed illustrazioni del Prof. *Francesco Bonaini*, ed altri interessanti documenti inediti.

» Parte I. Dispense II. Le *Istorie Pisane* di *R. Roncioni*. Libri XVI. — Due volumi di fogli 64 in complesso.

» Parte II. Disp. I. Le *Cronache* di *B. Marangone* e di *R. Sardo*, il *Poema* di *Giovanni di Ser Piero*, il *Memoriale* di *Giovanni Portoveneri*, la *Guerra* del 1500 di *Autore Anonimo*, i *Ricordi* di *Ser Perizzolo*. Volume di fogli 26 e un quarto.

VII.° Parte I e II. ANNALI VENETI dall'anno 1457 al 1500, del Senatore DOMENICO MALIPIERO, ordinati e abbreviati dal Senatore *Francesco Longo*, con annotazioni di *Agostino Sagredo*. — (*s'aggiungono* DISPACCI di FRANCESCO FOSCARI e di altri oratori all'Imperatore Massimiliano I, dall'ultimo di Maggio sino al 3 di Novembre 1496. Volumi due di fogli 77 in complesso.

Dell'APPENDICE all'ARCHIVIO STORICO sono pubblicate la dispensa 1 a 9, le quali formano il Vol. I.° di questa serie. — La 10.ª e sotto il torchio.

Sotto il torchio, d'imminente pubblicazione.

VIII.° Che contiene: LA CRONACA VENETA DETTA ALTINATE, di *Autore anonimo*, in latino, preceduta da un Commentario del Professore *Antonio Rossi*; e LA CRONACA DEI VENEZIANI del maestro MARTINO DA CANALE, nell'antico francese colla corrispondente versione italiana del Conte *Giovanni Galvani*, e con annotazioni di *Emmanuele Cicogna*, *Giovanni Galvani*, *Tommaso Gar*, *Filippo-Luigi Polidori* e *Angelo Zon*. Volume di circa 55 fogli

Firenze, 1.° *Giugno 1845.*

Ch. Sig.re

26

Oggetto essenziale della presente è d'avvisarti che da Modena mi viene avvisato un pacco consegnato dai compilatori di quel foglio — Quel pacco, senza dubbio, sarà forse — ma ecco i viaggi delle vie economiche. Giungendomi in questi giorni ve lo manderò senza indugio per la diligenza.

Lambruschini è al solito, un giorno meglio, un giorno peggio — Rimetto la presente all'amico Mayer il quale farà clemenza senza costo.

G. P. Vieusseux à Salvatore

suivante, sous la forme de lettres adressées à Lambruschini[67]. Salvatore traita également le sujet dans la revue juridique florentine *Thémis*. Sa contribution avait ainsi un double effet : informer les juristes toscans, mais également influencer ceux qui liraient les articles en Corse, où le problème du fonctionnement du jury, après celui de son rétablissement, ne s'annonçait pas facile à résoudre. Cette même année, Salvatore proposera à Giuseppe Montani, l'un des plus jeunes et brillants collaborateurs de Vieusseux, de venir à Bastia y créer, lui dit-il, « un journal populaire qui soutienne et explique le jury et perfectionne nos mœurs et nos traditions ».

Les deux recueils de poètes corses qu'il avait fait éditer chez Batini, en 1827 et 1828, ainsi que son *Saggio* publié à Paris, avaient d'autre part fait l'objet de deux articles élogieux dans l'*Antologia*, en septembre 1829 et mai 1830[68]. C'était la première fois que les poètes corses recevaient une audience aussi vaste ; et ils le devaient à Salvatore, qui faisait figure de maître et d'introducteur. L'auteur de l'article le disait bien. Salvatore ne le connaissait pas encore. C'était un jeune homme de vingt-huit ans qui venait d'arriver à Florence, un Dalmate, au caractère difficile et ombrageux, mais que Vieusseux disait génial : Niccolo' Tommaseo.

Et puis il y avait toujours l'enthousiaste Niccolini, débordant d'affection et d'idées, lui aussi. La première représentation de sa *Giovanna da Procida*, avait été l'équivalent à Florence de la bataille d'*Hernani*. Et le savant lettré Gaetano Cioni, dont Salvatore fait alors la connaissance, et qui lui soumet aussitôt la traduction qu'il venait de faire de *La Pucelle* de Voltaire. Et le sculpteur Lorenzo Bartolini, en pleine gloire, qui lui fait visiter son atelier. C'est au cours de ce séjour, également, que Salvatore est reçu à l'académie Colombaria présidée par Gino Capponi. Il flâne beaucoup, aussi, visite les monuments, le musée des Offices, où il admire particulièrement un portrait de Lorenzino de Medici, l'illustre Lorenzaccio, peint par Van Dick. C'est une des rares fois où on le surprend à faire du tourisme, à Florence, puis sur le chemin du retour, à Lucques, où il passe une journée, à Pise, où il va étudier les fresques de l'Orcagna au Campo Santo.

Il n'est de retour à Bastia que le 2 octobre, au dernier jour des vacances judiciaires. Il arrive à quatre heures du matin — avec Madeleine Vanneschi et sa nièce Antoinette —, et prête serment à Louis-Philippe le jour même, sans s'être couché.

Les Sebastiani triomphaient. Horace, élu député de la Corse, à Bastia, avait laissé son siège à son neveu Joseph Limperani. Je ne sais si c'est son portrait, au petit salon, l'élégant monsieur rondouillard qui sourit dans la miniature. Un autre Limperani, Matthieu, en mourant, l'a laissée à Maman en souvenir de cette maison de Penta tant aimée et si souvent évoquée à Paris. Que de fois Salvatore aura-t-il monté, à la belle saison, le chemin ombragé du village perché sur l'une des plus hautes collines de la Casinca, vers la haute maison où Joseph l'attendait.

Se tenaient-ils sur la petite ou la grande terrasse ? dans la bibliothèque, sous les gravures de Rome, ou dans le petit cabinet rouge ? Beauté de Penta — Matthieu, comme Joseph et Salvatore, sans doute, disait toujours « La Penta » —, charme de Penta, comme un écrin de pierre pour le cristal du temps qui s'y fige encore, dans l'horizon immense. Ce même horizon familier, généreux, de la mer où l'on voit les îles, l'Italie, cette autre passion que Limperani et Salvatore partageaient.

Maintenant, Joseph Limperani était parti à Paris, siéger à la Chambre, et ils poursuivaient par lettres leurs conversations sur les problèmes de la Corse qui leur tenaient le plus à cœur : la justice, le fonctionnement du jury, notamment, les mœurs, les nouvelles lois en discussion ou votées. Salvatore insiste beaucoup pour qu'une loi interdise le port d'armes. « La Chambre ferait beaucoup si elle faisait une loi interdisant le port d'armes, mais sans que ce soit une loi d'exception... La plupart des crimes se commettent parce que chacun a sur lui une arme toujours prête. » Ou encore : « Les lois doivent être sévères et sévèrement appliquées, à mesure que l'on étend le champ de la liberté politique. »

Mais il ne se fait guère d'illusions sur les chances de changer par la loi les mœurs ataviques de leurs compatriotes. « Peu de gens ont confiance dans l'efficacité de votre décret. Ici, le sentiment de l'honneur l'emporte toujours sur la conscience, et la peur du déshonneur compte plus que la peur du remords. »

Leurs échanges sont faits de cent autres sujets, comme à Penta, sans doute, ou à Bastia, dans les couloirs du palais ou la bibliothèque de la maison. La bibliothèque où les voici revenues, cent cinquante ans après, ces lettres que Salvatore y avait écrites, retrouvées dans le tiroir de Penta, où Limperani les avait toutes gardées, et que le temps n'a même pas jaunies. Le temps n'est pas le même, en Corse, dans les maisons de famille, où il peut attendre, immobile, que les histoires reprennent leur cours interrompu par la mort. Comme ici, celles de Penta et de la rue Saint-Jean, de Limperani et de Salvatore.

A cette amitié, il faut cependant apporter des réserves. Limperani sera, avec l'autre Sebastiani, Tiburce — et bien entendu Horace, le grand patron —, l'un des principaux responsables de la déformation du système électoral institué par la monarchie de Juillet, et qui, en Corse, donnera son essor à ce que l'on appelle improprement le système politique des clans. Salvatore sera ouvertement contre. Il le dénoncera comme une nouvelle plaie de la Corse. Il avait accueilli favorablement la nouvelle monarchie qui apportait la Charte et la fin du régime d'exception dans l'île. Mais la pratique électorale l'indigna.

Dans son *Etude critique des mœurs corses*, il analysera parfaitement « les énormités dont nous fûmes les témoins après la révolution de 1830, lorsque la loi sur les élections municipales érigea en système, organisa et, pour ainsi dire, légitima parmi nous l'esprit de parti [69] ». Mais Limperani aura, alors, depuis longtemps quitté la scène politique de Paris, pour retourner vers sa chère Italie. Il remplacera Stendhal au consulat de Civitavecchia.

Ces mœurs, la vendetta, les bandits d'honneur, les clans farouches et guerriers, étonnaient au plus haut point les Français. C'est l'époque où ils découvrent la Corse. Le bateau à vapeur l'avait, d'un seul coup, rapprochée. On pouvait y aller maintenant facilement et sûrement. Et, une fois arrivé, c'était quand même une expédition.

Quel dépaysement ! Et quel pays curieux ! Si beau, si sauvage, avec ses extraordinaires habitants ! Et c'était la patrie de Napoléon ! Justement, sa légende commençait, dans les plis du drapeau tricolore qui avait recommencé à flotter. Le mot « exotisme » existait déjà. En France, on s'aperçut qu'il ne pouvait y avoir mieux, et si près, tellement plus près que l'Ecosse ou l'Estrémadure...

Stendhal : « La Corse est une vaste agrégation de montagnes couronnées par des forêts primitives et sillonnées par des vallées profondes ; au fond de ces vallées, on rencontre un peu de terre végétale et quelques peuplades sauvages et peu nombreuses, vivant de châtaignes... La loi admirable du fusil fait qu'il y règne une grande politesse. » Il n'y a pas mis les pieds, et ne les y mettra jamais. Cela ne le gêne pas pour écrire ces fortes paroles aux premières pages de sa *Vie de Napoléon*.

Flaubert, encore jeune étudiant, s'y précipite et en revient enthousiaste, avec l'émerveillement des explorateurs. Balzac et Mérimée, plus rassis, commencent par exploiter le filon avant de se déranger et publient chacun leur petit roman sur le thème à la mode : *La vendetta*, pour Balzac, *Matteo Falcone, ou les mœurs de la Corse* pour Mérimée. La Corse devient ainsi un sujet littéraire. On en parle, bien entendu, avec cet esprit qui est le bon ton des salons parisiens ; cet esprit qui avait déplu si fort à Salvatore lors de son voyage à Paris [70].

Les écrivains corses avaient pourtant eux-mêmes commencé à faire connaître leur pays et ses mœurs. F.O. Renucci avait déjà publié ses premières *Nouvelles historiques*, dont le genre venait d'Italie. Il y avait la *Dionomachia*, diffusée à Paris. Renucci, Salvatore, Regolo Carlotti, Giovan Vito Grimaldi, écriront tous d'autres *Nouvelles historiques*, d'inspiration purement corse [71]. Mais la littérature française de l'époque sur la Corse, toute de pittoresque et de faux ébahissement ne s'en préoccupe guère. On ne cherche pas à connaître les indigènes s'ils sont écrivains.

D'abord, ils écrivent en italien. Ensuite, ils ne sont pas intéressants car ils ne sont plus sauvages, et même plutôt toscans. Ce sont, en somme, des provinciaux, passablement ennuyeux, avec leur style sérieux et leurs intentions morales. Quant à ce qu'ils disent, on verra bien nous-mêmes. Personne en France ne les lit. On ne va pas même les voir, quand on passe à Bastia.

L'Anglais Benson, l'Allemand Gregorovius, sans parler des Italiens comme Tommaseo, se dérangent, les écoutent, étudient les mœurs et l'histoire, font l'effort de comprendre, de chercher à expliquer. En France, c'est bon pour les voyageurs mineurs, comme ce M. Valery, « Bibliothécaire du Roi aux Palais de Versailles et Trianon ». Oh, cela ne va pas loin. « Le reflet italien est très sensible à Bastia. Cette ancienne capitale de la Corse offre une douceur de mœurs, une véritable sociabilité que ne possède point encore sa nouvelle rivale, Ajaccio. » Ou encore : « M. Viale, de Bastia, excellent littérateur, critique ingénieux, traducteur d'Anacréon, imitateur de Byron, homme plein de naïveté, de modestie et de candeur[72]. » Du moins, a-t-il eu la curiosité d'approcher ce milieu de lettrés qui, pour ne plus être fruste, n'en était pas moins profondément corse. Mais un Mérimée, pensez-vous !

Le contraste est frappant avec l'approche des écrivains italiens du Risorgimento, plus intéressés par Paoli que par Napoléon, par les chants populaires et les témoignages des écrivains locaux que par le pittoresque de Madame Colomba.

C'est déjà le malentendu qui empoisonne si souvent les rapports psychologiques entre la France et la Corse, dans les moments de crise.

Sa première « nouvelle historique » Salvatore la publiera en 1832 : *Le remords, ou la dernière vengeance*[73]. C'est le récit, tout linéaire, d'un assassin qui meurt de son remords et dont le terrible exemple dissuadera à jamais les habitants de la pieve de recourir à la vendetta. Inspiré par un récit authentique, que lui avait fait sur place le curé du petit village de Gatti, entre Vivario et Muracciole, au cœur montagneux de l'île, l'œuvre, comme toutes celles de Salvatore, est tissée de choses vues, de descriptions précises des mœurs et des coutumes locales. C'est un exemple typique de ces récits italiens du Risorgimento, où la forme littéraire est comme figée pour donner plus de force à la leçon de morale.

Mais l'œuvre est surtout intéressante par sa préface. Si le mot n'était pas prétentieux, on pourrait l'appeler un manifeste, car Salvatore y revendique clairement les ambitions des écrivains corses face à la légèreté — il dit la « trahison » — des écrivains français.

« Pourquoi laisser à des étrangers le soin de peindre et souvent de trahir notre caractère et nos mœurs »... Il faut « faire connaître les parties les moins connues de l'île, ou les vertus anciennes se conservent dans leur pureté parmi les habitants des villages ».

C'est aussi le premier cri d'alarme qu'il lance publiquement pour la défense de la langue italienne en Corse, où elle est encore la seule mémoire du peuple. « Notre langue maternelle ne cesse de se corrompre et de se dégrader. Et je m'étonne que beaucoup, parmi nous, s'empressent d'oublier leur langue, avant de pouvoir en posséder une autre. C'est le devoir des écrivains vraiment nationaux et surtout des poètes, de maintenir et perpétuer la langue. »

Dans sa défense de la langue italienne, Salvatore ne néglige pas le dialecte corse ; au contraire. Car il pense que celui-ci dépérira s'il n'est plus protégé et nourri par sa langue maternelle. Mais il croit que ce dialecte n'est pas assez évolué pour être porteur d'une culture dynamique. Il constate d'autre part qu'il n'y a pas qu'un seul dialecte en Corse, mais plusieurs, autant qu'il y a de provinces et presque de vallées dans cette île à la géographie tourmentée. Il l'avait déjà écrit dans la note de la *Dionomachia* à la sérénade de Scappino : « Le dialecte des montagnards corses est un mélange de toscan, sicilien, sarde et génois, se rapprochant plus à l'un ou à l'autre de ces dialectes selon les différentes provinces où on le parle. Dans le Deçà des Monts, les personnes les moins grossières parlent un langage qui s'écarte moins du toscan et du romain que tout autre dialecte en Italie même. » Il aura d'ailleurs été le premier à publier, avec cette sérénade, une poésie en dialecte, qui est devenue classique en Corse.

Depuis longtemps déjà, il recueillait d'autre part les chants populaires, *voceri*, *lamenti*, *nanne*, qu'il entendait dans les villages. A Venzolasca, dans la Casinca, la Castagniccia ou pendant ses tournées de magistrat, en Balagne par exemple. Il en recueillit beaucoup dans la pieve de Lota, derrière Ville di Pietrabugno, où il allait souvent respirer l'air frais des collines ; ses divers *zibaldoni* en notent souvent les circonstances.

C'est lui qui avait donné à Benson les chants que celui-ci avait publiés dans ses *Sketches of Corsica*. Il va maintenant commencer lui même à en publier, toujours dans le but déclaré de sauver la mémoire de son peuple. Les premiers sont ceux de ce même recueil de 1832 qui contient *Le remords, ou la dernière vengeance*. Il en publiera d'autres en 1835, avec les *Nouvelles historiques* de Regolo Carlotti, et encore en 1843 dans deux recueils de *Vers italiens et chants populaires corses*. Il donnera surtout à Tommaseo la plus grande partie des chants populaires corses que celui-ci publiera dans son recueil monumental [74].

Certains ont cru voir dans la démarche de Salvatore je ne sais quelle condescendance un peu hautaine de lettré, dit-on, pour les productions paysannes. C'est une erreur de jugement, ou un manque d'information. Les lettres de Salvatore à Tommaseo, accompagnant les chants corses recueillis entre 1839 et 1841, sont là — à la bibliothèque nationale de Florence — pour témoigner de l'absolu respect et de l'admiration qu'il avait pour ces voix populaires, au service desquelles il se mit toujours humblement. « La chanson ci-dessus a été copiée par moi-même, mot par mot, de la bouche des moissonneurs de Lota », lui écrit-il, par exemple, le 3 mai 1841. Voici d'ailleurs ce qu'il écrira au même Tommaseo, en 1843, sur sa méthode : « Pour publier les chants populaires, j'ai une méthode dont je ne m'écarte jamais : choisir la meilleure leçon dans la tradition, c'est-à-dire dans la bouche même du peuple, enlever ce qui me paraît superflu, mettre parfois les strophes en meilleur ordre, arranger quelques vers çà et là, mais toujours en consultant pour ces corrections les personnes du peuple et du lieu mêmes, dans la mesure du possible [75]. » Tommaseo dira lui-même tout ce qu'il lui devait dans ce domaine.

Non seulement Salvatore a été le premier à élever les chants populaires corses à la dignité littéraire, mais il l'a fait avec un scrupule qui reste un modèle, avec une abnégation qui montre à quel point il s'identifiait à leur inspiration profonde.

Parallèlement, ses calepins commencent à se couvrir de notes prises au palais de justice, pendant les procès, ou à la maison, au retour. Il en couvre également d'étroits et longs feuillets volants, qu'il ficelle ensuite en liasses.

La plupart de ces notes concernent des histoires de vendettas, leurs circonstances, l'attitude et la psychologie des protagonistes. On y voit revivre, par exemple, un Gio Michele Devichi, de Pero, « rival de Federico Niccolini dans l'amour d'une Trojani », ou Pietro Giovanni Cipriani, de Guagno, qui « condamné à mort, est resté tranquille et imperturbable pendant tout le débat judiciaire, bien qu'il ait tué sept ou huit personnes ». Au cours d'un transport de justice à Corte, sa première notation est : « Corte. Octobre 1830. Comme à Rome : bergers et bandits. » Il griffonne aussi des détails qui, au-delà du procès, éclairent les mœurs des accusés. Des phrases aussi qui projettent une lumière dure de l'autre côté, celui des juges : « Il y a des magistrats qui se vengent avec la sentence. »

Auguste, qui l'a souvent vu à l'œuvre, raconte : « Connaissant à fond la langue, les usages, les instincts, les ruses de parti, les causes premières des principales dissensions du pays, il servait de guide et de conseil à l'honorable collègue continental qui, à côté de lui, cherchait à débrouiller le chaos d'une inimitié séculaire ou d'une vendetta transversale. Souvent, par des interpellations adroites, il parvenait à mettre le doigt sur la plaie et à faire naître des révélations inattendues...

« En rentrant chez lui, il prenait note, dans le plus grand détail, des incidents d'audience, des causes du crime, des particularités dignes de mémoire qui s'étaient déroulées pendant la discussion. Tout était étudié, éclairci et mis en évidence, avec une précision qui ne déguisait rien, qui allait au vif de la question, en mettant à nu tous les malheurs, tous les torts, le bon et le mauvais côté de ses compatriotes et même de ses amis... La scrupuleuse exactitude à consigner dans des notes les péripéties du palais allait si loin que, dans les acquittements scandaleux, évidemment suggérés par la peur ou l'intrigue, il notait en marge les noms des jurés qui avaient figuré dans l'affaire...

« Il y a en Corse une habitude qui tient au pays, au caractère du peuple et qui sera difficilement déracinée. C'est l'usage qui consiste à faire des visites aux magistrats chargés de connaître dans la cause à laquelle s'intéresse le visiteur ou, pour mieux dire, le solliciteur. Souvent c'est la partie elle-même qui entreprend cette tournée judiciaire et qui, à cette occasion, met tout en œuvre pour faire échouer le procès de l'adversaire... Quoiqu'il fût très bienveillant de sa nature, dans ces circonstances il devenait dur, intraitable et, très souvent, refusait obstinément de les recevoir en leur faisant interdire sa porte...

« On a souvent critiqué sa sévérité dans les affaires criminelles. Ce reproche est immérité... Si un jour le public pouvait être admis à compulser les nombreuses notes qu'il a laissées sur chaque procédure célèbre instruite par lui, on aurait la certitude que le conseiller Viale ne faillit jamais à son devoir et n'oublia jamais les droits de l'humanité. »

Manifestement, Salvatore aimait ses fonctions de conseiller à la cour, au-delà de leur seul intérêt judiciaire. Il en nourrissait ses réflexions sur les mœurs corses, y trouvait la plupart des exemples qui prolongeaient ses propres expériences. Il ne regrettera plus jamais, comme il le faisait lorsqu'il était juge d'instruction, d'être entré dans la magistrature.

Entre la maison et le palais, sa famille et son œuvre, la Corse et l'Italie, sa vie est équilibrée et sereine. Son autobiographie, écrite « au milieu du chemin de notre vie » pour l'*Utile-Dulci*, s'achève ainsi : « Depuis 1839, conseiller à Bastia, il y vit en célibataire avec sa mère et son frère Louis, qu'il aime pour ses vertus domestiques et les malheurs partagés. »

Le jour vient où Maria Nicolaja quitte la maison à son tour. Elle s'installe à Rome, elle aussi, chez Benedetto, via dei Liutari où elle retrouve Daria et le petit Auguste. Salvatore l'y accompagne en juin 1831. Elle n'avait d'abord prévu que d'y faire un court séjour, mais elle avait déjà soixante-huit ans et s'y trouva si bien qu'elle s'y attarda puis n'en repartit plus, malgré la nostalgie pour la maison familiale, là-bas, dans l'île.

En chemin, Salvatore lui avait fait visiter Pise avec Giuseppe Vanneschi. Ils s'étaient promenés dans le pré des Miracles, autour de ses blancs monuments posés dans la lumière légère de la fin du jour, en été. Ils avaient été reçus avec beaucoup d'égards au palais de la Carovane et dans l'église des chevaliers de l'ordre sur leur place si harmonieuse, en souvenir du chevalier Simon-Jean.

Maria Nicolaja était ravie. Elle n'était jamais sortie de Corse et découvrait le monde. « Maman va très bien, la nouveauté de tout ce qu'elle voit paraît avoir donné une nouvelle jeunesse à son esprit et à son corps », écrit Salvatore à Louis. Ils arrivèrent à Rome le soir du 24, à l'heure de l'*Ave Maria*. Avec Benedetto et Daria, il l'emmena voir Saint-Pierre et les plus belles églises de la ville. Auguste aussi était là, dont Benedetto avait repris en main les études, trop négligées à Livourne. Il lui apprenait la prosodie latine « avec une patience extrême ». L'oncle Thomas, son frère, vient lui rendre visite ; « il avait le visage tout souriant », écrit Salvatore. Vanneschi arrive peu après, avec Antoinette ; ils prennent presque tous leurs repas à la maison. Maria Nicolaja s'amuse de tant d'animation, de tout ce qu'elle découvre. « Nous l'emmenons presque chaque jour en promenade et elle se porte le mieux possible », dit Salvatore.

Pour lui, ce sera un bref séjour, d'un mois à peine, mais suffisant pour accumuler les notes critiques sur le fonctionnement du gouvernement pontifical. C'est la première fois qu'il le fait aussi clairement, dans son *zibaldone* de cette année-là, reflétant sans doute les analyses de plus en plus sévères que l'on faisait à Florence sur le pouvoir temporel et la nécessité de le réformer. « L'œil de bœuf, à Rome, ouvre toujours sur des exemples ou des souvenirs d'injustice, ou d'imposture. » « A Rome, l'espionnerie est partout. » « Parmi tant d'autres, le gouvernement du pape a deux vices radicaux. Il n'y a jamais conseil des ministres, et donc il n'y a ni entente ni concertation entre eux. Deuxièmement, les ministres ne sont pas tenus à rendre des comptes sur leur administration, et il n'y a ni prévisions, ni budget. »

Léon XII n'avait régné que six ans et son successeur Pie VIII, un seul. Grégoire XVI était sur le trône. « Robuste, soixante-cinq ans environ, un gros nez, réfléchi et savant. » Salvatore le voit de près au cours d'une audience avec Tommaso Prelà. Celui-ci, venu voir sa sœur, se montre charmant avec toute la famille, et Salvatore en parle presque avec affection. Est-ce zio qui lui raconte alors en détail sa fuite avec Pie VII, pendant les Cent Jours, et comment il avait sauvé le pape à Livourne d'une tentative d'enlèvement « pour le consigner au roi de Naples » ? Ou est-ce Benedetto ? C'est en tout cas au cours de ce séjour que, dans son *zibaldone*, Salvatore note l'anecdote.

Benedetto a commencé sa brillante carrière. Il a enfin les moyens de sa générosité. Il sera nommé, l'année suivante, à trente-six ans médecin en chef de l'hôpital de San Giacomo, succédant à Giuseppe Sisco qu'il y avait soigné, comme le ferait un fils, dans sa dernière maladie, et qui était mort dans ses bras. Avec l'arrivée de sa mère, qu'il voulait garder près de lui, et d'Auguste, il a décidé de prendre un appartement plus grand pour que toute la famille y soit à l'aise et qu'il y ait une chambre pour Salvatore, au 5 de la Via della Gatta. C'était une dépendance du palais du duc Grazioli, entre la place de Venise et ce Collegio Romano où Michel avait fait ses études.

Michel était en Suisse, auditeur à la nonciature de Lucerne, depuis 1828. Le nouveau nonce, Mgr Ostini, son ancien professeur au Collegio Romano, avait tenu à l'emmener avec lui. Avant son départ, Salvatore lui avait donné la Bible de leur oncle l'abbé Santamaria, qui venait de mourir et dont Michel se servira toute sa vie.

Le pape Léon XII, dont il avait été prendre congé au Quirinal, s'était montré particulièrement bienveillant. « Le pape m'a fait un accueil vraiment flatteur. Avec l'air le plus affable, il m'a dit qu'il se réjouissait avec moi de me voir choisi pour un poste aussi honorable et qu'il était heureux de me voir entreprendre une carrière où les rapports avec les hommes présentent tellement d'occasions de s'instruire. Il a ajouté que je ne devais pas oublier que ce sont les circonstances qui font les hommes et qu'il comptait que je saurais m'en servir pour me distinguer et seconder aussi ses intentions. Il m'a parlé pendant une demi-heure environ... », écrit Michel à Louis, en juillet, de Florence où il s'arrêtera un mois, en mission.

« Le Saint-Père a été extrêmement aimable et prévenant avec Michel, avant son départ... L'oncle Thomas l'a également couvert de caresses ; on voit bien qu'il se sent lui-même très flatté dans son amour-propre », lui écrit de son côté Benedetto.

En Suisse, Michel restera neuf ans, avec Ostini, puis avec son successeur, Mgr De Angelis, enfin comme chargé d'affaires. C'était l'époque où la Suisse commençait à être travaillée par l'agitation politico-religieuse qui devait aboutir à la guerre civile du Sonderbund. L'Eglise catholique y était minée par des tendances au protestantisme qui allaient jusqu'aux menaces de schisme. Michel se montra énergique, actif, rigoureux, mais aussi habile diplomate qu'orateur convaincant. On vanta beaucoup la façon dont il avait réfuté en public les arguments d'un certain Louis Fuchs, prêtre suspendu qui sévissait à Bâle, et l'avait ramenée dans l'Eglise. Il eut également une grande part dans la conversion de l'historien Frédéric Hurter, l'un des professeurs les plus célèbres qu'avait alors le protestantisme en Suisse.

Devenu chargé d'affaires, il rédigera un *Rapport au Saint-Siège sur la situation religieuse et politique en Suisse* qui le fera distinguer à la secrétairerie d'Etat, et attira l'attention de Metternich, qui l'eut sous les yeux[76].

Salvatore alla le voir en Suisse, et les images de ce voyage sont parmi les plus amusantes, presque attendrissantes, qu'on ait de lui, par la fraîcheur d'esprit qu'il montre encore à quarante-six ans. « Il nous racontait que lorsqu'il mit, pour la première fois, le pied sur le sol suisse, il avait été si heureux de fouler pour la première fois de sa vie une terre vraiment indépendante, qu'il ne put s'empêcher d'embrasser les murs du premier hameau qu'il rencontra, tellement il se sentait avide de liberté », raconte Auguste. Michel était venu à sa rencontre, c'était en juillet 1833, sur la route de Berne, et ils avaient fait ensemble une partie du chemin en montagne.

Ce qu'était leur conversation, on peut l'imaginer facilement par le récit que Salvatore a fait du voyage : *Impressions d'un voyage en Suisse*[77]. Salvatore s'extasiait sur tout ce qu'il voyait, comparant aussitôt avec l'abandon dans lequel se trouvait son pays. Cela commence avec l'état des routes, dans une région pourtant tout aussi montagneuse que la Corse, où la diligence n'arrivait pas encore à Ajaccio. Il admire sans réserves l'esprit démocratique des habitants, que Michel lui décrit. Il n'accable cependant pas les Corses, par comparaison ; au contraire. Leurs défauts, et d'abord leur individualisme forcené, ne sont jamais que l'effet, dit-il, de leurs réactions aux gouvernements étrangers qui ont toujours essayé de les asservir, sans tenir compte de l'originalité de leurs mœurs.

Ce voyage fut particulièrement riche en enseignements. Avant d'arriver à Berne, Salvatore s'était arrêté à Genève, où il avait fait la connaissance de Sismondi, auquel il avait été recommandé par Vieusseux. Ils sympathiseront et resteront en correspondance. Salvatore passera tout le mois de juillet à Lucerne, hôte de Mgr De Angelis à la nonciature. Il en repartira pour Milan, où il comptait rencontrer Manzoni, pour lequel Vieusseux lui avait également donné une lettre d'introduction chaleureuse. Mais Manzoni n'y était pas.

Salvatore s'arrêta encore cinq jours à Florence — il souhaitait confier l'éducation de Paul-Augustin à Lambruschini — et n'arriva qu'au début de septembre à Rome. Il y tomba malade pendant quatre mois, chez Benedetto, qui le soigna et le retint jusqu'à ce qu'il fût parfaitement rétabli, en le distrayant par ses récits et anecdotes sur les couloirs du Vatican. Après neuf mois d'absence, il rentrera au début du mois de février à Bastia, qu'il avait quitté en mai. Son passeport porte trente-deux tampons d'autorités diverses, dont une trentaine pour la seule Italie.

Son signalement indique qu'il a maintenant les cheveux grisonnants.

13

Louis est heureux. Son bonheur fait plaisir à voir. Il voyage en Toscane avec Paul-Augustin. A Calci, près de Pise, il vient de réaliser une bonne affaire : un achat d'huile au chevalier Ruschi ; de cette huile, note-t-il dans son calepin, « dont la qualité est réputée la meilleure ».

La compagnie de Paul-Augustin l'enchante. C'est leur premier voyage ensemble, le premier aussi de Paul-Augustin en Italie. Il a neuf ans. C'est un petit garçon gai, intelligent, curieux de tout. « Paul-Augustin est vif et robuste, un vrai feu follet », écrit Louis à Benedetto. Peut-être est-il encore un peu jeune pour apprécier la beauté des monuments que Louis lui montre, la dentelle des églises de Lucques dans ses murailles rouges, la Tour penchée sur le pré des Miracles, à Pise.

Pendant que son père écoute les explications d'un ami livournais qui les accompagne, Paul-Augustin essaye d'attraper les grillons, dans l'herbe haute, entre le Dôme et le Baptistère. C'est Louis qui le note, amusé ; mais Paul-Augustin écrira plus tard qu'il se souvenait parfaitement de cette journée et de l'herbe haute de la prairie. Ils allaient par petites étapes, Louis alternant affaires et tourisme. Pise, Calci, Vorno, Lucques, Pescia, Borgo a Buggiano : il a noté leur itinéraire avec précision. C'était au mois d'août 1833.

Alors qu'il semblait avoir renoncé aux voyages d'affaires, Louis s'y lance, au contraire, de nouveau, avec un redoublement d'énergie. C'est peut-être l'effet du développement des bateaux à vapeur. Voyager est devenu facile. Il le fait avec une constante bonne humeur. A peine rentré à Bastia, il repart en septembre, cette fois tout seul. D'abord à Toulon, « pour régler certaines affaires que j'avais avec M. Flamant » et voir Paolina, pensionnaire dans l'institution de Mlle Rousseau. Il l'emmène visiter Marseille. De Toulon, il va à Gênes voir son correspondant commercial, il signor Gaetano Drago. A Gênes, il s'embarque pour Livourne, où il compte se reposer quelques jours chez l'ami Vanneschi, avant de reprendre le bateau pour Bastia.

Sur le vapeur entre Gênes et Livourne, il fait une rencontre et change ses plans. Il vaut mieux lui laisser la plume ici, car il donne lui-même la meilleure image de sa vitalité et de son optimisme, mais aussi de la façon assez fantaisiste dont il concevait les affaires.

« Chemin faisant, sur le bateau à vapeur, entre Gênes et Livourne, j'ai fait la connaissance de M. Giacomo Levi, un israélite marié à une jeune fille corse, de Calvi, et qui spécule sur le sel borate, qu'il tire d'une fabrique dans la Maremme. Je suis donc resté à Livourne et, le 16, suis parti pour Pomarance, dans la Maremme, d'où, en compagnie de M. Cosimo Asati, un Livournais, je suis allé voir les lagons de Monte Cerboli. C'est de leur eau bouillante que l'on tire, par cristallisation, le sel borate qui est expédié à l'étranger, où on le purifie et dont on tire le borate.

« Je suis ensuite allé voir la soufrière, près de Pomarance. Au retour, je me suis arrêté à Volterra, où je suis entré en pourparlers avec M. Jacobo Jughi Rame, pour lui acheter les lagons de Monte Cerboli, affaire concertée avec M. Levi. Je n'ai pu conclure cette affaire. Mais je suis resté deux jours à Volterra, pour admirer le Musée antique et les tableaux de bons auteurs. » Quand on voit les lagons de Monte Cerboli, on constate de suite que ce n'était pas une petite affaire. Louis y renoncera aussi vite qu'il l'avait conçue. Mais après ses deux jours de flânerie artistique à Volterra, il ne rentre pas à Livourne.

Le voilà reparti, cette fois pour Florence : « Octobre 24. Je suis allé à Florence et, de là, le lendemain, à Figline Val d'Arno où j'ai parlé avec Lambruschini de mon projet de lui confier Paul-Augustin pour son éducation, comme le souhaite également Salvatore. J'ai noté tous les éclaircissements qui m'étaient nécessaires en l'espace de vingt-quatre heures, puis je suis reparti pour Florence et, de Florence, aussitôt, pour Livourne et Bastia. »

Dès le mois de mai suivant, le revoilà à Toulon, cette fois pour la première communion de Paolina, à laquelle assiste aussi Benedetto Prelà, le fils de Salvatore, qui fait ses études à Aix. Puis Louis va à Marseille. Il note : « A Marseille, j'ai fait la connaissance de l'agent général des Assurances maritimes, et fournisseur de l'armée d'Afrique, M. Beruchard, auquel j'ai fait des propositions pour conclure des affaires ensemble. » Aucun de ces mirifiques projets ne se réalise. « Mon frère est habitué à avoir peu de chance », écrit Salvatore à Limperani.

Sans doute s'alarme-t-il de voir la nouvelle fringale de Louis pour les voyages et les affaires. Il se concerte avec Benedetto. Tous deux décident de lui trouver une situation plus rémunératrice que ne le sont ses fonctions à la mairie de Bastia et au consulat d'Angleterre ; moins problématique, surtout, que le négoce tel que l'entendait Louis.

Le gouvernement était alors en train d'organiser les escales des bateaux à vapeur, récemment mis sur la ligne entre la France et le Levant. Un projet prévoyait que le service administratif des bateaux de poste pourrait être confié non pas aux consuls, mais à des agents recrutés spécialement et installés à demeure dans les principaux ports d'escale. L'un de ces postes était Civitavecchia. Il aurait été comme un gant à Louis. Salvatore et Benedetto mobilisent alors leurs relations, à Paris et à Rome.

A Paris, Salvatore écrit à Limperani et à Tiburce Sebastiani (Horace était ambassadeur à Naples) en leur envoyant un mémoire de Louis sur la question. « Louis joint à l'intelligence, à la pratique des affaires et à un dynamisme peu commun, l'avantage d'avoir beaucoup de relations en Toscane », dit-il à Limperani.

Benedetto est bien placé, lui aussi, pour le recommander. Civitavecchia était le principal port des Etats du pape. Il intervient donc auprès de l'ambassadeur de France, M. de Latour-Maubourg, qu'il connaît bien, et auprès du nouveau consul à Civitavecchia, M. Henri Beyle, qu'il rencontre au palais Colonna.

M. Beyle s'y montrait volontiers, quand il était à Rome, et il y était souvent. Monsieur le consul ne se plaisait pas à Civitavecchia — « je crève d'ennui », disait-il — et passait la moitié de l'année dans la ville éternelle. Cette année-là 1835, il y passera dix mois : 300 jours sur 365, exactement, ne rejoignant son poste que pour y signer le courrier. Il aimait Rome et s'y trouvait bien pour écrire. Il y était aussi plus près de son médecin, un excellent médecin pour le soigner des attaques de goutte qui le faisaient souffrir, et qui n'était autre que le professeur Giuseppe De Matthaeis, l'intime de Benedetto.

De Matthaeis était également le meilleur spécialiste de l'« *aria cattiva* », le mauvais air romain porteur des miasmes des marais pontins, que Stendhal redoutait comme tous les étrangers. « Le moment où l'on goûte une délicieuse fraîcheur après avoir eu chaud, est précisément celui que la fièvre choisit pour vous saisir. Ce climat est insidieux, me disait le savant Dr De Matteis, le médecin des étrangers », note-t-il en marge d'un exemplaire des *Promenades dans Rome*[78].

A l'ambassade, on s'étonnait un peu de voir si souvent à Rome M. le consul à Civitavecchia. Mais on savait qu'il fréquentait les Torlonia, les Caetani, la meilleure société. On savait aussi qu'il avait écrit quelques livres sur l'Italie, dans le genre voyageur, sous un pseudonyme allemand, rien de bien original ni de pénétrant, du reste, et gâté par trop d'érudition livresque. C'était un gros homme, sans grâce ni aisance, qui vous regardait par en dessous et ne se mettait en frais que s'il y avait des dames. Il habitait place de la Minerve, au palais Conti, dans un grand désordre de livres et de paperasses ; sans doute écrivait-il quelque nouvel ouvrage ; personne n'aurait pu imaginer que c'était *Lucien Leuwen*. M. Beyle fut des plus aimables avec Benedetto, mais décevant.

Salvatore à Joseph Limperani, député aux Chambres, à Paris : « Bastia, 1er 7bre 1835. Très cher Limperani... Benedetto m'a informé que M. Beyle, consul de France à Civitavecchia, aurait recommandé lui-même mon frère très volontiers, si quelques jours auparavant il n'avait dû écrire en faveur d'un Français du Continent ; il lui a dit que, connaissant lui-même les excellentes recommandations que vous-même et le préfet vous faites pour mon frère, il espère que celui-ci pourra avoir la préférence, et qu'il en aurait pour sa part le plus grand plaisir. »

Le poste d'agent des bateaux à vapeur, en définitive, ne sera pas créé ; mais la question restera en suspens cinq ans encore, pendant lesquels Salvatore continuera à écrire à toutes ses relations. Il en parlera entre autres à Lamartine qui s'excusera, lui aussi, de ne pouvoir rien faire. « J'ai peu de crédit dans cette administration », écrit-il, en février 1839.

Les affaires de Louis étaient entre-temps allées de mal en pis. En juin 1835, un premier drame a éclaté. « 19 juin. Les frères Podestà, après avoir tenté par des citations et des menaces de me faire perdre la considération publique pour 5 500 francs que j'avais à leur crédit, se sont calmés, grâce à une caution de 3 600 francs des Prelà, de 600 francs en liquide donnés par mon frère Salvatore et d'une obligation de 1 300 francs de ma part. » Mais en novembre, la page de son journal qui commence par « 20 novembre. Mes affaires... » est arrachée.

La famille ne lui en voudra jamais. Il n'y a pas un reproche dans les lettres qui traitent des questions d'argent. Une seule fois, Michel montrera un peu d'agacement, mais en s'adressant à Salvatore : « Quant à Louis, si son commerce ne doit servir qu'à augmenter ses dettes, il vaudrait mieux qu'il y renonce complètement. » La confiance que Salvatore accorde à Louis, jusque dans ses entreprises les plus aventureuses, en devient touchante. Il se reposait entièrement sur lui pour la bonne marche de la maison. Son traitement de conseiller était alors de 3 000 francs par an. C'était peu pour préserver l'aisance et, surtout, la liberté de tout souci matériel dont Salvatore jouissait à Bastia et qu'il regardait comme l'une des conditions de son indépendance morale. « Mettez mon insistance au compte du désir très vif que j'ai d'améliorer la situation de mon frère, qui est si souvent obligé de payer le prix de l'indépendance que je fais en sorte de préserver dans l'excercice de mes fonctions », écrit-il à Limperani. Que ce ne soient pas des phrases de circonstance, le dévouement qu'il montrera toujours lui-même pour la famille le prouve. « Ces affections de famille qui sont si profondes et si fortes chez nous, Corses », écrit-il à Vieusseux.

En juillet 1836, Salvatore était à Florence, pour la durée des vacances judiciaires, quand Benedetto lui annonce qu'il doit partir d'urgence pour Ancône, où une épidémie de choléra vient d'éclater. Ce sera l'une des plus dramatiques épidémies de choléra du siècle en Europe. Devant l'étendue et la violence du fléau, le gouvernement pontifical avait décidé d'y envoyer deux personnalités de premier plan, Benedetto et son collègue le Dr Agostino Cappello. Salvatore quitte aussitôt Florence et se rend à Rome, où Daria est restée seule avec Maria Nicolaja et Auguste. Les nouvelles d'Ancône sont de plus en plus alarmantes. On y ramassait les cadavres par tombereaux entiers, jetés par les fenêtres. On craint pour la vie de Benedetto.

Salvatore racontera tout cela, bien plus tard, dans une analyse des travaux de Benedetto, où il décrira aussi les difficultés que son frère avait rencontrées à Ancône, auprès des autorités médicales locales, dans sa lutte contre le choléra[79].

Non seulement on ignorait encore la nature du mal, mais on refusait de croire qu'il pût être contagieux par manque d'hygiène, ce que disait Benedetto. C'est l'organisation même de la lutte et des soins qui en dépendait. Trop d'habitudes et d'intérêts se mêlaient pour pouvoir imposer facilement les consignes d'isolement et de propreté qu'il donnait. « L'opinion de l'épidémie prévalait sur celle de la contagion, car elle favorisait les intérêts pécuniaires », écrit Benedetto qui éprouva lui-même les premiers symptômes du mal, en soignant quotidiennement les malades.

« Certainement, l'année suivante, lorsque j'eus le triste devoir d'annoncer à Rome la présence du choléra, alors qu'enfermé dans l'hôpital de San Giacomo des Incurables, confié à mes soins, je souffrais en même temps des insultes des anticontagionistes et des effets de la contagion, je pus éprouver moi-même l'étrange contraste de craintes et d'espoirs qui bouleversent l'esprit d'un médecin dans de telles circonstances. Et je peux affirmer que dans cet état, l'amour de la vie ne me fit pas revenir sur mon opinion, d'autant plus que je devais être alors le médecin de moi-même, et je peux dire que dans les douleurs des premières crises, le sentiment me tint lieu de raisonnement », écrira Benedetto dans l'étude qu'il rédigera sur son expérience d'Ancône[80]. Dès octobre 1836, il publiera ses premières observations dans le *Diario di Roma*[81]. Il croyait avoir découvert la cause du choléra et identifié un insecte propagateur. Les polémiques que ses observations provoqueront en Italie, mais aussi en Europe, et notamment en France, entre ses adversaires et ses partisans duraient encore, vingt ans après, lors du grand choléra de Rome en 1857.

Dans ses lettres à la maison, il ne dit rien de ce combat, certainement l'un des plus courageux de sa vie, ni des dangers qu'il courait. L'une d'elles, datée d'Ancône, le 1er septembre 1836, précise longuement ce qu'il faudrait faire si le choléra arrivait jusqu'à Rome : « La meilleure protection contre le choléra est une stricte règle de vie... », mais il ne donne sur lui-même que des nouvelles rassurantes. Il va bien. Il habite chez Gioacchino Spadoni, dont il avait soigné la fille à Rome, et qui le comble de gentillesses. « Embrassez très fort notre Mère, Daria et Auguste. Réconfortez-les, consolez-les et rassurez-les... », dit-il à Salvatore. Maria Nicolaja s'inquiétait. Elle passait ses journées en prières. Pour la rassurer, la distraire, Salvatore retrouvait sa tendresse d'enfant.

Mère heureuse, vieillissant entourée de ses grands enfants attentifs, Maria Nicolaja aura-t-elle quelquefois pensé, pendant ces années, à cette autre mère corse qui vivait recluse à deux cents mètres de là, derrière les jalousies du petit mirador qu'elle avait fait construire sur son balcon, pour regarder sans être vue la vie continuer à passer sous les fenêtres du palais Bonaparte, place de Venise ?

Maria Nicoloja ne pouvait l'avoir oubliée, en ces mois cruels de 1836. « Mère de toutes les douleurs » après avoir été « Madame Mère », Laetitia venait de s'éteindre, au début de l'année, à quatre-vingt-sept ans.

Salvatore aurait dû repartir pour Bastia, quand on apprend que Michel, nommé à la secrétairerie d'Etat, va rentrer à Rome en octobre. Il prolonge son congé d'une quinzaine de jours, mais verra peu son frère, aussitôt accaparé par ses nouvelles fonctions. C'était une brillante promotion. Michel avait été personnellement choisi par le nouveau secrétaire d'Etat nommé en janvier, le cardinal Luigi Lambruschini.

« Nous ne savons pas — écrit Mgr Fantoni — si ce fut un effet de son rapport au Saint-Siège sur la condition religieuse et politique en Suisse, qui avait attiré sur le jeune diplomate ecclésiastique l'attention du gouvernement romain et de certains ministres étrangers qui l'avaient eu entre les mains, tant il brillait de sagesse et d'intelligence claire et pénétrante... mais le cardinal Lambruschini, après l'avoir appelé à Rome en 1836, le voulut près de lui à la secrétairerie d'Etat et le tint ensuite, toujours, en très grande affection et dans la plus grande estime ; tellement qu'il aimait le charger, de préférence à tout autre, des négociations les plus importantes et les plus difficiles avec les évêques et les gouvernements étrangers, bien que le Dicastère ne manquât pas d'hommes de très grande réputation. »

Il est probable que Metternich ait été parmi les « ministres étrangers » qui avaient lu le rapport de Michel. Le fait est que Lambruschini confia à ce dernier, dès son arrivée, le département germanique, qui couvrait les affaires autrichiennes et allemandes, l'un des domaines les plus délicats pour la diplomatie vaticane car touchant aux intérêts de l'Autriche, toute-puissante en Italie.

Le cardinal avait d'ailleurs été imposé à Grégoire XVI par Metternich lui-même, pour qu'il appuie de tout le poids moral de l'Eglise la politique de réaction autrichienne aux tendances libérales qui se manifestaient de plus en plus vivement dans les autres Etats italiens. Lambruschini était nonce à Paris au moment de la Révolution de 1830. Il avait été frappé par la rapidité avec laquelle l'insurrection de juillet avait balayé la légitimité des Bourbons. Esprit profond et caractère volontaire, il était l'une des plus fortes personnalités de son temps. On le disait aussi très lié aux jésuites. Raffaello, l'ami de Salvatore, était son neveu ; mais on ne pouvait imaginer plus grand contraste entre deux personnalités : leur opposition était totale, à commencer par leurs conceptions sur le rôle du pape.

Le 2 décembre, Benedetto rentre enfin, sain et sauf, à Rome.
Michel à Salvatore : « Rome, 6 décembre 1836... nous avons enfin

eu la consolation de pouvoir à nouveau embrasser Benedetto... Je n'ai pas de mots pour vous dire ma joie, après neuf ans que je ne l'avais vu et après avoir tellement craint de le perdre. Il va bien, mais les traces de sa fatigue et de ses souffrances se voient encore sur son visage...

« Mgr Appiani m'a écrit d'Ancône que Benedetto est parti en emportant la gratitude unanime des autorités et du peuple... et il me dit qu'il a envoyé un rapport dans ce sens au secrétariat d'Etat pour l'Intérieur. Ici tout le monde reconnaît que Benedetto s'est fait honneur d'une manière exceptionnelle à Ancône, tant par son dévouement que par sa science... Ce que vous me rapportez du *Journal des Débats* est injuste. Les expressions citées sont du Dr Cappello dont l'amour-propre a été extrêmement piqué de n'avoir eu aucune part dans la découverte de Benedetto. Maintenant notre frère va mettre en ordre l'importante documentation qu'il a recueillie sur le choléra pour rédiger son mémoire...

« Nous envisageons de changer de maison, pour en trouver une qui nous convienne mieux que celle où nous sommes... je suis très content de mes nouvelles fonctions et le cardinal Lambruschini me donne de très nombreuses marques de sa bonté à mon égard... »

En reconnaissance de son action à Ancône, Grégoire XVI nommera Benedetto, six mois après, en juin 1837, médecin honoraire du palais apostolique et membre de la commission spéciale d'hygiène pour l'Etat pontifical tout entier. Michel à Louis : « Le titre de médecin du palais apostolique est purement honorifique et n'offre pas un grand intérêt pécuniaire ; mais il donne beaucoup de considération. Benedetto a d'autre part eu l'occasion de voir le pape à plusieurs reprises et en a été toujours reçu avec beaucoup de faveur. »

A son retour à Rome, Benedetto avait trouvé une lettre de Salvatore lui annonçant qu'il avait envoyé à l'impression, à Livourne, le livre écrit à partir de ses leçons d'« éloquence » au collège de Bastia. Ce sera la première édition du *Dei Principj delle Belle Lettere*, son crédo littéraire, qui paraîtra en 1839 [82]. Il est dédicacé à Benedetto, en souvenir de son adolescence à Bastia. Comme est également dédicacé à Benedetto, l'autre livre que Salvatore publiera cette même année 1837 : *Le vœu de Pietro Cirneo*. Attention qui dit la délicatesse de Salvatore, la dédicace est datée du 1er octobre 1836, quand Benedetto se trouvait à Ancône et que Salvatore habitait chez lui, via della Gatta, auprès de Maria Nicolaja.

Le vœu de Pietro Cirneo est la confession d'un jeune homme qu'un oncle, bandit d'honneur, détourne de la vengeance. Le héros est un personnage historique, l'un des premiers chroniqueurs corses connus, auteur au xvᵉ siècle du *De rebus corsicis*. Salvatore présente le récit comme étant sa confession rapportée par l'un de ses descendants. La psychologie du personnage, et surtout celle de son oncle, le bandit d'honneur, est peu vraisemblable. La volonté apologétique de l'auteur est trop évidente : comme toujours il identifie le beau et le bien, attitude de moraliste, dont le style se ressent un peu trop lourdement. Le récit peut cependant intéresser encore aujourd'hui, par l'authenticité des notations de couleur locale, par l'expression romantique, aussi, des sentiments d'un homme mis au ban de sa société natale, dans cette montagne corse — ici, Felce d'Alesani — qui est loin d'être aussi accueillante qu'elle paraît l'être aux touristes [83].

Cette deuxième « nouvelle historique » de Salvatore était publiée avec une réédition de la première, Le remords, ou la dernière vengeance, revue et corrigée. L'édition en italien des deux nouvelles s'accompagna, à Bastia, d'une édition en français. C'est la première fois qu'une de ses œuvres est traduite en français. Mais cette fois encore, le succès ne vint que de l'Italie, et les deux nouvelles n'eurent guère d'écho en France. Il fut question, un moment, de diffuser cette édition bilingue dans les écoles, comme livre de texte. Plusieurs lettres échangées avec Limperani parlent de ce projet ; mais il n'eut pas de suite.

C'est sur des textes venant du Continent, et choisis par Paris, que devait se faire l'enseignement du français ; et l'italien était à décourager si l'on voulait arriver à franciser rapidement la Corse. « Tant que le peuple parlera italien, et il ne parle qu'italien à l'intérieur, il ne sera français que de nom », disait cette année-là un rapport, rédigé par un procureur général en poste à Bastia, le Rapport Mottet, soulevant d'ailleurs l'indignation des Corses, notamment de Limperani, qui le dénonça à la Chambre [84].

L'influence apaisante de la France et de l'intérêt qu'elle porte enfin à la Corse sous la monarchie de Juillet se fait cependant sentir. Pour la première fois, la correspondance de Salvatore avec Limperani est remplie d'échos optimistes. Après avoir rétabli le jury, le gouvernement avait interdit le port d'armes. La loi avait été votée par la Chambre en 1834, et Salvatore ne tarde pas à constater ses effets bénéfiques en Corse.

« La prohibition des armes a fait un excellent effet... depuis quatre mois, ni un homicide, ni même une tentative d'homicide. Miracle ! » Ou encore : « Les délits diminuent de jour en jour ; les bandits sont isolés. » En fait, les mœurs évolueront très lentement. Entre 1830 et 1848, la moyenne des meurtres sera quand même de 135 par an. En 1834, Anton Luigi Raffaelli, le poète, pour lors procureur du roi à Sartène, est menacé de mort par les parents d'un bandit condamné.

Le danger est si réel que Salvatore écrit à Limperani pour qu'il obtienne d'urgence du ministère de la Justice que son ami soit muté à Calvi. Le 22 novembre 1837, Benedetto écrit de Rome : « Nous avons appris, ici, le crime atroce de Vescovato. Toujours des crimes, toujours des meurtres, toujours des vengeances. Et nos compatriotes ne voient toujours pas que ces mœurs nous placent dans le dernier cercle de la société humaine ! »

Incontestablment, la Corse commence pourtant à sortir de son isolement. En novembre 1835, Louis-Philippe envoie son fils, le duc d'Orléans, à Bastia où il débarque sous les acclamations de la population venue l'accueillir au port. La Corse se sentait aimée ;

c'était le but du voyage. Horace Sebastiani l'avait obtenu du Roi, après l'attentat de Fieschi, qui avait soulevé en France une vague de sentiments anticorses. Ce crime « ne doit pas flétrir tout un département français » avait dit Sebastiani. Il y avait eu deux jours de fêtes à Bastia. Le maire Lota avait bien fait les choses. Louis note dans son journal : « 2 novembre. A 11 heures du matin, le duc d'Orléans, héritier du trône, a débarqué à Bastia, du bateau à vapeur. Il a été reçu avec toute la pompe due à son rang et s'est montré très courtois et aimable devant les démonstrations populaires. Le soir même, la municipalité lui a offert un grand bal dans la salle des fêtes du Théâtre, et il y a dansé deux contredanses, l'une avec Mlle Louise Lota, l'autre avec Mathilde Suzzoni, fille du premier président. »

De son poste à la mairie, Louis voit tout, note tout. Les bateaux à vapeur encombrent le port de marchandises. Bastia est en plein développement urbaniste. C'est l'époque des grands travaux qui commence. On achève la Traverse. En 1836, on dégage entièrement la place Favalelli, devant la maison. Les Viale avaient vendu à la ville une partie du terrain, qui était leur jardin : 1 804 m² pour 11 000 francs, en 1826. On commence à parler de construire un nouveau port, dans l'anse de Saint-Nicolas. A l'intérieur de l'île, on ouvre enfin les premières routes carrossables. Il fallait encore soixante heures au courrier pour arriver jusqu'à Ajaccio, à dos de mulet.

Le service de la diligence commence en 1836. Les routes élargissent les sentiers muletiers, également dans les directions secondaires. Louis note dans son journal : « 18 mai (1837). Je suis parti pour Venzolasca en diligence. De Bastia elle transporte les passagers jusqu'à la maison des Petrignani, au-delà du fleuve de l'Arena, en trois heures. C'est la première fois que je suis arrivé jusque-là en voiture, depuis dix-huit ans que je vais régulièrement dans la Casinca. Le service des diligences pour Ajaccio a déjà été établi l'an dernier ; celui pour la Casinca il y a un mois. Ces deux dates sont à noter, car elles marquent la régénération de la Corse. » Venzolasca est à une trentaine de kilomètres de Bastia.

Louis avait prévu de partir pour Rome. Le retour de Michel était l'occasion de présenter à sa mère et ses frères l'état — le « miroir », disait-il — des affaires de la famille. Mais Marie-Sébastienne était à nouveau enceinte et il dut retarder son départ. L'enfant naît, enfin, le 13 septembre ; et il naît en musique.

« 1837. 13 septembre. Aujourd'hui à quatre heures de l'après-midi, alors que la fanfare du régiment passait par la rue de l'Arc, de retour de manœuvres, Bastienne a mis au monde, de la façon la plus heureuse, une fillette, petite mais bien proportionnée, à laquelle nous nous sommes proposés de donner le prénom de Maria Nicolaja. » Elle sera baptisée le mois suivant à Saint-Jean, avec Salvatore Prelà et sa femme Marie pour parrains.

C'est Nicoline. Son arrivée en fanfare est déjà bien dans son caractère.

14

« 1838. Le 29 janvier au soir, je suis parti pour Rome sur le vapeur *Napoléon*, par la voie de Livourne. Dans ce port, j'ai pris un autre vapeur, le *Lycurgue*, qui a fait le trajet de Livourne à Civitavecchia en seize heures. Je suis arrivé à Civitavecchia le dimanche matin, 4 février, à sept heures, et l'ai quittée par la malle-poste à dix heures. Le soir même, à dix heures, j'ai eu la douce satisfaction d'embrasser à Rome tous les miens, que je n'avais pas vus depuis bien longtemps : maman depuis 1830, Michel depuis 1824, Benedetto et Daria depuis 1828. » Ils étaient tous là, via della Gatta, chez Benedetto, où Michel habitait aussi depuis son retour.

La Rome où les voilà réunis, autour de leur mère, n'a guère changé depuis ; je veux dire le centre de la ville d'aujourd'hui, qui est toute la ville d'hier. C'est ici que tout se passe, entre le palais du Quirinal, alors résidence du pape, et la basilique Saint-Pierre : petite distance à pied, espace immense, dont la véritable dimension est celle de la mémoire, où la ville paraît réellement devoir être éternelle.

La via della Gatta doit son nom à une petite chatte de marbre blanc, juchée sur le toit du palais Grazioli. On l'a trouvée dans la terre, lors de la construction du palais sur les restes d'un temple consacré à Isis, mère égyptienne de la résurrection et de la vie. Le Collegio Romano est au bout de la rue, qui est plutôt une ruelle, dans l'ombre des palais qui la bordent, et qui a gardé son ancien pavé.

Entre la colline du Quirinal et le Tibre, la Sapienza, Santo Spirito, l'académie de Saint-Luc ou le palais Colonna, ce sont toujours les mêmes immenses façades bordant les mêmes ruelles sans trottoirs, au pavage bosselé, les mêmes couleurs, la même ligne du ciel au niveau des toits inchangés, les mêmes lieux pour les mêmes pas, vers des intérieurs épargnés du temps par leur beauté. Rome, qui paraît immobile autour des souvenirs qui s'y meuvent et des êtres qui jusqu'à nous les portent, vivants.

157

Rome, qui était alors réellement immobile en ce début de l'an 1838 où, tout autour, l'Italie et l'Europe étaient à nouveau en ébullition. « *Il mondo va da se** », disait le pape Grégoire. Et il ne faisait rien. Jamais le divorce n'aura été aussi évident entre la marche du temps et l'immobilisme du Saint-Siège.

Lorsqu'il avait été porté sur le trône en 1831, Dom Mauro Capellari avait passé quarante-sept de ses soixante-six ans au couvent. On avait dû faire intervenir son confesseur pour le convaincre d'accepter : il ne voulait pas quitter son paradis du mont Coelius. Car ce n'était pas n'importe quel couvent que celui des camaldules de saint Grégoire le Grand dont il était le père abbé, et où il menait la vie tranquille et sans soucis d'un homme heureux, à l'abri d'un monde qu'il ignorait presque totalement et qui ne l'intéressait pas.

Son élection n'était qu'un compromis, avec l'accord de Metternich donné du bout des lèvres, après un conclave de cinquante jours. Les péripéties en sont racontées par le menu dans le journal d'un conclaviste, Mgr Pietro Dardano, publié par Silvagni, autre témoin oculaire du pontificat :

« C'était un homme de nature timide et égoïste qui n'avait ni voyagé, ni gouverné, ni connu le monde autrement que dans les livres, dit Silvagni ; il aimait les arts et les lettres, mais détestait la politique et les affaires de l'Etat ; les questions l'agaçaient ; il avait toujours vécu dans l'abondance du cloître de saint Grégoire le Grand sur le mont Coelius, comme un prince dans un palais riche d'œuvres d'art et loin du moindre bruit [85]. »

Au physique, la miniature qu'il donnera à Michel, lorsqu'il l'enverra comme nonce à Munich, n'est guère plus flatteuse. C'est un gros visage rond, avec des yeux globuleux, sans expression, un énorme nez en patate, le menton lourd, bleu par la barbe pourtant bien rasée. La calotte blanche est calée au ras des cheveux taillés en frange. Il a l'air lourd, ce qu'il était.

En ville, on ne l'aimait guère et on le respectait encore moins. On jasait même ouvertement, y compris chez les sbires, qui étaient partout, de son éminence grise, l'onctueux Gaetanino, intermédiaire obligé de toute supplique et recommandation. Gaetanino, de son vrai nom Gaetano Morone — mais on ne l'appelait pas autrement dans Rome —, était ainsi affectueusement appelé par le pape Grégoire depuis le temps où il l'avait rencontré, enfant, comme aide-barbier du couvent. Il l'avait emmené avec lui au Quirinal, l'avait nommé premier valet et, depuis, en habit de soie violette, suave et cérémonieux, Gaetanino régnait sur son antichambre. Les ambassadeurs nouvellement arrivés le prenaient pour un prélat important.

Grand, les yeux bleus au regard vif, l'air intelligent, au surplus père dévoué d'une nombreuse famille, Gaetanino n'était pas n'importe qui. Autodidacte, il composera un monumental *Dictionnaire historico-ecclésiastique* en 120 volumes in-8 [86]. Mais enfin, on disait que le pape l'écoutait trop, ce pape qui n'aimait

---

* « Le monde va tout seul. »

écouter personne. Grégoire XVI aura de plus la malchance que Giuseppe Gioacchino Belli découvre son génie satirique en dialecte romain sous son pontificat et, pendant quinze ans, le prenne pour cible de ses insolents sonnets.

Grégoire XVI n'avait pourtant pas mal commencé. Son premier acte avait été de renvoyer le cardinal Albani, entièrement dévoué à l'Autriche, et de nommer secrétaire d'Etat le cardinal Tommaso Bernetti, qui voulait débarrasser l'Etat du pape de toute ingérence étrangère et avait même commencé à organiser une armée à cet effet. Peut-être aurait-il accepté certaines réformes intérieures. Mais les événements et la poigne de Metternich avaient aussitôt mis le holà à toutes ses velléités, si tant est qu'il en ait eu.

Il était difficile, il est vrai, d'être pape en 1831. La révolution de Juillet en France avait à nouveau donné la fièvre à l'Europe. Le vent de la liberté recommençait à souffler en tempête contre la domination autrichienne.

« La Sainte-Alliance reposait sur le principe de l'intervention, destructrice de l'indépendance de tous les Etats secondaires ; le principe contraire, que nous avons consacré et que nous saurons faire respecter, assure l'indépendance de la liberté de tous », avait déclaré Horace Sebastiani, ministre des Affaires étrangères de Louis-Philippe, le 27 janvier 1831, devant la Chambre des députés. En Italie, fragmentée en plusieurs « Etats secondaires », aux mains de princes réactionnaires soumis à l'influence de l'Autriche, les paroles de Sebastiani sonnaient comme un appel à l'insurrection.

Le fait est qu'en février la Romagne, la plus riche des provinces des Etats du pape, et les duchés de Parme et de Modène s'étaient soulevés et avaient formé un Etat indépendant, celui des « Provinces-Unies d'Italie ». L'Autriche avait aussitôt envoyé son armée. La révolte écrasée, Grégoire XVI avait demandé à Metternich de la retirer. Mais, les Autrichiens à peine repartis, la Romagne s'était à nouveau soulevée, en 1832, et les Autrichiens étaient revenus. Cette fois, ils y resteront six ans. La France, bien entendu, avait protesté et, à la deuxième intervention, Casimir Perier avait envoyé deux bataillons occuper le port pontifical d'Ancône. Il en aurait fallu plus pour impressionner Metternich.

Une conférence des grandes puissances avait alors suggéré fermement au pape d'appliquer un certain nombre de réformes dans ses Etats, pour éviter de nouvelles explosions. Celles-ci paraissaient pourtant inévitables. Déjà les carbonari faisaient figure de romantiques dépassés par les événements. Mazzini, réfugié en France, avait fondé le mouvement de la Jeune-Italie. C'était, enfin, un vrai mouvement révolutionnaire qui préparait la libération de l'Italie par une République unitaire. Il s'opposait autant aux idées fédératives néo-guelfes des réformateurs modérés qu'aux pouvoirs établis. L'histoire de l'Italie contemporaine commençait.

Pour le Saint-Siège, c'étaient aussi des années difficiles sur le plan doctrinal. Les idées venues de France bouleversaient également les esprits religieux. C'est en décembre 1831 que les trois « pèlerins de la liberté », Lamennais, Lacordaire et Montalembert avaient fait le voyage de Rome pour défendre leurs idées diffusées par le journal

L'Avenir, et qui préconisaient notamment la séparation de l'Eglise et de l'Etat. Grégoire XVI les avait condamnés l'année suivante et Lamennais rompra avec l'Eglise en 1834, après avoir publié *Les paroles d'un croyant*. L'écho en fut très fort à Florence.

A la secrétairerie d'Etat, Michel participait désormais aux événements. Chef du département des affaires germaniques, son rôle était essentiellement de rétablir les droits du Saint-Siège face à la puissance protestante et aux menaces de schisme qui menaçaient certaines communautés catholiques. La restauration de 1815, toute matérialiste et politique, n'avait tenu aucun compte des intérêts religieux. Dans plusieurs Etats allemands elle les avait, au contraire, dangereusement compromis pour l'Eglise en plaçant des rois protestants à la tête de populations catholiques, ou en réunissant provinces catholiques et provinces protestantes.

Des deux grandes puissances germaniques, l'une, la Prusse, protestante, non seulement faisait bon marché des droits de ses millions de sujets catholiques, mais menait une propagande très active contre le catholicisme lui-même. L'autre, l'Autriche, catholique, était en fait gouvernée par les lois anticléricales de l'empereur Joseph II, ce « révolutionnaire couronné », qui plaçaient l'Eglise sous la dépendance de l'Etat. Il ne manquait en fait qu'un décret impérial pour détacher de Rome l'Eglise autrichienne, comme Henry VIII l'avait fait pour l'Eglise d'Angleterre.

Quant à la Bavière, catholique, son concordat avait été faussé par l'édit de religion qui le rendait lettre morte. Le roi catholique et sa cour très pieuse ne pouvaient pas grand-chose sur un gouvernement profondément hostile à l'Eglise.

Dans l'ensemble, Rome estimait que, dans les royaumes germaniques, le catholicisme était empoisonné par ce que Joseph de Maistre avait appelé le « venin germanique » par l'idée que le catholicisme n'était qu'une secte religieuse parmi tant d'autres, et que toutes les sectes étaient des branches également bonnes d'un christianisme universel. On en voyait un effet en Prusse, où le gouvernement avait voulu introduire une législation sur les mariages mixtes à laquelle le Saint-Siège s'opposait. L'épiscopat prussien s'était rebellé et le gouvernement avait arrêté et emprisonné dans la forteresse de Minden l'archevêque de Cologne, Mgr de Droste-Vischering.

Michel avait entrepris des démarches pour le faire libérer. Pour réfuter la position prussienne devant l'opinion publique, il avait rédigé un rapport documenté, une sorte de « livre blanc », que la secrétairerie d'Etat publiera et diffusera assez largement sous le titre d'*Exposition de fait documentée sur ce qui a précédé et suivi la déportation de Monseigneur Droste, archevêque de Cologne*[87]. Par ses qualités personnelles et sa connaissance des problèmes germaniques, Michel s'était ainsi imposé comme l'un des collaborateurs les plus efficaces du cardinal secrétaire d'Etat.

Raffaello Lambruschini, neveu du cardinal, eut l'occasion de le dire à Salvatore. « Ma sœur, qui a de l'influence sur l'esprit de notre oncle, lui a dit quelques mots en faveur de votre frère. Notre oncle les a bien accueillis et lui a dit qu'il était déjà très bien disposé à son égard », lui écrit-il en juin 1838. Mais on savait déjà — Salvatore l'avait annoncé à Limperani l'été précédent — que Michel était destiné à la nonciature de Munich, auprès du roi de Bavière, et qu'il devait partir en juillet. La décision définitive n'avait cependant pas été encore prise. On en discutait en famille.

Michel à Salvatore : « Rome, 27 février 1838... Quant à mon départ comme nonce à la cour de Bavière, il n'y a rien de nouveau. Le cardinal Lambruschini m'avait proposé soit de rester à Rome en qualité de coadjuteur de Mgr Capaccini, avec future succession, soit cette distinction à l'étranger. Après en avoir discuté en famille et avoir pris conseil de quelques amis, je me suis décidé pour le second parti. Mais le cardinal paraît regretter mon départ et me fait comprendre qu'il désire beaucoup que je reste. Je m'en tiens cependant à mon parti, et cela pour plusieurs motifs que Louis vous dira à son retour. »

L'un de ces motifs était que le traitement de nonce lui permettrait d'aider financièrement la famille. « Je pourrai ainsi mieux contribuer au bien-être de la famille », écrit-il à Auguste. Et à Salvatore, avant son départ : « Rome, 25 juillet 1838... Je ne pars pas sans peine et la séparation de la famille m'est douloureuse, surtout à l'idée de quitter notre mère. Mais je suis soutenu par l'espoir que mon absence ne sera pas de très longue durée. Et puisque la décision est prise, il faut en supporter les conséquences. Quant aux affaires de la famille, j'ai chargé Benedetto de vous envoyer très régulièrement, à vous et à Louis, 1 200 francs par an, conformément à ce que j'ai promis à Louis. Je charge également Benedetto de tout ce qui concerne l'éducation de Paul-Augustin. »

Michel n'avait pas quarante ans. Mais son intelligence et sa forte personnalité en imposaient, de même que la détermination avec laquelle il menait à bien ce qu'il entreprenait. Il était — de plus — très beau.

Ses deux photographies — postérieures, mais les traits sont les mêmes — et ses nombreux portraits peints, gravés ou sculptés, montrent tous le même visage aristocratique, mince, fin, au front immense, au regard pénétrant, au menton volontaire, mais avec, en même temps, quelque chose de doux dans l'expression, qui vient peut-être des yeux aux longs cils ou de la bouche charnue [88].

Bien que son maintien fût généralement grave et plutôt sévère, il n'était pas austère, du moins dans cette période de sa vie. On le voyait assez souvent dans le salon que tenait, au palais Bolognetti, l'une des hôtesses les plus en vue de Rome, Cornelia Martinetti, amie de Canova, dit Silvagni. Outre les artistes les plus renommés et de nombreux prélats de la curie, on y rencontrait nombre de personnalités étrangères de passage, attirées par la « *conversazione* » qui y était toujours animée et souvent entrecoupée de musique. Stendhal, ou plutôt M. Henri Beyle, le fréquentait quand il venait à Rome. On y avait vu souvent le roi Louis de Bavière, quand il n'était encore que prince héritier.

C'est probablement au palais Bolognetti que Michel se lia plus intimement avec le sculpteur Pietro Tenerani, qu'on appelait le nouveau Canova, et avec le peintre Friedrich Overbeck, le chef de l'école dite des Nazaréens, avec lesquels il restera jusqu'à sa mort en rapports d'amitié.

Benedetto est plus difficile à voir, tel qu'il devait être à cette époque, parmi les siens, via della Gatta. Il n'y a de lui qu'un grand portrait à l'huile, sur toile, et deux photographies, qui tous le représentent déjà âgé, alors qu'en 1838 il n'a encore que quarante-deux ans [89]. Quelque portrait, plus jeune, se serait-il perdu ? Je verrais plutôt dans cette absence un signe supplémentaire de la discrétion qui le fera toute sa vie se tenir en retrait, en famille, alors même que sa carrière dépassera en honneurs et en pouvoirs celle de l'oncle Tommaso Prelà.

D'après la première photographie, prise à Rome vers 1850, mais qui a beaucoup pâli, Benedetto avait le même visage large, le même grand front, la même bouche charnue et bien dessinée que ses frères ; mais avec des traits plus accusés, une allure générale plus carrée. Il n'est pas beau, pas plus qu'il n'est élégant, debout, dans une redingote qui ne paraît pas très bien coupée.

L'impression qu'il donne correspond pourtant presque parfaitement à son portrait moral. On le connaît bien, par sa correspondance intime : simple, sans apprêt, solide, généreux. « *Buonissimo zio* » : Auguste et Paul-Augustin ne l'appelleront jamais autrement dans leurs lettres. Celles de Benedetto aux autres membres de la famille, surtout lorsqu'il aura, en médecin, à leur prescrire des soins à l'occasion de quelque maladie, montrent bien la profonde gentillesse de sa nature, au moins égale à sa générosité.

« Modeste dans la richesse, humble dans les honneurs, courtois avec ses adversaires, tendre et compatissant pour les misères des autres », dira l'hommage officiel que lui rendront à sa mort ses collègues de l'académie des Lincei [90]. Ce genre d'hommage n'a généralement qu'un rapport lointain avec la vérité. Mais dans le cas de Benedetto, tout ce qu'on sait de sa vie privée le recoupe parfaitement.

A partir de maintenant, en tout cas, c'est chez lui et autour de lui que se rassemblera la famille, à Rome, comme elle le fait ce 4 février au soir, après une si longue séparation, pour accueillir Louis.

L'appartement de la via della Gatta, où Benedetto habitait avec Maria Nicolaja et Daria, était au troisième étage, grand, calme et confortable ; on le sait par Salvatore qui s'y plaisait beaucoup. Auguste y habitera aussi, un certain temps, de même que Paul-Augustin, quand il viendra à son tour faire ses études à Rome. Chacun avait sa chambre ; et il y avait une chambre pour les hôtes, que Salvatore occupait lors de ses séjours, parfois pendant plusieurs mois. Les livres et les objets laissés par Benedetto disent aussi sa discrétion, une élégance sans ostentation, la sûreté de son goût, comme l'argenterie simplement marquée « BV » et les autres objets, en cet argent léger au poinçon du Saint-Siège, tels que l'encrier et son petit Neptune ou la statuette d'Orphée charmant un serpent. Ils ont de la présence. Plus tard, il s'installera grandement. Mais en 1838, Benedetto n'est encore qu'au début de sa carrière.

Médecin chef de l'hôpital de Saint-Jacques-des-Incurables, médecin honoraire des palais pontificaux, assistant du professeur De Matthaeis et membre de la commission d'hygiène des Etats du pape, ces fonctions, pour importantes qu'elles soient, n'étaient pas des plus lucratives et l'essentiel de leurs revenus passait dans l'entretien de ceux de la famille qui habitaient Rome et de l'appartement qui les accueillait. Benedetto ne paraît pas avoir eu de clientèle privée, comme Tommaso Prelà.

Il consacre tout le temps qui lui reste à ses recherches scientifiques dans le domaine de la chimie appliquée aux sciences biologiques, qui en feront l'un des premiers chercheurs de l'Etat pontifical dans ce domaine. Le catalogue de ses travaux, qu'il présentera régulièrement à partir de 1850 à l'académie des Lincei, dont il sera le dernier président, comprend trente communications [91].

La polémique suscitée par ses études sur le choléra, basées sur son expérience des deux grandes épidémies d'Ancône, en 1836, et de Rome en 1837, n'était pas retombée. Salvatore composera un poème sur le sujet « Le Pronostic » en défense de Benedetto [92]. Le 4 avril 1838, il écrit à Vieusseux : « Mon frère est dégoûté et découragé par les sarcasmes envieux et les mauvaises querelles de certains de ses collègues romains, meilleurs juges en peintures et ariettes qu'en théories utiles, alors qu'il a recueilli au péril de sa vie ces importantes et originales observations lors du choléra d'Ancône. » Benedetto avait été également attaqué par des journaux milanais et, en France, dans le *Journal des Débats*. Mais il était trop combatif pour se laisser décourager longtemps. Il pouvait d'autre part compter sur le soutien sans faille de son maître De Matthaeis, que l'on voit souvent via della Gatta, où Salvatore, le rencontre à chacun de ses séjours. Un autre ami de la famille qu'on y voit souvent est Giacomo De Dominicis, l'ancien professeur de grec de Salvatore à la Sapienza, devenu aussi l'intime de Benedetto par leur amour commun des Belles-Lettres. Il avait notamment publié un *Essai d'épigrammes gréco-italiens*, qui avait étendu sa renommée [93].

Son fils Paul-Emile, âgé de vingt et un ans, avait été arrêté en 1830 sur un vague soupçon de libéralisme et condamné sans procès à dix ans de réclusion au château Saint-Ange. Bien qu'il fût à demi français par sa mère, issue d'une bonne famille de Perpignan, les démarches de deux ambassadeurs de France successifs n'avaient pas réussi, quatre ans après, à le faire libérer, lorsque Salvatore demandera à Limperani de faire intervenir son oncle Horace Sebastiani.

L'histoire est une bonne illustration du régime sottement policier qui régnait à Rome sous Grégoire XVI et qui contribuera à discréditer le pouvoir temporel du pape jusque parmi les plus fidèles catholiques.

Salvatore Viale à Joseph Limperani, député aux Chambres. « Bastia, 1er avril 1834. (... à mon retour de Rome, où je suis resté quatre mois...), je dois vous recommander le fils de M. De Dominicis, qui fut mon maître pendant trois ans à Rome, Paolo Emilio, détenu depuis quatre ans au château Saint-Ange pour avoir osé dire quelque chose d'académique en faveur des Polonais et que les Français avaient le droit de s'insurger en juillet 1830 contre leur gouvernement.

« Chose étrange et difficile à croire ! Pour ces mots et ces pensées, le jeune De Dominicis a été condamné à dix ans de réclusion, sans que l'on connaisse les motifs, le contenu et les dispositions de cette sentence, qui n'a été communiquée à personne et dont il ignore lui-même jusqu'à l'existence. Tout donne à croire que le gouvernement pontifical la tienne cachée, de honte, ou ne l'ait même pas rédigée faute de délit et de preuve.

« Lisez, je vous prie, le document ci-joint qui m'a été remis par son père et parlez-en directement au ministre des Affaires étrangères, pour qu'il écrive avec chaleur à l'ambassadeur de France à Rome, ou au nonce du pape à Paris. J'ai le devoir de vous écrire en insistant, car ce cas mérite tout votre intérêt. Il suffirait que vous puissiez convaincre le ministre Sebastiani d'écrire à Rome, en demandant que le jeune homme soit gracié ou, du moins, au cas où cela serait impossible, que sa détention soit commuée en relégation temporaire. Votre oncle a obtenu de Rome la grâce de personnes bien plus compromises et considérées comme bien plus dangereuses que le jeune De Dominicis. »

L'oncle Tommaso venait, lui aussi, quelquefois, rendre visite à sa sœur via della Gatta, mais moins souvent qu'à l'arrivée de Maria Nicoloja. Il avait pour cela une excellente raison : il s'était marié.

A soixante-six ans, en 1831, il avait épousé Anna Goscié, veuve de l'un de ses collègues, Cesare Angelini, dont elle avait trois enfants déjà grands : Luisa, Pietro et Salvatore. Avec sa nouvelle famille et sa bibliothèque, Tommaso Prelà avait quitté la piazza San Pantaleo pour un appartement plus vaste, au Palazzao Sabino, via delle Muratte, l'une de ces ruelles qui, du Corso, conduisent à la fontaine de Trevi. La plus grande des nombreuses pièces consacrées à la bibliothèque était ornée « d'étagères vernies, avec des moulures en plâtre doré ».

En homme précautionneux, peu après son mariage, il avait remis son testament au notaire du Capitole, Agostino Malagricci, « sous pli cousu de soie verte avec sept cachets de cire à ses armes [94] ». Ses biens en Corse iraient à son frère Anton Sebastiano, ou à Salvatore, le fils de celui-ci. Ses biens à Rome à sa femme, Anna Goscié, ou à la fille de celle-ci, Luisa. Personne n'était oublié. A chacun, de Maria Nicolaja à son barbier, il laissait un souvenir. Pour lui-même, il demandait à être enterré à Saint-Louis-des-Français, « à côté ou en face du tombeau de Natale Saliceti », l'archiatre corse de Pie VI, qui l'avait accueilli à Rome.

Sa bibliothèque irait comme prévu à la ville de Bastia avec son portrait et un tableau représentant le dieu Esculape. Il en avait averti la municipalité dès 1829 et celle-ci lui avait exprimé « les sentiments d'admiration et de gratitude des habitants de Bastia » au cours d'une séance du conseil municipal du 12 juillet 1829 [95]. La délibération avait plu à Tommaso Prelà ; mais comme deux ans étaient déjà passés, au moment où il rédige son testament, sans que l'acceptation du legs ait été confirmée par le gouvernement, il précise : « Je suis obligé d'ajouter que, dans le cas absolument extravagant (qui pourrait pourtant se produire car on peut tout craindre, de nos jours) où la municipalité de Bastia, pour quelque cause d'événements politiques ou de calamité locale que ce soit, ne pourrait ou ne voudrait recevoir ma bibliothèque, je veux et commande, pour qu'elle ne dépérisse pas, qu'après deux ans elle soit donnée à l'hôpital de Santo Spirito, à Rome, en l'associant à la bibliothèque Lancisiana. »

L'oncle Thomas avait d'ailleurs failli renoncer carrément à son projet initial, et c'est Benedetto qui l'avait conforté dans son idée de la laisser à Bastia, en lui rappelant l'exemple de son vieil ami Sisco. Giuseppe Sisco, mort l'année précédente (1830), avait laissé sa fortune à Bastia, ou plutôt aux Pieux Etablissements français de Rome, pour la fondation à perpétuité de bourses d'études destinées aux jeunes Bastiais qui voudraient faire leurs études de médecine, droit ou beaux-arts à Rome. Les bourses étaient de 180 écus romains par an, ou 15 écus par mois. Auguste Viale et Benedetto Prelà, petits-neveux de son ami, devaient en bénéficier hors concours « lorsqu'ils auront l'âge », avait précisé Sisco dans son testament [96].

Avec Giuseppe Sisco, je sors à peine du cercle de famille. Il était mort à l'hôpital Saint-Jacques-des-Incurables, où Benedetto l'avait soigné comme un fils dans sa dernière maladie. Sisco l'avait désigné comme l'un de ses exécuteurs testamentaires. Je ne sais si Tommaso Prelà était à son chevet à ses derniers moments ; mais c'est lui qui a rédigé l'inscription funéraire en latin, sur sa tombe à Saint-Louis-des-Français. Elle y garde toujours le souvenir de leur amitié, avec sa signature : « *Thomas Prelà, medicus, inscripsit amico solidali.* »

La soutanelle à frac largement ouverte sur le jabot de soie blanche, un bâton en canne d'Inde à pommeau d'or à la main, culotte à la française serrée au genou par une boucle en argent ou en or (les « boucles de souliers en or » qu'il léguera à Pietro Angelini seraient-elles celles du sacre de Napoléon ?), l'oncle Tommaso paraissait rajeuni par son mariage tardif, bien qu'il fût resté fidèle à la mode du temps de Pie VII. Il est aimable en famille, assidu aux bonnes œuvres de la confrérie des Sacconi Bianchi, à Saint-Théodore, plus actif que jamais dans le monde savant des académies, où il publie volontiers.

Son érudition y était appréciée. Son style, peut-être moins. Même « D.R. » en convient. « Comme auteur de nombreux opuscules imprimés, il s'éloignait trop souvent de la simplicité dans le style ; et, utilisant peut-être plus qu'il n'était nécessaire les trésors de sa bibliothèque, il pécha parfois (c'est du moins ce que disent certains) par un excès de digressions et de précisions doctrinales mineures. »

C'est un travers dont se gaussaient ses neveux. « Zio a publié, dans la *Revue médicale*, une étude pleine de métaphores et d'hyperboles, telles que "le paratonnerre de la méchanceté humaine", "la

165

fantasmagorie des théories'' et autres étrangetés qui font ricaner ses ennemis », écrit Benedetto à Salvatore. L'une de ses communications à l'académie Sabine, lue en avril 1833, à l'occasion de la célébration de la fondation de Rome, « Parallèle entre la religion et la piété des anciennes nourrices latines et des nourrices chrétiennes », n'en avait pas moins eu un grand succès, et avait été réédité deux fois [97].

Président de l'académie de Médecine, membre de l'académie des Lincei et de l'académie Sabine, inspecteur général de l'aumônerie pontificale, l'ancien archiatre de Pie VII était tenu, il est vrai, pour une sommité par les principales académies européennes qui l'avaient inscrit parmi leurs membres. Il était couvert de décorations étrangères, en plus des grands ordres pontificaux de saint Grégoire et du Christ [98]. Mais tant d'honneurs ne paraissent pas lui être montés à la tête. La distinction à laquelle il tenait le plus était celle d'avoir été, pendant trente ans, professeur à la Sapienza à titre honoraire, dit D.R.

Louis ne fut pas impressionné par les éminentes fonctions dans lesquelles semblaient concourir les membres de la famille. « Je suis resté à Rome jusqu'au 17 avril. J'ai présenté à mes frères le tableau de mes affaires et nous nous sommes concertés sur la façon de faire face à mes engagements. » C'est tout sur le conseil de famille qui avait motivé son voyage. Il dut se passer le mieux du monde, sans reproches ni éclats ; on peut faire confiance à Benedetto. Non seulement il garda Louis presque trois mois ; mais il tint à faire faire son portrait à l'huile. « Dans ces circonstances, Benedetto mon frère a fait faire mon portrait à l'huile, en buste, par le jeune signor Augusto Ratti, qui l'a peint avec une rapidité incroyable et l'a fait, à ce que tout le monde dit, très ressemblant. »

C'est son portrait en beau ténébreux, l'air énergique et fier ; ce qu'il était, somme toute. Louis n'était pas doué pour les affaires, et après ? L'ironie qui danse dans le regard de ses yeux gris-vert le dit, peut-être. Ou pense-t-il, en posant devant le jeune Ratti, aux livrets d'opéra qu'il vient d'acheter, le *Torquato Tasso* de Donizetti, la *Matilde di Sabran* de Rossini ?

Ce sont les premiers du volume qu'il fera, plus tard, relier avec ses initiales et qui porte les marques d'un long usage. Il ne dit mot, en tout cas, de ce que décidèrent ses frères pour l'aider. On le sait par les lettres de Michel à Salvatore. Michel lui fera une pension, qui augmentera avec le temps. Les dettes furent partagées en quatre. Les principaux créanciers, les frères Podesta et les frères Lota, seront désintéressés dans les deux ans. Les frères Lota auront même la gentillesse de faire grâce des intérêts, qui s'élevaient, exactement, à la somme de 2 308,04 francs.

L'âme en paix, Louis se livre alors aux plaisirs du tourisme. Les fêtes de Pâques commencent, et il ne perd pas une cérémonie à Saint-Pierre. « Le 15 avril, jour de Pâques, j'ai assisté à la messe du pape à Saint-Pierre, de même que, les jours précédents, j'avais été présent à toutes les cérémonies de la Semaine sainte. Après la messe j'ai reçu, avec une foule immense réunie sur la place, la bénédiction que le Saint-Père a donnée de la loggia. Le soir de ce même jour, j'ai vu l'illumination de Saint-Pierre pour la première fois de ma vie, et j'en ai ressenti une impression réellement magique. Le soir du 16 avril, j'ai été voir la girandole tirée du château Saint-Ange, non moins belle que l'illumination ; et le matin du 17, j'ai dit au revoir à tous les miens et suis parti pour Civitavecchia, où j'ai été retenu par le mauvais temps pendant quatre jours. » A Livourne, où il arrivera sur le vapeur *L'Etrusco*, il devra attendre sept jours encore un temps plus favorable. La machine à vapeur ne triomphait pas toujours des éléments.

15

Niccolo' Tommaseo débarqua à Bastia au mois d'août 1838, en exil. Le gouvernement autrichien avait exigé son éloignement de Florence, pour un article de l'*Antologia* critiquant Metternich et sa politique italienne. Salvatore, qui l'avait encouragé à venir à Bastia, l'attendait. Pour l'accueillir, il avait même retardé un voyage prévu en Italie, et la maison de la rue Saint-Jean fut la première à s'ouvrir comme un havre de paix pour le rude et tumultueux personnage qu'était encore, à l'époque, Tommaseo. Ils se connaissaient peu et mal, et surtout par leurs œuvres, ayant eu peu d'occasions de se rencontrer. Dans son journal intime, Tommaseo note pour la première fois, en août 1833 seulement, une conversation avec Salvatore au cabinet Vieusseux, et brièvement : « Excellent homme, le Viale. » Au moment où commence ici leur amitié, on pourrait difficilement imaginer plus grand contraste entre eux.

A trente-six ans, Tommaseo était un personnage fruste et rugueux, une force de la nature, qu'une dizaine d'années de séjour à Florence avaient mal dégrossi des violences de sa nature et de sa jeunesse dalmates. Par sa mère, il était à demi slave. Ecrivain reconnu, mais toujours à la recherche de sa vérité d'homme, sa passion pour l'écriture, vécue comme un sacerdoce patriotique, était constamment dévastée par les élans d'un instinct robuste qui l'empêtraient dans des histoires de femmes, généralement sordides. Ce moraliste avait d'ailleurs jusqu'alors mené une vie parfaitement immorale et sa liaison avec la Geppina, une pauvre femme analphabète, avait fait pleurer Vieusseux.

Imprévisibles dans ses rapports, pieux et doux un jour, soudard le lendemain, il était d'une fréquentation difficile, Vieusseux, qui l'avait appelé à Florence et dont il était devenu l'un des plus étroits collaborateurs, le lui avait dit plus d'une fois, et même par écrit, car il y avait des jours où Tommaseo était inabordable : « Avec un caractère irritable et des façons aussi méfiantes que les vôtres, il n'est pas facile de garder ses amis. » Vieusseux, Capponi, Lambruschini avaient foi dans son immense talent qui, dans certains domaines, touchait au génie. Ils lui pardonnaient tout, pour la force attachante et la droiture de son caractère ; mais le fait est qu'ils s'inquiétaient, comme pour un enfant, quand ils le savaient livré à lui-même.

Raffaello Lambruschini à Salvatore : « Florence, 14 juin 1838... Vous allez donc voir arriver Tommaseo chez vous. Ses qualités d'intelligence et de cœur, croyez-moi, ne sont pas ordinaires. C'est un homme à l'antique : franc jusqu'à la rudesse, peut-être, mais profondément bon et d'une force morale que la plupart des hommes ignorent. Je vous le recommande très fort. Tâchez de lui faire tout le bien que vous pourrez ; soyez-lui ami, soyez-le d'abord pour l'amour de moi, vous le serez bien vite par l'élan de votre propre cœur. »

La police autrichienne avait fiché Tommaseo, comme « propagateur des idées révolutionnaires », en Dalmatie — où il était né en 1802, à Sibenik — et le surveillait attentivement. Influencé par l'abbé Antonio Rosmini, qui l'avait pris sous son aile à l'université de Padoue, puis, par les idées de Lambruschini et de Lamennais à Florence, son tempérament d'homme d'action le portait vers un libéralisme de combat pour l'indépendance et l'unité de l'Italie plus que vers la spéculation morale vers quoi l'attirait pourtant son esprit religieux. L'article de l'*Antologia* incriminé par le gouvernement autrichien n'était cependant pas de lui. Ce n'était d'ailleurs qu'un commentaire assez anodin, autour du roi Pausanias de Sparte, paru en 1832, et où il est difficile de retrouver, aujourd'hui, les allusions à Metternich et au royaume lombardo-vénitien qui avaient attiré les foudres du chancelier.

Mais les insurrections de Romagne avaient alerté Metternich. Sa poigne s'était faite plus pesante sur les Etats italiens, comme le grand-duché de Toscane, soumis à son influence. Tommaseo, l'un des animateurs de l'*Antologia*, était un gêneur et l'article un bon prétexte pour s'en débarrasser. L'*Antologia* elle-même avait d'ailleurs été supprimée dès l'année suivante, en 1833.

Tommaseo était parti pour Paris, où Guizot l'avait bien accueilli, et il y était resté trois ans. Mais, à part les femmes, il n'y avait rien apprécié. La ville, les gens, les mœurs, la politique : son tempérament excessif lui avait fait tout rejeter. Seuls Rousseau, Lamennais et George Sand trouvèrent grâce à ses yeux. Il y composa cependant deux de ses œuvres les plus fortes, les poésies des *Confessions* et sa profession de foi politique *De l'Italie*, avant de repartir, « écœuré des modes parisiennes », comme il l'écrivit à Vieusseux.

Il y avait une autre raison à son départ. A trop fréquenter les « Vénus errantes », il avait compromis sa santé et c'est un homme malade, affaibli, qui était parti pour Nantes où il avait trouvé un poste de professeur au collège de la ville. Mais le climat lui avait déplu, et Nantes était loin de tout, et surtout de Florence. De là-bas, il ne pouvait suivre le sort des écrits dont sa verve prolifique continuait à inonder l'Italie. *De l'Italie* avait été mis à l'Index. Il y traînait le gouvernement romain dans la boue et appelait Grégoire XVI « cet eunuque difforme ».

Il s'était alors tourné vers Bastia, ville de culture italienne, la plus proche de la Toscane en terre française, et dont il connaissait bien l'étendue des rapports avec la Terre Ferme. Non seulement il y avait Salvatore Viale et son petit cercle de lettrés italophiles mais ce n'était un secret pour personne que les frères Fabiani, « imprimeurs-libraires », et leurs collègues de Livourne étaient en relations étroites pour échanger l'impression et la distribution des œuvres considérées comme subversives dans l'un ou l'autre pays.

La Corse, de plus, l'attirait pour elle-même. Pascal Paoli était un héros digne d'inspirer le Risorgimento. Pourquoi sa patrie ne participerait-elle pas au grand mouvement qui enfiévrait l'Italie ? « J'ai pensé me rapprocher de l'Italie pour vivre sous son ciel, puisque sa terre m'est interdite ; pour étudier la Corse ; pour imprimer et envoyer plus facilement mes écrits en Italie », écrit-il à Vieusseux. Il a écrit également à Salvatore, et celui-ci l'a encouragé à venir. Lui-même et ses amis l'accueilleront très volontiers, lui dit-il. L'année que Tommaseo passera à Bastia sera importante pour Salvatore ; mais elle le sera encore plus dans la vie de Tommaseo, dans laquelle elle marque un tournant.

Le journal intime que Tommaseo a tenu presque quotidiennement pendant son séjour à Bastia et le roman *Fede e Bellezza* qu'il y écrivit en sont les témoins : ce séjour fit de lui un autre homme. Pour la première fois de son existence tourmentée, la vie lui imposait de faire halte. Il était en pleine crise morale en arrivant. La conscience des erreurs passées et du gâchis de son talent, qui étaient autant de péchés pour son esprit religieux, unis au déchirement de l'exil, et d'un exil rendu plus douloureux encore par l'agonie de sa mère au loin, l'avaient profondément bouleversé. Seul avec lui-même, il n'aspirait qu'à se mettre en accord avec ses aspirations les plus hautes, « à expier ses fautes, dira-t-il, par l'exemple et la parole [99] ».

Poème lyrique en prose plus que roman, *Fede e Bellezza* est le récit de ce combat avec l'ange. A travers ses doutes, ses fautes et ses·péchés, son héros part à la recherche de Dieu et le trouve, accouchant dans la douleur un homme nouveau. Le livre est une autobiographie spirituelle à peine déguisée ; et sa réussite — elle reste l'une des meilleures œuvres de Tommaseo — contribuera sans doute à l'évolution décisive de son caractère.

Ce que fut la contribution du climat d'amitié et de compréhension qu'il trouva à Bastia est difficile à évaluer ; mais son journal intime montre qu'elle joua son rôle, et que la part de son ami Salvatore fut grande. Leur relation, au départ assez froide, devint rapidement familière, puis se transforma en affection profonde, une affection qui, malgré une polémique au sujet du rôle politique de Michel, durera jusqu'à leur mort. Et au-delà, puisque c'est de Tommaseo que Salvatore, parti le premier, recevra le plus bel éloge, celui, sans doute, auquel il doit de ne pas être oublié, aujourd'hui encore, en Italie [100].

Accueilli en famille rue Saint-Jean, Tommaseo s'y était très vite lié également avec Louis, et surtout avec Paul-Augustin, pour qui il semble avoir éprouvé une affection paternelle, sentiment tout nouveau pour lui. Tout au long de son journal intime, il en parle en tout cas avec une douceur inattendue, comme s'il avait trouvé en lui ce fils qu'il n'avait pas et que ses amours avec la Geppina, déjà mariée et mère de famille, ne pouvaient lui laisser espérer. Peut-être, aussi, transféra-t-il sur lui l'amour qu'il n'avait su donner à la fille de Geppina, qui était l'un des remords qui le rongeaient. « Allé avec Agostino au théâtre ; j'ai de l'affection pour lui et la lui montre, ce qui me rend encore plus heureux que lui », note-t-il en janvier. Il ne cessera ainsi de noter leurs sentiments, leurs réactions à l'égard l'un de l'autre et « affectueux » est l'adjectif qui revient le plus souvent, accolé aux noms de Salvatore et de Paul-Augustin.

Dans l'intimité de son journal, Tommaseo paraît ainsi trahir l'attente de son cœur dans la crise morale qu'il traverse : être aimé. Même si l'ombre des anciennes tentations reste toujours présente. « 10 novembre 1838. Adèle est bonne. Viale ami. Agostino travaille bien et m'aime. Doux regard de Mme S... » Pendant l'absence de Salvatore, Tommaseo avait commencé à donner des leçons d'italien et de latin à Paul-Augustin sans vouloir être payé, malgré l'insistance de Louis et ses propres besoins d'argent. Ce sera un maître que Paul-Augustin n'oubliera jamais.

Paul-Augustin avait alors quatorze ans. Louis, qui le portait « in palmo di mano* » comme on dit, écrivait que sa gentillesse de cœur et sa vivacité d'esprit étaient l'une des consolations de sa vie.

« J'étais tellement ému, en le regardant, que je dus avoir recours à toute ma force d'âme pour ne pas éclater en sanglots de tendresse », note-t-il le jour de sa première communion, à Saint-Jean, le 21 juin de l'année suivante (1839). Tommaseo confirme que ce n'était pas là seulement aveuglement paternel : « 16 octobre 1838. Commencé à donner des leçons à Paolo Agostino. Il est intelligent et a une grande envie d'apprendre. »... « Agostino, intelligent, profite bien. »... « Agostino fait des progrès »...

Il le traite comme un petit compagnon, dont il aime la présence, quand par exemple il l'emmène au théâtre de Bastia, où il a pris une loge pour la durée de la saison d'Opéra qu'y donne une troupe florentine ; le *Marin Faliero* de Donizetti, notamment, le faisait pleurer de nostalgie. Il se reproche d'oublier parfois que ce n'est encore qu'un enfant, pour qui Virgile est difficile à traduire. « Agostino pleure à mes reproches »... « Je suis plus patient avec Agostino. »

De ces larmes de Paul-Augustin, Tommaseo se souviendra encore, près de dix ans plus tard, à Venise, lorsqu'il apprendra de Salvatore la nouvelle de la mort de Maria Nicoloja. « ... je lui ai enseigné un peu de latin, durement, avec une impatience de lettré et de malade. Un jour, mes reproches brusques et passionnés le firent pleurer de larmes amères », note-t-il dans son journal le 10 février 1846. Paul-Augustin n'oubliera jamais, lui non plus, ce qu'il devait à

---

* « Sur la paume de la main. »

Tommaseo, avec qui il restera en correspondance jusqu'à sa mort, lui rappelant non seulement ses leçons de latin, mais aussi l'affection dont il les avait entourées ; autre témoignage sur l'apaisement que l'exilé trouva en Corse.

Admirateur passionné de Dante dont il récitait des chants entiers par cœur, ce n'est certainement pas en montant les hautes marches de la rue Saint-Jean que Tommaseo aura pu évoquer les vers amers du poète sur la dureté des escaliers d'autrui et le goût de sel qu'a le pain offert à l'exilé.

Quoique moins intimement que Salvatore ou Paul-Augustin, Louis était lui aussi dans la familiarité de Tommaseo. Il lui amène le médecin qui soigne ses fistules et il le soigne lui-même, à l'occasion. Un jour que Tommaseo était à court d'argent, Salvatore lui prête cent francs ; Louis « veut m'en prêter plus, mais je remercie », note Tommaseo. C'est enfin à Louis autant qu'à Salvatore que Tommaseo demandera de faire copier les chants populaires ou les lettres de Pascal Paoli qu'il continuera à rassembler, pour les publier à Florence, et il unira les deux frères dans le même souvenir reconnaissant.

« Je dois certains de ces chants à Giovan Vito Grimaldi et à Guiseppe Multedo. J'en dois la plupart à Salvatore et à Louis Viale, dont l'affection et les attentions furent la consolation de mon séjour dans l'île », écrira-t-il dans la préface aux *Chants populaires corses* [101]. Louis, moins littéraire, mais plus proche de la réalité des mœurs corses et de la vie quotidienne à l'intérieur de l'île, lui donnera beaucoup d'informations nécessaires à leur compréhension.

Avec eux, Tommaseo fréquentera aussi Anton Luigi Raffaelli, Multedo Renucci, Luigi Biadelli, d'autres encore : Morati, Casale, Flach, Nasica et, à la fin du séjour, Filippo Caraffa et Nicola Frabrizi ; sans oublier Gian Vito Grimaldi, dont il sera l'hôte dans le Niolo, et le ténor italien Vincenzo Meini, frère de l'un de ses collaborateurs de Florence, et qui chantait dans le *Marin Faliero*. « L'île n'eut jamais autant d'écrivains italiens de talent que maintenant où elle commence à balbutier le français », écrit Tommaseo.

Il habitait un petit appartement qu'on lui avait trouvé dans la maison Gentile, rue Napoléon, entre Saint-Jean et Saint-Roch, où il allait souvent prier. C'est là que Salvatore venait le voir, lorsque Tommaseo n'allait pas rue Saint-Jean, pour de longues heures de travail en commun.

Ils discutent de la Corse, de ses mœurs et de son histoire, que Tommaseo approfondit avec passion ; mais aussi, et au début surtout, de création littéraire, de style, des œuvres que l'un et l'autre ont en chantier. Tommaseo fait lire ses vers à Salvatore et les premières ébauches du difficile roman qu'il a entrepris. « Viale critique mes proses et me montre les siennes »... « Viale, plein d'affection et de sagesse, me donne de bons conseils »... « Viale fait

de bonnes critiques de mes vers ; j'en tire profit et me corrige »...
« Visite de Viale ; il fait de bonnes observations sur *Fede e Bellezza* »... « Bain préparé chez eux par Salvatore et Paul-Augustin. Maria ne déplaît pas à Salvatore. »

« *A Salvatore non dispiace Maria* ». Ce prénom féminin, entré dans la mémoire familiale lorsqu'on apprit que Tommaseo l'avait cité dans son journal intime, alors inédit, a longtemps fait croire en famille que Salvatore avait été amoureux, au moins une fois dans sa vie. « Zio Salvatore ne s'était jamais marié parce qu'il avait eu une passion malheureuse pour une certaine Maria », susurrait zia Nicolina. Elle prenait un air mystérieux, à en croire maman, puis se taisait, pensive, et l'on croyait qu'elle en savait bien davantage. « Qui pouvait bien être cette Maria ? » s'interrogeait tante Loulou.

Tommaseo raconte aussi, il est vrai, qu'un des amis de Salvatore l'avait pressé d'épouser sa fille. « J'ai trop peu confiance en moi-même pour me charger du bonheur de quelqu'un d'autre », lui avait répondu Salvatore. Tommaseo ne dit pas qui était cet ami. Mais Maria est simplement l'héroïne de *Fede e Bellezza*, à laquelle Tommaseo avait donné un père corse.

Salvatore, de son côté, était en train d'écrire deux poèmes d'inspiration historique, « Alberto Corso », dont il supprimera une centaine de vers sur les conseils de Tommaseo, et « Les derniers vers de Antonio Uberti ». Il préparait également une nouvelle édition des *Principes des Belles-Lettres*, et surtout la troisième édition de la *Dionomachia* [102]. Parmi ses amis florentins, c'est cette fois Gino Capponi qui lui envoie une longue étude critique, suggérant quelques modifications à apporter au poème.

Tommaseo la lit. « Viale vient deux fois. Il a le goût fin. Je lis la *Dionomachia* et, en analysant les raisons du plaisir délicat que j'y prends, j'apprends moi-même », note Tommaseo dans son journal intime. Est-ce à Tommaseo ou à Capponi que fait allusion Salvatore dans la préface de cette édition, en reconnaissant sa dette pour les nouvelles corrections ? Tommaseo relit également d'autres œuvres de Salvatore. « Je relis avec Viale la confession de Pietro Cirneo ; la nuit du bandit est poésie véritable » ; et encore : « Lu de beaux écrits de Viale qui me rappellent la belle manière d'écrire italienne. » Tommaseo emmène Salvatore à l'Opéra. Salvatore lui fait découvrir San Martino di Lota, puis la Casinca. Ensemble, à Bastia, ils font de longues promenades au bord de la mer.

Pour mieux lui expliquer les mœurs corses et lui faire entendre le dialecte dans sa pureté populaire, Salvatore emmène Tommaseo avec lui aux audiences de la cour d'assises. Tommaseo est enthousiasmé. « J'assistais aux audiences avec une ferveur religieuse, et, armé d'un livre pour passer le temps des plaidoiries et autres ennuis du même ordre, j'y passais souvent la journée entière », écrit-il. Dans la bouche des montagnards corses, il note les mots, les tournures de phrases, les invocations « qui résonnent, dit-il, comme la colère de Dante ou la pitié de Cavalcanti ». « Ils apprennent à parler aux juges ; ils apprendraient à écrire aux académiciens », dit-il encore. Passionné par les problèmes linguistiques, il venait de terminer un dictionnaire des synonymes de la langue toscane, et voilà que le dialecte corse, le plus proche du toscan, lui permet de l'enrichir de nouvelles expressions. Mais surtout il voit dans cette parenté la preuve de l'italianité de la Corse. « Française, peut-être, par le gouvernement ; mais d'esprit et de langue italienne », fait-il dire à Maria.

Il est d'autre part fasciné par le spectacle du prétoire, dès que la parole est rendue aux inculpés, aux témoins, aux cent acteurs de ces drames paysans qui pour la plupart, comme toujours, tournent autour d'une vendetta. Salvatore ne parvint pas à lui faire partager son horreur de ces mœurs. « Un jour que nous visitions la prison, il me réprimanda parce que, sans y penser, j'avais tendu la main à un bandit fameux, surnommé Peverone, lequel, ayant étanché sa soif de vengeance, avait signé son meurtre en jetant des poivrons sur la terre ensanglantée », racontera Tommaseo dans sa biographie de Salvatore.

C'est alors qu'il commence à recueillir systématiquement les chants populaires corses, comme il l'avait fait des chants populaires toscans, illyriens et grecs. Il joindra les chants corses aux toscans, « pour manifester, dit-il, son amour sincère (de la Corse)... pour que les Corses se connaissent eux-mêmes et pour que les Italiens les connaissent aussi et sachent qu'ils sont leurs frères ». Le recueil, le plus important monument de la poésie populaire corse encore aujourd'hui, paraîtra en 1841, à Venise. Tommaseo entreprend également de recueillir la correspondance de Pascal Paoli, autre monument qu'il dressera à la gloire de la Corse, dans la recherche de son âme profonde [103].

Le souvenir du Père de la Patrie était partout vivace ; partout vivaient encore des vieillards témoins de ses combats, ou leurs enfants. Paoli était mort en 1807 ; mais peu avant l'arrivée de Tommaseo, aux élections législatives de Bastia en mars 1838, c'est son nom qui était sorti de l'urne et Pascal Paoli avait été élu député de la Corse à Paris. Il s'agissait, bien sûr, de l'une de ces manœuvres électorales dont les partis corses avaient le secret. Mais le choix était éloquent. Trente ans après sa mort, seul Pascal Paoli pouvait faire l'unanimité des Corses sur son nom. Salvatore écrira sur l'affaire un récit, dont Tommaseo dira : « C'est l'une des œuvres les plus remarquables que Viale ait écrites [104]. » Sans doute Salvatore lui en aura-t-il parlé dès son arrivée. L'un des deux candidats le touchait de près, puisque c'était Joseph Limperani. Le scandale politique, d'autre part, avait été énorme et durait encore.

Pour Tommaseo, de plus, Paoli était un héros digne d'inspirer le Risorgimento, l'opposé de Bonaparte qu'il détestait. Face à Napoléon, « tyran centralisateur, qui écrasa toute vie dans les provinces », Paoli incarnait pour lui l'idéal du citoyen et du patriote désintéressé, celui « qui apporta la concorde à un peuple divisé et transformera une révolution en gouvernement des lumières ».

C'étaient les idées mêmes de Salvatore. « Viale me parle de

Buonaparte et de Paoli », note Tommaseo le 16 février 1839. Parmi les documents de l'histoire corse récente, Salvatore lui donna aussi à lire la justification qu'il avait écrite en 1814 de l'insurrection de Bastia contre le régime impérial. « Œuvre claire et vigoureuse », écrira Tommaseo qui envisagera de la rééditer dans le cadre de ses travaux sur la Corse [105].

Tommaseo avait annoncé, par voie de presse, son intention de rassembler la correspondance de Paoli et de partout les lettres originales ou les copies affluaient. La liste des Corses qui y ont contribué prend deux pages de l'épais volume. L'un d'eux est Francesco Ferrandi, de la Pietra di Verde, « autre famille chère à Paoli ». Pour leur part, Louis et Salvatore continueront à lui en envoyer jusqu'en 1846, lorsque le recueil paraîtra à Florence, édité par Vieusseux. L'exemplaire que Salvatore a fait relier pour sa bibliothèque contient toujours deux lettres de Paoli et plusieurs copies recueillies après l'impression du volume, dont une de Catherine de Russie, datée de Saint-Pétersbourg, le 16 avril 1770. Leur copiste portait le beau nom de Prudente.

Les lettres de Salvatore à Tommaseo, entre 1840 et 1846, sont une mine d'histoire et de culture corses. En réponse aux demandes que Tommaseo jette comme à la hâte sur des feuillets de tous formats, d'une écriture minuscule, presque illisible, celles de Salvatore précisent aussi bien des points d'histoire concernant Paoli et ses relations que la signification de tel ou tel mot, tel ou tel proverbe ou coutume, pour éclairer les chants corses. Précises, sans fioritures, comme pour la correspondance avec Limperani, il ne manque que le son de leurs voix pour restituer leurs conversations, lorsqu'ils travaillaient ensemble à Bastia.

A la mi-mars, Tommaseo, que les fistules faisaient de plus en plus souffrir, part se faire soigner à Montpellier, en laissant ses malles et ses livres rue Saint-Jean. On s'écrit longuement. « Je pense toujours à vous dans mes prières et je demande votre guérison au Seigneur », lui écrit Paul-Augustin. Fin juillet, Tommaseo est de retour en Corse et, par Ajaccio, se rend en convalescence aux bains de Vico. Il recommence à copier voceri et lettres de Paoli, que lui apporte notamment Colonna de Leca, alerté par Salvatore, puis il part pour le Niolo, à l'invitation de Grimaldi.

C'est là qu'il entendra des bergers chanter des strophes du Tasse avec le plus pur accent italien. Le 8 août, il est enfin de retour à Bastia, et y trouve son passeport, envoyé par l'ambassadeur d'Autriche à Paris, pour lui permettre de retourner en Dalmatie. L'amnistie avait été proclamée par l'empereur Ferdinand Ier, qui avait ceint à Milan la couronne de fer du royaume lombardo-vénitien.

C'est le moment où Mérimée débarque à Bastia, le 16 août. Il y voit beaucoup le sous-préfet, Tiburce Morati ; mais ni Salvatore, ni Tommaseo, ni aucun des écrivains corses. Ce fut aussi bien pour eux. On sait ce qu'ils pensaient tous deux de cet esprit parisien que le fringant inspecteur des Monuments historiques illustrait jusqu'à la caricature. « Le mammifère humain est vraiment fort curieux ici », écrit Mérimée de Bastia, à son ami Rennequin. Ah ! Que cela est finement senti...

Le 11 septembre, Tommaseo s'embarque enfin pour Livourne sur la goélette *Costanza*. « J'apprends à douze heures que le bateau va partir. Je suis vite prêt. Jusqu'au dernier moment, je copie des chants corses. » Salvatore et Louis viennent le saluer avec Palmedo, qui est le plus ému. De Salvatore, Tommaseo emportera cette image : « Il avait la religion de l'amitié et aucun de ses amis ne l'abandonna jamais ; négligent de tout artifice et cérémonie, recueilli en lui-même, pondéré et juste, il savait se taire, mais non feindre ; et son silence lui-même était éloquent. Il n'était ni galant ni beau. Une heureuse timidité, tempérée de dignité et de pudeur, l'aidait à échapper aux nombreux dangers de la vie. » « Salvatore Viale... le meilleur écrivain que la Corse ait jamais eu », écrira-t-il de lui [106].

16

Quand vint l'âge des études, Paul-Augustin prit, lui aussi, le chemin de Rome. Il avait dix-sept ans. A un an près, c'était l'âge de Salvatore quand il y était arrivé pour la première fois, et leur ressemblance physique, au même âge, est étonnante : même taille moyenne, même visage ovale au teint coloré, même yeux gris, même cheveux et sourcils châtains.

Leurs passeports, en 1803 et 1841, portent exactement le même signalement. Les deux seules variantes sont en faveur de Paul-Augustin : son front est « haut » et non « ordinaire » ; son nez « moyen », et non « gros ». Il est aussi plus raffiné que ne l'était Salvatore à son âge, plus ouvert sur le monde extérieur, moins livresque. Sa vivacité et sa gentillesse allaient de pair avec un caractère très ferme. Il sait ce qu'il veut et, en partant pour Rome, ce qu'il veut c'est être architecte.

Dès l'enfance, il s'était montré doué pour les mathématiques plus que pour le latin ; et c'est sans difficulté qu'il vient de remporter la bourse Sisco d'architecture, attribuée par la municipalité de Bastia. Il n'avait guère de concurrents, il est vrai, et c'est un signe des temps : pour leurs études, les jeunes Bastiais vont désormais en France et non plus en Italie. « 22 novembre 1841. La municipalité a ouvert ce jour le concours pour l'une des bourses créées par feu le Docteur Sisco. Il n'y a eu que deux concurrents, le fils de Pellegrini pour la peinture, et moi-même pour l'architecture. Après que nous eûmes présenté nos travaux et nos qualifications, le conseil municipal s'est réuni et a annoncé que les revenus de la succession Sisco permettaient d'accorder deux bourses et que nous en aurions une chacun. Ce jour a été un jour de bonheur pour moi. » Paul-Augustin le note dans son journal intime, qu'il commence alors à tenir très régulièrement, comme son père et, comme lui, en italien.

Heureux, Louis paraît l'être encore plus que son fils. Il exulte. « Agostino me donne toutes les satisfactions qu'un père peut souhaiter. Il est vif, intelligent, travailleur et pieux, avec un caractère aimable et un esprit plus particulièrement doué pour les mathématiques et la mécanique », écrit-il à Michel, à Munich, en lui annonçant la nouvelle. Et à Benedetto, à qui il demande de lui trouver une pension d'étudiant pour son séjour : « Agostino est un garçon de très bon caractère et de mœurs sociables. » Benedetto ne le connaissait pas ; Paul-Augustin avait un an lorsque son oncle avait quitté Bastia pour la dernière fois. Il n'en répond pas moins, sans tarder, qu'il voulait que son neveu vînt habiter chez lui, auprès de sa grand-mère et de sa tante. L'appartement était assez grand, la vie lui serait plus facile, il suivrait ses études et Daria lui tiendrait lieu de mère. Benedetto pensait-il au temps de ses propres études, à ces premières années de Rome, où il avait failli mourir du typhus, pènsionnaire, loin des siens ? Eprouvait-il ce besoin profond de connaître la joie d'élever des enfants, lui qui, célibataire, n'en aura jamais ?

Le 17 décembre au soir, Paul-Augustin s'embarque donc pour Livourne avec son camarade Louis Pellegrini et Auguste qui, lui, se rend à Bologne. L'université de cette ville était fameuse et Auguste avait décidé d'y poursuivre ses études de droit. Cela n'avait pas plu à Louis, qui préférait le savoir à Rome et l'avait mis en garde contre les rigueurs du climat bolonais pour ses poumons fragiles. Mais, caractère tourmenté, impulsif et indécis à la fois, Auguste paraît, à cette époque, n'en faire qu'à sa tête. Salvatore, pourtant indulgent, s'en inquiétait autant que Louis.

Contrarié par la tempête, le voyage par mer fut horrible et dura quatorze heures, le double du temps prévu. Les deux frères débarquèrent à dix heures du matin, se séparèrent en s'embrassant avec émotion et Paul-Augustin prit le vapeur pour Civitavecchia avec Pellegrini et deux autres Bastiais amis de leurs familles, le docteur Lottero et Servetto. Un voiturin les emmena ensuite tous quatre à Rome, où ils entrèrent le 21 à la tombée du jour par la porte Cavaleggieri.

C'était Noël. La ville était en fête. Aux portes des églises, de petites foules pleines d'enfants rieurs se bousculaient pour admirer les crèches, qui formaient autant de scènes fabuleuses peuplées d'anges, de soldats romains et d'animaux exotiques. Certaines comportaient des centaines de petits personnages, surpris dans les gestes de leurs métiers et de la vie quotidienne et ingénieusement animés par un mécanisme mû par un filet d'eau. D'autres, monumentales, se réduisaient à quelques personnages hiératiques, en grandeur naturelle, qui paraissaient gigantesques aux enfants.

Dans les rues, l'air sec et froid portait au loin d'étranges mélodies, aux sons aigus et mélancoliques, de cornemuses et de pipeaux. « *Tu scendi dalle stelle...** » C'étaient les *zampognari*, bergers des Abruzzes, venus de leurs pâturages d'hiver aux portes de Rome, où ils avaient laissé leurs troupeaux. Vêtus de peaux de mouton, en *ciocie* et chapeaux pointus, ils allaient lentement, comme un très

---

* « Tu descends des étoiles... » (air traditionnel).

178

ancien souvenir, et les mères poussaient vers eux les enfants, une piécette à la main, car ils étaient les messagers du mystère qui approchait et ils portaient bonheur.

A Santa Maria d'Ara Coeli, où toute la ville affluait, un troupeau de moutons paissait au bas de l'immense escalier. La nef, éclairée à giorno par les lampes votives et des milliers de cierges, paraissait plus grande encore, vaste comme une place, par les allées et venues de fidèles entre la crèche et l'autel, où le bambin Jésus, paré de ses vêtements brodés d'or, étincelait dans un brouillard d'encens.

Ce fut le premier tableau de l'Italie des fêtes que vit Paul-Augustin, le lendemain de son arrivée via della Gatta, qui était à deux pas. Benedetto et Daria l'emmenèrent ensuite à Saint-Pierre. Il vit le vieux pape Grégoire XVI passer tout près de lui, dans le balancement de la sedia gestatoria qui le portait au-dessus de la foule, entre deux immenses éventails de plumes d'autruche, figé dans les fastueux et lourds habits sacerdotaux sous la tiare qui scintillait de loin, comme dans un autre monde...

Via della Gatta, dans la maison heureuse qu'était celle de Benedetto, l'accueil avait été autrement chaleureux que celui fait jadis par l'oncle Thomas au jeune Salvatore. Dès le premier soir, Paul-Augustin s'y était retrouvé dans l'intimité et la chaleur des affections familiales. Et comme les cours ne devaient reprendre qu'après les fêtes, au début du mois de janvier, il profita de ces quelques jours de répit pour visiter Rome avec son camarade Pellegrini. Forum, musée du Capitole, Colisée, les quatre basiliques, il note chacune de ses promenades en détail. Le 31 décembre, il va chanter le traditionnel *Te Deum* de fin d'année dans l'église du Gesù, « où était le pape entouré des cardinaux ; mais je n'ai rien pu voir, tant il y avait de foule ».

L'année 1842 à peine commencée, le 2 janvier, Paul-Augustin s'inscrit à la Sapienza pour les cours de philosophie, de mathématiques et de physique ; puis, le 15, à l'académie de San Luca pour l'architecture. Il note soigneusement le nom de ses professeurs : Pieri pour l'introduction au calcul, et Barlocci pour la physique expérimentale. Il prendra, au début, quelques leçons particulières de mathématiques avec Calandrelli, pour se mettre au niveau romain, mais pourra rapidement s'en passer. A San Luca, son professeur est Antonio Sarti, « l'un des meilleurs architectes romains », qui était en train de terminer l'une de ses œuvres majeures : le maître-autel de l'église du Gesù.

Avec tous, il se met au travail avec joie. « Pour la première fois, j'ai vu aujourd'hui des expériences de chimie. Elles sont très agréables et amusantes », note-t-il, par exemple, le 13 janvier. Tout l'intéresse et lui plaît ; jusqu'aux exercices spirituels que les jésuites, qui avaient repris l'université en main, imposaient aux élèves de la Sapienza en début d'année : quatre jours de messes et de sermons. « On peut en faire son profit », écrit-il simplement, en adhérant à la congrégation de la Sapienza. En mai, il passe sans peine son baccalauréat italien, exigé pour son inscription à l'université. Il le note succinctement. Son journal n'est pas prolixe — « Je ne suis pas un lettré », écrit-il à Salvatore, et seuls quelques événements, comme la mort exemplaire de son maître Pieri, en sortant de son cours à la Sapienza, y tiennent plus de quelques lignes.

« 8 juin 1842. Le matin de ce jour, je suis allé comme d'habitude au cours de Pieri. A un quart d'heure de la fin, alors qu'il était au beau milieu d'une démonstration de géométrie analytique, Pieri pâlit, s'arrêta et s'assit ; puis il nous dit : "Mes enfants, j'ai à vous enseigner une vérité plus importante que la géométrie analytique." Alors, il dit qu'il n'avait plus assez de forces pour continuer son cours, que nous devions être humbles dans la recherche de la connaissance car tout nous vient de Dieu, et il termina ainsi : "Ici finit mon cours et je vous dis au revoir pour toujours, dans l'éternité du Paradis." »

Une licence de philosophie et de mathématiques à la Sapienza en juin 1843 suivie d'un doctorat dans les mêmes matières en juin 1844, premier prix d'architecture théorique à San Luca en septembre 1846, premier prix d'architecture pratique en septembre de l'année suivante : les études de Paul-Augustin à Rome seront brillantes et apparemment sans effort. A partir de 1843, il récoltera chaque année un certain nombre de médailles en argent, pour l'achitecture, le dessin, le « calcolo sublime », qui distinguaient les meilleurs élèves du cours. Saint Luc y chevauche le taureau ailé, son symbole, au revers du profil du pape régnant avec l'année de son pontificat et du prix. Chaque fois, il les enverra à ses parents à Bastia. Dans le petit médailler où il les fera encadrer plus tard, il y joindra une médaille de l'académie des Lincei au nom de Benedetto Viale, comme un clin d'œil d'affection au « buonissimo zio », ainsi pour toujours associé aux souvenirs que ces médailles évoquent.

La messe solennelle sous la coupole baroque de la blanche église des Saints-Luca-et-Martina, en bordure du Forum, au pied du Capitole ; le lent cortège des élèves jusqu'au grand salon de l'académie attenante, aux murs festonnés de guirlandes de fleurs ; l'intimidant parterre de cardinaux, professeurs, artistes, le tout-Rome des lettres et des arts s'installant lentement pour la cérémonie de remise des prix ; le brouhaha, les sourires, les mots, les réponses qu'il faut faire avec élégance, le cœur serré par l'émotion.

Puis son nom qu'on entend appeler, cet interminable espace de dallage vide qu'il faut traverser vers l'estrade sous les applaudissements, la couronne de laurier qu'on vous pose sur la tête, de nouveau le dallage nu, glissant, la main fermée serrant la précieuse médaille, le cœur battant très fort, face maintenant à ces centaines de visages parmi lesquels on cherche ses parents du regard, quand on a la chance de les savoir dans la salle.

Paul-Augustin n'avait pas encore dix-neuf ans quand il reçut ainsi sa première médaille et sa première couronne, le 30 novembre 1843. Maria Nicolaja n'avait pu venir, car il pleuvait, et, à quatre-vingts ans, sa santé donnait des inquiétudes ; mais Benedetto et Daria étaient là. Paul-Augustin avait même ce bonheur, ce jour-là : sa famille le voyait. Et le sentiment de faire honneur à sa famille, pour un petit Corse, on sait ce que c'est... Mais il note simplement dans son journal : « 30 novembre 1843. Ayant obtenu le 6 septembre le second prix au concours d'architecture élémentaire, j'ai été couronné aujourd'hui à l'académie pontificale de San Luca au Capitole et j'ai reçu une médaille en argent, de la valeur d'un écu. Le sujet du concours était "Architrave, frise et corniche du Temple d'Antonin et Faustine, dans le Campo Vaccino, à Rome [107]." »

De la via della Gatta à San Luca, le plus court chemin, même pas cinq cents mètres, passe par le Capitole et sa place parfaite, hommage de Michel-Ange à ce que l'art, le temps et l'histoire ont fait de plus beau au monde.

Quand on en dirait chaque pierre, on ne pourrait encore en imaginer l'harmonie. Tout y est modèle et leçon pour l'esprit, don et promesse pour le cœur. Et ce n'est rien encore auprès du sentiment de plénitude qu'on y éprouve, simplement, à s'y sentir vivre sous le ciel d'Italie.

Pendant six ans, ce sera le chemin de Paul-Augustin, son carton à dessins sous le bras, tous les sens éveillés. Et l'on connaît sa disposition au bonheur. Pendant six ans, aussi, ce fut son autre enseignement, celui que donne la réalité même de Rome, le plus constant, peut-être, de sa jeunesse, qu'il passât par la place du Capitole, en terrasse sur le ciel et l'horizon de la ville, ou par l'église de l'Aracoeli, pour la fraîcheur de sa pénombre, quand le soleil bat trop fort sur les pierres et brouille les regards, au-dehors.

Repos des yeux, apaisement des sens, mais aussi nouvelle grâce et plus profond mystère qu'évoquaient d'autres mots sonores, donnés, comme un « la », par ce nom d'Aracoeli : *foederis arca, domus aurea, turris eburnea, janua coeli...* que Paul-Augustin retrouvait d'instinct, dans la mémoire de son enfance. *Cernis custodia qualis :* ici aussi, il était chez lui. Lueurs dorées sur les marbres et les mosaïques, pourpre lointaine de quelque allégorie sacrée, points de fuite successifs où convergeaient les lignes à mesure qu'il avançait, l'immense nef l'exaltait, l'inspirait autant que la perfection de la place, par ce qu'elle laissait imaginer dans la pénombre qui l'enveloppait.

Un jour, lui aussi créerait quelque chose de beau, son œuvre. Quoi ? Il était trop jeune pour le savoir déjà. Mais à vingt ans, l'avenir était à lui, comme l'était ce passé généreux et sublime qui chaque jour lui était ainsi donné. Il était heureux, et le savait. Et après tout, une vie de bonheur à Rome est déjà un chef-d'œuvre.

Esquisses et projets s'accumulaient dans ses cartons. Il en classait et datait les meilleurs, avec la présomption de la jeunesse, mais aussi la foi de l'artiste qui croit en son talent : « *Ag. Viale faceva...* », reportant le sujet sur de grands cahiers. Il était doué. Un petit carnet de croquis romains, pris sur le vif, le montre mieux encore que ses travaux d'école. Tracés au crayon d'un trait net, creusés d'ombres légères, on y sent la main qui suit un regard amoureux de ce qu'il voit : des monuments, bien sûr, San Clemente, le Forum, les jardins Farnèse, mais aussi des paysages de Frascati, quelques scènes de la campagne romaine, l'allée de Mondragone, des paysannes, les grands bœufs blancs hiératiques aux cornes effilées.

Plus que les feuilles teintées d'ocre et de bleu clair de ses dessins d'architecture dans le goût néoclassique du temps, ces croquis semblent dire la qualité du plaisir qu'il éprouvait à regarder autour de lui, le crayon à la main, la qualité de son bonheur de vivre à Rome. Ce bonheur paraît avoir été sans nuages. Ses lettres, celles de sa famille, son journal, comme les souvenirs qu'oralement, plus tard, Nicoline, sa sœur, transmettra à Bonne-Maman, tout est imprégné de la même lumière, fervente ou sereine, mais toujours rayonnante sur ce qu'elle éclaire.

Ce sont des souvenirs de jeune homme heureux, disait tante Loulou, comme si elle l'avait elle-même connu — et dans son talent généreux pour animer les êtres c'était tout comme —, en les évoquant quand nous parcourions les lieux qu'il avait aimés. La via delle Gatta, bien sûr, où Maria-Nicolaja ne se plaisait plus autant car elle sortait de moins en moins, avec l'âge, et l'appartement n'avait pas de vue ; le chemin vers San Luca ; la petite fontaine au coin de la Sapienza et l'eau, jaillie du livre, que l'on boit, geste propitiatoire, avant les examens. « Paul-Augustin le faisait chaque fois, comme, avant lui, le faisaient Salvatore, Benedetto et Michel ; et Louis aussi y avait bu, un jour qu'il passait devant avec Benedetto. L'oncle Tommaso, je ne sais pas. Mais je ne l'y vois pas », disait Loulli. Et nous aussi, nous nous penchions pour boire l'eau de la fontaine dans le creux de nos mains, si fraîche, comme ta voix, encore...

L'architecture était la vocation profonde de Paul-Augustin. Il « a de l'enthousiasme pour l'architecture », écrit Auguste à Louis. Mais, à la Sapienza, il se révélait tout aussi bon en mathématiques. Pour rétablir la situation financière de la famille, ne vaudrait-il pas mieux qu'il devînt ingénieur? Il se pose la question au lendemain de son doctorat en philosophie et mathématiques, passé brillamment. « Rome, 11 juin 1844. Hier soir à sept heures et demie, j'ai été reçu docteur en philosophie et mathématiques à la Sapienza, en présence de huit examinateurs et du cardinal Riario Sforza. Voilà un souci de moins », écrit-il, désinvolte, à son père. Auguste, qui était présent, compense sa modestie : « Agostino s'est fait beaucoup d'honneur. Il a été d'une rigueur et d'une clarté vraiment rares. Il mérite des éloges sous tous les rapports ».

Mais quelques jours après, début juillet, une longue lettre de Paul-Augustin explique ses doutes à Louis, qui peuvent se résumer ainsi : il préfère être architecte, c'est sa vocation « passionnée », mais si son père estime qu'il pourrait mieux contribuer au rétablissement de la famille en devenant ingénieur, il est prêt à le faire. « Ce que vient d'écrire Agostino est pensé avec sagesse et jugement », a ajouté, en post-scriptum, Benedetto. Louis est ému. Il répond que le métier d'ingénieur est en effet un métier lucratif et d'avenir ; mais celui d'architecte offre, lui aussi, beaucoup d'opportunités en Corse, « dans notre pays où l'on voit s'élever chaque jour de nouvelles constructions ». De plus, « tu seras le seul bon architecte dans notre ville ». Que Paul-Augustin suive donc sa vocation, et toute la famille en sera heureuse. Je ne voudrais pas que le portrait de Paul-Augustin paraisse trop flatté ; mais il faut encore y ajouter un trait. Sur sa pension de la bourse Sisco, il enverra chaque année cent écus à Bastia, pour la dot de sa sœur Angéline.

Il ne mène pourtant pas à Rome une vie rétrécie, bornée par les études. Comme Louis, il aime l'Opéra. On le voit au théâtre Valle, à la représentation du *Barbier de Séville*, à l'Opéra pour celle — encore — du *Marin Faliero*, qui lui rappelle son vieux maître Tommaseo et ses leçons de latin. Il suit les fouilles qui ont repris au Forum, encore appelé Campo Vaccino. Il fréquente assez régulièrement les séances publiques de l'académie Tibérine et celles de l'Arcadia, où il note les titres des meilleures œuvres récitées et leurs auteurs, bien qu'il dise à Salvatore ne pas en être excessivement séduit. Les grandes cérémonies religieuses, avec leurs chœurs, le faste spectaculaire des processions pontificales lui plaisent infiniment plus, piété à part. Il s'y intéresse aussi, pour ainsi dire, par raison de famille. A la procession du Corpus Domini de mai 1844, il observe, à côté du pape, le roi Louis de Bavière « blond, maigre et long », auprès de qui Michel est nonce à Munich.

Il manque enfin rarement les fêtes du Carnaval, annuel défoulement des Romains avec la promenade des masques et la course des chevaux barbes sur le Corso, ses illuminations, ses tapages d'étudiants. Celui de février 1844 est particulièrement brillant. Il se promène au Corso avec Joseph Limperani, venu en voisin de Civitavecchia présenter sa jeune femme à Benedetto.

Limperani avait succédé à Henri Beyle comme consul. Il y avait été nommé le 22 mai 1842, deux mois à peine après la mort de Stendhal, au grand dépit de l'affreux Lysimaque qui, après avoir empoisonné le séjour de ce dernier, avait fait cent bassesses pour lui succéder. Paul-Augustin le considérait comme un oncle. Il note aussi, avec le même plaisir évident, une promenade d'été à Saint-Paul-hors-les-Murs, avec Benedetto, Daria et l'oncle Salvatore Prelà, de passage, parce que la clémence du temps a permis à Maria Nicolaja de venir avec eux. Louis Pellegrini a obtenu un premier prix de peinture, mais il le voit moins. Il voit moins encore son cousin Benedetto Prelà, qui est censé faire ses études de médecine. Grâce aux dernières volontés de Joseph Sisco, il n'a même pas eu besoin de se présenter au concours à Bastia, mais il ne se montre pas plus sérieux que ne l'était son père à son âge. L'oncle Tommaso n'a pas voulu le voir, et c'est Louis, par lettres, qui lui fait la leçon ; sans aucun résultat. En fait, le meilleur ami de Paul-Augustin est toujours son frère Auguste, revenu à Rome. « Auguste était mon seul véritable ami, ici ; celui auquel je pouvais confier toutes mes pensées », écrira-t-il à leur père, lorsqu'Auguste, gravement malade, repartira pour Bastia.

Auguste n'avait pas résisté longtemps au climat de Bologne, d'où la rigueur de l'hiver l'avait fait fuir vers des cieux plus cléments, et il était allé à Pise. Giuseppe Vanneschi avait fêté son retour en Toscane, si près de lui, comme le retour de l'enfant prodigue. Vanneschi était au comble du bonheur. Il s'était remarié, épousant Antonietta en novembre 1839, et il venait d'en avoir un deuxième enfant, une deuxième fille : Lidia. Et comment avait-il baptisé la première ? Augusta.

Mais Auguste n'avait pu s'inscrire à l'université. Il était donc revenu à Rome, depuis février 1842, bien malgré lui, et le faisait sentir à la famille, à Benedetto surtout. Celui-ci aurait voulu qu'il revienne habiter via della Gatta. Il y avait encore une chambre pour lui. Auguste avait préféré s'installer en ville, assez loin, vicolo del Governo Vecchio et, au début du moins, refusait même de venir prendre ses repas en famille. Peut-être y avait-il eu entre oncle et neveu quelque incident qu'on ignore. Benedetto, en tout cas, ne manifeste sa déception qu'avec retenue, et parle seulement à Louis de « l'inconstance de caractère » de son fils.

Les lettres de Louis à Auguste sont plus sévères. « Tu écris quatre sottises en une », répond-il aux explications d'Auguste sur ses voyages. En février, Auguste lui annonce soudain qu'il renonce à ses études de droit et qu'il veut se faire prêtre. « La vie sacerdotale demande une constante abnégation de soi, et je crains qu'elle ne te pèse, à toi qui es homme de passions ardentes », lui écrit Louis ; mais il en accepte bientôt l'idée. Il l'annonce à Michel, à Munich. A mesure que le temps passe, il en paraît même assez satisfait. Ses lettres sont à nouveau pleines de sollicitude et de conseils ; celles d'Auguste, d'amour filial retrouvé. A Rome, il revient prendre ses repas à la maison. Il sort souvent avec Paul-Augustin, va avec lui à l'académie Tibérine. Le 10 octobre 1843, Paul-Augustin note dans son journal : « Mon frère Auguste, à midi, a revêtu l'habit sacerdotal, selon sa vocation. » En décembre, Louis lui écrit : « Je voudrais savoir à quelle époque tu prévois d'être ordonné prêtre. Je souhaite vivement que cela se fasse à une date où je pourrais venir assister à ta première messe [108]. »

Mais Auguste vient à peine de prendre les ordres mineurs qu'il se cabre et fait volte-face. Louis en est ulcéré d'autant plus qu'il l'apprend par la rumeur publique. « De nombreuses personnes, revenues de Rome, m'ont assuré que tu ne veux plus te faire prêtre et que tu as décidé de reprendre tes études pour devenir avocat. Ton silence est un manque de confiance à l'égard de ton père. Tu conviendras que tu dois me donner des explications », lui écrit-il. Et Benedetto à Salvatore : « Des sauts de ses idées et des propos inconsidérés qu'il tient, vous pouvez le juger aussi bien que moi. » On était en août 1844 ; Auguste venait d'avoir vingt-six ans. Quelques mois après il tombait malade, atteint aux poumons, et quittait Rome pour rentrer en Corse, changer d'air.

En décembre, la grande nouvelle commença à se répandre : « On dit ici que l'oncle Michel sera nommé nonce à Vienne au printemps », écrit Paul-Augustin à Louis, en décembre 1844. Michel était devenu une comète lointaine, mais qui brillait de plus en plus. A son dernier séjour à Rome, en juillet 1841, Grégoire XVI l'avait fait archevêque de Carthage. C'était un évêché *in partibus*, mais le titre rehaussait l'éclat de sa mission auprès du roi de Bavière, Louis Ier, qui avait insisté personnellement pour que le Saint-Siège prolongeât sa nonciature à Munich.

Le cardinal secrétaire d'Etat Lambruschini lui avait lui-même donné la consécration épiscopale en l'église de San Carlo ai Catinari et Salvatore était venu tout exprès de Bastia pour assister à la cérémonie aux côtés de Maria Nicolaja, Daria et Benedetto. Michel n'était resté qu'un mois à Rome et était reparti pour Munich avant la fin du mois d'août. Il restait cependant très présent en famille car il écrivait souvent, en particulier à Benedetto, son confident à Rome. De Munich, on avait également de ses nouvelles par son secrétaire particulier, l'abbé Parsi. Cet abbé, un Corse, neveu du curé d'Asco, était, depuis l'enfance, un protégé des Viale. Il connaissait aussi bien Salvatore et Benedetto qu'il appelait, avec Michel, « mes bienfaiteurs et véritables pères ».

Dans un style vif et amusant, il leur faisait la gazette de la nonciature à intervalles réguliers. « Les appartements de la nonciature, quoiqu'ils ne soient pas d'un grand luxe, car Monseigneur, étranger comme il l'est à tout ce qui n'est pas modestie, n'en veut pas, ne laissent d'être d'un goût simple et élégant... La ville est d'un aspect très gai, c'est une nouvelle Athènes. » Ainsi campe-t-il, dans sa première lettre, le décor où Michel vivra huit ans. C'est un véritable reportage, en sept feuillets, écrits serrés, sur de grandes feuilles illustrées de gravures des principaux monuments de Munich, où, après l'ameublement, il décrit le train de vie domestique, l'emploi du temps de Monseigneur le nonce et sa première sortie officielle, qui fut pour rendre visite au roi Louis. Celui-ci le reçut chaleureusement et tint à lui présenter lui-même les nombreux princes et princesses de la famille royale, « dont il y avait toute une pépinière », dit l'abbé. La petite Elisabeth de Bavière — dite Sissi — en était, qui deviendra impératrice. Elle avait un an, et Michel la verra grandir, avant d'assister à son mariage lorsqu'il sera à Vienne.

Les relations d'amitié qu'il établira avec le roi, extrêmement pieux, et sa famille, faciliteront considérablement sa tâche diplomatique. Le roi de Bavière était le beau-frère des rois de Prusse et de Saxe et de l'archiduc Charles d'Autriche, père du futur empereur François-Joseph. A Munich, Michel était ainsi au cœur de la politique familiale des royaumes germaniques, et son activité diplomatique touchait autant aux problèmes politiques qu'aux problèmes religieux.

Un hasard de l'histoire, qui avait donné la couronne de Grèce à un prince bavarois, Othon, fils du roi Louis, lui fera même jouer, en

1844, un rôle non négligeable pour empêcher que la couronne grecque ne tombe entre les mains de la Russie. Les Grecs, révoltés, exigeaient en effet que leur roi prît la religion orthodoxe ; mais le roi Louis s'opposait à ce que son fils restât sur le trône au prix d'une apostasie. La France, l'Autriche, la Grande-Bretagne et la Russie étaient engagées dans la négociation, que le nonce suivait pour le Saint-Siège. Mais c'est par la confiance personnelle qu'il inspirait au roi Louis que Michel contribua à trouver la solution qui, en maintenant Othon Ier sur le trône, satisfaisait la Bavière et l'Autriche autant que le Saint-Siège.

La vie de Michel était maintenant du domaine public. A Bastia comme à Rome, on pouvait la suivre dans les journaux. La Bavière était, plus encore que l'Autriche joséphiste, le champion du catholicisme dans l'Europe germanique et la mission diplomatique du nonce à Munich débordait largement ses frontières. C'était une mission de combat.

Après les bouleversements de la Révolution et de l'Empire, il fallait, partout en Allemagne, rétablir les positions du Saint-Siège contre les pouvoirs pris par l'Etat dans le domaine religieux, repousser les pressions protestantes et les menées hérétiques, définir de nouvelles relations entre l'Eglise et l'Etat. Michel se rendra ainsi plusieurs fois en Prusse, à Berlin, capitale du protestantisme militant, où il réussit à gagner la sympathie du nouveau roi Frédéric-Guillaume IV. Il eut aussi la satisfaction de faire libérer enfin l'archevêque de Cologne, Mgr Droste. En Bavière même, il obtint l'abolition du placet royal sur les communications entre les évêques et Rome, et il renforça la fermeté du roi face à son gouvernement, qui refusait encore de supprimer l'édit de religion.

« Les protestants considèrent la Bavière comme le bastion de l'ultramontanisme et les souverains allemands protestants ont une telle crainte de l'atmosphère catholique de Munich que le gouvernement de Wurtemberg a défendu aux ecclésiastiques de ce royaume de s'y rendre sans une permission spéciale », pourra écrire Michel à la fin de sa mission, en 1844, dans un rapport à la secrétairerie d'Etat, dont l'original, corrigé de sa main, est resté dans ses papiers personnels [109].

Tous les témoignages sur cette période de sa vie l'attestent par ailleurs. L'activité considérable qu'il y déploya, ferme sur les principes, souple et persévérante dans l'action, le désignait incontestablement comme l'un des meilleurs diplomates pontificaux de son temps. Et, d'abord, aux yeux de Metternich. « Le prince de Metternich, qui ne l'avait plus perdu de vue depuis son *Rapport* politico-religieux sur les affaires de Suisse, et avait eu l'occasion de s'entretenir personnellement avec lui à Munich, fut tellement séduit qu'il décida de le faire venir à Vienne », écrit Mgr Fantoni.

17

« 22 août 1845. Ce matin, nous avons commencé à déménager de
la Via della Gatta, car l'oncle Michel ayant été élevé à une charge
aussi lumineuse, nous devons habiter une nouvelle maison, pour ne
pas faire mauvaise figure. La nouvelle maison se trouve place San
Pantaleo, au n° 49, deuxième étage. C'est précisément la maison où
habitait autrefois l'oncle Tommaso Prelà », note Paul-Augustin dans
son journal.

Il est ravi. Sa chambre, bien que plus petite, est « gracieuse et
pleine de lumière ». Maria Nicolaja l'est encore plus. Elle a enfin de
la vue, et des plus animées, une partie de l'appartement donnant sur
la place, l'une des plus passantes de Rome, au débouché de la place
Navone. Sous le grand soleil de l'été, à sa fenêtre, elle est comme
au spectacle. « C'est une belle maison, et même grandiose, très
aérée, avec un bel escalier. Elle plaît beaucoup à grand-mère parce
que quatre pièces donnent sur la place San Pantaleo, qui est très
fréquentée. J'ai remarqué que, depuis que nous y sommes, grand-
mère s'est remise de ses indispositions et va très bien, grâce au bon
air qu'elle respire », écrit Paul-Augustin à son père.

Son grand dessin de la cour du palais Valle, colorié au lavis, garde
un peu de cette éclatante lumière du mois d'août à Rome, qui
soudain entrait à flots et baignait leur intérieur, transformant
jusqu'à l'aspect des meubles et des objets familiers, comme cette
cour du palais, dont la fuite du grand escalier paraît se perdre dans
un éblouissement.

C'était la même lumière, animant le même jeu d'ombres soyeuses.
Le palais Valle est à deux pas de San Pantaleo, en face de Saint-
André, et le concours de perspective pour lequel le dessin a été fait
avait eu lieu, le 4 août. Paul-Augustin se plaint d'ailleurs, à la
maison, de n'avoir pas eu le temps de le fignoler, ce qui ne lui
vaudra qu'un deuxième prix à San Luca, mais le rendu du dessin,
tout de lumière plus que d'architecture, n'en rend sans doute que
mieux ses sentiments [110].

Michel était arrivé à Vienne en juillet. Mais à part le déménagement, que justifiait d'ailleurs tout autant l'avancement de la propre carrière de Benedetto, sa promotion ne changea rien au train de vie de la famille à Rome.

Certes, sa réputation rejaillissait sur celle de son frère, avec lequel on le savait profondément uni, et augmentait encore, s'il se pouvait, la confiance que les hauts dignitaires de la curie faisaient à celui-ci en sa qualité de médecin de la famille pontificale. Mais Benedetto était déjà en termes de confiance avec le cardinal secrétaire d'Etat Lambruschini et, peut-être même plus que Michel, dans sa familiarité, comme jadis Tommaso Prelà l'avait été dans celle de Consalvi.

L'oncle Tommaso, qui, à quatre-vingts ans, menait une vie des plus retirées entre sa femme et sa bibliothèque, en était d'ailleurs fier, comme il était fier que Michel perpétuât le souvenir de son nom. Les reproches et les malentendus de jeunesse étaient loin. Ce fut probablement pour son neveu plus que pour sa sœur Maria Nicolaja que l'ancien archiatre fut un des premiers à leur rendre visite dans leur nouvelle maison, qui avait été la sienne autrefois.

Mais Benedetto était moins fasciné par le monde que ne l'avait été son oncle, et pas du tout intéressé. Ses responsabilités à l'hôpital de San Giacomo, ses cours de clinique médicale, ses travaux de recherche en chimie, ses fonctions à la curie lui laissaient peu de temps libre et ce peu qu'il en préservait, il préférait le consacrer à sa famille, à la vieillesse de sa mère sur laquelle il veillait avec la tendresse d'un fils et l'attention du médecin, aux études de Paul-Augustin, à la santé d'Auguste quand il était là. « Auguste a craché un peu de sang et l'oncle Benedetto pleurait », dit une lettre de Paul-Augustin à Louis.

Daria tenait la maison, avec les deux domestiques Agnese et Zelinda. Elle avait déjà cinquante ans et n'avait jamais voulu se marier, bien qu'on le lui eût encore proposé dix ans auparavant. Les quelques lettres que l'on a d'elle sont d'une femme de tête plus que de dévotion. Elle paraît avoir été sévère avec ses neveux, très stricte sur les bonnes manières et la vie en société. Mais la personnalité de ses frères devait lui faire beaucoup d'ombre ; même si, au fond, elle paraît s'être imposée, au début du moins, chez Benedetto, auprès de qui elle était simplement venue en visite pour voir Rome, si l'on en croit ses lettres. Sur le tard, elle s'était mise à faire du dessin, puis à peindre, du moins à ce qu'elle dit, car il n'en est rien resté, et passait beaucoup de temps à l'église, comme l'époque et sa position sans doute le voulaient. Dans ses papiers, il y a de multiples billets à en-tête du « Patronat des Dames pieuses de San Pantaleo », du « Pieux Institut de Charité de San Lorenzo in Damaso » son église paroissiale, de l'« Union pieuse du cimetière de Santo Spirito pour les messes des âmes du Purgatoire ».

Zia Nicolina, qui l'avait vue à Rome, dira qu'elle vivait en princesse dans un appartement grand et beau comme un musée, avec carrosse et domestiques en livrée, un peu sourde et assez hautaine. Mais ce sont des souvenirs de la fin de sa vie ; Daria avait alors près de quatre-vingt-quatre ans et mourra la dernière. Bonne-Maman en avait déjà quatorze.

Trente ans auparavant, le train de vie piazza San Pantaleo était encore modeste, plus sans doute qu'il ne l'était du temps où l'oncle Tommaso y habitait. Paul-Augustin portait cet été-là une redingote bleu ciel qu'il aimait beaucoup, mais qui datait de trois ans. Il eut du mal à prêter trente écus à son cousin Benedetto Prelà, criblé de dettes, qui rentrait en catastrophe à Bastia. On se réjouissait avec De Matthaeis de goûter la boutargue corse que Louis venait d'envoyer, comme il envoyait toujours *coppa, lonzo, figatelli* et farine de châtaignes en hiver. Limperani était de passage. Il venait moins souvent à Rome que Stendhal, car il avait loué une maison de campagne agréable à Tolfa, sur les hauteurs de Civitavecchia. Salvatore, que l'on attendait, venant de Toscane, lui avait promis de s'y arrêter au retour. La vie, pour tous, s'écoulait, harmonieuse.

Le palais Colonna, où l'ambassade de France était alors installée, est l'un des plus fastueux de Rome, mais aussi l'un des plus secrets. Ses façades vaguement rococo seraient plates si elles n'étaient rehaussées par la couleur rouge-orangé du crépi, sur lequel la lumière joue subtilement à chaque heure du jour.

Sur la place des Très-Saints-Apôtres à côté de la basilique et face au monumental palais Odescalchi, on pourrait même ne pas le remarquer. A l'encontre des autres palais romains, dont la façade est comme un autel élevé à leur gloire princière, il se tient en retrait, derrière un avant-corps d'anciennes écuries et une immense cour qui est comme une place privée. On y pénètre par un porche en forme de grotte, comme par d'autres grottes et tunnels on parvient à d'autres cours et à d'autres palais qui forment comme une petite cité-forteresse, close sur elle-même. Mais quand on croit être arrivé tout au fond, un pont de marbre enjambe la ruelle, au sortir de la grande galerie, et prolonge le palais par des jardins en terrasses qui montent jusqu'au Quirinal, taillés, ratissés, cultivés mais déserts, abandonnés aux oiseaux et aux statues antiques.

L'ambassade était logée dans le bâtiment accolé à la basilique, au premier étage, et c'est là que Pellegrino Rossi, qui venait d'arriver à Rome, avait donné rendez-vous à Salvatore.

Ils ne s'étaient pas revus depuis leur rencontre à Paris, en 1828, mais étaient restés en correspondance, d'assez loin il est vrai. Ils avaient échangé quelques-uns de leurs livres et ce genre de politesses qui n'engagent à rien mais laissent ouvert l'avenir. Une fois, Pellegrino Rossi s'était départi de sa froideur en remerciant Salvatore de l'envoi qu'il lui avait fait du *Voto di Pietro Cirneo*, en 1839. Il partait pour sa première mission à Rome, au sujet des jésuites : les relations de Michel et de Benedetto dans la curie pouvaient lui être utiles. Mais on comprend que la personnalité de Rossi, intellectuel homme d'action, ait séduit Salvatore, au-delà de tout calcul d'intérêt et de leur goût commun pour Byron.

Né Toscan, à Carrare, et docteur en droit de l'université de Bologne, Pellegrino Rossi avait commencé par être révolutionnaire sous le roi Murat dont il avait été le commissaire général en Romagne et l'inspirateur pour l'appel à l'unité italienne de 1815. Réfugié en Suisse à la chute de l'Empire, il était devenu citoyen helvétique, député à la Diète et avait présenté un projet de Constitution qu'avaient rejeté les Cantons. Passé alors à Paris, devenu citoyen français, il était entré à l'académie des Sciences morales et politiques. Louis-Philippe l'avait fait comte et pair de France. La confiance de Guizot venait de l'envoyer à Rome comme ambassadeur. Et c'est en ambassadeur qu'il reçut Salvatore.

Auguste raconte ainsi l'entrevue : « Il revit Pellegrino Rossi à Rome, en 1845, lorsque le célèbre doctrinaire y représentait la France en qualité d'ambassadeur. L'oncle Salvatore nous dit avoir trouvé l'illustre et malheureux homme d'Etat complètement changé. Il ne parlait pas, nous dit-il. Si c'est de la diplomatie qu'il a prétendu faire, il s'est trompé, car jamais homme n'a moins été porté que moi aux réceptions officielles... » Salvatore sortit manifestement déçu.

J'aimerais le voir sourire ici, au moment où il redescend le grand escalier sous la Méduse en porphyre, à la pensée qu'Edouard naîtrait un jour à l'étage au-dessus, où Louis ferait ses premiers pas, dans cette maison d'un autre bonheur romain, notre bonheur. Ombres mauves de la terrasse contre l'abside des Très-Saints-Apôtres, volets clos sur l'aveuglant éclat de la façade rouge, petites voix d'enfants disant « Salvatore » avec la sonorité italienne sous le regard de ses portraits, et nous aussi, fugitivement sortis du temps à la rencontre des bœufs blancs du Soracte, dans ce bonheur qui n'est qu'à Rome et qu'ensemble nous aurons tous vécu...

Salvatore était arrivé pour quelques jours seulement de Toscane, où il était resté tout l'été chez Raffaello Lambruschini, dans son studieux paradis de San Cerbone, à Figline Val d'Arno. Dans sa revue *Le guide de l'éducateur*, Lambruschini venait de publier un article en forme de lettre qu'il lui avait adressé, en janvier, sur les effets de la littérature romanesque sur l'éducation [111].

L'article, inspiré des idées du renouveau moral ambiant, avait été très favorablement commenté. « La lettre du Viale est d'un grand honnête homme, et je ne m'en étonne pas, le connaissant depuis longtemps comme tel », avait écrit Giuseppe Giusti à Vieusseux. Il était donc, plus que jamais, plongé dans le courant qui bouillonnait autour du Cabinet littéraire, devenu un pôle d'attraction européen en Italie.

Conscient d'être citoyen français, il s'abstenait de toucher aux thèmes politiques trop brûlants, mais n'en participait que plus activement au débat d'idées littéraire et moral. Pour remplacer l'*Antologia* supprimée par la censure toscane, Vieusseux avait créé avec Gino Capponi, en 1841, une nouvelle revue, peut-être plus ambitieuse et efficace, *L'Archivio storico*, qui jouera un rôle important dans le Risorgimento. Salvatore qui, avec Louis, en assurera la diffusion en Corse, y publiera plusieurs articles, et c'est dans cette revue que paraîtra d'abord sa biographie par Tommaseo.

Sauf une ou deux semaines à Rome pour voir sa mère, Salvatore

Salvatore (Rome, 1816)

Simon-Jean Favalelli

Devise de la maison

Le port de Bastia, avec la maison

Tommaso Prelà

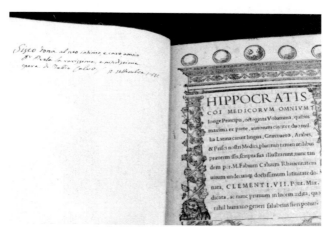

L'Hippocrate de sa bibliothèque

La maison

Maria Nicolaja

Louis

Marie-Sébastienne

Michel (Vienne, 1849)

Armoiries cardinalices

Grégoire XVI

Metternich

Pie IX

Villa San Cerbone, Figline val d'Arno

Le palais Colonna, Rome

Michel (1857)

Salvatore (1857)

Benedetto (1860)

passait désormais chaque année à Florence ou à Figline la plus grande partie des longues vacances judiciaires d'été. Il débordait d'activité littéraire et chaque année voyait la publication de quelqu'une de ses œuvres. Ses *Principes des Belles-Lettres* avait paru en 1839 à Livourne. La troisième édition de la *Dionomachia*, en 1842. Cette même année, petite consécration, la revue *L'Utile-Dulci* d'Imola — il était membre de l'académie des Filergeti de Forli — lui avait demandé son autobiographie. Par modestie, il l'avait rédigée à la troisième personne et refusé de la signer, bien qu'il s'y traitât avec détachement et une pointe d'ironie. En 1843, ce fut le quatrième volume de son recueil des poètes et chants populaires corses, publié à Bastia, avec l'*Alberto Corso*. En 1845, enfin, paraîtront à Trieste les inédits jusque-là restés dans ses tiroirs, que Tommaseo lui avait demandés.

Ils s'étaient revus l'année précédente, en octobre, à Venise, où Tommaseo avait affectueusement invité Salvatore. « Je m'emploie à mériter les attentions qu'il eut pour moi, avec tous les siens, à Bastia », note-t-il dans son journal intime. Professeur à l'université, Tommaseo était engagé, à son habitude, dans quatre ou cinq ouvrages à la fois. L'un d'eux était l'édition de la correspondance de Pascal Paoli, à laquelle Salvatore avait tant contribué, et que Vieusseux allait faire paraître à Florence en 1846. Tommaseo l'avait installé dans sa propre maison, l'avait présenté à ses amis. Ensemble ils avaient visité Venise, la lagune, les verreries de Murano.

Salvatore paraît avoir été moins touché par la beauté de la ville que par sa tranquillité. « On n'entend même pas chanter un coq, disait-il », rapportera Tommaseo. Curieusement, les trois lettres qu'il adressera de Venise à Louis ne parlent pas non plus de la ville, même par allusion. Salvatore n'a manifestement pas été sensible au charme de Venise ; peut-être à cause de son amour pour Florence, qui en est l'opposé.

Au retour, il avait envoyé ses œuvres inédites à Tommaseo : la farce du carnaval de 1811, une saynète, *La consultation posthume*, ses réflexions sur la Suisse, auxquelles il avait joint le récit poétique d'une excursion en Corse, sous forme de lettre à Tommaseo lui-même. Tommaseo les confia à l'éditeur I. Papsch, de Trieste, qui les publia d'abord en plusieurs livraisons dans sa revue *Le Florilège* — avec une *Nécrologie* de son vieux maître F.O. Renucci qui venait de mourir — puis en volume sous le titre d'*Ecrits inédits de Salvatore Viale*[112]. Celui-ci ne reçut pas les épreuves à corriger et s'en plaignit à Tommaseo, en lui demandant d'empêcher la publication.

« Je tiens profondément à ne pas m'exposer au public avec des cochonneries », lui dit-il. Et il demandera à Vieusseux de détruire le volume quand il le recevra. Tommaseo reprendra l'anecdote comme un exemple de ses scrupules d'auteur. Mais Salvatore avait maintenant cinquante-sept ans. Conscient des limites de son talent, il en connaissait aussi les qualités. Et il entrait dans le temps des dernières moissons. Son livre se termine, dans une évocation lyrique de sa jeunesse et de la Corse, par ces mots : « Et à ce ciel limpide et amical, du fond de mon cœur, je rends grâce d'avoir le corps et l'esprit toujours aussi actifs avec mes cheveux blancs. »

Le 21 décembre 1845, un dimanche, Maria Nicolaja s'éteignit « dans le baiser du Seigneur », sans douleurs, sans tristesse, comme on s'endort. Elle avait quatre-vingt-deux ans.

Le jeudi, se sentant fatiguée, elle était allée se coucher plus tôt que d'habitude et ne s'était plus relevée. A Paul-Augustin qui lui tenait compagnie, elle parlait de la famille restée en Corse, de Maria Orsola et de Nunzia surtout. « Elle disait qu'elle n'avait pas peur de la mort et qu'elle était, au contraire, prête à l'accueillir parce qu'elle avait la conscience en paix et ne craignait aucun remords. » Elle s'affaiblit rapidement. A l'aube, Daria relayait Paul-Augustin qui la veillait la nuit. Ce récit est de lui :

« Le samedi matin, Benedetto appela De Matthaeis et ils dirent qu'elle mourait par l'abandon de ses forces. Benedetto fit demander à Tommaso Prelà s'il voulait la voir, mais il répondit qu'il déjeunait chez un cardinal et qu'il viendrait un autre jour. Benedetto n'insista pas. Le soir, son état s'aggrava et Benedetto décida de passer lui-même la nuit auprès d'elle... Comme elle se réveilla le dimanche à sept heures, elle demanda la communion... » Benedetto avait envoyé Paul-Augustin porter un message au cardinal Mattei, qu'il trouva dans les Loges de Raphaël. Quand il revint, sa grand-mère était immobile. A trois heures de l'après-midi « elle ferma la bouche et les yeux et mourut ».

Benedetto, Daria, Paul-Augustin, Giuseppe De Matthaeis, un notaire et les deux domestiques étaient auprès d'elle. On lui fit des obsèques solennelles, avec grand-messe chantée, dans l'église de San Lorenzo in Damaso, et on l'ensevelit dans le petit cimetière de Santo Spirito. Le mois suivant, Benedetto, Daria et Paul-Augustin se retrouvèrent devant le tombeau pour sceller l'épitaphe que Benedetto avait rédigée en latin : ... « *In prosperis temperans, in adversis invicta* [113]... »

Salvatore éprouva à cette mort une peine d'enfant. Il se reprocha de ne pas avoir été présent. Il demanda à Paul-Augustin un récit détaillé des derniers jours de sa mère et, lorsqu'il le reçut, il le mit à part dans le désordre de ses papiers. En haut du premier feuillet, il a noté : « Récit écrit par mon neveu Paul-Augustin Viale à Rome », comme pour se convaincre de sa réalité. Il se reprocha tous les manquements qu'il avait pu avoir à l'égard de sa mère, toutes les déceptions qu'il avait pu lui causer.

L'âge, les circonstances l'avaient éloigné de la religion. Il eut soudain besoin de croire, et croire profondément, avec la foi de son enfance, pour espérer que tout n'était pas fini pour toujours et qu'un jour il la retrouverait. A Tommaseo, qui avait connu le même cheminement du cœur, il écrit le 3 février : « Ma pauvre mère, en mourant, m'a donné rendez-vous dans un monde meilleur et désormais je ne pourrai plus penser à elle sans penser à Dieu ; et cela me fait penser à vous plus souvent aussi. »

« Mais plus me réconforte et m'apaise — et ressuscite en moi la chère image — le souvenir de sa façon d'être et de vivre — en l'imitant pour mériter — de la revoir en Dieu », écrira-t-il dans la poésie qu'il commence alors à composer à sa mémoire et qu'il récrira et corrigera presque jusqu'à sa propre mort, pour essayer de cerner le mystère qu'il a ce jour-là ressenti. Et comme le mystère de la mort vient se fondre, rue Saint-Jean, dans cet autre mystère qu'est le mal de Maria Orsola, qui, elle, a gardé la foi, c'est elle que Salvatore appelle au secours pour l'aider à comprendre.

« Et toi, ma sœur, qui as gardé la foi en Dieu — compensation d'en haut à ta raison perdue. » La silhouette qu'il dessine, avec une infinie tendresse, de Maria Orsola poussant la porte pour demander en pleurant : « Où est notre mère ? », alors qu'elle lui ressemble tellement qu'il croit soudain revoir celle-ci, est l'une des plus émouvantes images qu'il ait laissées, et de son art, et de sa vie. L'une des plus intenses aussi, qui font de cette méditation d'amour familial, terminée en prière, l'un de ses meilleurs poèmes [114].

Tommaso Prelà mourut deux mois après, le 27 février. Il avait quatre-vingts ans et tous ses esprits. Une semaine auparavant, à la sortie d'une messe chantée au Gesù, Grégoire XVI l'avait familièrement pris par le bras pour lui faire compliment sur sa bonne santé et sa « verte vieillesse », note Salvatore. La mort de l'oncle Thomas fut une bonne mort, sans souffrances, et dont l'idée lui aurait peut-être plu : frappé d'apoplexie dans sa bibliothèque, il était mort sans avoir repris connaissance, au milieu de ses livres bien-aimés.

« Et ayant pénétré dans la deuxième pièce de la bibliothèque, j'ai reconnu le docteur Tommaso Prelà devenu cadavre, étendu par terre sur un drap de lin, avec ses bas, chemise et culotte, et qui a été reconnu par moi et les personnes présentes », écrit le notaire du tribunal du Capitole, Filippo Malagricci, appelé au Palazzo Sabino, 66 via delle Muratte, le 28 au matin.

La mort remontait à une heure et demie de la nuit. Tommaso avait-il veillé sur quelque livre rare ? Lequel vit-il de son dernier regard ? Paul-Augustin, en la circonstance, ne fit pas preuve de charité chrétienne. « L'oncle Tommaso Prelà est mort dans la nuit à une heure et demie. Il avait perdu tout sentiment et est mort comme il a vécu : *talis vita, finis ita* », note-t-il dans son journal. On voit qu'il ne l'aimait guère ; mais c'est sans doute ce que l'on pensait en famille où personne ne le pleura. Benedetto fit dire des messes « pour accomplir notre dernier devoir envers lui », écrit-il à Salvatore.

Ancien archiatre pontifical, chevalier des principaux ordres du Saint-Siège et d'Europe, l'oncle Thomas était un personnage considérable. Le notaire du Capitole procéda donc avec quelque solennité aux constatations légales, puis à l'ouverture du testament du défunt, en présence de la veuve, des deux fils que celle-ci avait eus de son premier mariage et de divers témoins. Il consigna le tout dans un document de douze grandes pages in-folio, intitulé « Reconnaissance du cadavre et ouverture du testament et du codicille de feu le Chevalier Docteur Tommaso Prelà le 28 février 1845 [115] ».

L'expression de ses dernières volontés achève en beauté le portrait de l'oncle Tommaso. On croirait l'entendre dicter. Humble, dévot dans sa profession de foi liminaire, méticuleux dans la distribution de ses nombreux legs particuliers, pompeux dans l'organisation de ses funérailles : tous les traits de son caractère sont là. Ses biens romains, c'est-à-dire toute sa fortune, « or, argenterie, bijoux, tableaux, objets précieux, meubles, y compris le carrosse et la barquette dite tudesque, bons, revenus et pensions... » vont à sa femme et aux fils de celle-ci, les trois Angelini. Il laisse ses biens en Corse, qu'il ne précise pas, et pour cause, à son frère Anton Sebastiano, sans un mot de commentaire. Sa bibliothèque, comme prévu, à la Ville de Bastia.

Le codicille en rajoute dans le naturel. Anton Sebastiano était mort, entre-temps en 1833. « ... Mon frère, qui a dirigé les affaires de la famille de façon arbitraire et sans jamais me rendre des comptes, alors que j'y étais légitimement intéressé, et dont je n'ai jamais reçu le moindre fruit des biens provenant de l'héritage de mes parents... », dit-il, on dirait qu'il le crie, s'adressant à Salvatore Prelà. Et sur ce dernier : « Si mon neveu Salvatore Prelà osait attaquer en justice mes dispositions en faveur des Angelini, qu'à l'instant même tout ce qui aurait pu lui revenir en Corse aille à la Ville de Bastia. » Quant au legs de la bibliothèque, ses dispositions redoublent de méfiance : « ... le bibliothécaire ne devra pas quitter les lecteurs des yeux... »

Aurait-il souri amèrement de voir sa méfiance justifiée ? Ses précautions pour passer à la postérité restèrent inutiles. La Ville de Bastia laissa longtemps la bibliothèque à l'abandon. Les salles n'ont reçu ni son nom ni son buste.

Quant à son tombeau, il connut d'étranges mésaventures. « Etant citoyen français et laissant à ma patrie un don aussi respectable que cette vaste et précieuse bibliothèque..., je souhaite que mon cadavre soit enseveli à Rome dans l'église nationale de Saint-Louis-des-Français, près du monument de l'illustre Mgr Natale Saliceti, Corse, qui fut archiatre du pape Pie VI, comme je l'ai été du pape Pie VII, son successeur, deux pontifes de glorieuse mémoire pour l'histoire de leur temps et particulièrement pour celle de la France... », avait-il précisé dans son codicille, avec l'ordonnance de ses obsèques et l'inscription funéraire à placer sur son tombeau.

Pour commencer, il ne fut pas enterré à Saint-Louis, j'ignore pour quelle raison. Ses confrères des Sacconi Bianchi l'enterrèrent dans la petite église de la confrérie, dans l'ombre et la fraîcheur des premières pentes du Palatin, à San Teodoro. C'est un endroit de rêve ; mais l'oncle Tommaso n'eut pas longtemps la chance d'y reposer en paix. Dans les années 1950, le pape Paul VI offrit San Teodoro au patriarche grec orthodoxe Athénagoras en gage d'œcuménisme et, dans les travaux d'aménagement, dalles sépulcrales et ossements furent enlevés. J'ai vu les dalles entassées dans un cagibi attenant à l'église. Nul ne sait ce qu'il advint des ossements [116].

18

La mort d'un pape est aussi une fête. C'est même la seule fête à la mesure de Rome, de sa grandeur, de sa beauté. De mémoire de Romain, on y a toujours couru au premier glas de Saint-Pierre, et le premier mouvement est de voir. Voir comment passe la gloire du monde, son catafalque et ses desservants ; voir comment, aussitôt, se prépare la gloire nouvelle, les signes qui l'ébauchent, encore tout enveloppée de surprises et de secrets. Les liturgies sont elles-mêmes trop belles pour ne pas en être distrait, pour ne pas oublier d'y prier. Le vrai lieu du mystère n'est d'ailleurs pas là, et où il est on n'a pas accès.

Alors, eh bien, il reste la fête et tout à voir, la foule, le parvis comme une scène, la colonnade, les palais, le ciel immense, voir tout et rien, la couleur du temps, le temps qui passe et, tout là-haut, ce point d'où s'échappera la fumée, la puissance et la gloire. Et puis, la place elle-même. On s'y promène, on s'y retrouve en badauds, en famille, entre amis ; Rome est petite. Et on attend. *Chi sarà ?* Sitôt passé le cortège de la dépouille embaumée, de l'Histoire qu'on enterre, tout devient joie dans l'attente. Fumée noire, fumée noire, fumée blanche. Une même clameur pousse la foule en avant. Les cloches sonnent à la volée. Entre les saints de pierre, les conclavistes surgissent sur les terrasses. Les cardinaux fleurissent la façade comme des fleurs écarlates. « *Annuntio vobis gaudium magnum, habemus papam !* » Qu'elle est magnétique, cette frêle silhouette blanche, encore si mystérieuse et déjà familière...

Paul-Augustin fit ce que nous faisons tous depuis des siècles. Au premier son du glas de la cloche du Capitole, il courut au Quirinal, où Grégoire XVI était mort, et ne quitta plus la rue.

« 1er juin 1846. A quatre heures de l'après déjeuner, j'ai été voir le cortège du cardinal Riario, camerlingue de la Sainte Eglise romaine, qui devait procéder, en cette qualité, à la reconnaissance du cadavre du pape... Puis je suis monté au Capitole, regarder sonner la cloche que l'on ne sonne que deux fois : à la mort du pape et à l'ouverture du Carnaval... »

« 2 juin. Le pape a été embaumé à la manière ancienne... J'ai vu porter le cerveau et les viscères à l'église des Saints-Vincent-et-Athanase, qui a droit à une partie du corps des souverains pontifes défunts. C'est la paroisse du Quirinal, où l'on fait le pape... »

« 3 juin. J'ai été voir le pape exposé dans la chapelle Sixtine, au Vatican. Le pape était au milieu, étendu sur une estrade recouverte d'une étoffe rouge et or, avec trois torches de chaque côté et un garde noble en grand uniforme aux quatre angles. On l'avait habillé en habit de voyage, c'est-à-dire camauro rouge sur la tête, mosette rouge et étole dorée sur les épaules, longue soutane de soie blanche, chaussettes de même et souliers rouges. Les frères des Saints-Apôtres récitaient l'office des morts... »

« 4 juin. On médit beaucoup de Gaetanino, de l'archiatre Poggioli et du chirurgien Baronio, qui n'ont pas pensé à faire de saignée au pape pour diminuer l'érésipèle et ont attendu jusqu'à une heure avant sa mort pour appeler les autres médecins en consultation. »

« Une heure avant midi, j'ai été dans l'antichambre de la chapelle Sixtine voir descendre le pape en procession dans la basilique Saint-Pierre, où il restera exposé pendant trois jours. On l'a porté sur un brancard rouge. La procession était ainsi composée : d'abord tout le clergé, puis tous les chanoines du chapitre et les monseigneurs de manteau, vêtus de noir, puis le brancard avec le cadavre découvert, suivi des deux secrétaires d'Etat, Lambruschini et Mattei, avec tous les autres cardinaux en soutane violette, couleur de deuil, et les monseigneurs de mantelet, tout vêtus de noir. J'ai suivi le cortège qui est passé par la Scala Regia et par l'atrium pour entrer dans la nef de la basilique, où on a déposé le pape dans la chapelle du Saint-Sacrement. On en a fermé les grilles, de telle sorte que les pieds du pape dépassaient des barreaux, pour permettre au peuple de lui baiser les souliers. J'y suis allé, moi aussi, et j'ai vu que l'endroit où la plante des pieds recevait les baisers était devenu tout noir. »

« 12 juin. A vingt et une heures, heure d'Italie, j'ai été voir le catafalque érigé dans Saint-Pierre en l'honneur de Grégoire XVI par le comte Vespignani, architecte. C'est un temple carré, à colonnes, avec les statues des Vertus aux quatre angles et coiffé d'une pyramide octogonale surmontée de la statue de la Religion. Chacune des faces de l'octogone est illustrée de peintures représentant les fastes du règne et, sur l'une d'elles, j'ai reconnu Lamporesi présentant au pape le dessin du port de Ripetta. Tout cela est massif et barbare et fait paraître légère l'architecture de Saint-Pierre, pourtant si lourde. »

« Après cela, j'ai couru à Montecavallo, où zio Benedetto m'a emmené voir les préparatifs du conclave dans le palais du Quirinal, avec zia Daria et Teresa Cecconi. Dans la première salle, j'ai vu la grille en bois à travers laquelle les ambassadeurs peuvent s'adresser aux cardinaux. Puis la chapelle du Conclave, avec les petites tables des Cardinaux adossées au mur et surmontées d'un baldaquin, violet pour les cardinaux créatures du pape défunt, vert pour les cardinaux non créatures. Ces derniers sont Oppizzoni, Macchi, Riario et Micara. Au fond de la chapelle, l'autel est surmonté d'un tableau représentant la descente de l'Esprit saint sur les apôtres, dans le Cénacle.

« Derrière l'autel, j'ai vu le poêle où l'on brûle les bulletins avec de la paille humide, après le scrutin. L'extrémité du tuyau de ce poêle sort sur la place de Montecavallo, pour que la population, en voyant sortir la fumée noire, sache que le pape n'est pas encore fait. Cette *sfumata* se fait deux fois par jour : à une heure avant midi et à sept heures du soir (vingt-trois heures d'Italie). J'ai vu aussi l'endroit où les cardinaux disent leur messe ; c'est un long couloir avec sept ou huit autels très rapprochés. Puis nous sommes allés voir l'appartement que le tirage au sort avait donné au cardinal Bianchi. Il est composé de quatre petites pièces assez gracieuses... Je n'ai pas eu le temps de voir autre chose, car il était déjà vingt-trois heures, heure de fermer pour permettre aux ouvriers de terminer les travaux tranquillement... »

« 14 juin. A vingt et une heures d'Italie, je suis monté à Montecavallo pour voir les cardinaux entrer en conclave. Le temps était nuageux. Les cardinaux, qui s'étaient réunis dans l'église de Saint-Sylvestre au Quirinal, sont arrivés en procession sur la place et on les a enfermés dans le palais... »

La mort de Grégoire XVI, antilibéral et antipatriote, avait été accueillie avec des feux de joie par la population, qui mettait dans le même sac son secrétaire d'Etat Luigi Lambruschini. Celui-ci n'en entrait pas moins favori au conclave. Il avait pour lui le seul parti organisé et la bienveillance de l'Autriche. La majorité modérée du Sacré Collège n'en voulait pas, mais elle n'était pas unie et n'avait pas de candidat qui s'imposât.

L'opinion publique voyait avec sympathie le cardinal Gizzi, légat à Forli, homme assez effacé mais auquel le monarchiste piémontais Massimo d'Azeglio venait de décerner un brevet de libéralisme pour sa conduite en Romagne. On lui donnait cependant peu de chances. D'autant, disait-on, que le cardinal autrichien Gaysruck, archevêque de Milan, arriverait porteur du veto — on disait l'exclusive — de Metternich, ce qui favorisait Lambruschini. Ce n'était probablement pas vrai. De Vienne, Michel Viale Prelà écrivait à la secrétairerie d'Etat que Metternich n'avait rien contre Gizzi. Mais on le croyait.

Le hasard voulut que le carrosse du cardinal Gaysruck cassât une roue à Fidenza. Il fallait plusieurs jours pour la réparer, et le prélat ne s'inquiéta pas du retard, les conclaves commençant généralement lentement. Mais à Rome, la nouvelle de l'accident accéléra les choses. Les modérés se dépêchèrent de se trouver un candidat. L'ambassadeur de France, Pellegrino Rossi, s'agitait beaucoup ; on ne l'appelait plus que le comte du Saint-Esprit. Avant le conclave, déjà, il soufflait un nom : celui de l'archevêque d'Imola, un certain cardinal Mastai, un inconnu.

Au premier scrutin, le 15 juin, Lambruschini eut 9 voix mais à la surprise générale, Mastai en avait eu 8 [117]. Il n'avait jamais fait parler de lui, et cela le servit. Comme il était resté à l'écart, par mollesse de caractère plus que par conviction, de la répression en Romagne, on disait qu'il était modéré. Il avait eu la chance d'avoir dans son diocèse l'une des consciences du mouvement libéral, le comte Giuseppe Pasolini, fervent croyant, qui lui avait fait lire Gioberti. Comme il ne l'avait pas désapprouvé, on dit qu'il avait des sympathies libérales. N'ayant rien contre lui, la majorité modérée vota donc pour lui, contre Lambruschini.

Le lendemain, 16, au scrutin du soir, il eut 36 voix. A la 33e, suffisante pour être élu, il s'évanouit. Il avait eu dans sa jeunesse des crises d'épilepsie. Lambruschini, qui n'avait eu que 10 voix, manqua en faire autant. On dut ranimer le nouveau pape. Cela créa une certaine confusion. Lorsque le Sacré Collège retrouva son calme, il était tard. On renvoya l'annonce au lendemain.

Cela ne fit qu'accroître l'excitation de la foule, qui attendait sur la place en mangeant du porcelet rôti arrosé de vin blanc de Frascati dans la nuit chaude. La rumeur se répandit que « le pape était fait », mais que l'élection se heurtait à des difficultés. Ce ne pouvait donc être que Gizzi. La rumeur devint certitude quand on apprit que, parmi les trois vêtements blancs préparés d'avance — grande taille, taille moyenne, petite taille —, c'était la petite taille que le tailleur du Vatican avait reçu l'ordre d'apporter. Or Gizzi était petit.

Ce fut une explosion de joie populaire. Des cortèges se formèrent spontanément, qui, à la lueur des torches, allèrent porter la bonne nouvelle à travers la ville. La famille du cardinal Gizzi révéla qu'il prendrait le nom de Clément XV. « La rumeur de son élection et l'envoi de courriers annonçant l'avènement de Clément XV a dû être très désagréable pour Gizzi. Je sais bien qu'il n'y est pour rien et n'a été compromis que par l'excès de zèle de ses parents », écrit, de Vienne, Michel à Benedetto. A Rome on campa sur la place, en chantant et dansant. Paul-Augustin dut l'apprendre ainsi, puisque dès cinq heures du matin, il était debout, le lendemain, pour monter au Quirinal.

A six heures du matin, la foule était déjà énorme devant le palais. Les briques qui muraient la haute porte-fenêtre du balcon tombèrent, le cardinal camerlingue Riario apparut. Une seule clameur l'accueillit : « Gizzi ! Gizzi ! Gizzi ! », scandait la foule. Lorsqu'enfin Riario put lancer la formule rituelle et le nom de l'élu « ... *habemus papam, eminentissimum ac reverendissimum Johannem sanctae romanae ecclesiae cardinalem Mastai !* », la foule resta un moment muette. Ce nom ne lui disait rien. Peu connu de la bourgeoisie, il était inconnu du peuple. Mastai, entendant les cris de « Gizzi ! Gizzi ! », comprit que la foule voulait un pape « libéral ». L'une de ses faiblesses sera, toujours, de vouloir être populaire. Dès le premier moment de son pontificat, il prit ainsi la voie où la vox populi le poussait.

Au sortir du conclave, le cardinal Lambruschini écrit à Michel : « Rome, 19 juin 1846. Réservée et confidentielle. Monseigneur nonce très estimé, merci de votre chère lettre du 9 courant, que j'ai reçue hier, à ma sortie du conclave, qui n'a duré que deux jours. Le soi-disant parti des jeunes, nombreux et actifs, a su manœuvrer de telle sorte que notre demeure en ces lieux a été des plus brèves. La partie pondérée des cardinaux a voté constamment pour un autre, que je n'ai pas besoin de nommer ici ; mais, comme il fallait s'y attendre, le résultat ne correspondit pas à leurs vœux. Il correspondit cependant pleinement aux miens ; et, grâce à Dieu, me voici libre et rendu à ma douce tranquillité...

« Je dois mes plus sincères remerciements à l'incomparable prince de Metternich, pour la confiance dont il m'a constamment honoré et qui m'a été si utile. Il n'aura trouvé en moi que rectitude, attachement ferme aux bons principes, sincère et profonde admiration pour ses extraordinaires talents et pour l'ensemble de ses rares qualités qui font le grand homme d'Etat dont aurait besoin aujourd'hui la cause sociale qui est partout en grand danger. Que Dieu se daigne de prolonger ses jours précieux. Veuillez vous-même, à qui j'offre également les sentiments de ma reconnaissance pour l'aide que vous m'avez apportée dans mes fonctions, lui présenter mes devoirs, avec la grâce de vos manières, et le prier d'agréer, avec l'hommage de mes remerciements, l'assurance de mon perpétuel et inviolable attachement...

« J'ajouterai pour votre consolation ce que vous savez sans doute déjà, que nous avons un pape plein de piété et de saintes intentions, et qui désire certainement faire le bien. Prions pour que le Seigneur le soutienne et le dirige, afin qu'il puisse toujours mieux servir les desseins de sa sainte Providence [118]. »

Le premier acte de Pie IX fut d'accorder une amnistie politique. De l'Italie entière, les louanges s'élevèrent. A Rome, il y eut trois jours de fêtes, de cortèges, de retraites aux flambeaux qui toutes aboutissaient sous ses fenêtres. On acclamait son nom dans les églises, au milieu du sermon. Un tribun populaire, pittoresque fort en gueule mais très écouté, Ciceruacchio, tavernier au Trastevere, le comparait au Messie. Au troisième jour, la foule détela son carrosse sur le Corso et le tira à bras jusqu'au Quirinal. Lorsqu'il prit Gizzi comme secrétaire d'Etat, de pape modéré il devint souverain réformateur. Bientôt, on le crut pape patriote.

En Italie, il faisait l'unanimité. On voyait en lui le pape que Gioberti appelait pour prendre la tête de la croisade de l'unité et de l'indépendance. Pour les patriotes modérés, il était le seul à pouvoir réunifier l'Italie, dans une sorte de confédération qui respecterait l'identité de ses nombreux Etats. Le roi Charles-Albert, qui piaffait de chasser les Autrichiens de Lombardie, le rangeait déjà parmi ses alliés. Du côté révolutionnaire, Mazzini lui-même l'encourageait à prendre la tête du mouvement d'indépendance et le lui écrivait. D'Amérique du Sud, Garibaldi lui offrait son épée. Toute l'Europe applaudissait : Palmerston, Guizot, Montalembert, Victor Hugo. De Constantinople, le sultan lui envoya des chevaux de selle. Seul Metternich grommelait, mais à voix basse. « J'avais prévu tout ce qui pouvait se passer en Europe et je m'étais préparé à tout ; mais un pape libéral, voilà ce qui ne m'était jamais venu à l'esprit. » Et lui, le pape — grassouillet, la figure ronde, les joues pleines, le geste onctueux — laissait dire, exsudant la bonté et le bonheur d'être aimé, devenu tout soudain non seulement le vicaire du Christ mais le grand homme du jour, lui dont le passé avait été jusqu'alors plus que médiocre, pour ne rien dire de sa jeunesse peu exemplaire. Modéré, libéral, patriote : on le lui disait tellement, on le criait si fort qu'il finissait par le croire. Il se laissait porter avec bonheur par ce flot de lait et de miel. Et déjà, aux cris de : « *Viva Pio Nono !* » se mêlaient ceux de : « *Morte ai Tedeschi !* » (Mort aux Allemands !).

Ame fervente, Niccolo' Tommaseo exultait. Ses œuvres avaient été mises à l'Index sous Grégoire XVI. Profondément fidèle à l'Eglise, Tommaseo en souffrait. Avec l'avènement de Pie IX l'heure de la réconciliation était enfin venue. « Vous êtes l'espoir et le salut de l'Italie », écrit-il au nouveau pape. A Florence, la même exaltation fait vibrer les salles du cabinet Vieusseux. Tout soudain, l'idéal du néoguelfisme, exprimé par Gioberti, devenait réalité. Toutes leurs réflexions y tendaient ; elles débouchent enfin sur l'action.

Ricasoli, Capponi, Lambruschini, Montanelli, Ridolfi, comme Tommaseo à Venise, joueront un rôle politique important, souvent de premier plan, dans le Risorgimento qui commence. Il y a des divergences. Gioberti proclame la nécessité du pouvoir temporel : Lambruschini et Ricasoli, non. On se méfie plus ou moins de Charles-Albert et de l'esprit de conquête dynastique du Piémont. Mais on n'en est pas encore là. L'heure est à l'enthousiasme.

Salvatore vibre à l'unisson. « A l'avènement de Pie IX, il salua avec enthousiasme la nouvelle ère qui paraissait s'ouvrir pour l'Etat pontifical. Nonobstant les espérances déçues et les désirs non réalisés, il ne cessera de s'exprimer avec respect à l'égard du Pontife qui avait si bien inauguré les premiers jours de son règne », écrit Auguste dans ses souvenirs. Dès les fêtes de Pâques, les premières du pontificat, Salvatore voulut aller voir par lui-même le grand prodige romain. C'était désormais aisé. La première liaison directe par bateau à vapeur venait d'être établie avec Civitavecchia. « Parti le 29 mars (1847), lundi saint, sur le vapeur *Il Commercio* pour Civitavecchia, je suis arrivé à Rome dès le lendemain, 30. » Il sera de retour à Bastia tout aussi rapidement, le 7 avril.

Il ne verra Pie IX que de loin, au cours d'une cérémonie à Saint-Pierre. Mais Benedetto, qui l'approche souvent, lui en parle longuement. Il vient d'achever un rapport sur « les connaissances nécessaires pour la construction d'un hôpital de déments », commencé sous le pontificat précédent, mais auquel le nouveau pape s'intéresse aussitôt personnellement [119]. Cette même année, il est d'autre part élu à l'académie des Lincei. Le nouveau pontificat s'ouvre pour lui magistralement. Mais Salvatore n'a pas, cette fois, le temps de s'attarder. Les fêtes passées, il rentre à Bastia. Pour donner une idée à la maison des triomphes populaires qui accompagnaient partout le nouveau pontife, il y rapporte dans son bagage la grande gravure montrant Pie IX acclamé sous un arc-en-ciel devant le Colisée.

Cette année-là, Salvatore ne se rendra pas en Toscane pour ses vacances. Il sera de retour à Rome début septembre, après avoir convaincu Tommaseo de venir l'y rejoindre. « Je vous encourage beaucoup à aller à Rome dans les circonstances actuelles, pour mieux y connaître et les gens et les choses... Combien vous aurez à y observer ! », lui écrit-il. Pour le cas où Tommaseo y arriverait avant lui, il lui envoie une lettre d'introduction pour Benedetto, tandis qu'il écrit à ce dernier : « Tu verras que ses qualités morales et de cœur égalent celles de son intelligence et je souhaite, pour toi et pour lui, que tu aies le temps de faire sa connaissance. C'est, de plus, mon ami très cher, l'ami de toute notre famille et de notre pays, qui lui doit beaucoup. Il a été le professeur éminent de notre neveu Paul-Augustin, quand il était à Bastia... »

Arrivé le 6 septembre, Salvatore peut cette fois approcher Pie IX qui le reçoit en audience privée, grâce à Benedetto, le 11 octobre au palais du Quirinal. L'un de ses collègues continental, M. Dufresne, procureur général à la cour de Bastia, l'accompagnait, avec sa femme. « ... Le pape me demanda si j'étais français ou italien. Je lui dis que j'étais italien et que j'étais heureux de pouvoir m'incliner devant le premier des Italiens. Pie IX me répondit en souriant qu'il n'était pas plus le premier des Italiens que le premier des Français et que, souverain pontife, il était le premier de tous les fidèles... Je le félicitais encore d'avoir rendu tant de ferveur à la religion et de lui avoir réconcilié tant de monde. Il nous donna sa bénédiction... », note en rentrant Salvatore dans son calepin. « Pie IX est un bel homme, bien portant, content de lui, sinon béat. Son visage montre une grande bonté d'âme, avec un certain air de fermeté et de ténacité de caractère », écrit-il à Vieusseux. Il est toujours aussi satisfait de ce qu'il voit. « Qui connaît Rome ne la reconnaît plus, maintenant avec tant d'heureux changements, écrit-il le même jour à Tommaseo. Combien j'aurais été heureux de vous trouver ici, pour vous rendre un peu de ces attentions affectueuses dont vous m'avez comblé à Venise... » Et à Auguste, qui est à Aix-en-Provence : « Chaque jour, ici, on voit quelque grande solennité patriotique, où le public se montre unanime, avec une grande modération, ce qui est admirable, si cela dure. En tout cas, il n'y a pas eu, depuis longtemps, un seul crime à Rome. »

Pie IX était de plus en plus populaire et la ville constamment en fête. La Nativité de la Vierge Marie, la Saint-Michel, un banquet donné par le prince Doria à son bataillon de la garde civique, tout était occasion de finir la journée, avec torches et tambourins, sur la place du Quirinal pour acclamer le pape. « Depuis mon arrivée, je ne vois que des fêtes ; et ce sont de belles fêtes. Il y en a peut-être un peu trop ; on en reste étourdi et même plutôt abruti. » Salvatore voit Ciceruacchio à plusieurs reprises dans son rôle de tribun ; il le trouve modéré. « Hier soir, 5 novembre, j'ai vu sept mille personnes environ sur la place du Peuple, avec des torches, qui voulaient aller au Quirinal pour empêcher le cardinal Ferretti de démissionner...

Ciceruacchio les a retenus en disant qu'il ne convenait pas que des tumultes dictent ce qu'il doit faire au gouvernement. »

Du tumulte, il y en avait beaucoup et souvent. « La haine des jésuites est générale » ; elle éclate au moindre incident, note Salvatore. Des coups de feu sont tirés, un soir, contre le Gesù, leur église. Un matin, les gazettes ne paraissent pas, pour protester contre leur censure. Les jésuites avaient fait saisir l'une d'elles qui avait affirmé que la notion de progrès devait s'étendre à la religion. Les acclamations des Romains s'adressent au futur unificateur, croient-ils, de l'Italie. Mais Salvatore note : « Le pape a dit l'autre soir à la princesse de Musignano : l'Italie n'a jamais été unie, même au temps des Césars. On ne pourrait faire cette unité, aujourd'hui, sans léser plusieurs souverains italiens et sans provoquer de tueries. » C'est le début du grand malentendu.

Tommaseo avait promis de venir le rejoindre ; mais il s'attardait à Venise, où il avait d'assez étonnants démêlés avec la censure autrichienne. En août, celle-ci l'avait mis à l'amende pour avoir imprimé sans son autorisation un essai sur l'éducation, bien que l'impression ait été faite à Florence. Il se rendait compte que le moment était venu de se lancer dans la politique active et, le 16 septembre, il arrive à son tour à Rome. La nouvelle de son arrivée fit sensation dans les milieux universitaires et lettrés. De tous côtés, on demandait à le voir. Il ne voulait pas en entendre parler. Il préférait explorer les petites églises de la Rome antique, méditant et priant sur les traces des premiers martyrs. Il vint toutefois voir Salvatore piazza San Pantaleo, où Paul-Augustin lui fit fête. Mais il y eut un froid, à cause de Michel.

Tommaseo était irrité de voir que le Vatican ne suivait pas Pie IX avec le même enthousiasme que la population. La majorité du Sacré Collège avait désapprouvé la loi d'amnistie. Les cardinaux regardaient avec méfiance le terrain politique sur lequel le pape se laissait entraîner. Gizzi avait d'ailleurs démissionné, et avait été remplacé en juillet par le cardinal Gabriele Ferretti, un parent du pape. On disait que la curie freinait les réformes. « Solo Pio Nono », criait Ciceruacchio, « nous voulons Pie IX tout seul ».

Quant à la politique étrangère, elle était dominée par l'affaire de Ferrare, légation pontificale occupée par les Autrichiens en juillet. Les patriotes étaient en ébullition. Ferretti avait demandé au nonce à Vienne de protester auprès de Metternich contre « cette violation publique des accords ». On disait que Pie IX lui-même avait relu et approuvé la « Protestation pour l'affaire de Ferrare » écrite par d'Azeglio. Mais on disait aussi que le nonce à Vienne, Mgr Viale Prelà, traînait les pieds, comme la curie à Rome.

Tommaseo s'en prit à Benedetto. Voici comment il le raconte lui-même à Gino Capponi, dans une lettre du 29 septembre : « Puisque j'en avais l'occasion, j'ai dit à Benedetto Viale d'écrire à son frère que le temps était arrivé de manifester, de toutes les façons possibles, de bonnes dispositions à l'égard de Pie IX et de dissiper les soupçons qu'il éveille lui-même, créature du Lambruschini et interprète entre Grégoire et Metternich. Cet avertissement venant de moi, simple professeur, sonnera comme une menace salutaire et ne pourra pas faire de mal [120]. » Il est douteux que Tommaseo se soit exprimé avec Benedetto dans des termes aussi péremptoires. Mais on ne peut douter que tel fut bien le sens de son discours. Il le répétera d'autres fois encore, et pour les mêmes raisons, à Salvatore et à Benedetto.

Le pape, qui reçut Tommaseo le 1er octobre, s'employa heureusement à modérer ses fureurs. « Ecrivez dans le sens de la modération, comme vous avez toujours fait », lui dit-il. C'était un mensonge pieux ; mais Tommaseo fut pris au piège. « C'est mon tempérament, et c'est mon devoir », répondit-il. « Les réformes, je les ferai toutes, peu à peu. Mais je ne veux pas qu'on insulte les princes. Je suis le souverain non d'un petit Etat, mais de deux cents millions d'âmes. Modération ! Modération ! », reprit Pie IX. Et Tommaseo s'en retourna à Venise, quatre jours plus tard, avec cette étrange bénédiction.

Paul-Augustin quitta Rome presque au même moment, le 8 octobre. Il rentrait à Bastia. Avec un premier prix d'architecture pratique, reçu en septembre, après le premier prix d'architecture théorique de l'année précédente, ses études étaient terminées. Il aurait pu faire carrière à Rome, où sa réputation commençante, à la Sapienza et à San Luca, était brillante. Son maître en architecture, Antonio Sarti, très connu, l'avait pris en affection, comme jadis Tommaseo, et pouvait lui mettre facilement le pied à l'étrier. L'oncle Benedetto, qui l'aimait et l'appréciait, connaissait beaucoup de monde, non seulement dans l'entourage pontifical mais au gouvernement et dans la haute administration, à commencer par le gouverneur de Rome, Mgr Domenico Savelli, qui de plus était corse, lui aussi, né à Speloncato, en Balagne.

Mais Louis lui demandait instamment de rentrer Marie-Sébastienne était gravement malade, depuis deux ans déjà. On pressentait sa fin prochaine. Il souffrait lui-même d'attaques de goutte et l'avenir de la famille l'inquiétait. « Je te prie de réfléchir à l'affaiblissement dans lequel nous sommes, ta mère et moi, pour conclure les affaires de la famille, et au besoin que nous avons d'aide et de soulagement », écrit-il à Paul-Augustin.

Depuis un peu plus de deux ans, Marie-Sébastienne se mourait lentement. Elle était atteinte de tuberculose pulmonaire, on disait alors consomption : « une maladie de consomption qui s'était développée dans le passage de l'âge », précise Louis. Elle souffrait beaucoup. Benedetto écrivait de longues lettres, commentant ce qu'en disaient les médecins, faisant des suggestions, envoyant de la « pâte pectorale » mais il n'y avait pas grand-chose à faire, à cette époque. Quand elle se reprenait un peu et qu'elle pouvait se lever pour aller prendre l'air des collines, elle n'allait pas plus loin que San Martino di Lota, où Salvatore l'accompagnait. Louis avait formé le projet de l'emmener en Toscane, à la rencontre de Paul-Augustin, dans la maison de campagne de Giuseppe Vanneschi, près de Livourne, mais c'était un rêve qu'il dut aussitôt abandonner.

Malgré ses attaques de goutte qui, avec des hauts et des bas, l'importunaient depuis déjà dix ans, Louis est encore plein d'allant, physiquement. Ne voyageant plus, il déverse sa vitalité dans sa vieille passion pour la propriété de Belgodere. Il fait agrandir la maison du fermier pour pouvoir y coucher, étend l'oliveraie, crée de nouvelles terrasses d'orangers, surveille les vendanges. Il se lance dans une entreprise qui, sur ce terrain aride et montagneux, tient de l'aventure : la plantation d'arbres fruitiers. Rien d'équivalent n'existe encore dans les environs.

Il fait venir les plants d'Ajaccio : 60 amandiers greffés à coque tendre, 50 amandiers (fruits doux), 20 poiriers (qualité automnale), des abricotiers précoces, des abricotiers tardifs, des pommiers... « Qu'on me les envoie par bateau, car par la diligence ils arrivent desséchés », écrit-il au pépiniériste. Salvatore Prelà qui a, dit-il, « des connaissances agricoles très étendues » et dont la propriété jouxte la sienne, le conseille mais ne l'imite pas. Le fermier fait de l'obstruction et Louis le bouscule. A Belgodere, il se sent créateur. Quand il en parle, ses lettres s'éclairent.

Dans le cabriolet neuf qu'il a fait venir de Livourne, il monte allégrement le chemin de Monserrato. C'est l'un des rares moments, sans doute, où il peut encore se permettre de chanter à pleine voix quelques-uns de ses airs d'opéra favoris. Il porte une veste de campagne en velours croisé anglais, couleur café grillé, doublé de futaine toscane, à boutons en corne noire. Comme il n'a pu se déplacer, son tailleur livournais l'a essayée sur le dos de son ami le comte Casanova.

Louis s'active beaucoup par ailleurs. Pour rester auprès de Marie-Sébastienne, il a mis ses entreprises commerciales en sommeil ; mais il est toujours secrétaire en chef de la mairie et vice-consul de Grande-Bretagne. Il diffuse en Corse les éditions de Vieusseux. A l'usage du collège royal de Bastia, il a composé un petit *Traité de prononciation et d'orthographe italiennes* et il prépare une grammaire [121]. Mais le cœur n'y est pas. Au chevet de Marie-Sébastienne, il attend le retour de Paul-Augustin : « L'annonce de ton retour a ranimé mon esprit oppressé de pensées malheureuses, dont la plus angoissante est ta mère qui a déjà beaucoup perdu de sa vie. Je vis dans la crainte d'un développement sans espoir. »

Paul-Augustin arriva à Bastia dans la nuit. Le lumignon devant la Madone, dans sa niche de l'escalier, projetait en avant l'ombre de celui qui montait. Sur les murs blancs, la silhouette était la même que celle du jeune homme qui l'avait descendu, six ans auparavant. Mais son pas était un pas d'homme. Il avait vingt-trois ans. Son cœur n'avait pas changé. « Arrivé à Bastia à deux heures et demie après minuit, j'ai eu le bonheur d'embrasser à nouveau mes chers parents que je n'avais pas revus depuis six ans », note-t-il dans son journal intime. Et Louis, dans le sien : « Agostino est arrivé dans la nuit. J'ai été terriblement heureux de l'embrasser de nouveau. » Il écrit à Benedetto : « Je ne trouve pas de mots pour te dire la consolation que nous avons éprouvée en embrassant à nouveau Paul-Augustin, qui, par ses bonnes qualités, me remplit l'esprit de contentement. A tes soins, et à ceux de Daria, qui l'a élevé en mère, est due en grande partie la réussite de notre enfant et je t'en remercie. »

19

Arrivé à Vienne le 13 juillet 1845, Michel avait remis ses lettres de créance à l'empereur trois jours après, le 16. Ferdinand Ier était un brave homme, doux et faible d'esprit, d'une timidité excessive confinant à la niaiserie, à tel point qu'on l'avait longtemps cru idiot. Il avait failli être écarté de la succession de son père ; mais Metternich l'avait imposé, assuré, avec lui, de rester le maître.

Le maître, Clément Lothaire prince de Metternich, chancelier de cour et d'Etat, l'était depuis trente ans. Vainqueur de Napoléon, fondateur de la Sainte-Alliance, garant de l'ordre restauré par le traité de Vienne et champion de l'absolutisme, il était, à soixante-douze ans, l'arbitre de l'Europe. Entré dans la vieillesse à cheval du pouvoir, il se croit inébranlable. Pas plus qu'il ne voit le temps passer, il ne voit évoluer ni les mœurs ni les idées.

Il ne comprend simplement pas les aspirations des nations, des peuples ou des particuliers à plus de liberté. Ce ne sont pour lui qu'états d'âme, « illusions » à réprimer pour éviter le mal suprême : le désordre. C'est lui ou le chaos. A la révolution de 1830 en France, l'Autriche, la Prusse et la Russie n'ont su répondre qu'en renouvelant solennellement leur Sainte-Alliance.

A l'intérieur comme à l'extérieur, Metternich n'a d'autre politique que celle du maintien de l'ordre établi. Les Autrichiens n'y échappent pas plus que les Hongrois, Tchèques, Italiens, Slovènes, Serbes, Croates, Ruthènes, Roumains ou Polonais qui forment le gigantesque puzzle de l'empire des Habsbourgs. Dans le *Don Juan* de Mozart, la censure impose que l'on change l'air « Vive la liberté » en « Vive la gaieté ».

Pas un instant, Metternich ne doute d'avoir raison. Il y a quelque chose de pathétique dans l'exercice de son intelligence, lucide sur les causes immédiates des troubles de l'époque, et pourtant aveuglée sur les conséquences à en tirer. Maintenu par la force des armes, l'ordre ancien est condamné par les idées que le siècle avance dans son mouvement même, inéluctable comme le temps. Loin de le reconnaître, Metternich repousse jusqu'à l'idée même de changement. Le succès de son entreprise de restauration, joint aux illusions d'une vieillesse adulée, lui confirment, croit-il, que la seule politique à suivre est celle du plus massif immobilisme.

Le temps, il est vrai, a été généreux envers sa personne. Il a blanchi ses cheveux blonds, creusé ses traits, durci son oreille ; mais la taille, à peine épaissie, reste mince, la silhouette presque juvénile. Le prince se tient droit, le jarret tendu, en bon danseur qu'il a été et qu'il peut être encore à l'occasion dans les bals fastueux de la cour. Il est bel homme, le visage fin, allongé, sous un grand front. S'il n'a plus la vigoureuse apparence peinte par Lawrence pour la galerie des vainqueurs de Waterloo, à Windsor, sa santé est excellente et son activité toujours considérable.

Michel aurait pu être son fils. Sur la photographie qui a été prise de lui à Vienne, de peu postérieure à cette époque, il a le visage lisse et rond, le front sans rides. Il fait plus jeune que ses quarante-sept ans [122].

Pour le Saint-Siège, Vienne était le premier poste diplomatique, le plus difficile aussi. Sur le plan politique, la suprématie autrichienne en Italie — domination directe dans le royaume lombardo-vénitien, indirecte sur les princes protégés de Toscane et des duchés de Parme et de Modène — soulevait de nombreux problèmes avec les Etats pontificaux, dont les provinces les plus turbulentes, la Romagne, les Marches, les Légations, avaient une frontière commune avec le royaume lombardo-vénitien.

Sur le plan religieux, la situation était également ambiguë. L'Autriche était un empire catholique, mais plus en principe qu'en réalité. La religion y était soumise aux lois joséphines, édictées par l'empereur Joseph II, despote « éclairé » qui avait pratiquement soustrait le clergé à l'autorité du pape. Il eût suffi d'un rescrit impérial pour provoquer le schisme, comme Henry VIII l'avait fait en Angleterre. On n'en était plus là ; mais le problème restait, pour le nonce, de rétablir les droits du Saint-Siège sans porter atteinte aux droits de l'Etat.

La solution existait. C'était la conclusion d'un concordat. L'idée en était dans l'air depuis le Congrès de Vienne. Metternich y était favorable. Mais les événements en avaient toujours retardé l'examen, et l'on se heurtait encore à la force de la chose établie. Le chancelier en avait parlé à Michel, lors de leur rencontre à Munich.

Mgr Fantoni le tient certainement de la bouche de Michel : « Lorsque, à Munich, le prince de Metternich avait dit à Mgr Viale Prelà qu'il aimerait le voir, un jour, à Vienne, Mgr Viale Prelà lui avait répondu qu'une chose lui rendrait pénible, et peut-être insupportable, une telle nonciature, à savoir les lois joséphines. Mais elles sont devenues lettre morte, avait dit le prince. Les choses mortes, il faut les enterrer, avait répliqué le nonce. Le prince de Metternich était resté un moment silencieux. Eh bien, Monseigneur, ce sera l'œuvre de votre nonciature, dit-il. » Venant du tout-puissant chancelier, c'était une promesse. Mais lorsque Michel était arrivé à Vienne, d'autres soucis avaient de nouveau priorité pour Metternich.

Parcourue de mouvements révolutionnaires, agitée par le ferment des nationalités, l'Europe recommençait à bouger, et l'Italie la première. Les soulèvements se succédaient en Romagne. Or, dans le système de Metternich, le pape et son Etat jouaient un rôle stabilisateur essentiel.

Comme chef de l'Eglise catholique, le pape formait digue contre les doctrines pernicieuses du temps, même les plus idéalistes. Metternich l'avait dit au cardinal Consalvi, déjà au temps du congrès de Vienne : « L'erreur, en fait de religion, conduit toujours à toutes les autres. » Comme souverain de l'un des Etats italiens les plus stables et les plus conservateurs, le pape freinait, d'autre part, l'élan populaire du nationalisme anti-autrichien dans la péninsule. La collaboration du pape, ou du moins sa neutralité bienveillante, était donc indispensable à l'Autriche, sur le plan politique comme sur le plan doctrinal, et Metternich exerçait une influence considérable sur l'orientation générale de la politique pontificale. Il n'y avait pas eu, jusque-là, de véritables difficultés ; avec Grégoire XVI et Lambruschini, l'entente était aisée.

Le nonce, représentant du pape, souverain italien et chef des catholiques, était, de par sa position, l'un des principaux interlocuteurs étrangers du chancelier. Il était naturel que les relations des deux hommes fussent étroites. Metternich ne laissait à personne le soin de traiter les affaires diplomatiques, même secondaires. Parallèlement aux instructions qu'il donnait à son ambassadeur à Rome, il entretenait aussi avec le nonce un dialogue constant, qui nourrissait les dépêches officielles et les rapports par lesquels ce dernier rendait compte à la secrétairerie d'Etat des entretiens qu'il avait périodiquement avec lui.

Leurs rencontres et leurs conversations n'étaient cependant pas seulement officielles. Capitale d'un grand empire, Vienne était une petite ville. L'un des charmes de sa société était le loisir de se fréquenter en prenant le temps d'apprécier la douceur de vivre. La culture de l'archevêque de Carthage, sa sensibilité, sa distinction et le charme qu'il savait déployer en privé, autant que son intelligence et son jugement, firent que ses relations avec Metternich prirent rapidement un tour de familiarité confiante qui se transformera très vite en amitié.

En marge de la correspondance officielle, Metternich prit ainsi l'habitude de lui écrire des lettres ou des billets privés, qui prolongeaient leurs conversations ou par lesquels il lui envoyait quelque document pour sa seule information, parfois une dépêche de chancellerie à peine reçue, parfois quelque coupure de presse qui lui paraissait significative de l'humeur du jour et qu'il commentait librement.

Les premières lettres traitent de nominations diplomatiques (Usedom à Rome), commentent l'action de quelque personnage (Czartoriski, « cette folie est un attentat contre le corps social tout entier ! ») ou sont simplement une invitation au nonce à venir le voir chez lui. Mais dès l'année suivante, les lettres deviennent plus longues et confiantes [123].

« Vienne, 5 mai 1846. Je vous prie, Monseigneur, de prendre connaissance de l'article ci-joint dans *Le Siècle*, marqué par un *b*. Il met à nu l'une des mécaniques de la grande conspiration du jour. En réduisant cette mécanique à ses éléments les plus simples, on arrive à la formule suivante :

« I. *But*

« La révolution sociale dans les deux sphères dont se compose la société humaine : *l'Eglise et l'Etat.*

« II. *Moyen*

« La réforme — (c'est-à-dire le bouleversement) — de l'Eglise et de l'Etat dans le sens des utopies des rêveurs religieux et politiques.

« En s'attachant à deux individus qui représentent les deux pensées, on peut sans crainte de se tromper nommer MM. Montalembert et Marrast ; le premier comme représentant des iconoclastes religieux et le second comme celui des destructeurs de la société civile.

« L'armée qui suit ces condottiere se compose de tous les cerveaux malades, de toutes les fantaisies fausses, de tous les esprits aventureux, des hommes ayant perdu leur état civil, leur existence civile et la foi religieuse, des émigrations forcées ou volontaires à l'étranger et de *celles restées* dans leur pays et leur étant devenues étrangères*... »

« Vienne, 12 mai 1846... Pénétré, ainsi que je le suis, que dans la position des choses du jour, il n'y a que deux pouvoirs *encore intacts dans les bases de la société*, ce qui est d'une nécessité absolue, c'est que ces mêmes pouvoirs s'entendent ; non sur ce qu'ils veulent, car à cet égard il ne peut point exister de divergences entre eux, mais sur la distribution de leur action. Le pouvoir pontifical est impérissable dans son essence ; le pouvoir laïc, que nous tenons encore intact dans ses points de départ, est périssable *de fait*, mais non en principe. De quoi peut-il ainsi s'agir entre les deux autorités ? De s'entendre *toujours* sur une marche à suivre afin que cette marche soit en plein accord. »

Les mots soulignés l'ont été par Metternich.

L'avènement de Pie IX surprit et inquiéta Metternich. Un pape libéral ! Le fragile équilibre italien risquait de s'écrouler. « Dites au roi Charles-Albert que les affaires d'Italie s'aggravent, que l'Autriche s'attendait à tout, sauf à un pape libéral. Maintenant que nous l'avons, on ne peut répondre de rien », dit-il au ministre de Sardaigne, le marquis Sauli, venu prendre congé avant de rentrer à Turin. Lorsqu'il apprit la nouvelle de l'édit d'amnistie, Metternich y vit le premier signe confirmant ses craintes. Pie IX allait apporter de l'eau au moulin libéral, il allait « encourager les factieux ». Metternich voit bien, c'était l'évidence, que le mouvement populaire qui acclame Pie IX est le même que celui qui anime l'Italie et la pousse vers l'indépendance et l'unité, c'est-à-dire vers la guerre contre l'Autriche.

---

* Les lettres signalées par un astérisque sont inédites.

Je vous prie, Monsieur,
De prendre connaissance de l'article
ci-joint dans l'article marqué par
un N°. Il met à nue l'une
des mécaniques de la grande
conspiration du jour.

En réduisant cette mécanique
à ses éléments les plus simples,
on arrive à la formule suivante.

I. But.
La révolution sociale, dans
les deux sphères dont se
compose la Société humaine:
l'Église et l'État

II. Moyens;
La réforme — c'est à dire
le bouleversement) — De l'Église
et de l'État, dans le sens les
utopies des rêveurs religieux
et politiques.
En s'attachant à deux individus
qui représentent les deux
pensées, on peut sans crainte

De se tromper, nommer
MM. de Montalembert et
Marast, le premier comme
le représentant du fanatisme
religieux et le deuxième comme
celui des destructeurs de la droite
civile.
L'armée qui suit ces bannières
se compose de tous les romans
matériels; de toutes les fantaisies
faussées; de tous les esprits
aventuriers; de hommes ayant
perdu leur état civil, leur
existence civile et la foi
religieuse; des émigrations
forcées ou volontaires à l'étranger
De celles restées dans leur
pays et leur étant devenu
étrangère.
Les fondations qui se
concluent du nom de deuxième
dont M. de Montalembert fait
mention dans l'article en
question, sert de atteler
de destruction. C'est de un

autres que sortant des
politiques et des livres
fanatiques; ils meuvent
appelés à fausser l'esprit
religieux des autres à
la société civile.
Il paraît que si l'on
en raison de mettre la
main militaire sur l'art
de la Principe barbariste
non pour la confisquer mais
pour en convertir les
Veuillez également prendre
connaissance des articles
marqués au crayon rouge dans
les autres feuilles que je vous
joins ici. Vous verrez qu'en
partie la rage de la
boutique.
Permettez de me rendre
les feuilles et d'agréer mon
sincères hommages.

Metternich

Le 5 Mai 1846.

Metternich à Michel

Éminence!

Je viens de recevoir la nouvelle de la Signature du
Concordat entre le St. Siège et la Cour Impériale. J'en
félicite et l'Empire et l'Église; j'étends le même
Sentiment à l'Europe entière. Elle acquiert par le
fait un gage de paix morale au milieu du désarroi
moral et matériel dans lequel elle se trouve engagée;
et si dans une occasion aussi Solennelle un
Sentiment personnel pouvait se mouvoir en moi, je
le qualifierais de celui d'une vive Satisfaction
que me cause le couronnement d'une œuvre, que
par des causes éternellement regrettables, la piété
de Deux Empereurs & nos constants efforts n'ont
point suffi pour la conduire à sa conclusion!

Recevez en votre particulier, Monseigneur,
mes bien sincères félicitations pour la part
qui vous revient au succès, immanquable mais
si longtemps différé de la grande œuvre. Vous
connaissez l'attachement respectueux & profond que
je vous porte et qui ne s'éteindra pas avec mon
dernier souffle.

Veuillez agréer mes plus affectueux
hommages.

Château de Koenigswart
ce 21 Août 1855.

Metternich à Michel

Avec sa longue expérience d'homme d'Etat, il comprend aussitôt que les acclamations des libéraux conduiront le pape à plus de libéralisme encore, celles des patriotes à plus de patriotisme, jusqu'au moment où il se trouvera entraîné, sans l'avoir voulu, sur une autre voie que la « voie droite » d'un souverain de l'Etat de l'Eglise.

De son château de Koenigswart, en Bohême, où il passe une partie de ses vacances, Metternich l'écrit très librement à Michel, dans des lettres personnelles. Sous les précautions de style, il ne dissimule pas sa méfiance et ses réserves à l'égard du comportement du nouveau pontife.

« Koenigswart, 26 juillet 1846... La rédaction de l'acte (d'amnistie) est admirablement bien faite. Son langage est sévère et paternel ; il est digne de l'autorité dont il émane. Il ne renferme qu'une nuance dans l'une de ses dispositions que j'eusse désiré voir différemment posée. Le terme d'une année dans la disposition de l'article 2 me paraît trop étendu. Si j'avais pris part au conseil, j'aurais fixé le terme de trois mois pour la manifestation de l'intention (de se repentir)... Dans un temps comme le nôtre, il y a des hommes qui aiment attendre ce que portera le lendemain, et si cela est possible le surlendemain : or ce sont ceux-ci que, par la fixation d'un terme plus court pour la manifestation, j'aurais tenu à exclure des calculs des mangeurs à deux râteliers*... »

« Koenigswart, 31 juillet 1846... Ce qu'offrira l'avenir, ce sera un retour sur les éloges que la véritable voix publique proclame aujourd'hui au nouveau pape et que les factieux s'efforceront de fausser en les dirigeant dans une voie que le Saint-Père ne suivra pas, parce qu'elle n'est pas la droite voie. Une autorité quelconque, et moins encore que toute autre, celle du souverain de l'Etat de l'Eglise, ne saurait satisfaire des factieux... Je crois qu'à cet égard, j'ai consigné la vérité dans une dépêche de ce jour à M. le comte de Lutzow. Je me permets d'espérer que Sa Sainteté ne s'effrayera pas du ton doctrinal qui règne dans ce que j'envoie, aujourd'hui, à l'adresse de son gouvernement. Je me fais à cet égard, parfois, des admonestations que la voix de ma conscience ne tarde pas d'écarter. »

Ses réserves, Metternich aura bientôt l'occasion de les préciser de vive voix au nonce, qu'il a invité à venir passer quelques jours au château de Koenigswart, à la mi-août. Michel y passera six jours.

Mélanie, la jeune femme du chancelier, note, dans son journal intime : « Août 1846. Le nonce a passé six jours chez nous et son séjour nous a fait plaisir à tous... Tous les jours, après le déjeuner, Clément a eu avec le nonce de longues et intéressantes conversations sur les événements du jour. Chaque fois qu'ils avaient fini de causer, le nonce disait combien il se sentait heureux d'entendre parler Clément ; quant à celui-ci, il avait du plaisir à voir que le nonce s'entendait avec lui sur toutes les questions importantes du jour. Plus j'apprends à connaître le nonce Viale Prelà, plus je l'admire. Il est si indulgent, si calme, si doux, si simple. Bref, c'est un modèle de ce qu'il doit être. Je remercie Dieu tous les jours de nous l'avoir envoyé à une époque si difficile [124]. »

La princesse Mélanie avait quarante et un ans, trente et un de moins que son mari. Brune aux yeux verts, belle, intelligente, orgueilleuse, c'était sa troisième femme. On disait que la chancellerie n'avait pas de secrets pour elle et qu'elle exerçait une forte influence sur le chancelier. Elle avait en tout cas du caractère et son franc-parler.

Un jour que l'ambassadeur de Louis-Philippe, Saint-Aulaire, la complimentait sur son diadème, au cours d'un bal : « Du moins il n'est pas volé », avait-elle répliqué. La repartie ayant été entendue, on frisa l'incident diplomatique. L'allusion à la couronne du tout nouveau roi des Français était claire. « Vous devez m'excuser, monsieur, je n'ai pas fait l'éducation de ma femme », dit Metternich à l'ambassadeur. Saint-Aulaire ne l'aimait pas ; il la trouvait arrogante. « La fierté et le dédain se peignent fréquemment sur son beau visage et cette expression lui sied mieux que le sourire », disait-il.

Ce n'est pas sous ce jour qu'elle se montrait à Michel, pour qui elle ne fut jamais que gentillesse et amitié, comme le montre son journal, contribuant pour beaucoup à ce qu'il se sente en famille dans leur appartement de la chancellerie, sur la Ballhausplatz, ou à la villa qu'ils commençaient alors à se faire construire dans leur parc du Rennweg. Metternich l'écrit à Michel, après le départ de celui-ci de Koenigswart, en souhaitant qu'il revienne pour un plus long séjour, dit-il, avec nous : « Je me sers du nom collectif, car vous devez avoir vous-même le sentiment que vous vous trouverez au milieu de ma famille comme si vous étiez au milieu de la vôtre. »

Et, comme en écho aux conversations qu'ils venaient d'avoir ensemble, Metternich lui écrit à nouveau une longue lettre sur l'énigme que lui pose ce pape libéral, avant de quitter Koenigswart, d'autres encore de son domaine du château de Plass, où il continue ses vacances.

« Koenigswart, 24 août 1846... J'ai une pleine confiance dans le pape. Ma confiance porte sur ce qu'il *veut* et sur ce qu'il *ne peut vouloir*. En cela, mon attitude morale diffère — et elle doit différer — de celle d'observateurs moins impartiaux. Les ultras de la droite me semblent prêts à regarder Pie IX comme placé, par suite de ses dispositions personnelles, sur la pente *libérale* ; ceux de la gauche sont partagés en deux camps ; les sots (et il y en a beaucoup, de libéraux de cette trempe) croient de bonne foi au libéralisme du Souverain Pontife ; les hommes d'action dans le parti ne sont point aussi prêts à se fier à cette tendance de Sa Sainteté qu'ils le sont à compter sur une force des choses qu'ils entendent amener. De tout cela, et par suite de bien d'autres causes encore, la position du Saint-Père, en sa qualité de souverain de Rome, est éminemment difficile. Tout dans une situation pareille tourne en des difficultés.

« A ce mal, il n'y a qu'un remède et il se trouve dans une marche droite, claire et ferme de celui qui est le souverain... Je vous fournis à cet égard quelques notions, dont vous ferez, Monseigneur, avec votre prudence habituelle, tout ce que vous regarderez comme utile à la cause que nous défendons et qui est celle de Dieu et des hommes de bonne volonté ici-bas* !... »

« Plass, 9 septembre 1846... Je ne mets en doute ni les facultés du Souverain Pontife, ni celles du cardinal secrétaire d'Etat. Ces facultés sont à considérer dans la direction morale, comme dans celle matérielle. Je leur voue une confiance absolue dans la première de ces directions ; et je suis, j'en ai la pleine conviction, plus disposé à accorder à l'autre de la valeur que bien des hommes de bonne volonté, dans l'Etat de l'Eglise et hors de ses limites, ne seraient, sans doute, en droit de lui reconnaître. Cela ne m'empêche pas de trouver la situation difficile, et des situations difficiles à celles de dangereuses, il n'y a qu'une courte distance.

« De ce qui se passe dans l'Etat pontifical, rien ne me surprend, car rien ne paraît y être changé, si ce n'est le fait que ce qui couvait sous la cendre éclate maintenant au grand jour. Le feu pour moi est du feu ; qu'il couve ou qu'il éclate ne change rien à son existence et le feu s'il n'est éteint brûle ce qu'il touche et ce qui est inflammable... La *révolte* caractérisée s'est affublée des oripeaux de l'*amour populaire*. Entre deux, la première est plus facile à réprimer que la seconde de ces formes ; elle est, dès lors, plus dangereuse. Ce qu'il faut dans l'un comme dans l'autre cas, c'est de la force gouvernementale, morale et matérielle. De tous les gouvernements, celui de l'Eglise possède le plus de force morale ; il n'en est pas de même de celle matérielle...

« C'est Mazzini qui ordonne les coups de fusil, de poignard ou des hymnes pleines de louanges... Que le souverain pontife mette fin aux arcs de triomphe et aux jubilations... J'aime mieux les coups que ces baisers... »

De Plass, avant de rentrer à Vienne, Metternich écrit encore à Michel, dans un moment d'abandon : « Plass, 11 septembre 1846... Il me reste à vous rendre compte de l'impression... que me fait la lecture des produits du jour qui me prennent pour l'un des buts vers lesquels ils dirigent leurs coups. Je me demande *qui je suis ?* Je ne suis pas *une cause*, mais *le défenseur d'une cause*. On ne peut, dans l'attaque comme dans la défense, séparer une cause *de ceux* qui la soutiennent. Suis-je le seul défenseur de l'ordre encore vivant ? On devrait en vérité le croire ! Ne croyez pas, Monseigneur, que je sois un fat, et pour croire à l'impression il faudrait que je le fusse. Non et mille fois non, je ne suis pas le seul défenseur de la cause de l'ordre, mais ce qui est vrai, c'est que beaucoup de militants se trompent, que beaucoup sont faibles et que je trouve, les jours de bataille, bien peu de combattants à mes côtés ! Au revoir, Monseigneur, ce que je viens de vous dire, ne vous regarde non seulement pas, mais vous place bien haut dans ma conscience* !... »

Avec ces lettres commence entre Metternich et Michel une correspondance abondante et confiante qui durera quatorze ans, jusqu'à la mort du chancelier. Environ trois cents lettres de Metternich sont restées dans les papiers personnels de Michel. J'ignore où sont les siennes. Toutes les lettres de Metternich sont écrites en français, qui était alors la langue diplomatique de l'Europe. Son écriture est claire, large, élégante, sans ratures, sans fioritures non plus, si ce n'est dans certaines majuscules arrondies et la fin de certains mots. Les mots ou les passages qu'il juge importants sont soulignés d'un trait sec. Elles donnent, visuellement, l'impression d'une main ferme et d'une pensée abondante. Certaines n'ont qu'une page, d'autres une douzaine et plus, mais la plupart en ont cinq ou six. Le ton de confiance du chancelier et de respect pour la haute dignité ecclésiastique de son cadet tourne rapidement à l'affection.

« J'espère vous voir bientôt. J'ai faim et soif de vous* », écrit-il le 12 février 1848, cinq jours avant l'insurrection de Vienne qui allait le jeter à terre.

Ces relations entre le nonce et le chancelier ne pouvaient évidemment pas plaire aux Piémontais et aux libéraux italiens, pour qui Metternich était le mal suprême, l'incarnation de la tyrannie autrichienne qui piétinait et humiliait leur pays. « Mort aux Autrichiens ! », le cri s'élevait de plus en plus fort, avec celui de « Vive Pie IX ! » Le pas était vite franchi de dénoncer comme traîtres tous ceux qui ne poussaient pas dans le même sens, le sens du moins que l'on attribuait à la politique du nouveau pape. Les menaces proférées par Tommaseo à l'égard de Michel, chez Benedetto, à Rome, n'en étaient qu'un exemple. La majorité du Sacré Collège des cardinaux, la plus grande partie de la curie passaient pour saboter les décisions de Pie IX, pour freiner ses généreuses intentions. A mesure que croissait l'inquiétude d'une intervention autrichienne, les accusations se faisaient plus passionnées. Et le nonce à Vienne était particulièrement exposé.

L'historien et homme politique piémontais contemporain Luigi Carlo Farini écrit, par exemple, dans son livre *L'Etat romain :* « Les Autrichiens se préparaient à intervenir et certains agents du gouvernement pontifical désiraient et sollicitaient cette intervention. Le prince de Metternich attendait impatiemment qu'on l'appelât. Le nonce Viale Prelà l'entretenait souvent des excès des libéraux, de la faiblesse du gouvernement pontifical, de son probable besoin de secours [125]. »

Dans un rapport de janvier 1847, le nouvel ambassadeur de Sardaigne à Vienne, le marquis Alberto de Ricci, écrivait : « Viale Prelà était l'un de ceux qui non seulement s'opposaient aux réformes de Pie IX, mais qui intriguaient le plus pour les discréditer et les faire échouer. » Et l'historien N. Bianchi, qui cite cette dépêche dans son *Histoire documentée de la diplomatie européenne*, ajoute : « Qu'il me soit permis de consigner ici le souvenir des mots insolents du nonce à l'égard de Pie IX, que nous avons nous-même entendu à Vienne à cette époque [126]. »

Je transcris ces propos par honnêteté, puisqu'ils ont été tenus et largement répandus parmis les contemporains ; mais il est évident maintenant qu'ils étaient excessifs et dictés par l'esprit de parti, s'ils n'étaient pas propagande pure et simple. Ces Piémontais n'avaient qu'une idée : que le pape se ralliât, ou parût se rallier, à leur entreprise militaire contre l'Autriche. Ne pouvant encore dénoncer la duplicité de Pie IX, c'est le nonce qu'ils accusaient de trahison. Mais Bianchi, en historien, et écrivant après les événements, reconnaît lui-même que le nonce à Vienne ne faisait qu'exprimer la volonté profonde du pape, qui était d'éviter la guerre.

Venant à traiter de l'affaire de Ferrare, il précise : « Le journal du gouvernement publia une protestation officielle (de l'Etat pontifical) ; mais le cardinal Ferretti, secrétaire d'Etat, écrivit confidentiellement au nonce à Vienne que le Saint-Père avait été poussé à protester par l'impérieuse nécessité de ne pas perdre l'amour de ses sujets et pour éviter le discrédit inévitable pour tout gouvernement italien qui aurait toléré la moindre offense à son indépendance. »

Michel ne se laissa donc pas toucher, et encore moins intimider, par les insultes dont il était l'objet. « Ce que Farini écrit de moi ne me fait ni chaud ni froid. Un homme d'Etat a dit un jour qu'il y a des louanges qui sont une offense et des critiques qui vous font honneur. Le temps viendra où les choses seront mieux connues et mieux jugées, par expérience », écrit-il, le 2 mai 1851 à Benedetto, lorsque parut le troisième tome du livre de Farini qui le mettait en cause. Il avait la conscience tranquille. Loin de faire le jeu de Metternich, il se servait au contraire de son crédit auprès de lui pour mieux plaider les difficultés politiques de Pie IX et calmer l'impatience croissante des Autrichiens.

Mgr Fantoni pourra, plus justement, écrire : « Nous n'ignorons pas combien d'adversaires a, spécialement aujourd'hui, la politique de Metternich, lesquels englobent dans leurs âpres censures la mémoire du cardinal Viale Prelà, à cause de leur intimité. Mais nous repoussons cet amalgame, et n'acceptons pas que les jugements de la cuistrerie politique sur le vieux ministre se veuillent sans appel. Nous dirons seulement qu'ils se tromperaient ceux qui croiraient que le cardinal Viale Prelà était disposé à s'en remettre *in verba magistri* ; et nous savons au contraire que le Nestor de la diplomatie européenne trouvait souvent rétif l'esprit et sévères les paroles du nonce romain. »

Le fait est que l'attitude de Pie IX prêtait largement à confusion. Vu de Vienne, il avait effectivement l'air d'accepter le rôle que les patriotes voulaient lui faire jouer à la tête du mouvement d'émancipation italien. Il y avait danger d'explosion. C'était surtout vrai à cette frontière de l'Etat pontifical qui jouxtait les possessions autrichiennes du royaume lombardo-vénitien, à Bologne, à Ferrare, ces provinces de l'Emilie-Romagne qu'on appelait les Légations. Le ferment libertaire y était très fort, depuis toujours. Il l'est encore. Les idéaux révolutionnaires français y avaient laissé des traces profondes. Plusieurs insurrections s'y étaient déjà succédé, que les Autrichiens avaient aidé à mater.

Ferrare n'était séparée du royaume lombardo-vénitien que par la largeur du Pô. Le traité de Vienne avait donné à l'Autriche le droit d'y tenir une garnison dans la forteresse, et cela donnait lieu à de fréquents incidents avec les patriotes. Début juillet, de nouvelles bagarres avaient éclaté ; on avait tué un « espion » autrichien.

Le 17, un corps de 850 soldats autrichiens, les armes chargées, avait franchi la frontière. Au lieu de s'enfermer dans la forteresse, les soldats s'étaient mis à patrouiller ostensiblement en ville, plaçant des piquets aux portes et des corps de garde un peu partout. On ne sait s'il s'agissait d'une simple opération de police, ordonnée par le maréchal Radetski, commandant suprême à Milan, ou d'un coup de semonce adressé par Metternich lui-même aux « révolutionnaires » romains. Mais le résultat fut le même. L'Italie s'indigna. Toute l'Europe dénonça « l'occupation » autrichienne. L'Angleterre et la France affirmèrent bien haut que l'indépendance et l'intégrité de l'Etat pontifical étaient essentielles à l'équilibre de la péninsule.

Le pape ne pouvait être en reste. Le cardinal secrétaire d'Etat demanda à Michel, dans ses instructions officielles, d'exiger le retrait des troupes autrichiennes de Ferrare. Mais, dans son entretien avec Metternich, il était naturel que le nonce tînt compte des explications apaisantes suggérées d'autre part, confidentiellement, par ce même cardinal. Elles allaient dans le sens de la modération que Michel ne cessait de conseiller à Rome tout au long de la crise. Son intervention n'avait d'ailleurs aucune chance d'aboutir. Elle pouvait tout au plus atténuer les termes du refus autrichien, en sauvegardant l'avenir.

« Le prince m'a dit : que personne ne regrette plus vivement que lui les conflits qui viennent de se produire ; la présence de garnisons impériales dans les places de Ferrare et de Comacchio ont servi de gage de sûreté et de repos à l'Etat de l'Eglise ; il est pénible de voir dès aujourd'hui des questions de règlement militaire s'élever entre deux gouvernements amis, liés par une entière conformité d'intérêts », dit une note de Michel jetée sur un petit papier, probablement au sortir de l'entretien, comme aide-mémoire pour la rédaction de son rapport à la secrétairerie d'Etat.

Le refus de l'Autriche de retirer ses troupes de Ferrare porta au paroxysme les sentiments des patriotes italiens. Ce refus devait, pensaient-ils, lever les scrupules de tous les honnêtes gens. Il fallait défendre l'Etat de l'Eglise et le pape lui-même contre des agresseurs étrangers. Le pape incarnant le sentiment national italien, la guerre contre l'Autriche était enfin justifiée. Elle devenait une croisade.

Metternich écrit à son ami, le comte d'Usedom, ministre de Prusse à Rome : « Je ne suis pas un prophète, mais je suis un vieux médecin : je sais distinguer les malaises passagers des maladies mortelles. C'est d'une maladie mortelle qu'il s'agit aujourd'hui. Nous tiendrons tant que nous pourrons, mais je commence à désespérer de l'issue [127]. »

« Le nonce est atterré par les événements dont les Etats de l'Eglise sont le théâtre. Nous savons de source certaine qu'on veut le rappeler : on le trouve trop favorable à l'Autriche », note la princesse Mélanie dans son journal.

20

De Turin à Rome, ce n'est qu'un cri : « *Guerra !* » Les étudiants, qui manifestent partout, harcèlent les gouvernements craintifs. Avec la guerre, ils exigent des réformes internes, toutes les libertés. Le duc de Modène, le duc de Parme, le grand-duc de Toscane, le roi des Deux-Siciles comme le souverain des Etats de l'Eglise, échantillonnage anachronique d'une histoire dépassée, prennent peur ; et leurs hésitations encouragent la jeunesse dans sa révolte. La contagion réformiste existe aussi en Allemagne, où le roi Frédéric-Guillaume IV de Prusse convoque les états généraux des huit provinces du royaume. Mais en Italie, réformisme et patriotisme forment un mélange autrement explosif avec le tempérament latin. On regardait vers Ferrare. L'explosion se produisit à Palerme, avec les derniers pétards des fêtes du nouvel an 1848.

L'Italie a le génie de ces gestes symboliques. L'insurrection partait des vieux quartiers de la ville, où, dans les petits théâtres de marionnettes, les *Pupi* traditionnels exaltaient chaque soir le public populaire, quasiment analphabète, avec les exploits de Charlemagne et de ses paladins. Cette fois, l'Orlando furioso sort dans la rue.

Par des combats sauvages, aidés des paysans noirauds des collines, les Palermitains chassent les soldats du roi de Naples, des étrangers pour eux. Le roi Ferdinand fait bombarder Palerme. Il n'y gagnera qu'un surnom, sous lequel il est passé à la postérité : *Re Bomba**. Ses troupes battent en retraite, rembarquent, rentrent à Naples. Les Napolitains, à leur tour, manifestent et menacent. Ils crient qu'ils vont faire la révolution. Re Bomba était un vrai Napolitain ; il n'était ni bête ni méchant. Il comprend vite, fait les cornes, chasse son confesseur et charge un libéral de rédiger une Constitution inspirée de la Charte française. Elle sera proclamée le 1er février.

L'Italie tout entière paraît alors s'embraser et le cri de « *Statuto !* » — Constitution — couvre un moment celui de

---

* Le roi Bombe.

« *Guerra !* » A Turin, le roi Charles-Albert promet le *Statuto* le 8. Le grand-duc de Toscane, le 17. Le 14 mars, c'est au tour de Pie IX. Une Constitution pour les Etats de l'Eglise ! L'inimaginable est en train d'arriver.

« Si le pape chartrise, que deviendra alors l'Eglise ? » écrit Metternich à Michel le 12 février. Dans le royaume lombardo-vénitien, il ne pouvait en être question, le souverain étant l'empereur d'Autriche. Attisé par les Piémontais, c'est le patriotisme qui y provoque des émeutes. Le maréchal Radetski fait sortir les canons à Milan. A Venise, la poigne de la police peut encore suffire. Le 18 janvier, Niccolo' Tommaseo est jeté en prison.

Les Vénitiens sont gens aimables et paisibles, légalistes, attachés aux biens de la terre et au respect des mots. Ils ne descendent pas facilement dans la rue. Le Risorgimento, les étudiants le préparaient studieusement à l'université. Et c'est à l'université de Venise que le professeur émérite Niccolo' Tommaseo, écrivain renommé pour la fécondité de son esprit et la rigueur morale de son patriotisme et de sa foi, avait donné une belle leçon de fin d'année, en décembre 1847. Le sujet en était « L'état des lettres italiennes, particulièrement en Vénétie et en Lombardie ».

Rien de révolutionnaire, on le voit. Venant à parler de la censure que les Autrichiens exerçaient sur tout ce qui s'écrivait, Tommaseo n'en mettait même pas en cause le principe, mais seulement les abus des censeurs. S'appuyant sur la loi, il en réclamait le respect. Sa leçon se terminait sur un ton légaliste, par une série de demandes modérées adressées à l'empereur. Il l'acheva sous les ovations.

A la sortie, on lui fit un triomphe. Le lendemain, toute la ville en parlait plus encore que de la dernière harangue politique de l'avocat Daniele Manin, leader des patriotes. On répandit le texte à travers l'Italie. Vieusseux l'imprima à Florence. Tout le monde retint que Tommaseo avait eu le courage de réclamer publiquement la liberté de la presse. Du jour au lendemain, le professeur émérite était redevenu un « agitateur », comme dans sa jeunesse. Aux premières manifestations de rue, la police autrichienne l'avait arrêté avec Manin et enfermé dans la sinistre prison des Plombs.

A l'annonce de son emprisonnement, ses amis se mobilisèrent. Salvatore écrit à Michel, à Vienne, et lui demande d'intervenir auprès de Metternich. Il en informe Vieusseux. Michel avait déjà été chargé d'intervenir par la secrétairerie d'Etat, au nom personnel de Pie IX. L'initiative en avait été prise par Gino Capponi, qui avait touché le pape par l'intermédiaire du cardinal Ferretti. Mais les événements allaient désormais très vite. Le temps d'entreprendre les démarches, Tommaseo aura été libéré par la révolution.

A Rome, le pape est débordé par le mouvement populaire. « A Rome, on a entendu, en public, les cris de "Vive les protestants !" après ceux de "Vive Pie IX !". J'espère que ces cris n'auront pas d'écho ; sinon ce serait une extrême ingratitude », écrit Salvatore à Vieusseux, en décembre. En janvier, le cardinal ministre des Armées étant mort, Pie IX le remplace par le général Pompeo Gabrielli. C'est la première fois qu'un laïc entre dans le gouvernement pontifical. Ce laïc étant un militaire, les patriotes interprètent le choix dans un sens belliciste.

De même, lorsque le pape lance son fameux : « Bénissez, grand Dieu, l'Italie et conservez-lui la foi », dans son Motu Proprio du 10 février 1848, ils n'en retiennent que la première partie, comme s'il bénissait d'avance la croisade contre l'Autriche, et le Motu Proprio est diffusé sous forme d'affiches ornées d'épées, de drapeaux et de canons. Avant d'accorder lui-même le *Statuto*, le pape avait nommé une commission de cardinaux pour examiner si le régime constitutionnel était compatible avec la nature très spéciale de l'autorité pontificale. Mais, avant qu'elle ne se réunisse, le Sénat romain avait décrété une illumination générale pour célébrer l'octroi de la Constitution au royaume de Naples. Le pape ne pourra plus reculer.

Cette fois, le prince de Metternich perd son sang-froid. Rome devient le « foyer de l'Enfer ». Le moins surprenant n'est pas qu'il le dise en ces termes au nonce. C'est, bien entendu, une lettre privée. Elle n'en est que plus révélatrice de son exaspération. En la lui envoyant, avec la protestation officielle de la chancellerie contre l'illumination décrétée par le Sénat romain, Metternich n'interdit pas au nonce d'en faire état à Rome. On peut même croire qu'il souhaitait qu'il le fasse, puisqu'il met au courant son ambassadeur à Rome, le comte Lutzow.

« Vienne, ce 12 février 1848. Vous ferez, Monseigneur, de la lettre ci-jointe, tout ce que vous voudrez et ce que vous voulez est toujours faire chose utile [128]. Si vous croyez qu'il puisse l'être que son contenu arrive à la connaissance du cardinal (secrétaire d'Etat), alors envoyez-la lui, si vous êtes d'un avis contraire, alors brûlez-la. J'écrirai dans tous les cas dans son sens au comte de Lutzow.

« Ce qui me paraît attendre le SPQR, c'est que sa joie de la révolution sicilo-napolitaine n'aura point été de longue durée. Je ne regarde en effet pas cette révolution comme pouvant par ses produits servir le programme de la révolution *italienne*, et devant d'un côté placer le Saint-Siège dans de fort grands embarras. La Toscane et le royaume de Sardaigne n'échapperont pas à la constitution et le souverain pontife *chartrisera*-t-il l'Etat de l'Eglise dont la constitution ne peut point ressembler à celle d'Etats laïcs à moins de se séculariser au point de réduire le souverain actuel au rôle d'un simple évêque de Rome ! Que deviendra alors l'Eglise ?...

« Une troisième conséquence de la marche des événements ne vous échappera pas. C'est celle que *le tête-à-tête* de la puissance autrichienne avec la révolution *italienne* se trouve rompu par l'appel fait à l'intervention des deux puissances maritimes et rivales dans les affaires de la péninsule !...

« Nous, Monseigneur, ne perdons rien à ce changement de position ! Nous saurons nous maintenir chez nous et l'heure sonnera où la pauvre Italie et l'Eglise éternelle aura besoin de notre existence !

« J'espère vous voir bientôt ; j'ai soif et faim après vous. Mille hommages,

Metternich
ce 12 février 1848. »

« L'empereur de Russie vient d'adhérer à l'attitude des cours en face de la Suisse. Sa déclaration est excellente ! Elle sera à l'heure qu'il est arrivé à Rome ou à peu de distance de ce foyer de l'enfer*. »

Le 24 février, la révolution éclate à Paris. Louis-Philippe s'enfuit. Lamartine fait acclamer la République. Le retentissement énorme de l'événement, comme une onde de choc, secoue l'Europe. Dans les Etats germaniques, les peuples se soulèvent contre leurs souverains pour obtenir une Constitution et ce symbole de toutes les libertés, la liberté de la presse. A Francfort, les représentants de tous les Etats décident la convocation d'un Parlement unique, élu au suffrage universel par l'Allemagne entière. Le roi de Saxe, le roi de Bavière, le grand-duc de Bade abolissent la censure. Le roi de Prusse lui-même promet réformes et Constitution.

Dans l'empire des Habsbourgs, ce sont les peuples soumis qui se révoltent, en Hongrie, en Bohême, en Lombardie, à Venise. A Milan, le maréchal Radetski décrète l'état de siège. Partout en Italie, les volontaires se rassemblent pour libérer leurs frères opprimés. Le Piémont mobilise. Une fois de plus, on se tourne vers Pie IX.

A Rome, les patriotes armés défilent dans les rues en acclamant le pape et en l'incitant à la guerre. On vend des poignards dont la garde est formée par la tiare et les clefs de Saint-Pierre avec, gravé sur la lame « *Viva Pio Nono* ». Le 11 mars, Pie IX forme un ministère presque entièrement laïc avec le cardinal Giacomo Antonelli, secrétaire d'Etat. Un consistoire expéditif approuve le *Statuto*, qui est signé le 14.

Au grand effroi des modérés, on voit déjà le pape partir en guerre. Mais, divine surprise, on apprend alors que la révolution a éclaté à Vienne et que les Autrichiens eux-mêmes ont chassé Metternich du pouvoir.

Le 13 mars, Vienne dormait encore, lorsque des milliers d'étudiants se rassemblent à l'université puis, professeurs en tête, se dirigent en cortège vers le palais des Etats, « le front haut et la démarche altière », selon le récit d'un contemporain [129].

Les revendications des étudiants sont celles de l'Europe entière : liberté de la presse et Constitution. Mais un cri, chemin faisant, commence à monter plus haut que les autres, et devient clameur : « Metternich démission ! ». Aux étudiants, se joint bientôt une petite foule de bourgeois. Les ouvriers commencent à venir des faubourgs. Le mouvement devient insurrection populaire. On pille le palais des Etats. La troupe tire. Il y a cinq morts, dont un étudiant. On crie :

« Aux armes, on égorge nos frères ! ». Recteur en tête, une députation de l'université et des Etats se rend au palais impérial. « Remettez-nous les armes de la garde civique, ou nous les prendrons nous-mêmes », dit-elle. Mais le bourgmestre avait déjà ouvert l'arsenal de la garde civique aux insurgés.

Une nouvelle députation, plus importante, formée de professeurs, d'étudiants, de membres des Etats et de bourgeois retourne au palais impérial. On venait d'apprendre que le roi de Prusse, dont le régime était le plus proche de celui de Vienne, avait annoncé à Berlin des réformes radicales dans la législation de la presse. Au palais, la délégation est reçue par l'archiduc Louis. Metternich est à ses côtés.

Par les fenêtres, on entend les clameurs de la foule qui réclame sa démission. La délégation fait état des réformes du roi de Prusse et demande la liberté de la presse. On discute, dans un tumulte croissant. La scène a été décrite par plusieurs témoins. Je suivrai ici le récit de Balleydier, car j'ai trouvé son livre dans la bibliothèque de la maison, coché à de nombreuses pages intéressant Michel, qui a pu vérifier les témoignages. Ils sont, certes, favorables à Metternich, mais Michel l'était aussi.

Metternich quitte la pièce et passe dans un cabinet voisin, pour rédiger un projet de décret impérial, sur le modèle de celui du roi de Prusse. La porte ne s'est pas plutôt refermée que les récriminations se déversent sur lui. On assure qu'il est cause de tous les malheurs de l'Autriche, des désordres, des morts. Dans une image hardie, un professeur dit que le prince, « faisant éclipse entre le souverain et ses sujets, empêche les rayons de l'amour populaire de s'élever jusqu'au trône ». Soudain, la porte s'ouvre. Metternich apparaît, le projet de décret à la main, calme, affectant un détachement hautain. On se tait. Dans le silence, on entend plus fort les cris de « A bas Metternich ! » lancés par la foule.

« De quoi s'agit-il, Monseigneur ? demande-t-il à l'archiduc Louis ; quelle est la cause de cette discussion tumultueuse ? » Dans ce moment, les cris du peuple assemblé sous les fenêtres redoublent. Ces cris apportent distinctement aux oreilles du prince-ministre comme une note détachée d'un concert de malédictions. « A bas Metternich !, répète le peuple, à bas Metternich ! » Le ministre, sans trahir la moindre émotion, renouvelle sa demande : « De quoi s'agit-il, Monseigneur ? dit-il à l'archiduc Louis, quelle est la cause de la discussion que ma présence ici vient d'interrompre ? — Ecoutez, excellence, répondit l'archiduc, entendez-vous la voix du peuple ? — Je comprends, réplique le ministre avec un sourire qui reflète la sérénité de son âme ; cette voix, disent les révolutionnaires, est la voix de Dieu »...

Un morne silence avait succédé à l'agitation qui régnait dans le cabinet de l'archiduc Louis. Le ministre reprit avec un calme imperturbable et une modération pleine de dignité : « La tâche de ma vie entière se résume par ce seul mot : dévouement ! En effet, je déclare en ce moment solennel, devant Dieu qui lit dans mon cœur, devant les hommes qui m'écoutent, je déclare que dans le cours de ma longue carrière, je n'ai pas eu une seule pensée qui ne tendît au salut de la monarchie. Si l'on croit aujourd'hui que ma présence à la tête des affaires compromette ce salut, je suis prêt à me retirer. Dans ce cas ma retraite ne sera pas un sacrifice, et, de loin comme de près, je n'aurai jamais qu'un seul vœu, celui du bonheur de mon pays. »

Alors, s'adressant directement à l'archiduc Louis : « Monseigneur, lui dit-il, je dépose entre vos mains comme en celles de l'empereur mes fonctions ; dès ce moment je rentre dans la vie privée. » Puis, se tournant vers les orateurs hostiles qui l'avaient pour ainsi dire assiégé dans le cabinet de l'archiduc : « Messieurs, je prévois que l'on répandra le bruit qu'à ma sortie des affaires j'ai emporté la monarchie, je proteste solennellement d'avance contre une pareille assertion ; personne au monde, pas plus que moi, n'a des épaules assez fortes pour emporter un Etat.

« Si des empires disparaissent, ce n'est que lorsqu'ils désespèrent d'eux-mêmes. »

S'il n'avait tenu qu'à lui, Metternich eût employé la force. Son plan : arrêter les interlocuteurs de l'archiduc et proclamer l'état de siège. Il le dira à Michel, à son retour d'exil. Sa confidence se trouve parmi les notes que Michel a gardées, dans ses archives privées, sur quelques-unes de leurs conversations, sans doute rédigées aussitôt après celles-ci.

« 24 septembre 1851... Après quoi, il passa aux événements de 1848. Le 13 mars, il dit ne pas s'être retiré à cause de la révolution, mais uniquement par la faiblesse de qui n'avait pas osé résister à celle-ci. La journée du 13 n'est pas considérée par lui comme le jour de la révolution, c'est la journée du 14 qu'il qualifie comme telle. Il était déterminé à résister et à donner sa vie, si cela avait été nécessaire, pour la défense du principe qu'il avait défendu pendant toute sa vie. Le soir du 13, poursuivit-il, il y avait à l'intérieur du palais impérial deux ou trois cents individus et donc il n'y avait en ville qu'environ quinze révolutionnaires républicains.

« Son plan était le suivant : retenir prisonniers dans la résidence impériale les individus qui s'y trouvaient et faire ensuite arrêter les révolutionnaires républicains en question ; faire occuper par les soldats l'université, les locaux où se réunissait la société dite de l'Industrie et d'autres points de la ville et proclamer l'état de siège. Il était persuadé que ces moyens auraient suffi à réprimer la révolution car les habitants de Vienne étaient dépourvus d'armes. »

La démission de Metternich fut accueillie avec soulagement dans la population. Elle évitait, croyait-on, une révolution. Sur le Prater, où il se promenait en calèche découverte, la foule acclama l'empereur Ferdinand.

Michel avait été témoin des tumultes depuis les fenêtres de la nonciature, qui se dressait sur la place Am Hof, la plus vaste de la vieille ville et lieu traditionnel des grands rassemblements de foule. Le 16 au soir, une nouvelle manifestation s'y déroula qui, cette fois, s'adressait au nonce. « La religion, dans la personne du digne représentant de Pie IX à Vienne, ne fut point oubliée ce soir-là, raconte Balleydier.

« A neuf heures, une colonne de trois ou quatre mille hommes se rangea en bataille devant le palais de la nonciature, aux cris de Vive Pie IX ! Vive l'Allemagne ! Vive l'Italie ! Vive la fraternité de tous les peuples ! Un instant après, une députation composée d'un Illyrien, d'un Vénitien, d'un Milanais, d'un Allemand, se présenta chez le nonce apostolique, Monseigneur Viale Prelà, dont l'âme généreuse n'avait pu voir sans un profond sentiment de douleur des événements conformes aux scènes qui désolaient, à la même heure, la capitale du monde catholique. Les délégués haranguèrent le nonce au nom de la liberté et de la religion, et le prièrent d'agréer l'hommage de leurs sentiments d'amour et de fidèle dévouement à la personne sacrée du chef de l'Eglise.

« Monseigneur Viale Prelà répondit que Sa Sainteté serait sensible à cette démonstration considérée comme l'expression des sentiments catholiques dont les délégués étaient animés, expression qui trouverait dans le cœur du Saint-Père une bienveillance paternelle. Il ajoutait que plus était grande la liberté accordée au peuple, plus devaient être grandes les vertus des citoyens, que leurs efforts pour le rétablissement de l'ordre et le maintien de la tranquillité publique devaient être en rapport avec la gravité des circonstances..., que leur qualité de catholiques devait toujours rappeler à leur mémoire les divins préceptes de Jésus-Christ : rendez à César ce qui est à César, et à Dieu ce qui est à Dieu.

« Cette réponse énergique était non seulement une protestation contre les violences des jours précédents ; mais elle était aussi un généreux appel aux devoirs de fidélité au souverain, prêchés depuis dix-huit siècles par la voix du catholicisme. »

Le lendemain, 17 février, Michel écrit à Benedetto : « Ici aussi nous avons eu trois glorieuses journées à la manière de Paris, mais bien loin d'être aussi sanglantes que celles-ci. Ce fut les jours 13, 14 et 15. Le résultat du premier jour fut que le prince de Metternich donna sa démission à la requête des Etats. Le second jour, on accorda la liberté de la presse, et le troisième on promit une Constitution. Je n'ai jamais perdu ma tranquillité d'esprit, bien que presque tout le tohu-bohu se soit déroulé sous mes yeux, sur la place où se trouve le palais de la nonciature. Maintenant tout est revenu à l'ancienne tranquillité et l'on croit que ce qui s'est passé n'a été qu'une espèce de rêve. »

A l'annonce que Metternich est tombé, les provinces italiennes de l'empire se soulèvent à leur tour. Les cloches sonnent. Elles sonnent le glas de la domination autrichienne, dit-on. A Milan, on dresse des barricades, on tire de toutes les fenêtres, on jette les meubles sur la cavalerie. Les combats de rue durent cinq jours. Le 23 mars, à court de vivres et de munitions, Radetski quitte la ville. L'armée se replie dans le quadrilatère que forment ses places-fortes entre Vérone et Mantoue.

A Venise, au contraire, tout se passe poliment. Le gouverneur civil autrichien accepte la formation d'une garde nationale et lui remet des armes lui-même. La foule, en chantant et en dansant, court à la prison, libère Tommaseo et Manin qu'elle acclame. C'est le printemps ; la place Saint-Marc est une immense fête. On proclame la République ; Manin est élu président. Le 22, il forme un gouvernement dans lequel Tommaseo est ministre de l'Instruction et du Culte.

Tommaseo aurait préféré rentrer chez lui, reprendre sa vie studieuse, parmi ses livres. Il n'avait pas été malheureux en prison. Il y avait été traité avec égards, avec cette civilité qui est le fond naturel du caractère des Autrichiens. Tous n'avaient pas une mentalité d'oppresseurs, même en Italie, et surtout pas à Venise. Ils y ont laissé de bons souvenirs. Tommaseo dira lui-même qu'il n'avait jamais autant travaillé, et aussi tranquillement, que pendant ce séjour en prison. Le jour de son arrestation, il y avait écrit un *Hymne à Pie IX*. En deux mois, il avait terminé un livre intitulé *Méditations religieuses*, une traduction des Evangiles et des homélies de saint Léon le Grand et mis en chantier plusieurs ouvrages historiques. Il eût aimé continuer dans cette voie et retourner à l'université. Mais la foule l'avait porté en triomphe sur la place, avec Manin, et il y était resté, par devoir.

Les « Cinq journées » de Milan avaient électrisé l'Italie. On croit que Radetski est en fuite. Le duc de Parme, le duc de Modène, protégés des Autrichiens, s'enfuient. Le grand-duc de Toscane, un Lorraine pourtant, arbore le drapeau tricolore et lance des proclamations belliqueuses. A Rome, des scènes tumultueuses se déroulent à l'intérieur du Colisée. Des milliers de patriotes forment un corps de volontaires et jurent sur la Croix de ne pas revenir avant d'avoir chassé les « barbares ». On crie : « Aux armes ! Dieu le veut ! » En Lombardie, des troupes d'insurgés sillonnent le pays. Même le roi de Naples, Ferdinand, à tout hasard, mobilise.

De partout, les volontaires affluent vers le Piémont. Le 25, Charles-Albert franchit le Tessin à Pavie avec l'armée piémontaise. « Je vais sceller à Vienne l'indépendance de l'Italie avec le pommeau de mon épée », proclame-t-il. A Lamartine qui lui proposait l'aide française, il répond fièrement : « *Italia farà da se.* » On le croit. Partout, bourgeois, ouvriers, étudiants, paysans, enfants même, s'arment, s'enrôlent, partent. Les femmes font de la charpie. Les prêtres bénissent et font la quête pour l'achat des fusils.

Dans une envolée de coups de feu et de phrases sonores, généralement en dialecte, de Venise à Florence, de Naples à Milan, c'est partout le même appel, la même aspiration à vivre enfin l'Italie d'une seule âme. « *Va pensiero... !* » de la Scala, où les Milanais, poings serrés, larmes aux yeux, le reprenaient en chœur comme un défi aux officiers autrichiens du parterre, le grand air de Nabucco libère les passions. De partout il s'élève : « *Va pensée - sur tes ailes dorées - va, pose-toi sur les collines - d'où s'exhale tiède et humide - le doux air du sol natal - o patrie, si belle, que j'ai perdue...* » Bouleversant de force et de sérénité, il s'élève comme un hymne national sur l'air duquel il paraît facile de vaincre et de se faire tuer dans l'amour d'une patrie que seùl ce rêve unit encore. Sublime Italie, où la mort même était beauté et bonheur, dans l'harmonie que l'on attend de la vie.

21

A la nouvelle de la chute de Metternich, Pie IX s'était réjoui. Il était de ceux qui croyaient que ce départ simplifierait les choses. « On m'a dit que le pape a lancé son camauro en l'air, en criant evviva », note Salvatore à Rome, l'année suivante [130] . D'autres contemporains le rapportent aussi. Pie IX ne voulait pas la guerre. Il la laisserait faire aux Piémontais, si elle était inévitable là-bas dans la Haute-Italie. Quant à son propre rôle, il croyait sincèrement qu'il pourrait être celui d'un médiateur de paix, et que l'enthousiasme populaire pour sa personne sacrée était plutôt une garantie dans ce sens.

En sortant du Colisée au milieu d'un prodigieux enthousiasme populaire, les volontaires romains allèrent tout naturellement au Quirinal acclamer Pie IX. Celui-ci hésita à les recevoir. Mais la foule était tellement fervente, il y avait tellement d'émotion dans l'air, que, porté comme toujours par un élan du cœur, il finit par faire entrer une délégation. Elle monta avec les drapeaux qui étaient aux couleurs du Saint-Siège, jaune et blanc.

« Eh bien, mes enfants, on me dit que vous partez demain ? dit le pape. — Oui, Très Saint-Père. — Et savez-vous où vous allez ? — Non, Très Saint-Père. » Ils ne le savaient pas encore. Pie IX leur tint alors un petit discours, sur le ton familier, dont le sens était : « Vous partez, je le sais, défendre nos frontières ; mais surtout ne les franchissez pas. » Puis, il leur donna sa bénédiction. Il n'est pas certain qu'il ait béni les drapeaux ; qu'il ait, en tout cas, voulu les bénir. Mais les drapeaux étaient là, devant lui. On dit, donc, qu'il les avait bénis.

Quand la foule l'apprit, ce fut du délire. On l'acclama, on lança plus fort que jamais les cris habituels, « Vive Pie IX », « Dehors les barbares ». La nuit était tombée ; on alluma des torches. Dans un grand vacarme de chants, de cris et de tambours, drapeaux bénits en tête, les volontaires redescendirent vers le centre de la ville en portant la bonne nouvelle : le pape était avec eux.

Entre le 23 et le 30 mars, trois mille hommes partirent vers les frontières, le régiment des volontaires, un bataillon d'étudiants, une légion de la garde civique, avec une section d'artillerie. « Et dire qu'ils étaient tous nés dans l'Etat romain, élevés par des prêtres, et n'avaient jamais entendu parler d'armes qu'avec une sainte horreur ! » dit Davide Silvagni en les voyant passer [131].

Aux frontières, en Romagne, dans les Légations, les troupes régulières pontificales étaient sur le pied de guerre. Les instructions du ministre des Armées étaient précises : repousser toute attaque des Autrichiens, mais ne pas attaquer soi-même. Les troupes autrichiennes avaient d'ailleurs évacué une partie du terrain, de leur côté de la frontière, pour éviter tout incident.

Mais le général en chef pontifical, installé à Bologne, le général Giovanni Durando, était une sorte de matamore qui n'avait jamais vu le feu et rêvait de gloire. Il promulgua un ordre du jour qui était en fait une déclaration de guerre. « Radetzky fait la guerre à la Croix du Christ, disait-il. Cette guerre de la civilisation contre la barbarie n'est pas une guerre nationale, mais une guerre chrétienne. » On dit, d'ailleurs, que le texte avait été rédigé par d'Azeglio.

Puis il fit franchir la frontière à ses troupes, qui occupèrent le terrain évacué par les Autrichiens. Dès qu'on le sut, à Rome, il fut désavoué, et on l'imprima dans la *Gazzetta di Roma*, l'organe officiel, pour que ce fût bien clair. Mais Pie IX fut bouleversé. Il était l'agresseur ! C'est alors qu'il commence à comprendre l'énorme malentendu qu'il a laissé se créer.

Il y avait erreur, non seulement sur son rôle de pape libéral et patriote, mais également sur la personne qui l'incarnait. Giovanni Mastai n'avait pas de personnalité, aucun caractère. C'était un faible, un indécis, qui cherchait dans la popularité l'assurance qu'il n'avait pas. Trop sensible, il avait un grand cœur, mais un petit esprit. C'est pourquoi il se laissait si facilement porter par les événements.

Sa conduite était aussi incertaine que l'avait été sa vocation. Né à Senigallia, dans les Marches, le jeune Giovanni était parti pour Rome avec l'intention de faire carrière à la cour pontificale. Son désir était d'entrer dans la garde noble ; mais on découvrit qu'il était atteint d'une forme légère d'épilepsie, qui entraînait une émotivité et une instabilité excessives. Il fut refusé. Il était alors fiancé à une jeune fille du monde, Teodora Valle, et la famille rejeta sa demande en mariage, quand elle apprit pourquoi la garde noble n'en avait pas voulu. Il entra alors au séminaire. N'ayant pas fait d'études, il n'avait pas le choix pour faire carrière à Rome. Du reste, devenu abbé, il n'en était pas moins resté un habitué du café Veneziano, et grand admirateur du beau sexe.

Sa chance avait été de se faire bien voir du cardinal Annibale della Genga qui l'avait pris sous sa protection. Le cardinal devenu le pape Léon XII, sa carrière était faite ; modeste carrière, d'ailleurs, à la nonciature au Chili, à l'évêché de Spolete puis à celui d'Imola, qui lui avait finalement valu le chapeau rouge pour des raisons de préséance. On a vu comment il avait été élu au pontificat. « Une longue infirmité ne lui avait pas permis de faire des études bien ordonnées et d'acquérir la pratique des affaires publiques », dit Pier Desiderio Pasolini, le fils du comte Giuseppe, dans ses *Mémoires*. Ni à Spolete ni à Imola, Mgr Mastai n'acquit la pratique des affaires publiques, il ne l'aura jamais ; mais à Imola, au contact de Giuseppe Pasolini, libéral modéré à la foi rigoureuse, il acquit du moins une certaine culture politique. C'est Pasolini qui lui fit lire le livre de Gioberti, *La primauté morale et civile des Italiens*, paru en 1843 et alors au centre de toutes les discussions.

Ce livre prônait la constitution d'une fédération italienne sous l'autorité du pape. Mgr Mastai en retint les idées d'autant plus aisément qu'il était homme de peu de lectures. Devenu pape, il ne chercha pas plus loin ; les circonstances avaient fait le reste. L'édit d'amnistie, mouvement du cœur plus qu'acte politique, l'avait fait pape libéral ; l'affaire de Ferrare, pape patriote. On lui avait ouvert un crédit immense. Mais maintenant, aux frontières, l'heure était venue de faire les comptes avec la réalité. On lui demandait de faire la guerre.

Faire la guerre, le pape ? Le sacré collège, la curie, tout l'appareil ecclésiastique de l'Etat, à commencer par le nouveau secrétaire d'Etat, le cardinal Antonelli, proteste alors à grands cris.

On est au bord de l'irréparable, disent-ils, on force le pape à trahir sa mission universelle. Le pape est le chef de la communauté catholique du monde entier, le pasteur des catholiques de toutes les nations et l'Autriche est l'une des plus grandes nations catholiques. Les Autrichiens sont ses fils, autant que les Italiens. Beaucoup d'Italiens pensaient de même ; et, parmi eux, nombre de libéraux modérés. La guerre était l'affaire des Piémontais. Le souverain pontife devait rester au-dessus de la mêlée.

Dans les Etats du pape, la curie n'était plus isolée. Elle avait maintenant des arguments pour parler aussi haut que les patriotes. On avait pu la critiquer, l'attaquer lorsque, par ses lenteurs, ses réserves, sa prudence, elle paraissait freiner les impulsions de Pie IX en politique intérieure, lorsque les cardinaux résistaient aux pressions des laïcs libéraux. Mais maintenant, ce qu'exigeaient ces derniers au nom du patriotisme ne concernait plus seulement Pie IX, souverain de l'un des Etats de la péninsule, mais le chef de l'Eglise. On lui demandait de trahir sa mission évangélique, sa raison d'être. Lancer une croisade contre un pays catholique, c'était le pousser au schisme.

De Vienne, les rapports qu'envoyait le nonce à la secrétairerie d'Etat décrivaient avec un crescendo dramatique la montée de l'hostilité contre le pape et contre l'Eglise catholique, que provoquait dans l'opinion publique autrichienne l'apparente complicité des troupes pontificales avec les ennemis piémontais. Des manifestations se déroulaient sous les fenêtres de la nonciature ; on jetait des tomates contre l'emblème pontifical hissé sur le portail. Le parti antiromain, depuis toujours actif, s'appuyait sur le joséphisme et sur les tendances au protestantisme, pour demander la séparation définitive d'avec Rome.

Le 7 avril, le gouvernement autrichien décrète l'expulsion de la congrégation des rédemptoristes. Ce pourrait être le signal de la rupture [132]. Le nonce l'écrit à Rome, dans une dépêche aux accents saisissants, dans laquelle il reprend ses avertissements sur les menaces de schisme en Autriche. Il rapporte les accusations, portées nommément contre Pie IX, d'inciter les Italiens à la guerre, d'apporter son appui matériel et moral à ceux qui tuent les soldats autrichiens. « Il a soufflé sur le feu en Lombardie, jusqu'à ce que celle-ci se soulève, disent les Autrichiens. Insurrection, c'est le mot d'ordre des émissaires pontificaux à Milan et à Venise. Guerre, guerre est le mot que Rome répète au gouvernement de Turin, jusqu'à ce que celui-ci la déclare. L'Etat de l'Eglise aide les rebelles avec des corps francs, de l'argent, des armes bénites. Tandis que, dans les églises d'Autriche, on dit partout des prières pour le pape, des milliers d'Autrichiens le maudissent, car c'est au cri de *"Viva Pio Nono"* qu'on les attaque, qu'on les poignarde, qu'on les massacre sans miséricorde [133]. »

Au même moment, à Rome, les manifestations contre l'Autriche atteignent un paroxysme. Ciceruacchio mène la foule à l'assaut du palais-forteresse de la place de Venise, siège de l'ambassade. L'emblème impérial est abattu, foulé aux pieds, aux cris mêlés de « *Fuori i Barbari !* », « *Guerra !* » et « *Viva Pio Nono !* ». Le comte de Lutzow rentre à Vienne le 10 avril. On est au bord de la rupture des relations diplomatiques.

La dépêche de Michel, datée du 7 avril et arrivée à Rome le 16, avait fait une impression profonde sur l'esprit émotif de Pie IX. On ne sait si elle fut directement à l'origine de la convocation de la commission cardinalice spéciale qui se réunit le 17, un lundi saint ; elle en orienta en tout cas le cours d'une façon que plusieurs historiens de l'Eglise estiment décisive.

La commission se réunit le 17, tard dans la soirée. Trois questions précises étaient posées aux cardinaux : 1. « Le gouvernement pontifical doit-il ou non s'unir aux autres Etats d'Italie et prendre part à la guerre en cours dans les provinces limitrophes contre l'Autriche ? » 2. « Dans l'affirmative, comment doit-il faire ? » 3. « Dans la négative, comment se prémunir contre les conséquences ruineuses de l'irritation du parti qui prédomine maintenant en Italie ? » Les cardinaux répondirent catégoriquement non à la première question. Ils refusaient la guerre. Quant aux conséquences de leur refus, dont ils voyaient bien quels seraient l'impopularité et le danger, « *Deus providebit* », répondirent-ils : « Dieu y pourvoira. »

Le refus d'entrer en guerre fut solennellement annoncé par Pie IX en consistoire, le 29 avril. Le cardinal Antonelli avait participé de très près à la rédaction de l'allocution, pour s'assurer que le pape ne faiblirait pas et serait clair. Il le fut. Pie IX annonça qu'il n'entrerait pas en guerre. Il confirma sa sympathie pour la cause de l'unité et de l'indépendance de l'Italie, mais dit qu'en tant que Souverain Pontife il ne pouvait répandre le sang. Il repoussa, d'autre part, les accusations autrichiennes d'avoir fomenté les hostilités, en reprenant des phrases entières de la dépêche du nonce à Vienne [134].

La nouvelle éclata comme une bombe. La foule des patriotes se déversa sur les places, parcourut tumultueusement les rues en criant à la trahison. Dans un climat insurrectionnel, la garde civique, les milices coururent aux armes. Les ministres civils du gouvernement démissionnèrent et les principaux cardinaux furent mis en résidence surveillée ou durent se cacher. La foule réclama la formation d'un gouvernement de salut public. On ménageait encore le pape ; on disait qu'il était trop faible, qu'il était trop bon, qu'il était la victime de son entourage, d'Antonelli, de la curie, du nonce à Vienne.

Mais les clubs politiques, qui avaient proliféré et commençaient à structurer l'opinion publique, demandent alors un changement de régime radical. L'Etat du pape doit devenir un Etat laïc, comme tous les autres Etats. La Constitution accordée par Pie IX ne suffit plus. L'aboutissement des réformes est la fin du régime absolu. Les clubs mobilisent.

L'un des plus influents, le cercle populaire que fréquentait aussi bien Ciceruacchio que le prince de Canino, Charles-Lucien Bonaparte, complote ouvertement. Les Républicains, qui avaient fait chorus avec les libéraux pour encourager Pie IX, croient leur moment venu de les doubler.

On crie « Vive la République ! » sous les fenêtres du Quirinal. Les partisans de Mazzini appellent à la Révolution dans l'Italie tout entière. Aux frontières, les troupes du général Durando, la légion civique, les volontaires romains continuent à se battre contre les Autrichiens. Discrédité à l'intérieur, désobéi aux frontières, Pie IX se montre ce qu'il est : impuissant. L'allocution du 29 avril a fait voler en éclats le mythe du pape patriote et libéral. Désorienté, il se met alors à flotter, « tantôt emporté et violent, tantôt pleurnicheur, incapable de comprendre et de dominer le grand réveil qu'il avait provoqué et électrisé avec ses paroles », comme le voit alors Silvagni.

En recevant le texte de l'allocution du 29 avril, Michel écrit à Antonelli qu'il a cru qu'elle lui « était apportée par un ange car elle ne pouvait arriver... à un moment plus opportun ». Mais il rappelle que la menace de schisme demeure ; la presse autrichienne, qu'il cite, y appelle ouvertement. Le pape doit revenir à sa mission évangélique. Son action en Italie ne doit plus suivre les aléas de la politique mais s'inspirer des intérêts supérieurs de la religion.

Il le dit très fermement, dans une dépêche du 4 mai à Antonelli : « La haine ne se montre que trop ouvertement contre le Saint-Siège et contre le clergé en général. L'état des choses n'a peut-être jamais été plus grave dans cet empire. Ce qui est en jeu, ce sont les intérêts les plus sacrés de la religion. C'est un schisme qui se dessine et pourrait être mis en œuvre rapidement. Tout sentiment politique disparaît à mes yeux, et seule s'impose la gravité des intérêts religieux qui sont grandement menacés [135]. »

A Rome, la menace d'un schisme autrichien était ressentie comme une éventualité très plausible. Le schisme existait d'ailleurs déjà, en puissance, dans les lois joséphines en vigueur, même si elles n'étaient pas toutes appliquées. Les campagnes de la presse autrichienne de l'époque en témoignent. Le Saint-Siège croyait en tout cas à sa possibilité. « Un projet de schisme était largement diffusé et le danger devenu extrêmement grave », écrit Mgr Fantoni. Salvatore en recueillit lui-même plus d'un écho à Rome, l'année suivante. « Mon frère préserva les pays germaniques d'un schisme, ce que reconnut et confirma même Montanelli », écrit-il dans ses notes.

Le témoignage de Giuseppe Montanelli est en effet précieux, car il n'est pas suspect de parti pris, au contraire. Libéral et patriote, Montanelli était devenu un héros national en participant aux combats de Curtatona contre les Autrichiens, où il avait été blessé. Il n'en avait pas moins été un des rares à approuver la décision de Pie IX. « Une chose est de reconnaître la justesse d'un mouvement, une autre y participer à coups de fusil. Le pape ne peut et ne doit blesser personne... La longue série des papes politiques n'est qu'un apport païen dans le catholicisme. Pie IX reprend la tradition de la papauté apostolique, et là est sa grandeur », dit-il [136]. Ce jugement a été ratifié par l'histoire.

La décision de neutralité de Pie IX annonçait la fin du pouvoir temporel, même si Pie IX lui-même et les pesanteurs de la politique européenne retarderont cette fin de vingt ans encore. Mais c'est un jugement qui restait isolé, à l'époque, dans le camp patriotique, qui ne voyait dans l'attitude de Pie IX qu'une trahison. Un schisme autrichien n'y effrayait personne. On reprocha à Michel d'en avoir agité la menace pour faire le jeu de l'Autriche et « effrayer le pape sur le terrain de la foi ». La campagne contre le nonce à Vienne redoubla de violence.

Benedetto à Michel : « Rome, 8 mai 1848. Mon frère très cher, on t'envoie aujourd'hui tes passeports. Tu devras donc quitter ta nonciature et rentrer à Rome. Je ne peux et ne dois te cacher le degré d'exaspération qui s'est manifesté contre toi... On t'accuse de t'être uni à la politique autrichienne pour effrayer le Souverain Pontife sur le terrain de la foi. Ceux qui déraisonnent ainsi te connaissent mal et se laissent facilement abuser. Ils ne savent pas que tu as toujours sacrifié tout sentiment personnel, toute ambition et tout intérêt au strict accomplissement de tes devoirs ; ils ne savent pas que pureté de conscience et loyauté de sentiments ont toujours guidé ta conduite dans ta longue carrière. En ce monde, on ne vit pas pour les honneurs, mais pour l'honneur.

« Conscient de tout ce que tu as fait en faveur de l'Italie et de la religion, tu ne dois pas craindre de rendre compte de ton action au Souverain Pontife. Ici nous avons eu un moment de crise ; celle-ci n'est pas entièrement terminée. On veut que le Saint-Père déclare la guerre ; mais il ne veut pas s'y décider. Nous attendons avec anxiété l'issue de ces hésitations. »

En Corse, Salvatore n'est pas moins indigné des attaques lancées contre Michel. L'une d'elles, en particulier, l'avait touché au cœur, car elle avait été publiée par le journal florentin *La Patria*, édité par Vieusseux et dont le directeur était son ami Raffaello Lambruschini.

Salvatore à Vieusseux, le 20 mai : « Je ne comprends pas comment *La Patria* a pu accuser, avec autant d'âpreté et si directement, le nonce à Vienne d'avoir servi la cause de l'Autriche et trahi le pape ; alors qu'à l'évidence, il devait avoir reçu des instructions précises et impératives, soit du pape lui-même, soit de la secrétairerie d'Etat. Je vous prie de réparer cette injure, qui m'a profondément blessé. »

Dans le naufrage de sa politique, Pie IX croyait avoir, du moins, sauvé ses chances de pouvoir agir en médiateur. Il écrit directement à l'empereur Ferdinand pour lui demander d'arrêter la guerre, puis décide d'envoyer un émissaire personnel à Vienne, un certain Mgr Luigi Morichini, son ami de longue date. La préparation de la mission de ce dernier prit du temps. Il y avait désaccord, entre les cardinaux de la Curie et les membres laïcs du nouveau gouvernement formé par Terenzio Mamiani, sur sa portée et même sur son objet. Ni le roi Charles-Albert ni le grand-duc de Toscane, avertis, ne s'y montraient favorables. Ils auraient préféré la médiation d'une grande puissance comme l'Angleterre.

Entre-temps, Michel avait reçu instruction de la secrétairerie d'Etat de demander ses passeports, le 8 mai, puis contrordre le 15 juin. Il se trouvait alors à Innsbruck, dans le Tyrol, où il avait suivi l'empereur chassé de Vienne par une nouvelle insurrection populaire. C'est l'empereur lui-même qui lui avait demandé de le rejoindre [137]. Le gouvernement autrichien, qui avait déjà rappelé l'ambassadeur à Rome, Lutzow, voulait rompre totalement les relations diplomatiques avec Rome, à cause de la participation des troupes pontificales de Durando aux combats de Vicence.

Michel à Salvatore : « Vienne, 19 mai 1848. Il y a quinze jours, j'ai été sur le point de quitter Vienne ; le gouvernement impérial m'avait déjà fait savoir qu'il m'enverrait mes passeports, à cause de la participation des troupes pontificales à la guerre contre l'Autriche. L'allocution pontificale a fait suspendre la mesure ; mais je ne saurais vous dire quelle sera la suite de mon séjour ici, car je l'ignore moi-même.

« Pour cet empire, les choses sont de plus en plus graves. Le soir du 15, d'imposantes manifestations de la garde nationale ont contraint l'empereur à accorder une Assemblée Constituante, qui sera élue à peu près au suffrage universel car tout cens électoral a été aboli. Cette violence faite à l'empereur a conduit celui-ci à quitter Vienne, à l'improviste, avec toute la famille impériale. Cela s'est passé avant-hier au soir, et la population de la ville n'a appris qu'hier, avec la plus grande stupeur, le départ du souverain.

« L'agitation fut alors extrême. On a craint que la république ne fût proclamée. Le bon sens populaire a cependant prévalu et le peuple lui-même calma les apôtres républicains qui avaient commencé à le haranguer sur les places publiques. L'empereur se rend à Innsbruck, dans le Tyrol. La population de Vienne va tout faire pour le convaincre de revenir ; mais nul ne sait quand cela arrivera... »

La situation était cahotique, imprévisible. A Vienne comme à Rome, les deux souverains étaient maintenant en désaccord avec leurs gouvernements respectifs, agités de ferments révolutionnaires. Quant au nonce, dernier lien entre Pie IX et l'empereur Ferdinand, son action se compliquait du fait que les événements allaient plus vite que le courrier porteur d'instructions. Son jugement personnel devenait essentiel, dans la large autonomie qui lui était ainsi donnée par la force des choses.

Pour obéir aux instructions du 8 mai, reçues avec un grand retard, il avait demandé ses passeports, à Innsbruck, le 9 juin, le jour même de l'arrivée de Mgr Morichini. Mais il n'était pas resté inactif, en exploitant le changement de situation à Vienne. Ses relations confiantes avec l'empereur lui avaient déjà permis d'envoyer au nouveau secrétaire d'Etat, le cardinal Soglia, des informations rassurantes sur les chances d'éviter le pire, c'est-à-dire la guerre entre le Saint-Siège et l'Autriche.

Le 15 juin, le cardinal Soglia lui donne alors contrordre, en lui demandant au nom de Pie IX, il y insiste, de rester auprès de l'empereur « partout où il pourrait se rendre. »

« Le langage du ministère ne doit absolument pas être confondu avec la volonté du Saint-Père », précise le cardinal, dans une lettre d'accompagnement. Cette dernière était rédigée en clair ; celle portant les nouvelles instructions, suivant la pratique courante, était en chiffre. Je transcris intégralement ces deux lettres, car elles éclaircissent un point de l'histoire diplomatique, du Saint-Siège qui fait encore l'objet de controverses.

G. cardinal Soglia, secrétaire d'Etat, à son excellence révérendissime Mgr Viale Prelà, archevêque de Carthage, à Innsbruck : « Rome, 15 juin 1848. Illustrissime et révérendissime Monseigneur, les deux feuillets du 27 du mois dernier que vous avez adressés à Mgr le substitut de la secrétairerie d'Etat ont été remis en mains propres au Saint-Père. Je ne puis vous exprimer suffisamment quelle a été la consolation éprouvée par Sa Sainteté en lisant leur contenu et surtout en apprenant les sentiments exprimés par M. le ministre des Affaires étrangères, dans l'entretien que vous avez eu avec lui sur l'opportunité de suivre Sa Majesté impériale et royale d'Autriche, conformément à l'invitation que Sa Majesté vous en avait faite. Le Saint-Père a éprouvé une égale consolation de la façon de voir raisonnable de M. l'ambassadeur d'Angleterre. Après quoi, il ne pouvait qu'approuver pleinement la résolution que vous avez prise de suivre l'invitation.

« Vous connaîtrez vos instructions par la dépêche que je vous envoie en chiffre, jointe à celle-ci. Pour votre éclaircissement, je saisis cette opportunité pour vous confirmer que le langage du ministère ne doit absolument pas être confondu avec la volonté du Saint-Père, rendue déjà très claire par son allocution, et plût à Dieu qu'on l'eût écouté ! On ne déplorerait pas, maintenant, tant de victimes parmi les sujets pontificaux dans les récents combats autour de Vicence. Respectons cependant, dans de tels événements, la main de la divine Providence, en qui repose notre confiance dans un retour rapide à une tranquillité tellement désirée. (Signée) G. cardinal Soglia. »

La dépêche en chiffre, jointe à la précédente, précisait : « Rome, 15 juin 1848. Illustrissime et révérendissime Monseigneur. Profitant de la nouvelle du départ de votre Seigneurie illustrissime et révérendissime de Vienne et de son arrivée dans la ville où réside maintenant Sa Majesté impériale et royale, je prends cette occasion pour lui adresser dans cette ville la présente dépêche.

« Par ma dépêche du jour 8 mai passé, numéro 5 648, je vous donnai pour instructions, à la suite de l'ordre donné à M. le comte de Lutzow de quitter Rome, de vous faire également remettre vos passeports, soit pour rentrer à Rome, soit pour vous rendre dans quelque ville libre d'Allemagne, selon que vous l'auriez cru opportun.

« Maintenant, à cause des circonstances récemment intervenues, je vous informe que le pape désire que vous restiez à Insprück auprès de l'empereur, ou partout où il pourrait se rendre ; par conséquence, la précédente décision relative à la demande des passeports est suspendue. Ces nouvelles instructions tiennent tellement à cœur au pape, qu'elles vous sont adressées par trois chemins différents, pour s'assurer qu'elles vous arriveront bien. Afin d'éviter toute perte de temps, vous devrez montrer la présente dépêche, avec la plus grande diligence, à Mgr Morichini pour qu'il en ait connaissance dans la mission qui lui a été confiée. (Signé) G. cardinal Soglia [138]. »

L'un des trois courriers tomba entre les mains des Piémontais qui publièrent les dépêches dans la presse et les diffusèrent à Rome, sous forme de tracts, sans cependant réussir à décoder le texte chiffré [139]. A Rome, les partisans de l'entrée en guerre, prétendront ensuite que Michel avait reçu, *en même temps*, l'instruction de demander ses passeports, en clair, et l'instruction contraire de rester sur place, en chiffre, ce qui prouvait bien, disaient-ils, la duplicité de la diplomatie vaticane et la trahison de la curie [140].

C'est incontestablement faux. La lecture de la dépêche décodée en donne la preuve. Le contrordre donné le 15 juin par le cardinal Soglia « à cause des circonstances récemment intervenues » se réfère explicitement aux instructions envoyées par lui-même le 8 mai, soit plus d'un mois auparavant.

Loin d'avoir fait preuve de duplicité, la secrétairerie d'Etat ne faisait, au contraire, que s'adapter aux nouvelles circonstances. En saisissant l'occasion que celles-ci lui donnaient, avec la fuite de l'empereur à Innsbruck, elle évitait la rupture totale que réclamaient les bellicistes de Rome — y compris parmi les membres laïcs du gouvernement pontifical — à l'encontre de la volonté de neutralité que le pape avait publiquement exprimée dans son allocution du 29 avril. L'action de Michel, que les bellicistes dénonçaient plus violemment que jamais, est tout à son honneur. C'est une nouvelle preuve de son caractère et de son intelligence diplomatique. D'autant plus que sa réussite est due en grande partie à son seul crédit personnel auprès de l'empereur Ferdinand et de ses ministres. Cette fois encore, il aura largement contribué à faire échec à ceux qui voulaient précipiter le pape dans l'aventure insensée d'une guerre contre l'Autriche.

Sa position, même à Innsbruck, n'était pourtant pas facile. La mission de Mgr Morichini, envoyé spécial de Pie IX, était ambiguë. On ne croyait guère à la possibilité d'une médiation pontificale. On croyait plutôt qu'il devrait remplacer Michel à la nonciature de Vienne. Mgr Morichini avait pris son temps. A Florence, à Turin, à Milan enfin, où il s'était arrêté en route, il avait été partout reçu avec scepticisme. Il était arrivé à Innsbruck le 9 juin, dans la soirée. Michel, qui avait demandé ses passeports et qui avait été reçu par l'empereur le matin même, le mit au courant de la situation ; elle était moins que jamais favorable à une médiation du pape.

Puis Michel était parti pour Francfort, où il avait choisi d'aller assister aux travaux de la Diète ; manifestement pour ne pas trop s'éloigner de l'Autriche, mais aussi pour l'intérêt même de ces travaux. Elue par tous les pays germaniques, y compris l'Autriche, la Diète de Francfort avait commencé en mai à élaborer une Constitution fédérale. C'était aussi une expérience révolutionnaire. Michel en suivra attentivement les débats, enrichissant son expérience politique, plus particulièrement sur les problèmes des rapports entre l'Eglise et l'Etat. Il s'y lia aussi, en ces moments difficiles, avec les principaux évêques allemands, dont il deviendra le principal interlocuteur pour le Saint-Siège.

Il s'était installé à Soden, à une demi-heure du chemin de fer de Francfort. Modestement. Rome le laissait sans argent, et plusieurs de ses lettres à Benedetto demandent à celui-ci l'état de ses finances et s'il pouvait tirer des traites, et de combien, sur la maison Rothschild de Francfort.

Quant à la mission Morichini, Michel, là aussi, avait vu juste. Reçu froidement par l'empereur à Innsbruck, l'envoyé personnel de Pie IX était parti peu après pour Vienne, où l'accueil du président du gouvernement, le baron Pillersdorf, fut franchement hostile. « J'ai devant moi un ennemi ; vous tirez sur nous », lui dit-il. Pour s'en débarrasser, on annonça qu'une gigantesque manifestation allait se dérouler sous ses fenêtres. Mgr Morichini préféra partir avant. Michel restera encore deux mois à Soden. Pendant ces deux mois, il n'y eut plus de représentant du pape en Autriche, comme il n'y avait plus de représentant autrichien à Rome.

Avec tristesse, Michel écrit au substitut de la secrétairerie d'Etat, Mgr Bedini, le 13 juillet, de Soden : « Mon but était de maintenir la représentation du chef visible de l'Eglise dans la position qui est la sienne, c'est-à-dire au-dessus de toute vicissitude politique ; et j'y avais réussi. Avec vous, je m'incline devant la volonté du Très-Haut et je dis : *servi inutiles sumus* [141]. »

Les vicissitudes politiques emportaient désormais, en effet, le pape lui-même. A Rome, la situation empirait rapidement.

Le 29 juillet, le cardinal Soglia écrit à Michel : « Un complot, inspiré par la fureur la plus excessive, s'est formé à Rome : il a pour but d'arracher des mains du Saint-Père ce qui lui reste de souveraineté et tend à créer un gouvernement provisoire. La force du gouvernement actuel a totalement disparu, par complicité, par faiblesse ou par sottise.

« Le monde entier sait que le ministère actuel n'est pas en accord avec les sentiments du Saint-Père, et il est également vrai que ce même ministère n'a pas la confiance des conseils, qui l'ont attaqué avec virulence à plusieurs reprises. Sa Sainteté s'emploie à former un nouveau ministère, mais le parti adverse, pour mieux atteindre son but de créer un gouvernement provisoire, le met dans l'impossibilité d'y parvenir, par le moyen aussi de manifestations menaçantes, qui montrent bien combien est grand le danger qui pèse sur l'Etat...

« Le parti soi-disant modéré assure que tout se résoudrait pacifiquement si le Saint-Père acceptait de s'unir dans une Ligue avec les princes qui défendent la cause de l'indépendance italienne ; et voilà que, par cette condition, on mettrait le pontife en contradiction avec la volonté qu'il a manifestée de ne pas vouloir faire la guerre... Je communique tout ceci, exprimé exactement comme le pense Sa Sainteté, à Votre Seigneurie, non seulement pour son intelligence, mais pour qu'elle en fasse, à l'occasion, l'usage que sa prudence et son habileté jugeront convenable [142]... »

22

C'est à Soden que Michel reçut les premières lettres de Metternich écrites de son exil de Londres. « Ma conscience me dit que je n'ai pas quitté la véritable voie » : ni la défaite, ni l'exil n'ont altéré l'assurance de l'ancien chancelier ; encore moins ses convictions politiques : « Le chartisme n'est pas autre chose que le communisme », écrit-il.

Toujours convaincu de détenir la vérité, il reste égal à lui-même ; s'érigeant désormais en juge de son temps, après en avoir été si longtemps l'un des premiers acteurs. Pour asile de son exil hautain, il avait d'abord envisagé de choisir La Haye, mais le climat humide l'en avait dissuadé, et Londres — son adresse : 4 Eaton Square — lui offre une bien plus vaste scène à observer « aux premières loges et à la vue d'un immense parterre », dit-il.

« Londres... juillet 1848... L'Angleterre renferme de grands dangers, mais en face des dangers se trouvent de grandes forces, à la tête desquelles il faut placer les habitudes au fond desquelles gît le respect de la légalité. Les scènes désastreuses dans toutes les parties du continent tournent au profit de ce pays-ci ; c'est le continent qui semble s'être chargé de réduire à leur juste valeur les utopies socialistes, qui sont en grand nombre parties de ce sol et les leçons sont comprises et par le gouvernement, qui sait dans l'occasion être fort, et par le public qui sait se modérer dès qu'il s'agit de la conservation de la propriété. Les derniers événements de France, frappent droit sur le *chartisme* qui n'est pas autre chose que le communisme ! Je ne crains rien, pour le moment, de ce côté-ci de la Manche et l'avenir est écrit dans un livre qui ne pénètre pas ma courte vue. (...)

« Dire et savoir même de loin ce qui arrivera est impossible. Ce qui est certain, c'est que rien de ce qui existe et tend à être en vie ne comptera dans l'avenir. Hommes et choses changeront, car ni les uns ni les autres n'ont rien sous les pieds. Ce qui ne périra pas, c'est la vérité et elle ne peut être variée à l'infini dans ses formes. C'est sur elle que je m'appuie et je suis ainsi tranquille au milieu du mouvement général. Je me permettrai — sans me reconnaître même

239

de loin le droit à une assimilation — de me joindre à l'armée de l'apôtre Paul. Il a combattu et j'ai voulu combattre. A chacun son droit et ses facultés. Ma conscience me dit que je n'ai point quitté la véritable voie. Tous les miens vous saluent cordialement, Monseigneur ; moi je vous suis dévoué de cœur et d'âme*... »

« Londres, ce 25 juillet 1848, Monseigneur ! J'ignore si une lettre que j'ai eu l'honneur de vous adresser par M. de Danuto vous est parvenue. Nous vous avons, d'après une nouvelle de la comtesse Molly, cru à Ems. Je viens d'apprendre que vous êtes à Soden, et je mets ainsi à profit l'excellente occasion par laquelle je vous fais passer la présente lettre. M. de Danuto trouvera dans tous les cas moyen de vous faire tenir celle dont je l'ai chargé et je ne répéterai ainsi pas aujourd'hui ce que je vous ai dit il y a une quinzaine de jours, et ce qui au fond est invariablement le lien qui me lie à vous, nommément *l'amitié* dans son acception la plus élevée ; l'amitié qui repose sur la base d'une pleine uniformité de pensée, de principe et de jugement qui est la conséquence de ces prémices !

« Je vous ai envoyé par M. de Danuto une adresse sous laquelle m'arriveront avec une pleine sûreté les lettres que vous voudrez m'adresser, d'un lieu quelconque et quel que soit celui où je me trouverai. Je joins de nouveau cette adresse pour le cas fortuit que ma première lettre ne vous joignît pas. Ce qu'à mon égard j'ai arrêté, dans le nombre restreint des choses susceptibles d'être arrêtées, c'est qu'au commencement du mois de septembre prochain je fixerai, pour l'automne et l'hiver, mon séjour à Brighton ! Pousser plus loin la prévision, c'est se lancer dans le roman, fait duquel je ne sais jamais m'entacher !

« Ne croyez pas que je sois mort pour la cause que j'ai servie toute ma vie et que je continuerai à servir jusqu'à mon dernier souffle. J'ai *fait*, durant un demi-siècle, de l'histoire ; aujourd'hui je *l'écris*. Ce ne sera pas par ma faute qu'une vérité sera perdue. Le monde est aujourd'hui placé sous le poids du mensonge. Il reviendra forcément à la vérité ; on peut la fouler aux pieds et elle se relèvera toujours, aux dépens de ses adversaires. Le monde reçoit de sévères leçons ; ce n'est pas la génération actuelle qui en aura les profits ; ce ne sera peut-être pas celle qui lui succédera immédiatement, qui en jouira ; les profits ne manqueront pas aux générations futures. Un long passé m'a appartenu et personne ne peut m'en déposséder ; l'avenir appartiendra à nos petits-neveux ; les hommes du jour ne possèdent rien ; c'est *le faux dans toutes les directions qui les possède*, eux qui croyent ou posséder la vérité, ou pouvoir ne point en tenir compte !

« Je vous recommande la lecture d'un article dans la feuille du *Constitutionnel* du 21 juillet relatif à la *réponse du Saint-Père à l'adresse du conseil des députés*. Il est digne de remarque par ce qu'il dit et parce qu'il est rédigé, soit par M. Thiers, soit sous son influence directe. En vous en recommandant la lecture je fais abstraction de la phrase de *l'Indépendance de l'Italie* qu'il renferme et qui est un *non-sens* politique ; ce qui compte c'est la désignation du point où réside aujourd'hui le mal à Rome comme tout autre part, dans celle de lutte entre la Souveraineté *d'en haut* et celle *d'en bas*. C'est là la lutte qui abyme le corps social dans toutes les directions. L'article pose, sans la trancher, la question si *le pape* peut fonctionner sans la souveraineté temporelle. Moi, je dis *Non*.

« Je vous envoye les numéros du *Spectateur de Londres* qui ont paru après celui que je vous ai envoyé par Danuto. Vous aurez lieu de vous convaincre qu'il renferme de fort bons articles. *On dit* que c'est *moi* et *Guizot* qui dirigeons cette feuille. Il n'y a pas le mot de vrai dans cet *on dit*. *Moi* et *Guizot* ne pourrions pas diriger une feuille dans une même voye. Le fait ressemblerait à une feuille dirigée par Pie IX et Nicolas Ier. La feuille n'est pas *juste milieu* ; elle est franchement conservatrice. Je le suis de mon côté et dès lors tout ce qui paraît dans cet esprit, m'est attribué. J'en accepte l'honneur mais non aux dépens de la vérité. C'est une société d'esprits droits, qui est derrière l'entreprise et si je suis une personnalité placée dans cette direction, je n'ai pour cela rien de commun avec cette, ni avec une autre entreprise de Gazettes. Ce n'est pas de feuilles volantes que je m'occupe ; c'est d'un objet bien autrement sérieux, c'est des matériaux qui répandront le jour de la vérité sur le passé duquel reportent les leçons dans l'avenir.

« Mille sincères hommages, Monseigneur, de ma part et de celle de ma femme qui, comme vous le savez, vous est aussi dévouée que je le suis. Metternich*. »

L'article du *Constitutionnel*, joint par Metternich à sa lettre, prêchait pourtant la modération aux patriotes romains. Quel qu'en soit l'auteur, sa lucidité politique y voyait infiniment plus clair dans la dramatique situation de Pie IX, chef de l'Eglise universelle et souverain d'un Etat italien. Il ne faut pas se le dissimuler, dit cet article, Pie IX est aujourd'hui, vis-à-vis du Parlement romain, dans la situation de Louis XVI vis-à-vis des états généraux. Les élus de la nation, convoqués par lui, n'existant que par suite d'un décret émané de lui, revendiquent contre lui les droits imprescriptibles de tout peuple, et à l'autorité naguère intacte du Pontife, opposent la souveraineté nationale...

« La revendication que fait le parlement des droits de la nation, paraît donc à Pie IX destructrice de sa propre souveraineté... C'est là un grave et difficile problème ; le double caractère de la papauté donne à la révolution romaine une importance hors de toute proportion avec l'étendue du territoire où elle s'accomplit. L'intérêt de deux millions d'hommes s'y complique de l'intérêt de la chrétienté entière... Le pape a perdu depuis longtemps sa prépondérance politique, mais il n'avait cessé d'être un souverain indépendant et absolu chez lui.

« Jusqu'à quel point cette indépendance temporelle a-t-elle contribué à sauvegarder l'autorité spirituelle du premier pasteur, du seul évêque demeuré souverain ? Cette indépendance est-elle du point de vue humain, une condition indispensable à la conservation de l'autorité spirituelle ? La primatie n'aurait-elle rien à souffrir d'une révolution qui enlèverait à l'Etat romain sa perpétuelle neutralité ? Questions épineuses et pleines de périls que nous nous contentons d'indiquer et qui doivent faire hésiter les plus téméraires. »

Les nouvelles catastrophiques qui arrivaient de Rome ne paralysaient cependant pas l'action de Michel en Allemagne. Mettant à profit son séjour à Francfort, il y poursuivait notamment, avec le titre de Délégué apostolique, son ambitieux projet de réconcilier la Prusse avec le Saint-Siège ; projet entrepris lors de sa nonciature à Munich et que la modération du roi Frédéric-Guillaume IV rendait maintenant possible.

L'occasion de l'avancer lui fut donnée aux fêtes du six-centième anniversaire de la fondation de la cathédrale de Cologne, que le roi Frédéric-Guillaume et l'archiduc Jean d'Autriche, vicaire de l'Empire, avaient décidé de célébrer avec faste, comme le symbole de la bonne entente des nations germaniques, dans la fraternité des catholiques et des protestants. On était loin du temps où le précédent roi de Prusse, Frédéric-Guillaume III, avait jeté en prison l'archevêque de cette même ville, Mgr Droste. Michel, qui s'était déjà acquis l'estime du nouveau roi au cours des négociations pour sa libération, fut reçu à Cologne avec des honneurs princiers.

Le soir de son arrivée, le 14 août, un cortège qui venait de rendre hommage au roi se porta ensuite sous les fenêtres du délégué apostolique en chantant, drapeaux et bannières déployées à la lueur de milliers de torches. Tout au long de son séjour, les journaux ne cesseront de mettre en évidence les témoignages d'estime que le roi ne cessait de lui prodiguer. Il ne perdait pas une occasion, raconte Mgr Fantoni, de montrer la faveur qu'il accordait au délégué apostolique, de le placer au-dessus des autres, de le distinguer parmi la foule des personnalités qui l'entouraient en l'invitant constamment à sa table. Deux ans plus tard, en novembre 1850 à Berlin, Frédéric-Guillaume conférera la première décoration du royaume, l'ordre de l'Aigle Rouge, à Michel, « en témoignage de sa très personnelle estime et en souvenir de la mission dont il avait été chargé en Prusse », précise le décret officiel.

« L'extraordinaire confiance dont l'honorait la Cour de Prusse devait être manifeste à tous, pour que nous puissions lire, dans les journaux de cette période, que l'on écrivait à Berlin qu'un nonce pontifical serait prochainement accrédité auprès de ce gouvernement », écrit Mgr Fantoni, qui conclut : « Nous n'hésitons donc pas à répéter ici ce que nous avons déjà affirmé : que l'on doit également au mérite du nonce Viela Prelà si le roi de Prusse a fait preuve de justice à l'égard de l'Eglise et s'il a réparé les torts que son prédécesseur lui avait causés. »

Tant d'honneurs à Francfort, à Cologne comme plus tard à Berlin, ne doivent cependant pas cacher la solitude profonde dans laquelle se trouvait Michel, de retour dans son précaire refuge de Soden. Il était laissé sans moyens matériels. Pour la première fois de sa vie, il était même coupé de Benedetto, son réconfort familial.

Le courrier de Rome arrivait mal. Peut-être même était-il contrôlé, au passage, par le cabinet noir. Benedetto demande, en tout cas, à Salvatore de trouver un moyen pour qu'il puisse joindre « librement » Michel par quelque intermédiaire en France. « Voici l'adresse que je me suis procurée pour assurer et faciliter une libre correspondance entre toi et Michel, lui répond Salvatore, le 19 juillet : à M. Rocchetti Guillaume, à Marseille, chez M. Rivoire et Compagnie, négociant. Tu peux dire à Michel qu'il utilise la même adresse pour t'écrire. Vincenzo Luigi Delpino, correspondant de Rocchetti, lui écrira demain à ce sujet. »

L'empereur d'Autriche ayant accordé une Constitution, la situation politique paraissait devoir se stabiliser à Vienne, et Ferdinand y était rentré au mois d'août. La victoire de Custoza sur les Piémontais, en juillet, rassérénait, d'autre part, l'opinion publique.

En septembre, Michel rentra à son tour à Vienne. Sa nonciature avait-elle jamais été officiellement interrompue ? Salvatore écrira, dans ses souvenirs de Rome, en 1849 : « La cour et le peuple ayant mal accueilli à Vienne Mgr Morichini, envoyé comme ambassadeur extraordinaire en son absence, le gouvernement pontifical fut obligé de rendre mon frère à sa nonciature. » En fait le gouvernement pontifical prenait simplement acte de ce que les relations avec l'Autriche n'avaient jamais été totalement rompues, même si, pendant quelques mois, Michel avait agi sans instructions, suivant sa seule conscience.

L'*Encyclopédie catholique*, publiée par le Vatican, le porta d'ailleurs à son crédit : « Ses dons remarquables lui procurèrent dans la capitale autrichienne de nombreuses sympathies et de sûres amitiés, la principale desquelles fut celle de Metternich. Ces amitiés et ces sympathies furent précieuses au Saint-Siège en 1848, parce que Mgr Viale Prelà put poursuivre sa mission, presque à titre personnel, même après le départ de l'ambassadeur autrichien de Rome, et éviter une rupture complète entre le Vatican et le gouvernement impérial dans une période difficile où l'Autriche allait jusqu'à menacer d'un schisme, le pape étant considéré comme asservi à la révolution italienne [143]. »

A Vienne, cependant, la fièvre révolutionnaire montait à nouveau. Les émeutes recommencent en octobre, mettant la ville à feu et à sang. Le général Latour est assassiné, son cadavre pendu à une lanterne. L'armée tire. On dresse des barricades. Le Prater devient champ de bataille. C'est une semaine d'émeutes sanglantes, au son du tocsin, des tambours, du canon. Battue, l'armée doit quitter la ville. L'empereur Ferdinand s'enfuit une deuxième fois, maintenant vers la Moravie, où il va s'enfermer avec une petite armée dans la forteresse d'Olmutz. Le pouvoir dans la capitale est aux mains des insurgés. L'Assemblée constituante crée un Comité de salut public. Il place des canons sur les remparts.

La révolution crie victoire, d'autant plus que la Hongrie de Kossuth s'est soulevée et que les Hongrois annoncent l'envoi d'une armée au secours des insurgés encerclés par l'armée impériale.

Michel, cette fois, ne quitte pas la capitale. Il avait l'estime des milieux de la révolution qui appartenaient à la bourgeoisie réformiste, dont plusieurs ministres du Comité de salut public faisaient partie. A force de ténacité et de diplomatie, jouant entre les personnes, les clubs, les partis qui formaient le flot changeant du courant révolutionnaire, il réussira à rétablir sinon la confiance, du moins des rapports normaux.

Les manifestations, les « charivaris » se succédaient sous ses fenêtres. L'anti-italianisme des patriotes, l'anticatholicisme des protestants, l'anticléricalisme des joséphistes y rassemblaient beaucoup de monde. « Les passions politiques et religieuses surexcitées, les préjugés contre l'Eglise et ses libertés ressuscités, la presse hostile et antireligieuse, le Saint-Siège pris pour cible de toutes sortes de calomnies et d'insultes, le schisme claironné de nouveau en public et activement préparé dans les ténèbres par la propagande protestante, autant de cris démentiels dont la foule exaspérée lui emplissait les oreilles », raconte Mgr Fantoni.

Le nonce ne se laissa pas impressionner. S'adressant au Comité de salut public, il le menaça de partir. « Que les ministres le sachent bien. Ma conscience et mon honneur m'interdiraient de rester plus longtemps dans un pays qui continuerait à insulter la religion catholique et son souverain », dit-il. Ces mois furent parmi les plus éprouvants de sa vie. Il tenait par force de caractère ; mais sa santé commence à donner des signes de faiblesse. Andrea Pasqualini, l'ami de jeunesse de Salvatore, qui habitait alors Vienne, où il était médecin de famille du prince de Dietrichstein, l'entoure de son affection et de soins. Il alerte Salvatore. Michel a les poumons fragiles.

Fin octobre, l'armée impériale, commandée par le maréchal Windischgratz, se rassemble sous les murs de Vienne. Les canons des remparts se mettent à tirer. On dresse de nouveau des barricades au travers du Prater, dans toutes les rues. La ville n'était plus qu'une clameur. On avait placé un observatoire dans la flèche de la cathédrale Saint-Etienne. De là-haut, les guetteurs pouvaient voir à l'œil nu les uniformes et les drapeaux de l'infanterie impériale. En vain guettèrent-ils, dans les rares moments d'accalmie, le hennissement des chevaux de la cavalerie magyare qui devait venir à leur secours.

Windischgratz écrasa les Hongrois, puis attaqua la ville. « Plus de ménagements », ordonna-t-il. Le 31 au soir, la troupe entra par la porte du palais impérial, massacrant les ouvriers des faubourgs qui furent les derniers à résister. Le 2 novembre, jour des morts, l'ordre était rétabli à Vienne.

Pie IX était aux abois. Traître à la cause de l'unité et de l'indépendance italiennes, il était politiquement discrédité. Et voilà que les défaites de l'armée piémontaise avaient libéré les volontaires de la Légion romaine, partis pour la victoire avec leurs drapeaux bénits. Le pape les avait trompés.

Ils rentraient amers, revanchards, assoiffés de jouer un rôle national dont ils avaient été privés. Dans la rue on les acclamait, c'étaient des héros. Ils renforçaient les clubs populaires d'une force de coup de main. Cortèges et manifestations se multipliaient. Le gouvernement laïc, en pleine opposition avec le pape, ne voulait, ou ne pouvait, réprimer les désordres. Pie IX en était arrivé, au mois d'août, à demander à la France républicaine de lui envoyer deux ou trois mille hommes, « pour mettre un frein aux passions et à ceux qui voudraient transformer l'honnête liberté en licence ». Cavaignac avait répondu évasivement. Il ne voulait pas risquer un affrontement avec l'Autriche. Le pape ne savait plus que faire. Deux gouvernements laïcs s'étaient déjà succédé, sans arriver à calmer les ésprits.

Pellegrino Rossi était toujours à Rome, sans emploi. La chute de Louis-Philippe l'avait chassé de son ambassade de France. Pie IX l'envoya chercher au petit hôtel d'Angleterre, via Borgognona, où il vivait chichement, en particulier. Rossi était un « constitutionnel ». Il avait contribué à la rédaction du *Statuto* pontifical de 1846. « On dit que toutes les réformes faites par le pape ont été inspirées par lui », note Salvatore lors de son voyage de 1849.

Son action aux côtés de Murat témoignait pour son patriotisme. Sa forte personnalité, son expérience pratique, son sens des responsabilités en faisaient le meilleur, sinon le seul homme d'Etat qui se trouvât à Rome, à l'époque. Depuis son élection, Pie IX lui avait toujours témoigné une sympathie personnelle. Pellegrino Rossi hésita. Il fit valoir tous les arguments possibles pour refuser. Et puis sa femme était protestante. Et puis il était lui-même citoyen français. Le pape leva ses scrupules. N'était-il pas, avant tout, son fils ?

Mais Rossi était un solitaire, aux manières tranchantes, au mépris facile, froid, que rien n'émouvait dans sa volonté d'efficacité. Ce n'était pas un Romain, même plus un Italien. Esprit cosmopolite, il ne tenait aucun compte des sensibilités locales, ce qui à Rome était impardonnable. Il n'était pas populaire.

Sa politique mécontenta rapidement tout le monde. Pour rétablir l'ordre public, il éloigna de la ville les volontaires de la Légion romaine. Pour assainir les finances, il décida de soumettre le clergé à l'impôt. Ni les uns ni les autres ne le lui pardonnèrent. Les conservateurs le craignaient pour son esprit de réforme. Les patriotes lui reprochaient sa tiédeur pour la cause nationale, sa méfiance pour le Piémont. Alors qu'on ne le soutenait que du bout des lèvres dans la curie, les clubs, les radicaux déclenchent contre lui une campagne d'opinion d'une violence extrême. Comme on ne peut encore s'en prendre ouvertement à Pie IX, dont la popularité restait forte dans le petit peuple, il devient l'homme à abattre.

Un mois après son arrivée au pouvoir, en septembre, un complot se forme déjà. On sait qu'il ne se laissera pas chasser facilement ; les conspirateurs préparent d'emblée son assassinat. Ce sont d'anciens carbonari, des membres du club populaire de

Ciceruacchio, des mécontents de la garde civique, des vétérans de la Légion romaine. Au cœur du complot, un curieux mélange, l'un des meneurs du cercle populaire, Pietro Sterbini, Ciceruacchio lui-même, l'homme le plus populaire de Rome après Pie IX, mais dépassé par l'événement, divers comparses, et puis un Bonaparte, Charles-Lucien, prince de Canino.

Charles-Lucien, prince romain, était resté à Rome après la mort de son père, Lucien, dont il avait hérité les terres de Canino. Savant de renommée internationale dans les sciences naturelles, membre de plusieurs académies, il s'était lancé dans la politique aux premiers frissons révolutionnaires en allant aussitôt aux extrêmes, avec de fortes tendances, comme son cousin Louis-Napoléon, à la conspiration. Le matin dans l'antichambre du pape, il courait, le soir, les sociétés secrètes. A quarante-cinq ans, il était l'un des députés les plus actifs de l'opposition à la Chambre romaine, mais jouait également un rôle souterrain comme l'un des « chefs de peuple » les plus suivis du quartier Regola avec Ciceruacchio.

L'année précédente, en septembre 1847, il s'était rendu à Vienne pour un Congrès scientifique et s'était fait expulser pour les propos subversifs qu'il y avait tenus. Michel, chez qui il s'était rendu, l'avait présenté aux Metternich. La Princesse Mélanie écrit dans son journal : « Le prince de Canino, qui était ici et que le nonce nous a présenté a fait beaucoup parler de lui... On l'a nommé directeur de la section de zoologie du Congrès ; à la première séance de cette section, il a recommencé à faire un discours entièrement politique, dans lequel il a donné des éloges exagérés au pape et provoqué tous les assistants à la révolte. La police l'a forcé à partir, ce qui naturellement a fait beaucoup de bruit. »

Sur l'assassinat de Pellegrino Rossi on a beaucoup écrit sans arriver à une certitude quant aux mandants. Les actes du procès, qui condamna deux personnes à mort, ne sont pas convaincants. Seule la culpabilité de Sterbini est indiscutée. Le degré de responsabilité de Charles-Lucien fut occulté pour des raisons politiques : lorsque l'enquête s'ouvrit, son cousin Louis-Napoléon était sur le trône.

A la fin septembre de 1853, le cardinal secrétaire d'Etat Antonelli transmit cependant à l'ambassadeur de France, le comte de Rayneval, le rapport du président du tribunal criminel de Rome sur l'instruction ouverte contre les auteurs de l'assassinat du comte Rossi. Ce rapport précisait que le prince de Canino apparaissait « comme l'un des principaux agents moraux qui, à l'aide de leur argent ou d'instigations efficaces, avaient déterminé le meurtre et la révolte du 16 novembre ». Mais le président du tribunal proposait lui-même que la justice pontificale s'abstînt de faire figurer son nom dans la relation judiciaire de la cause, étant donné son impériale parenté [144].

Le 15 novembre, jour de la réouverture solennelle de la Chambre des députés, Pellegrino Rossi fut prévenu le matin qu'on allait tenter de l'assassiner. L'un des membres du complot, saisi de remords, s'en était confessé, le matin même, à un prêtre.

« Le prêtre, Mgr Morini, courut à sa rencontre et finit par le trouver, alors qu'il descendait l'escalier du palais du Quirinal, où il avait été reçu en audience par le pape, et allait monter en voiture pour se rendre à l'ouverture de la Chambre. Mgr Morini lui dit ce qu'il savait. Rossi réfléchit un instant, puis dit : « C'est trop tard, je dois aller. La cause du pape est la cause de Dieu. » Le récit a été fait par de nombreux témoins. Je suis celui reconstitué par Salvatore [145] l'année d'après et dont les détails concordent avec ceux des témoins.

Pâle, vêtu de noir, Pellegrino Rossi arriva à treize heures au palais de la chancellerie. Le porche ouvrant sur la cour d'honneur était encombré d'anciens volontaires de la Légion romaine et d'une foule hostile, où se dissimulaient les conjurés. Il n'y avait pas de troupes régulières. La garde civique, qui tenait le porche ne lui rendit pas les honneurs. Il dut se frayer un passage en jouant des coudes. Au moment où il allait atteindre l'escalier, un coup de poignard lui traverse la gorge. On sut plus tard qu'il avait été porté par Luigi Brunetti, l'un des fils de Ciceruacchio.

Pellegrino Rossi mourut en quelques minutes, sans prononcer un mot. Salvatore raconte aussi qu'un témoin lui a dit avoir entendu, sous le porche de la chancellerie, plusieurs jeunes qu'il savait être des étudiants à la Sapienza, dire à voix haute : « Aujourd'hui, on doit en finir. » Il raconte également que celui qui avait été choisi pour frapper du poignard, « s'était entraîné à trancher la carotide sur les cadavres du théâtre anatomique de l'hôpital de San Giacomo ».

A l'étage, où siégeait la Chambre et où le Tout-Rome politique se pressait autour des députés, la nouvelle fut accueillie en silence. Le président Sturbinetti n'eut pas un mot de commentaire. Dans les tribunes, on entendit plusieurs personnes dire « C'est bien ; la fin justifie les moyens ; en politique il n'y a pas de crimes. » Le bruit courut que Charles-Lucien avait dit : « Eh quoi, on n'a pas assassiné le Roi de Rome », mais cela n'est pas prouvé. Dans la salle, personne ne bougea. Sturbinetti lut le procès-verbal de la réouverture de la Chambre, puis leva précipitamment la séance.

Dans la rue, par contre, ce fut une explosion de joie populaire. Des cortèges parcoururent la ville, Ciceruacchio en tête, en chantant comme si on avait tué un tyran. L'un d'eux passa sous les fenêtres du palais qu'habitaient la veuve du ministre et ses enfants, à l'entrée du Corso. Le soir, on exhiba le poignard au café Ruspoli, où la salle se dressa pour l'acclamer. « Bénie soit la main qui poignarda Rossi », criait-on. Il n'eut pour oraison funèbre que les quatre lignes par lesquelles la *Gazetta di Roma* annonça l'assassinat. Le gouvernement était décapité. Personne ne prit de mesures. Les ministres se cachaient. Les cardinaux disparurent. Lambruschini s'enfuit hors de Rome. Son palais fut pillé. On larda son lit de coups de poignard.

Pie IX se retrouva pratiquement seul au Quirinal, abandonné de tous. Il ne dit rien. Laissé à lui-même, il n'existait plus.

Le lendemain, encouragé par tant de passivité, les cortèges acclamant l'assassinat de Rossi reprennent et la foule, de plus en plus exaltée, se rassemble à Montecavallo, sous les fenêtres du palais pontifical. « Guerre à l'Autriche ! Ministère démocratique ! Assemblée constituante ! » crie-t-on. Les partisans de Mazzini sont là en nombre. On voit aussi beaucoup de gens armés.

L'œil farouche, un tromblon à la main, suivi de quatre ou cinq hommes du peuple, Charles-Lucien est là aussi ; on l'y a vu. Mais il était aussi officier de la garde civique. Pie IX refuse de se montrer. Il refuse de recevoir une délégation. Des activistes redescendent piazza della Pillotta, au quartier général de la garde civique. Celle-ci se joint à eux. On monte un canon. On le pointe contre le portail du palais.

Des coups de feu désordonnés éclatent. Un secrétaire du pape, Mgr Palma, se met à la fenêtre pour voir ce qui se passe et tombe, tué raide d'une balle dans la tête. Les Suisses de la garde pontificale, une centaine, tirent à leur tour, mais en désordre, sans conviction. Dans la foule on crie : « Les carabiniers ! les carabiniers ! » Une compagnie monte en effet la Via dei Lucchesi ; à mi-chemin elle se heurte à une petite troupe de civils armés et de gardes civiques, venus de la fontaine de Trevi. Leurs chefs s'embrassent. On fraternise chemin faisant. Les Suisses rentrent dans le palais et la garde civique les remplace devant le portail fermé.

La foule qui avait commencé par crier *Viva Pio Nono !* comme d'habitude, se met alors à crier *Viva la Republica !* Devant le portail et les volets clos du grand palais orange, on fait la fête. De l'intérieur ne vient plus aucun signe de vie. Le palais paraît abandonné. Quelques allées et venues, les dernières, se font encore par les jardins, via de Porta Pia. Trois ambassadeurs étrangers sont accourus, l'ambassadeur de France, duc d'Harcourt, venu du palais Colonna voisin, l'ambassadeur d'Espagne, Martinez de la Rosa, le ministre de Bavière, comte Spaur. Représentants des grandes puissances catholiques, chacun est là pour faire profiter son pays de l'appel au secours que le pape ne pourra pas éviter, pensent-ils, de lancer.

« Je laisse tout tomber et je m'en vais ! » aurait crié le pape. Il est seul. Tout le monde l'a abandonné. Au prince Doria qui lui demandait qui il avait vu au Quirinal, le chargé d'affaires belge, M. de Meester, répondit, glacial : « Demandez-moi plutôt qui je n'y ai pas vu : la noblesse romaine. »

Les trois ambassadeurs se relayaient auprès du pape, derrière les fenêtres toujours fermées.

Le 24 novembre, en fin d'après-midi, c'était le tour du duc d'Harcourt. Il entre, seul, dans le cabinet du pape. De l'antichambre, où, parmi les fidèles se trouvait toujours quelque espion comme il n'en manque jamais à Rome, on entendit soudain monter des éclats de voix. C'était la voix de l'ambassadeur. On s'étonna, sans s'alarmer. Le temps passa. En fait, le duc était seul dans le cabinet. Pie IX était passé dans sa chambre, s'était changé, puis vêtu d'une soutane noire ordinaire, le nez chaussé de lunettes, s'était glissé par le couloir des Suisses jusqu'à une cour intérieure où l'attendait une voiture sans armoiries. Il faisait nuit quand il quitta le Quirinal. Devant la porte de son cabinet, son entourage attendait la sortie du duc d'Harcourt, dont on entendait encore, par moments, la voix.

Quand l'ambassadeur sortit, Pie IX était déjà loin. Arrivé à l'église de San Pietro e Marcellino, sur la via Labicana, il était monté dans le carrosse du ministre de Bavière, qui avait un passeport au nom de son médecin. On franchit ainsi les portes de la ville. A Ariccia, un carrosse de voyage attendait avec la comtesse Spaur, et l'on prit ainsi la route du sud, par la voie Appienne. Pendant tout le voyage, le pape lut son bréviaire ou pria.

Il portait au cou un reliquaire que Pie VII avait porté dans sa captivité en France, et dans lequel Pie IX avait mis une hostie consacrée, prise dans le tabernacle de sa chapelle particulière au Quirinal. Ce reliquaire, il l'avait reçu, quelques jours auparavant, de l'évêque de Valence et l'on raconta que le cadeau, arrivant à un tel moment, avait impressionné son caractère superstitieux et l'avait déterminé à fuir.

Aux petites heures du lendemain, le 25, on arriva à Terracina, puis, dans la matinée, à Mola di Gaeta, qui était la frontière du royaume de Naples. On y retrouva le cardinal Antonelli et un secrétaire de l'ambassade d'Espagne, Arnao. Le pape quittait ses Etats. Il descendit de voiture à l'étape suivante, Gaete, incognito, à l'auberge dite du Giardinetto, le Petit Jardin. Le comte Spaur partit alors au galop pour Naples. Il se présente à minuit chez le roi Ferdinand II, qu'il réveille, au palais royal.

Le pape ? A Gaete ? Menacé ? Protection ? Madonna ! Emu aux larmes, Re Bomba donne aussitôt l'ordre d'embarquer pour Gaete, avec sa famille, sa suite et deux régiments d'infanterie. Il arrive le lendemain, peu après midi. C'était dimanche. Les canons du bord tiraient des salves d'honneur. Les fanfares des régiments jouaient sur le pont. Ce fut une arrivée grandiose. Elle surprit Pie IX et, plus encore, le gouverneur de la forteresse, qui n'avait rien subodoré et s'était borné à faire surveiller, par routine, les étrangers modestes arrivés la veille à l'auberge.

Le roi Ferdinand s'y précipite. Il tombe dans les bras du pape, puis à genoux, pour lui baiser la mule, le pape le relève, l'embrasse. Tous deux se mettent à pleurer, puis à se réjouir de se voir là. Cet accueil napolitain plut infiniment à Pie IX. Il décida de rester à Gaete, sous la protection du roi.

De Rome, le duc d'Harcourt avait couru à Civitavecchia. Un vaisseau français, le *Ténare*, s'y trouvait chaudières allumées, pour aller chercher le pape à Gaete et le conduire en France. « Le pape se rend en France. Le *Ténare* est parti le prendre à Gaete », télégraphia le consul de France à Civitavecchia, le 25 au matin. A Paris, le général Cavaignac annonça la nouvelle à la tribune de la Chambre des députés. Le ministre des Cultes partit pour Marseille accueillir le pape.

Pie IX avait effectivement envisagé de se rendre en France ou en Espagne, à Majorque. Il aurait préféré, personnellement, Majorque.

Mais les Français avaient été plus rapides et mieux organisés. A Gaete, il n'y avait pas de bateau espagnol en vue. D'Harcourt croyait avoir gagné. Il tomba de haut lorsque Pie IX annonça qu'il se trouvait bien à Gaete, et qu'il y resterait.

A Bastia, la nouvelle de la fuite du pape fit une impression énorme. On voit déjà la révolution ensanglanter les rues de Rome. Salvatore et Louis craignent pour la vie de Benedetto et de Daria. Louis prépare même une expédition pour voler à leur secours, avec d'autres Bastiais qui ont également de la famille à Rome.

Il écrit à Daria, le 11 décembre : « Les dernières nouvelles de Rome, le départ du pape, tout ce fracas, nous ont jetés, ici, dans une grande agitation. Lottero, Berlingeri et moi avons décidé de venir, car nous supposons que vous allez avoir besoin d'aide. A moins que vous ne puissiez venir ici ; mais dites-le-nous vite. »

Benedetto répondit, très froidement, qu'il ne voyait aucune raison de quitter Rome. Et Daria, peu après : « Rome, 4 janvier 1849. Tu sauras déjà, sans doute, que nous avons une sorte de gouvernement provisoire, avec Sterbini à la tête des affaires administratives, et Ciceruacchio pour électriser le peuple. Tous les Romains bien pensants ont condamné ces excès et, maintenant, les exaltés eux-mêmes commencent à se reprendre. Mamiani, Galleti et compagnie ont renoncé au ministère. Quant au peuple, un avis affiché le premier de l'an disait que, ce soir-là, toute la ville devait être illuminée ; mais, le soir, tout le monde a fermé les persiennes et on n'a pas vu une seule lumière, sauf dans les casinos du Corso. »

23

Si proche de l'Italie, pourtant, la Corse restait à l'écart des tumultes. Quelques volontaires étaient partis rejoindre les Piémontais ou la Légion toscane. On avait ouvert des souscriptions. Les clubs républicains et une secte, les Pinnuti, s'agitaient.

Mais, aux dimensions de l'île et de son histoire passée, ce fut négligeable. La Corse n'était plus concernée ; son italianité n'était plus qu'un fait culturel, une survivance. C'est dans ce silence, en ces jours-là, que naît vraiment la Corse française. La révolution de février 1848 à Paris n'arriva elle-même en Corse que comme une faible brise qui n'agita que les frondaisons. Le préfet, les sous-préfets, des maires, des fonctionnaires tombèrent et furent remplacés. Ce fut important, un moment, mais ce n'était pas un bouleversement, et tout reprit comme avant.

Un clan quittait le pouvoir, celui des Sebastiani ; un autre lui succédait, celui des Abbatucci, avec les Casabianca. Le grand nom, partout — c'était nouveau — était Napoléon. Ils arrivaient tous en Corse, les neveux du grand homme, fils de Jérôme, de Louis, de Lucien : Jérôme Napoléon, Louis-Napoléon, Pierre Napoléon et Louis-Lucien. Mais ils n'y cherchaient qu'un siège facile à la Constituante, puis aux législatives, pour prendre pied à Paris. Les Corses étaient flattés, mais pas dupes. Les clans connaissaient mieux leurs affaires. Leurs représentants à Paris seraient plus efficaces.

Il ne s'agissait plus de grand-chose, d'ailleurs : des places. L'île était un département pauvre, préfecture Ajaccio ; Bastia une petite sous-préfecture. La Corse n'avait plus d'ambitions. Le 21 mai 1848, sur la place Saint-Nicolas, on avait dressé l'arbre de la Liberté, comme partout en France. Il sera abattu quatre ans plus tard, puis remplacé par une gigantesque statue de Napoléon. En souvenir de l'oncle qui n'avait rien fait pour elle, le Second Empire sera généreux avec la Corse.

La fuite de Louis-Philippe, la création de la garde nationale, l'arbre de la Liberté, les destitutions, les limogeages, les avancements et nominations, tout cela Louis le note dans son journal, rapidement. Cela n'a rien d'exaltant. Il garde son poste de secrétaire en chef de la mairie, obscur, mais bien situé pour regarder les événements. Pas plus que la chute des feuilles sur la place Favalelli, le vent de Paris ne toucha la maison. Salvatore écrit à Benedetto : « Par les temps qui courent, on est plutôt tranquilles à Bastia. Peut-être à l'intérieur de l'île, à cause du relachement de l'autorité, s'agite-t-on un peu ; mais bien moins que dans certaines villes de France, et encore moins d'Italie... Quant à moi, j'attends de voir ce qu'on décidera pour la magistrature, dans ces deux ou trois mois. »

Les événements de Paris lui avaient déplu. Il n'avait pas aimé la façon dont le régime de Louis-Philippe se comportait en Corse et il l'avait dit ; mais il croyait aux bienfaits de la Charte. La république, chez lui, évoquait de mauvais souvenirs, et plus encore le nom de Napoléon.

« Il était de tendances très libérales, mais il n'était pas républicain. Lorsqu'en 1848 nous lui apprîmes, pour la première fois, à Bastia, l'avènement de la République, le noble vieillard ne dissimula pas son mécontentement. Le nom de Lamartine, son ami, qui se trouvait à la tête du nouveau régime, ne suffit pas à le réconcilier avec le nouvel état de choses ; et lorsqu'il vit la pente funeste sur laquelle s'engageait la Seconde République, il manifesta tout haut sa mauvaise humeur... Ayant été, dans sa jeunesse, spectateur de l'absolutisme du premier Empire, qui, en Corse, fut encore plus dur que partout ailleurs, il se montra peu disposé envers son régime », écrit Auguste, dans ses souvenirs.

Salvatore écrivit cependant à Lamartine, membre du gouvernement provisoire et ministre des Affaires étrangères, pour le féliciter et, à tout hasard, prendre quelque assurance. On parlait tant de bouleversements dans la magistrature. « ... dans l'ignorance des événements et vous voyant à la tête du gouvernement provisoire, je m'adresse à vous, avec l'espoir de ne pas être oublié dans la nouvelle organisation ou, tout au moins, que je ne serai pas éliminé d'une carrière que je parcours honorablement depuis trente et un ans. » Je le cite d'après le brouillon qui est resté dans ses papiers. Je ne sais s'il a envoyé sa lettre, et en ces termes. Salvatore n'a jamais été arriviste ; et, de toute façon, à soixante et un ans, sa carrière est faite. Il est chevalier de la Légion d'Honneur depuis deux ans. Sa vraie vie, depuis toujours, est ailleurs.

Il est alors, de nouveau, plongé dans les profondeurs de la psychologie corse, de son esprit de vendetta, avec deux « nouvelles historiques » en vers : *Les derniers vers d'Antonio Uberti* et *Orsino da Fozano*. Comme l'*Alberto Corso* déjà paru, ce sont des textes difficiles, car fortement elliptiques pour que les vers soient plus nerveux, ce qui les rend aujourd'hui obscurs, malgré les notes explicatives dont il les a accompagnés.

Toutes deux s'inspirent de faits divers dramatiques, qu'il a ressentis en contemporain, sous la Restauration « Uberti », tout récemment « Orsino », qui se situe à Fozano, le village réel de Colomba. Les vers sont enracinés dans le réel : Sartène, Sainte-Lucie de Tallano, la prison de Bastia, le maquis, les mœurs violentes des villages, les rituels du deuil, pour aboutir à la leçon moralisatrice qui lui tient à cœur, sur le thème : la vendetta est indigne d'un homme civilisé ; il faut apprendre à pardonner.

L'intérêt de l'*Orsino da Fozano* est d'être une sorte d'anti-*Colomba*. Une jeune femme s'y interpose pour mettre fin à une vendetta, au lieu de l'encourager. On voit la naïveté de Salvatore. Quand il publiera le poème, en 1850, il le dédicacera à Lamartine, en lui en proposant le thème pour l'amplifier. « Vous aviez envisagé, jadis, de faire un voyage dans mon pays pour y chercher matière à poésie et vous m'en aviez demandé quelques thèmes... Peut-être le sujet que je vous offre, tiré des récits de l'un de mes compatriotes, vous confortera-t-il dans cette idée. Je l'ai mis en vers, en pensant qu'il pourrait peut-être vous tenter mieux, ainsi [146]... »

C'est, d'autre part, en 1848 que paraît la deuxième édition de ses *Principes des Belles-Lettres*, augmentée des deux lettres sur les effets du roman moderne publiés par Lambruschini dans sa revue [147]. Elle est dédiée à Benedetto, avec l'évocation de leur jeunesse et des souvenirs de leur père et de l'oncle Tommaso.

Alors que les événements de Paris ne le troublent guère, il vibre par contre au drame de l'Italie. Salvatore est, fermement, pour son unité et son indépendance. Dès l'explosion de 1848, il applaudit aux insurrections de Milan et de Venise, puis à la guerre déclarée par les Piémontais. Comme il est contre une intervention du pape, il en voit le champion dans le roi Charles-Albert. Quant à l'unité de la péninsule, avec la majorité de ses amis toscans néoguelfes, il souhaite une confédération autour du Saint-Siège. Salvadore n'est pas favorable à la république. Il se méfie de la charge révolutionnaire qu'y mettrait Mazzini.

Dès la proclamation de la république à Venise, il écrit à Tommaseo le 3 mai : « Dieu a béni votre cause ; que Dieu continue à la soutenir... Quant à la République, je n'aurais pas voulu la voir à Venise dans cette très difficile conjoncture où l'Italie doit se montrer compacte et indissoluble devant l'ennemi. La Haute-Italie doit choisir, être ou ne pas être, ou piémontaise ou autrichienne. Napoléon a décapité l'ancienne République de Venise en la vendant à l'Autriche. Si des Italiens voulaient imiter la fable de la République française, qu'ils aillent d'abord l'étudier en France ; ils verraient que si les Français continuent de ce pas, ils sanctifieront un jour cette bonne âme de Napoléon. »

Et à Vieusseux, le 13 mai : « Je regarde vers l'Italie avec une grande anxiété. J'espère que les Italiens comprendront que la Lombardie et la Vénétie doivent se rallier à Charles-Albert ; que la république, outre à avoir une force dissolvante, se ferait un ennemi de ce roi... Je ne comprends pas comment Venise, menacée par l'armée autrichienne, ne se soit pas encore hâtée de renoncer à l'idée de république et de s'unir, avec la Lombardie, sous le sceptre de Charles-Albert, devenu roi constitutionnel. »

Son opposition aux idées de Mazzini était une question de principes. Salvatore détestait l'idée même de révolution. « Quant aux révolutions, l'adage le dit bien : malheureux qui les fait, heureux qui en hérite », dit-il à Vieusseux. Mais sur le plan personnel, tous les patriotes italiens étaient pour lui d'aussi bons patriotes, y compris les mazziniens.

Salvatore et Louis avaient ouvert la maison à deux d'entre eux, et des plus notoires, réfugiés depuis plusieurs années en Corse : Giovanni La Cecilia et Attilio Runcardier. Tous deux avaient participé, avec Mazzini, à la fondation de la Jeune-Italie. De Corse, ils avaient continué à conspirer, en diffusant en Toscane les opuscules révolutionnaires imprimés à Bastia, jusqu'aux premiers coups de feu qui les avait ramenés en Terre Ferme faire la révolution [148].

La Cecilia, napolitain, avait épousé à Bastia une jeune fille du Cap corse. Louis était resté en correspondance avec lui, même après qu'il se fut installé à Ajaccio, au retour d'une nouvelle conspiration manquée en Italie. L'une des lettres de Louis lui demande de mettre en garde un autre mazzinien, Pieroni. « Dites à Pieroni qu'un certain Luigi, déserteur italien, l'a cherché chez Faustine en disant qu'il le retrouverait où qu'il fût. La façon rude et menaçante dont il s'exprimait me fait penser qu'il avait de mauvaises intentions. Que Pieroni soit sur ses gardes ! »

Attilio Runcardier, Romagnol, autre proche compagnon de Mazzini, animait à Bastia l'aide aux réfugiés politiques italiens. Il avait été un des rares sujets de Pie IX exclus de l'amnistie. Dans ses heures de loisir, il s'intéressait aux monuments de la Corse, sur lesquels il prévoyait de publier un *Album pittoresque*, et peignait et dessinait avec un talent certain. Il a laissé à la maison un petit portrait de Louis très ressemblant, au crayon rehaussé de couleurs, signé de son nom.

La Cecilia et Runcardier, de même que la grande majorité des réfugiés politiques républicains, étaient repartis se jeter dans les bouleversements d'Italie. Mais Salvatore et Louis savaient d'expérience que d'autres réfugiés, et peut-être les mêmes si les circonstances se retournaient contre eux, ne tarderaient pas à arriver à Bastia, comme cela se passait chaque fois. D'avance, ils leur rouvrent la maison. « Ce n'est pas à vous que je dois rappeler que, depuis vingt-huit ans, ma famille et moi-même avons toujours aidé les exilés italiens réfugiés à Bastia, même quand il y avait danger à le faire ; et que, parmi les familles corses italiennes de cœur, la mienne est l'une des premières », écrit Salvatore à Vieusseux, le 1er mai 1848.

Pour Salvatore et Louis, l'avenir immédiat s'ouvrait cependant sur un tout autre drame. Rue Saint-Jean, la mort venait de frapper et y rôdait encore.

Maria Orsola, la sœur aînée, l'âme mélancolique de la maison, était morte au début de l'année, le 19 janvier. Marie-Sébastienne, de plus en plus affaiblie, ne survivait qu'au jour le jour. Avec elles, dans la maison silencieuse dont les enfants étaient écartés, Louis et Salvatore vivaient dans les ténèbres du cœur.

« *Des pièces muettes — où tu t'isoles dans la seule compagnie de tes noirs fantasmes — pourquoi viens-tu — pleurant, me demander "où est notre mère ?" — Ah, heureuse es-tu dans ton malheur — de l'attendre encore, sans voir que, moi aussi, en pleurs, je viens vers toi — pour, dans le tien, retrouver son visage...* » C'est la seule image qui reste de Maria Orsola, dans la poésie de Salvatore sur la mort de Maria Nicolaja, leur mère. Elle avait soixante-quatre ans, trois de plus que Salvatore, cinq de plus que Louis, qui, pendant les trente premières années de sa vie l'avaient connue vive et saine, élevant avec eux les « petits » après la mort de leur père.

Que de souvenirs, déjà une vie, avant que sa raison ne s'égare ! Et, depuis, ils l'avaient suivie dans cette autre vie, aussi longue, sans souffrances apparentes, semble-t-il, ni de soins particuliers ; simplement, elle était ailleurs, même à la maison, qu'elle ne quittait que pour quelques promenades en famille, ou pour aller aux offices de Saint-Jean, son petit missel à la main... « *Officium hebdomadae sanctae juxta formam missalis...* » C'est un petit livre, relié aux fers en basane noire, avec au dos, gravé en or : « Orsola Viale ». Le texte, imprimé à Venise en 1769, est bilingue, en latin et italien, en petits caractères, rouges et noirs. Sur la page du titre, Salvatore a écrit : « Ce livre a appartenu à ma sœur Maria Orsola Viale. »

« Il avait le culte des morts, raconte Auguste. Il évitait les cimetières et les pompes funèbres, mais il recherchait les objets qui avaient appartenu aux personnes qui lui avaient été attachées par les liens du sang ou de l'amitié. Il tenait surtout à garder les livres, les manuscrits, la correspondance de ses amis et parents. C'est là, disait-il, que je trouve la trace de leur âme, les vestiges d'un esprit qui n'est plus. Et il se plaisait à conserver soigneusement ces reliques d'un autre temps ; *lacrimae verum.* »

Maria Orsola était morte le soir, à neuf heures et demie, d'une « inflammation de poitrine aiguë et brève ». Une heure avant sa mort, « la lumière de la raison lui était revenue, sereine comme un réveil de son long sommeil... », dira Salvatore dans la poésie qu'il composera sur sa sœur, mais gardera inédite, par respect pour l'intimité de cette vie malheureuse [149].

On l'enterra dans la propriété de Belgodere, « à la limite qui regarde le midi ». Salvatore composa également son épitaphe en italien, disant la douleur des frères et des sœurs « à qui elle avait consacré les meilleures années de sa vie ». « Bien que je l'eusse, en grande partie, perdue depuis longtemps, je n'arrive toujours pas à me consoler d'un tel exemple du malheur des justes sur cette terre », écrit-il à Vieusseux. Louis annonça la nouvelle à tous ses amis, et même à de simples relations.

A Vienne, Michel en fit part à Metternich qui lui envoya aussitôt un billet de la chancellerie : « Le triste événement a pour moi l'effet d'une perte d'un membre de ma propre famille », lui dit-il. Comme si la part de mystère que Maria Orsola emportait avec elle devait frapper jusqu'aux cœurs étrangers, après sa mort.

Sept mois après, au mois d'août, la maison retentit à nouveau des rumeurs familières de la mort, de la soudaine agitation de la vie qui, encore quelques heures, l'entoure.

Les visites, les pas dans l'escalier, les conversations qui se taisent devant la porte palière, les murmures des condoléances, puis des souvenirs lentement évoqués, qui peu à peu ramènent le ton de la conversation, avec les voix qui montent, presque des sourires, qu'une nouvelle visite fait retomber, les longs silences, tout le cérémonial tranquille qui vient entourer la famille et l'aider à veiller, devant la porte ouverte où le corps repose, dans l'air tiédi par les bougies allumées et la pénombre des persiennes closes sur la lumière du jour. Et à cinq heures c'est le chapelet, récité par les femmes dans le grand salon autour du curé de Saint-Jean et qu'écoutent en silence les hommes, debout, dans la bibliothèque.

Puis le dernier jour, le moment de quitter la maison, le piétinement de la petite foule qui descend en désordre, derrière le cercueil, l'escalier, le portail, la rue étroite, le lent cheminement autour de la place, au son du glas, sous les fenêtres de la maison, comme pour un dernier salut, avant de la quitter pour toujours et d'entrer une dernière fois à Saint-Jean d'où tant de fois on sortit, pour tant de baptêmes, pour tant de mariages, pour tant de morts aussi que nous y avons accompagnés en attendant ce jour qui sera le dernier, pour nous aussi, s'il plaît à Dieu de nous ramener une dernière fois à notre terre, parmi les nôtres...

Marie-Sébastienne mourut le 17 août, à bout de forces. Un mois auparavant, Salvatore écrivait à Benedetto : « Bastiana ressent l'effet des grandes chaleurs qui nous accablent. Elle a goûté les chocolats que tu lui as envoyés, mais sa faiblesse et ses malaises la rendent sensible à la moindre chose... Elle reste au lit jusqu'à trois heures de l'après-midi, puis se lève pour rester assise près de la fenêtre jusqu'à dix heures du soir. Nous espérons que le sucre candi et la gélatine que tu lui as envoyés adouciront en partie ses longues douleurs. » « Sa vie s'est éteinte comme celle d'une fleur qui, le soir, s'alanguit et meurt », écrit Louis dans son journal.

Elle s'était vue mourir et avait accepté la mort avec fermeté d'âme. Le 15, jour de l'Assomption, elle avait reçu le viatique ; le 16 au soir, l'extrême-onction. Tous ses enfants étaient là, avec Louis et Salvatore : Auguste, Paul-Augustin, Paolina, Angelina, Nicolina. « Ses sentiments chrétiens ont déployé toute leur énergie à l'approche des derniers moments, et c'est avec la sérénité d'une âme juste qu'elle nous a fait ses derniers adieux, avec des paroles de consolation, pour ne songer qu'à son bonheur à venir », écrit encore Louis. On l'enterra, elle aussi à Belgodere, face à la mer.

L'une des dernières visites reçues par Marie-Sébastienne, la veille de sa mort, avait été celle d'une petite nièce Semidei, parente du côté des Prelà. Elle lui apportait une lettre de son frère Pierre demandant Paolina en mariage. « Ce n'est que la veille du jour où j'ai éprouvé la douloureuse perte de la meilleure des épouses, que Mademoiselle votre sœur m'a donné communication de la lettre que vous lui avez écrite le 4. Dans une circonstance où tout est désolation chez moi, je ne puis que vous dire d'avoir compris les bonnes intentions que vous exprimez », écrit Louis à Pierre Semidei, le 24 août. Et le 31 : « Avant d'entrer en conférence avec M. votre père, j'ai fait part de vos intentions à ma fille, qui les a agréées, quoiqu'elle ne fût pas au courant de ce projet... »

Pierre Semidei et Paolina s'étaient connus dans leur enfance mais ne s'étaient pas revus depuis. Pierre était parti pour l'Algérie, alors en plein développement, comme vérificateur des douanes à Mostaganem, et n'était plus revenu en Corse. Renseignements pris, c'était un « jeune homme de bon caractère et de bonnes mœurs ». Il avait trente-six ans, Paolina vingt-sept.

Je ne sais si elle était jolie, Paolina. Mais elle devait être fine et intelligente, très sensible aussi, d'après le journal intime qu'elle tint pendant une dizaine d'années de sa jeunesse, dans le français élégant et un peu guindé appris dans la pension des demoiselles Rousseau, à Toulon. C'est un cahier relié en moleskine bleutée, rempli d'une jolie écriture, menue, jusqu'à trois ans avant son mariage et qu'elle laissa à la maison en quittant celle-ci. Paolina jouait du piano, parfois à quatre mains avec Louis, sur le piano droit du petit salon. Elle chantait, aussi ; et peignait à l'aquarelle. Il reste d'elle plusieurs grands dessins dans le goût romantique, des paysages surtout. Un jeune homme avait déjà fait battre son cœur et ses émotions avaient duré quatre ans.

Elle le désigne par l'initiale de son prénom, et n'écrira qu'une seule fois « Benoît ». Mais par recoupement, il est facile de voir qu'il s'agit de Benedetto Prelà, son cousin. Ils s'étaient connus, du moins s'étaient-ils plus longuement rencontrés, pendant des vacances d'été à Pino dans le Cap, chez leurs cousins communs, les Tommasi, en 1838. Elle avait dix-sept ans, il en avait vingt. Il était déjà quelque peu « vagabond », et « vaurien » ; mais elle l'aima et l'aimera longtemps : « Subite apparition, arrivée inattendue, moments heureux, nouvelles et constantes assiduités... Mon cœur est agité d'un sentiment vif et profond ; il dompte toute l'énergie de mon âme, tremblante, incertaine, qui palpite », note Paolina, à l'arrivée inopinée de Benedetto à Bastia, en septembre 1844. Le 22 novembre, « Benoît part à sept heures du soir, se rendant à Rome », et Paolina recopie un vers de Métastase : « Je crus le vent calmé, mais encore je me sens prise dans la tempête. »

D'autres initiales apparaissent dans le cahier de Paolina, mais sans battements de cœur. « Entrevue froide... indifférente. » Des présentations, sans doute, arrangées par les parents. Le mariage n'était pas qu'affaire de sentiments, à l'époque. La dot comptait beaucoup. Plusieurs projets d'Auguste échoueront là-dessus. « Si vous ne voulez pas voir vos filles vieillir à la maison, desserrez les cordons de la bourse... », recommande Louis à sa sœur Nunzia, qui avait trois filles, pourtant plus jolies et aimables l'une que l'autre.

Avec Pierre, la question fut vite réglée. Paolina aura dix mille francs. On ne peut être difficile sur ce chapitre quand on est fonctionnaire dans les douanes et que l'on ne peut offrir à sa femme que de l'emmener en Algérie, « en Afrique » disait la tante Daria. Ils se marièrent à Saint-Jean, le 29 novembre 1848, passèrent les fêtes à la maison, puis partirent en janvier pour Mostaganem. Ils écriront souvent et longuement, Paolina en italien, Pierre en français.

L'Algérie était en plein développement. Dix-huit ans après la conquête, ce n'était pas encore un pays sûr, mais déjà une terre pleine de promesses ; plus que ne l'était la Corse, apparemment, pour le gouvernement. Généreusement cultivée, plantureuse, la plaine de la Mitidja faisait rêver Pierre.

La mort de Maria Orsola, celle de Marie-Sébastienne, puis le départ de Paolina avaient fait le vide à la maison. Angelina faisait ce qu'elle pouvait, la pauvre, malgré son bras paralysé, avec la fidèle Cecca — Maria Francesca Casanova — depuis plus de vingt ans au service de la famille dont elle faisait intimement partie. Cecca était logée dans la petite maison attenante, qui communiquait avec la *casa grande* par une porte basse pratiquée dans la saletta, au troisième étage. Zia Nicolina en a souvent parlé à Bonne-Maman. Cecca croyait aux *mazzeri*, aux esprits, elle avait des prémonitions, elle savait dire l'approche de la mort qu'elle voyait venir longtemps avant qu'elle ne se présente. Cecca arrivait alors, là où elle avait vu le signe, et se mettait à prier.

Nicolina, qui portait le beau nom de sa grand-mère, mais qu'on n'appellera jamais autrement, n'avait encore que onze ans. Comme elle mettait du temps à grandir ! Elle dont on avait tant besoin, et qui ne sera jamais inférieure à l'attente. Elle était gaie, éveillée, pétulante ; Auguste disait : effrontée. Avec ses yeux bleus, son visage aigu qu'un dessin de Paolina a gardé, elle aurait pu être jolie ; mais elle avait un grand nez et en souffrait. « Grand nez n'a jamais déparé beau visage », lui dira un jour, bien plus tard, zia Daria. « Mais, ma tante, beau visage n'a jamais eu grand nez », répondra Nicoline. Les derniers manuscrits de Salvatore sont recopiés de sa main ; sa main qui écrivait les lettres dictées par Louis, quand la goutte le faisait trop souffrir. Et c'est elle qui élèvera Bonne-Maman et l'oncle Michel, devenus orphelins.

Pour lors, elle était encore petite fille, et Paul-Augustin son complice. Généreux Paul-Augustin, dont le retour à Bastia n'était justifié que par le réconfort qu'il apportait à la famille ; Louis le dit dans toutes ses lettres. Mais il ne devait pas avoir beaucoup de satisfactions, en dehors de celles du devoir accompli. Pour vivre, il était entré aux ponts et chaussées de Bastia, même pas titulaire. Si loin de ses projets romains ! Quelques plans d'architecture en plus, pour de petites commandes, lui permettaient de ne pas perdre la main : un tombeau — les Corses y tiennent plus qu'à leurs maisons —, mais ce n'était pas souvent ; une ferme à la Marana, mais qu'avait-on besoin de plans quand on construisait sommairement, en entassant les pierres sous un toit de lauzes ?

Filippo Caraffa, homme de bien, grand monsieur érudit, bibliothécaire de la ville par passion pour les livres, l'avait pris en amitié et fait nommer vice-bibliothécaire, avec un petit traitement.

Pour son plaisir, à ses heures perdues, Paul-Augustin pouvait ainsi feuilleter les grands et rares volumes d'architecture légués par son grand-oncle, avec sa bibliothèque. Mais ce devait être pour lui un plaisir plein de nostalgie. Sa propre bibliothèque de livres d'architecture, rapportés de Rome, était elle-même fort belle, et combien plus douces les rêveries que ces souvenirs portaient. L'oncle Salvatore le disait doué pour les plus grands emplois. Il essayait, en attendant, de lui obtenir la charge de consul de Toscane en Corse. « Vous ne pourriez mieux choisir à Bastia », écrit-il à son ami Gino Capponi, devenu président du Conseil à Florence.

24

La fuite du pape avait fait sauter la dernière digue. Des patriotes modérés tentent encore de s'interposer, mais, après quelques mois d'allées et venues entre Rome et Gaete, où on les excommunie, la république est proclamée au Capitole, en février.

Pie IX fulmine. Il jette l'anathème. Il n'hésite pas à appeler au secours l'Autriche elle-même. Il l'appelle avec les autres puissances catholiques, la France, l'Espagne, le royaume de Naples ; mais c'est bien des Habsbourgs, qui ont rétabli leur pouvoir à Vienne et connaissent la manière, qu'il attend le salut. L'ambassadeur d'Autriche, un Esterhazy, est accueilli à bras ouverts.

De Gaete le cardinal secrétaire d'Etat Antonelli écrit le 6 février à Michel, à Vienne : « Un prompt envoi de forces armées est une nécessité absolue pour empêcher que l'Etat pontifical ne tombe en cendres par la violence de l'incendie, car tout le monde l'attaque, et de tous les côtés, non seulement sous le rapport de la politique, mais surtout sous celui de la religion [150]. » Deux jours après, en consistoire secret, Pie IX demandait officiellement l'intervention des quatre puissances.

Les réactions du pape contre les patriotes et les libéraux sont maintenant aussi outrées qu'avaient été béates ses illusions. Le revirement ne pourrait être plus total. Le vieux cardinal Lambruschini l'a rejoint à Gaete, et Pie IX tombe dans ses bras. Il ne veut plus entendre parler du Piémont. Charles-Albert a protesté contre l'appel à l'étranger, et le pape le traite en ennemi. Le premier résultat est que Pie IX exaspère les Romains. Les modérés sont balayés. En mars, Giuseppe Mazzini arrive en triomphateur à Rome. Avec Carlo Armellini et Aurelio Saffi, il forme un triumvirat. La république s'installe.

Le contrecoup en Toscane est immédiat. Le grand-duc Léopold s'enfuit. Un triumvirat s'installe à Florence également, avec Montanelli, Guerrazzi et Mazzari. Montanelli veut proclamer la république et l'unir à la République romaine mais il échoue. Francesco Domenico Guerrazzi se proclame alors dictateur et prend les pleins pouvoirs, le 17 mars. Là aussi, les modérés, Capponi,

Ridolfi, qui avaient été présidents du conseil de la période libérale du grand-duc, Raffello Lambruschini, qui, député de Figline, était vice-président de l'Assemblée toscane, sont écartés.

Pour les Autrichiens, l'appel du pape est une bénédiction, d'autant plus qu'ils ont les mains libres en Italie. Le roi Charles-Albert a rompu l'armistice et repris les hostilités. L'armée autrichienne l'écrase à Novare, le 23 mars et le roi abdique en faveur de son fils, Victor-Emmanuel. En Vénétie, à Vicence, défendue par le général Durando, ce sont les troupes pontificales et les volontaires romains que Radetski disperse, enlevant tout espoir à Venise assiégée, et ouvrant le chemin des Romagnes et de la Toscane, celui qui mène à Rome.

Louis-Napoléon s'émeut. Le prince-président ne peut laisser l'Autriche arriver jusqu'à Rome. Il décide de répondre, lui aussi, à l'appel de Pie IX. Le 23 avril 1849, un corps d'armée sous les ordres du général Oudinot débarque à Civitavecchia. Le 30, il est sous les murs de Rome, mais il est repoussé. Pour gagner du temps, le prince-président envoie Ferdinand de Lesseps négocier avec les triumvirs romains. La mission tourne court.

Le 3 juin, à l'aube, Oudinot attaque au canon. Par l'effet du danger, la République romaine se radicalise. Mazzini reçoit les pleins pouvoirs. Il confie la défense de la ville à Garibaldi, qui galvanise les énergies. Pour éviter les combats de rue, l'armée française attaque par la colline du Janicule, revêtue de parcs de villas princières mais plus accidentée, et la mieux défendue derrière les anciennes murailles toujours intactes.

On se bat férocement. Un médecin-major de l'armée, le commandant Petronelli, dira à Salvatore qu'il avait vu des enfants et des femmes tirer sur les Français au Janicule. La villa Orsini, défendue par Garibaldi et ses chemises rouges, est perdue et reprise trois fois. Giovanni Mameli, l'auteur du chant *Fratelli d'Italia*, qui deviendra l'hymne national italien, y est mortellement blessé par les balles des zouaves.

Oudinot donne l'ordre d'arrêter. Pour éviter les pertes, face à ces Romains qui se battent magnifiquement, il commence un bombardement systématique de la ville. Les tirs dureront un mois. Un boulet de canon français viendra s'écraser dans la grande galerie du palais Colonna, où on le voit encore, encastré dans le marbre d'une marche. Puis, dans la nuit du 29 au 30 juin, les Français déclenchent l'attaque décisive. Le 30, les Garibaldiens sont chassés de leur principal bastion, la villa del Vascello, à l'entrée de la villa Doria Pamphili.

A midi, Garibaldi, appelé par Mazzini au Capitole, y arrive la chemise déchirée, tachée de sang, l'épée brisée à la main. Il est acclamé, mais c'est la fin. Le 2 juillet Oudinot entre dans Rome, au milieu d'un silence hostile. Le 4, un détachement de zouaves met fin à la République, en faisant évacuer le Capitole où l'Assemblée finissait d'approuver la Constitution. Les députés se dispersent, dans une dernière envolée de cette malheureuse rhétorique qui était en grande partie responsable de leur échec et de leur inefficacité.

Rome est occupée militairement. Un gouvernement civil est

cependant mis en place par les autorités françaises et les directives qu'il en reçoit préconisent un certain nombre de réformes, dans le sens libéral prévu par le *Statuto* de Pie IX avant la révolution. Mais de Gaete, Pie IX fulmine. Il revient sur tout ce qu'il avait accordé, à commencer par la Constitution. Il exige un retour pur et simple au pouvoir temporel absolu. Il s'indigne même contre les Français, qui font pression pour maintenir les réformes et tardent à rétablir pleinement son autorité à Rome.

« Jusqu'à présent, je ne vois qu'une occupation de plus à Rome, la troisième en cinquante ans », dit-il à l'ambassadeur d'Autriche. Louis-Napoléon n'est pas content. « L'expédition française à Rome n'avait pas pour but d'écraser la liberté, mais seulement de la modérer », écrit-il au général Ney, l'un de ses confidents. La lettre est publiée ; elle fait sensation à Rome, comme une critique ouverte de l'attitude réactionnaire du pape. Les Autrichiens eux-mêmes s'indignent, à leur tour, contre ce dernier.

De Vienne, Michel transmet au cardinal Antonelli une mise en garde du chancelier Schwarzenberg : « Il m'a dit savoir que les choses allaient mal à Rome, en fait d'administration. Or une mauvaise administration est l'auxiliaire le plus puissant de la révolution [151]. »

Les Français attendront jusqu'au 15 juillet pour rétablir officiellement l'autorité pontificale dans tous ses pouvoirs. Mais Pie IX ne rentre pas pour autant. S'il quitte Gaete, c'est pour aller s'installer au palais royal de Portici, près de Naples. Il y restera près d'un an encore, jusqu'en avril 1850, laissant un triumvirat de cardinaux, le « triumvirat rouge », reprendre en main Rome et ses Etats par la plus impitoyable des répressions. On fusillera place du Peuple. Sur 175 000 habitants que comptait Rome, 20 000 prirent le chemin de l'exil, dont 9 000 expulsés. En Romagne, dans les Marches, en Ombrie, ce sera pire. Les régiments pontificaux se conduiront en Autrichiens.

A Pérouse, dans la douce Ombrie, la troupe tire sur la foule inerme. « Quelle infamie ! Plus que jamais, le gouvernement des prêtres sera détesté et le sang de nouveau répandu ; tôt ou tard, je l'espère en Dieu, la force des choses enverra pour toujours au diable ce gouvernement scélérat », écrit Vieusseux à Salvatore.

Benedetto et Daria n'avaient pas bougé de Rome. « J'ai décidé de ne pas partir et de me fier à la Providence », avait écrit Benedetto à Louis le 24 mai. Ce fut la dernière lettre que l'on reçut à Bastia jusqu'à la fin du siège.

Sitôt celui-ci levé, Louis s'impatiente : « Servetto nous a dit t'avoir vu dans l'antichambre du général Oudinot, le jour précédant son départ... J'espère que si tu devais te trouver à nouveau plongé dans de telles convulsions, tu n'oublierais pas la maison où tu es né, comme refuge d'affection et de sécurité », lui écrit-il le 1er août. Mais Benedetto et Daria n'avaient couru aucun danger.

Daria à Salvatore : « Rome, 13 août 1849. Malgré cette succession de terribles événements, nous sommes en parfaite santé, remercions la Providence. Les choses qui sont arrivées ici, pendant ces deux mois, il vaut mieux ne pas s'en souvenir, car elles donnent froid aux os. Que je vous dise seulement que nous étions plus troublés et peinés de voir ce qui se passait dans Rome que des boulets et des balles que nous envoyaient les Français. Personnellement, nous n'avons pas eu le moindre ennui. Maintenant, Rome est tranquille ; mais qui sait pendant combien de temps continuera-t-on à sentir les effets de cette secousse, car les dommages ont été trop grands. Les nouvelles de Michel sont bonnes. » Entre autres choses, Michel leur disait de Vienne : « Depuis plusieurs mois je ne reçois plus un sou de Rome ; j'ai dû vendre mes chevaux, remiser les voitures, licencier la moitié des domestiques, et, comme cela ne suffisait pas, j'ai dû faire un emprunt. »

Par Salvatore, on sait que Benedetto ne s'absentera pas un seul jour de son hôpital de San Giacomo, et qu'au moment des combats, il se rendait souvent à celui de Santo Spirito, où l'on soignait les blessés du Janicule tout proche. Dans les salles encombrées de litières ensanglantées, d'où l'on entendait le bruit de la mitraille, il est probable qu'il rencontra Garibaldi lui-même, au milieu de ses hommes allongés. On sait aussi qu'il fut également courageux sur le plan politique.

Après la proclamation de la République, les triumvirs avaient exigé que le collège des médecins prêtât serment de fidélité au nouveau régime. Le collège s'était réuni en assemblée générale pour en discuter. La séance avait été orageuse, dit Salvatore, d'après les témoignages recueillis à Rome. Deux éminents professeurs, les docteurs Savelli et Lucchini, parlant en premier, s'étaient prononcés pour que l'on acceptât de prêter serment.

Benedetto s'était alors levé et, sortant de la poche le texte du serment que les membres du collège avaient fait au pape, il avait lancé : « Il faut vraiment ne pas connaître la valeur d'un tel serment, pour accepter d'en prononcer un autre, comme celui qui nous est demandé. » Le collège des médecins avait alors répondu non, entraînant le même refus de la part des professeurs de la Sapienza.

En Toscane, les Autrichiens avaient ramené le grand-duc à Florence dès le mois de mai. A Livourne, ils avaient réprimé dans le sang une insurrection populaire. Les réfugiés politiques avaient afflué à Bastia. « Entre hier et ce matin, cinq cents réfugiés toscans sont arrivés à Bastia, fuyant les Autrichiens », écrit le 13 mai Louis à Paolina. Il en arrivera en tout environ 800, qu'un comité de secours dirigé par le maire allait accueillir au port. Dix-huit des principaux insurgés seront sauvés et amenés par un bateau de guerre américain, l'*Alleghanys*. De nombreux patriotes avaient bénéficié de passeports anglais pour pouvoir s'enfuir, et Louis régularisera leur situation au consulat, avec Pennington.

Son compère Giuseppe Vanneschi avait fui Livourne pour se réfugier à Pise, chez un neveu, directeur des douanes. Il y avait vu arriver, un matin, « 20 000 hommes environ, et bien munis d'artillerie », qui avaient défilé sous ses fenêtres. Il était alors parti à Florence ; mais il y avait des Autrichiens partout, en Toscane, et partout avec les canons prêts à tirer. Vanneschi était alors rentré à Livourne, peu avant l'insurrection, qu'il décrira à Salvatore en témoin oculaire.

Assiégée par les Autrichiens, Venise seule résistait encore, derrière les eaux de sa lagune ; mais elle était à bout de forces et souffrait la faim. Manin y avait établi la dictature et fait appel au roi Charles-Albert. L'assemblée avait même voté l'union avec le Piémont. Tommaseo, qui se méfiait de la monarchie piémontaise encore plus que du régime républicain, avait démissionné et pris la tête de l'opposition.

Il détestait Charles-Albert. A Capponi, qui considérait ce dernier comme le Messie, Tommaseo écrit : « Il me fait plus peur que l'Autriche, car l'Autriche s'en va et Charles-Albert arrive. » Et à Salvatore : « L'unité de l'Italie est une chose trop précieuse ; ce n'est certainement pas Charles-Albert qui doit l'entreprendre et encore moins l'accomplir. Si je pouvais vous expliquer les choses de vive voix, vous verriez que je n'ai pas tort. » Il continuait à proclamer que seul Pie IX avait été désigné par Dieu pour faire l'unité italienne.

Pour s'en débarrasser, Manin l'avait envoyé en mission à Paris, officiellement pour demander l'aide de la France. Il n'eut pas grand succès. Ce ne fut que la première étape d'un nouvel exil, qui le conduira cette fois à Corfou.

Salvatore courut à Rome, comme la ville était encore chaude des événements. Il voulait voir par lui-même, retrouver le fil, pour comprendre ce retournement impensable du pontificat. Il arriva début septembre, le 8, à cinq heures du matin, par la diligence de Civitavecchia qui avait roulé toute la nuit. Il n'avait pas prévenu. Daria ne fut pas contente de le voir ainsi, inopinément, débarquer à la maison. « Il serait bon qu'à nos âges, il ne se lançât plus dans ce genre d'improvisations », écrit-elle le jour même à Louis. Salvatore y restera un mois, voyant beaucoup de monde, prenant beaucoup de notes, se promenant partout.

Dès les premiers jours il fut écœuré par le caractère réactionnaire et borné du régime rétabli par le pape, sous la protection des baïonnettes étrangères, ainsi que par son arrogance et son aveuglement politiques. Le triumvirat rouge sévissait. « Le gouvernement théocratique de Rome et les prêtres qui le composent sont incorrigibles, parce qu'ils tirent force, confiance et arrogance des armées étrangères ; aujourd'hui, des troupes françaises »...

« Je remarque que le gouvernement qui est en train de s'organiser hait les libéraux modérés bien plus qu'il ne hait les républicains exaltés. Ceux-ci poussent au pire, provoquent le désordre ; ils accélèrent ainsi la restauration et rendent presque souhaitable l'invasion étrangère, aux yeux des hommes pacifiques. Les libéraux raisonnables et modérés, qui n'aspirent qu'aux réformes possibles et utiles, pourraient, au contraire, former un gouvernement libre, durable et en partie laïc... Les responsables ecclésiastiques actuels font exprès de nommer, aux plus hautes charges civiles de l'administration, des hommes incompétents et incapables, pour qu'ils discréditent, par leur gâchis, l'idée d'un pouvoir civil »... « Quelle différence entre la Rome de 1847 et celle de 1849 ! Pie IX était alors adoré de tous ; maintenant il n'a personne pour lui. Voilà ce que c'est que de s'être laissé entraîner par la seule recherche de la popularité. »

Soigneusement mises au net par la main d'un copiste, ses notes forment un gros cahier que Salvatore a encore corrigé et annoté, et sur la couverture duquel il a marqué, d'une écriture, pour une fois, appliquée : « *Voyage à Rome dans les premiers jours de septembre 1849.* » Tant de soins, bien différents du désordre de ses *zibaldoni*, toujours laissés pêle-mêle, indiquent peut-être qu'il avait l'intention de les publier. Tel qu'il est, c'est un intéressant recueil de choses vues ou entendues, dans les rues de Rome et dans les milieux de la curie, sur ces mois décisifs du pontificat de Pie IX. Salvatore note même les ragots qui couraient sur le pape, sur « ses gaffes et ses balourdises », sur son passé, sur la duplicité dont on le soupçonnait. Nombre de ces ragots sont injurieux. Ils ont leur intérêt, car ils montrent le degré d'impopularité et le discrédit qu'avait atteint Pie IX jusque dans la bourgeoisie proche du Vatican.

Dans le peuple, le gouvernement clérical était tout bonnement détesté, autant que l'occupation étrangère qui, seule, lui permettait de survivre. « Le mot qui court dans la bouche des Romains est celui-ci : — *Se cambia vento, l'appuntamento, Macel dei Corvi.* — » (Si le vent change, le rendez-vous, Boucherie des Corbeaux). « Macel dei Corvi » était une rue très passante, proche de la place de Venise en contrebas du Capitole. Mais en langage populaire, le rendez-vous était donné pour un massacre de prêtres.

On regrettait le régime républicain. Salvatore n'en entendra dire aucun mal, au contraire. La République avait bien fonctionné, tant qu'elle était restée sous l'influence des modérés. C'est sa radicalisation par Mazzini et les révolutionnaires de la Jeune-Italie qui l'avait dénaturée et conduite à l'échec. « Depuis la fuite du pape, à la fin novembre 1848, jusque vers le 30 avril, les Romains jouirent de la liberté, de la sécurité publique, d'une certaine aisance et de gaieté. L'arrivée des Français à Civitavecchia et des Lombards et autres agitateurs étrangers à Rome gâcha tout. »

La création du Cercle populaire, « qui fut à l'origine des malheurs de l'Etat », Ciceruacchio, l'assassinat de Pellegrino Rossi, la mission de Lesseps, les combats du Janicule, le rôle diplomatique de Michel contre la guerre, à Vienne, et la conduite de Benedetto, à Rome pendant la République : Salvatore note tous les témoignages qu'il entend sur les rôles et les faits. Ses témoins appartiennent aux milieux les plus variés. Ils vont des volontaires romagnols et romains, rencontrés à bord du vapeur entre Livourne et Civitavecchia, à l'homme de la rue romain et ses pasquinades ; de Benedetto aux milieux de la curie. Il n'en nomme que quelques-uns : Dom Gregorio Savelli, neveu du monseigneur qui était alors ministre de l'Intérieur et de la Police, Blasi, conseiller du gouvernement, ancien condisciple de Salvatore à la Sapienza, un certain Petronelli, chirurgien-major dans l'armée française.

On sait d'autre part, par ses lettres à Louis, que Salvatore vit plusieurs fois Pietro Angelini, l'un des héritiers romains de l'oncle Tommaso, fils aîné de sa veuve. Celui-ci se plaignit de ce que la municipalité de Bastia ne donnât plus signe de vie pour le monument promis à la mémoire de l'ancien archiatre pontifical. « Ici, toutes les relations de l'oncle Prelà s'étonnent que depuis quatre ans, la municipalité n'ait encore rien fait pour son monument... Hier, Pietro Angelini m'en a encore parlé avec amertume. Vous pouvez dire au maire que cette façon de tarder à faire acte de reconnaissance publique envers Tommaso Prelà donne à la municipalité un air qui a un je ne sais quoi de grossier », écrit Salvatore à Louis.

Benedetto Prelà, le petit-neveu de Tommaso et son « héritier » en Corse, était lui aussi à Rome ; mais c'était une tout autre histoire. Le beau jeune homme bambocheur qui avait fait battre le cœur de Paolina, le vagabond désinvolte, devenait une épave. Avec sa bourse du legs Sisco, il aurait dû faire ses études de médecine, mais il ne faisait rien que courir les troquets, vivant sur ardoise la moitié du mois. Louis, qui l'aimait bien et s'était fait en quelque sorte son tuteur, lui avait écrit une longue lettre sévère, confiée à Salvatore.

« Je ne te parlerai pas de ta conduite inqualifiable, ni de ton mépris pour les conseils qu'on te donne. Un jeune homme qui, à l'âge de trente ans et après huit ans d'études, n'arrive même pas à gagner un quignon de pain est indigne de vivre en société... Il n'y a pas un jeune homme de vingt ans, à Bastia, qui n'ait l'existence assurée, s'il est travailleur, même s'il n'a fréquenté d'autre école que celle des frères ignorantins ; et toi, tu végètes misérablement, dans l'avilissement le plus honteux. »

Benedetto Prelà fit un effort, peut-être sous ce coup de fouet, mais le résultat fut un nouveau désastre. « Bien qu'il n'ait pas suivi un seul cours... il s'est brusquement présenté à l'examen de licence. Malgré tous les égards que les examinateurs étaient disposés à avoir pour Benedetto et pour la mémoire de l'oncle Prelà, ils ont dû le recaler... Sa bizarrerie est aussi incroyable que sa gloutonnerie », raconte Salvatore à Louis.

Salvatore quitta Rome le 7 octobre, avec Don Gregorio Savelli. Entre Civitavecchia et Livourne, la tempête déporta leur bateau — à vapeur, pourtant, et l'un des plus modernes de la ligne — jusqu'à l'île d'Elbe, où ils durent faire escale. A Livourne, son ami Andrea Pasqualini, qu'il n'avait pas revu depuis près de trente ans, l'attendait.

Ce furent de tristes retrouvailles. Pasqualini arrivait de Vienne, désespéré par la mort de sa femme et de sa fille de dix ans, la petite Mathilde, emportées par le choléra, à une semaine de distance au mois d'août. Aussitôt après l'enterrement, il était venu chercher réconfort dans sa Corse natale et Louis lui avait ouvert la maison. « Je l'ai installé dans votre appartement et il vit avec nous, en famille », dit-il à Salvatore. Andrea Pasqualini était venu à sa rencontre à Livourne, ensemble ils allèrent passer quelques jours à Florence.

J'aimerais en savoir plus sur ce séjour, sur leurs propos, sur ce qu'ils regardèrent ensemble. Où Salvatore l'emmena-t-il pour le distraire de sa peine ? Où se promenaient-ils, dans cette ville qui était un peu de son âme, dans cette harmonie qui ne déçoit jamais le cœur même le plus meurtri. Je ne pourrais que l'imaginer. Tout, dans les lettres de Pasqualini, dit un homme profondément gentil, un caractère généreux et sensible. Il écrivait bien et ses vers sont honnêtes dans leur académisme. Ceux qu'il publiera à la mémoire de sa femme et de sa fille sont encore émouvants [152].

Sa photo montre un monsieur élégant, en redingote claire, au visage joufflu, le crâne presque chauve au-dessus d'un grand front. Il paraît esquisser un sourire, ce qui, à l'époque ne se faisait pas dans les portraits. La photographie a été prise à Vienne cette année-là — elle est datée et signée —, et rehaussée de couleurs dans les chairs. Il est assis de trois quarts, dans un fauteuil à dossier droit, aux accoudoirs chantournés.

C'est le même fauteuil, et la même pose, où l'on voit Michel dans une photographie exactement pareille, avec la même date, la même signature, rehaussée des mêmes couleurs pâles, dans ses vêtements d'archevêque de Carthage et de nonce à Vienne. Il est certain qu'elles ont été prises le même jour à la suite l'une de l'autre ; mais, là aussi, je ne pourrais que les imaginer dans leur conversation avec le monsieur Koberwein qui a signé ces portraits. Michel et lui se voyaient souvent. Ils parlent l'un de l'autre dans leurs correspondances avec Bastia ou Rome, Pasqualini donnant à Benedetto des nouvelles de la santé de son frère. « Pasqualini m'a donné le portrait de Michel et le sien que je ramènerai à la maison », écrit Salvatore à Louis, à son retour à Livourne. Ce sont sans doute ces deux photographies.

Salvatore passera encore une dizaine de jours à Livourne chez Giuseppe Vanneschi, pour compléter son étude de la situation politique italienne par des « Notes sur la situation à Livourne et en Toscane », à la suite de celles prises à Rome. Livourne était occupée par l'armée autrichienne, qui avait balayé l'éphémère République toscane, comme l'armée française l'avait fait pour la République romaine.

C'était la seule ville toscane qui se fût défendue par les armes, et la répression y avait été sanglante. L'état de siège autrichien y était encore rigoureux. Guerrazzi, le « Dictateur », était en prison. Il sera condamné par les tribunaux plus indulgents du grand-duc à quinze ans de détention, peine bientôt commuée en exil, qu'il ira passer à Bastia. Salvatore recueille de nombreux témoignages sur la courte existence de la République toscane, sur l'invasion autrichienne, sur l'insurrection de la ville et sa répression.

« Pendant la République toscane, écrit-il, les négociants, les propriétaires et toutes les personnes de la classe moyenne n'osaient plus se montrer en public qu'avec la barbe, en veste de chasse, les

267

souliers rapetassés et souvent sans chaussettes ; ils blasphémaient et criaillaient à la manière des vauriens. Dès que les Autrichiens furent entrés, les vauriens proprement dit ne se montrèrent plus en public qu'avec la barbe rasée de frais, bien chaussés, un chapeau sur la tête ; ils parlaient cérémonieusement comme des académiciens de la Crusca et se pliaient aux convenances du savoir-vivre le plus exquis, simplement pour rester en vie, car les Autrichiens fusillaient indistinctement tous ceux qui avaient figure, vêtement ou langage plébéien ou, au minimum, leur donnaient du bâton. Et ce changement se fit en vingt-quatre heures [153]. »

Quant à la politique, Salvatore constate à Livourne, comme il l'avait constaté à Rome, le même conflit entre extrémistes et modérés qui avait affaibli la république face à l'invasion étrangère.

« Les libéraux modérés, ou constitutionnels, étaient farouchement contraires aux républicains rouges, parce que ces derniers discréditaient la cause de la liberté par leurs revendications exorbitantes et, en divisant les Etats, ruinaient la cause de l'indépendance de l'Italie. Les rouges, qui étaient responsables de l'entrée des Autrichiens en Toscane, haïssaient, de leur côté, les modérés, parce que ceux-ci, non seulement n'avaient pas fait cause commune contre l'envahisseur mais avaient fini par souhaiter et applaudir l'intervention autrichienne.

« Cela a tellement irrité les rouges contre les modérés que les modérés désirent maintenant que les Autrichiens restent, ne serait-ce que pour les protéger ; si les Autrichiens partaient, ils devraient partir avec eux pour sauver leur vie de la fureur des rouges. Il est vrai que Livourne connaît actuellement un certain calme, favorable au commerce et aux affaires, et donc au bien-être de la Toscane tout entière. Mais c'est un calme précaire et les Autrichiens finiront par mécontenter les Toscans encore plus que les Lombards et les pousseront à une nouvelle révolte, tant il est vrai que leur système est de bâtonner les Italiens après les avoir dépouillés. »

Sur le bateau qui le ramenait à Bastia, les réflexions de Salvatore devaient être mélancoliques. Le rêve néoguelfe avait tourné au cauchemar. Pour les libéraux modérés, et Salvatore était de cœur avec eux, c'était la fin des illusions. L'échec de Pie IX était d'abord leur échec.

Comme Célestin V, que Dante avait jeté en Enfer pour son « grand refus », Pie IX était voué au néant par les Italiens pour son grand refus de la patrie commune. Le seul recours désormais était le Piémont et son armée ; le Risorgimento devenait une simple entreprise militaire et dynastique de la maison de Savoie. Par les erreurs de Pie IX autant que par celles de Mazzini, l'Italie ratait sa révolution. Ce n'était plus son peuple tout entier qui entourerait la naissance d'une nation.

Lorsqu'à la Scala, face aux officiers autrichiens, on se dressait en criant *Viva Verdi*, on criait désormais un nom qui n'était pas qu'un symbole : Victor-Emmanuel Roi d'Italie. L'Italie n'a pas fini de s'en débarrasser. Tommaseo avait raison.

25

L'armée autrichienne avait la main lourde en Italie ; elle fut plus brutale encore en Hongrie. Les insurgés magyars n'étaient pas seulement rebelles à la Couronne, ils avaient porté secours aux révolutionnaires de Vienne. Ils étaient arrivés aux portes de la ville et l'avaient menacée. Le châtiment devait être à la mesure de l'affront.

Mais la Hongrie était déjà une nation. Elle avait une armée courageuse et bien entraînée. Celle-ci se battit, remporta des victoires et fut dure à briser. L'Autriche dut faire appel à l'aide de la Russie et le tsar Nicolas II, qui craignait le contrecoup de la révolte hongroise dans la Pologne russe, envoya ses cosaques. Kossuth continua à se battre contre les Russes et contre les Autrichiens. Les généraux hongrois ne furent battus qu'à la mi-août 1849 et la répression fut féroce. On pendit, on fusilla les notables, sans procès, on rasa des villages entiers, on remplit les prisons des forteresses et des villes. En Hongrie, l'état de siège durera cinq ans.

Partout, le clergé avait participé au soulèvement national. La répression ne l'épargna pas. Des évêques étaient destitués par les autorités militaires et jetés en prison, l'un d'eux fut condamné à mort. Des prêtres étaient enrôlés de force. Rome s'en indigna. Le cardinal secrétaire d'Etat Antonelli chargea le nonce à Vienne d'intervenir auprès du gouvernement impérial, au nom des droits reconnus à l'Eglise.

C'était la querelle entre les droits de Pierre et les droits de César qui risquait d'éclater à nouveau. Cette fois, le pape paraissait bien faible devant l'empereur triomphant, auquel, par ailleurs, il devait tant. De plus, le risque était grand de raviver en Autriche l'animosité joséphiste. Le gouvernement de Vienne, enfin, n'était pas disposé à la bienveillance envers les Hongrois. Mais Michel agit avec vigueur et détermination, avec le minimum de précautions diplomatiques.

Le gouvernement ne peut se conduire comme un général dans l'aveuglement des combats, dit-il à peu près au prince Schwarzenberg. Les évêques ne relèvent pas de l'autorité militaire subalterne. Bafouer leur caractère sacré de ministres de la religion est indigne d'un pays catholique ; c'est de plus une faute politique car cela ne peut qu'exaspérer les Hongrois attachés à leurs pasteurs, alors qu'il faudrait au contraire les apaiser. Qu'on remette donc les évêques à l'autorité du Saint-Siège, pour être jugés par ce dernier. « Le Saint-Siège ne demande pas qu'ils restent impunis, il accepte qu'ils soient jugés ; mais jugés en évêques [154]. »

Le gouvernement céda. Les évêques quittèrent les prisons militaires de Hongrie et furent conduits à Vienne, dans un couvent. On leur rendit, peu après, la liberté. Pour l'évêque de Neusol, destitué par un tribunal séculier, Michel obtint de Schwarzenberg que la sentence fût annulée comme émanant d'une autorité subalterne non compétente. Pour Mgr Bremer, évêque de Granvaradin, condamné à mort — et quelle mort : la potence ! —, il obtint que la peine fût commuée en réclusion dans un couvent. Les arguments, martelés par Michel au prince Schwarzenberg, étaient plus politiques que religieux.

L'archevêque de Carthage à M. le prince de Schwarzenberg, président du conseil, etc. « Particulière. Vienne, 11 mars 1850... Je déplore l'injure qui est faite à la dignité épiscopale et à l'Eglise ; je la déplore par le scandale qui en résulte et pour la très fâcheuse impression que ladite injure fera sur les populations catholiques de la Hongrie ainsi que sur celles du reste de la monarchie et de l'Allemagne.

« La conduite suivie par le clergé catholique de la Pologne en 1830 offre plus d'une analogie avec celle des membres du clergé hongrois qui se sont compromis dans la dernière révolution, mais on ne pourrait nommer un seul évêque polonais qui ait été traité comme l'a été l'évêque de Granvaradin. C'est triste de penser que l'histoire dira que les évêques catholiques ont été traités avec plus d'égards sous un souverain schismatique, qu'ils ne l'ont été par les autorités subalternes du roi apostolique...

« L'impression qu'en ressentiront les populations catholiques de la Hongrie ne pourra qu'être extrêmement fâcheuse, elles croiront voir dans la religion de celui qui exerce maintenant la première autorité en Hongrie la cause de l'injure faite à l'Eglise dans la personne de Mgr Bremer, ce qui, loin de calmer les esprits, ne fera que les envenimer toujours davantage... Le seul moyen d'y remédier, du moins en partie, est que Sa Majesté daigne casser de son autorité souveraine la sentence portée par le conseil de guerre en Hongrie contre Mgr Bremer. Cela est dans l'intérêt de la religion et, croyez-moi, mon prince, qu'il est de même dans l'intérêt de la monarchie [155]. »

Quant aux sentences enrôlant de force les prêtres qui avaient participé à l'insurrection, Michel réussit à les faire purement et simplement annuler.

Lorsque, à la fin de l'année, le nonce se rendit en Hongrie comme délégué apostolique pour voir la situation sur place, l'accueil fut enthousiaste. On l'acclamait personnellement pour la fermeté dont il faisait preuve, mais en sa personne on acclamait surtout l'Eglise catholique comme dernière sauvegarde du nationalisme hongrois.

Jusqu'à Budapest, il descendit le Danube à bord d'un bateau à vapeur qu'escortaient des multitudes de barques pavoisées. Sur les berges, des troupes de cavaliers en costume national se relayaient de village en village.

Aux étapes, d'immenses rassemblements populaires participaient aux célébrations religieuses, qui devenaient autant de manifestations d'une foi patriotique intacte. Partout, ensuite, la grosse berline tirée par quatre chevaux, dans laquelle il poursuivit son voyage à travers le pays, était accueillie par les populations en fête autour de leurs bannières et de leurs drapeaux sous des arcs de triomphe en feuillage. Ces scènes resteront gravées parmi ses plus lumineux souvenirs et il les évoquera souvent, avec son entourage, à Bologne, pour y trouver réconfort dans ses épreuves.

Michel retournera à plusieurs reprises en Hongrie, en juin 1851, puis en septembre de la même année, accueilli toujours avec la même ferveur. Les Hongrois ne l'oublieront pas, après son départ de Vienne, et ils enverront une délégation nationale assister à son entrée solennelle à Bologne. En juin, son voyage se poursuivit jusqu'en Serbie, où il ouvrira, à Belgrade, la première chapelle catholique. Le Pacha y était tributaire de la Porte ottomane, et Michel négocia avec lui une amélioration de la situation des catholiques, empêchés par les autorités musulmanes de pratiquer leur culte publiquement.

Pendant sa nonciature à Vienne, Michel voyagera beaucoup, comme délégué apostolique, dans les pays germaniques ou slaves, où le Saint-Siège n'avait pas de nonce, soit pour l'y représenter en quelque grande occasion, soit pour y discuter des problèmes en suspens, et dont le plus épineux était celui des rapports des catholiques avec l'Etat, dans les pays où le catholicisme n'était pas la religion dominante. Il se rendra à Berlin, à Zagreb, à Cologne, à Prague, à Breslau notamment.

En janvier 1850, Pie IX l'avait chargé d'une mission à Saint-Pétersbourg, auprès du tsar Nicolas Ier, pour négocier une amélioration du sort des catholiques en Pologne et, plus largement, des intérêts de l'Eglise catholique dans l'empire de Russie. La mission était des plus difficiles et Michel la prépara avec un soin extrême. On manquait d'informations précises. L'empire russe était un monde fermé, sous surveillance policière. « L'activité de la police à l'intérieur de l'empire est réellement extraordinaire », écrit-il dans une de ses dépêches, en envisageant l'envoi de personnes de confiance pour un voyage secret dans la Pologne occupée.

Lui-même, d'ailleurs, ne pourra se rendre à Saint-Pétersbourg. Nicolas Ier s'opposera à sa venue dans la capitale, bien que Michel fût porteur d'une lettre personnelle de Pie IX, avec le titre de nonce extraordinaire auprès de l'empereur de Russie. Ce dernier enverra son premier ministre, le comte Nesselrode, entendre Michel à Linz, en septembre.

Michel reverra Nesselrode à Vienne, en mai 1852 — le tsar ayant à nouveau refusé de le recevoir — et protestera cette fois ouvertement contre « l'état déplorable dans lequel se trouve l'Eglise catholique sous la domination russe, en particulier en Pologne [156] ». Il traitera également avec lui la complexe question des uniates, éliminés de Russie depuis 1839, et dont le patriarcat se trouvait dans la province ukrainienne soumise à l'Autriche.

Mais je ne suivrai pas Michel dans ces négociations, consignées dans ses dépêches diplomatiques, pas plus que dans ses voyages. A la maison, je n'en recueille qu'un écho lointain, dans les adresses cérémonieuses, avec leurs majuscules enluminées, restées dans les papiers de Michel, ou dans les journaux que Benedetto envoyait de Rome, et que Louis a gardés.

Le compte rendu, par exemple, du deuxième voyage en Hongrie est en première page de ces exemplaires de l'*Osservatore Romano*, datés du 2 et du 4 août 1851 ; il en remplit même une bonne moitié. C'est une sorte d'événement théâtral, encombré de discours pompeux, de cortèges solennels, de hauts dignitaires aux titres sonores et parfois mystérieux. Combien Michel devait y paraître lointain, au milieu de son escorte de cavaliers magyars, dans son carrosse de gala tiré par six chevaux empanachés !

A Cologne, on lui offrit un superbe tableau. On y voit Michel, dans le chœur de la cathédrale, imposant la barrette cardinalice à l'archevêque de la ville, Mgr Geissel, en novembre 1850. Michel y est en mitre et chasuble dorées [157]. Le manteau rouge du nouveau cardinal tranche vivement sur les chasubles claires des évêques et prélats qui l'entourent. Il y a aussi des statues, des baldaquins. La scène peinte par Schrandolph a un grand air. Elle symbolise le triomphe du catholicisme dans un royaume protestant.

Au gauche, au premier plan, il y a un petit groupe bourgeois, les parents sans doute de Mgr Geissel. Un enfant blond, en manteau de velours vert bouteille, s'y tient debout, bien droit à côté de sa mère agenouillée.

Maman racontait souvent, en le regardant, que, lorsqu'elle était petite, le tableau était placé au-dessus du piano. Elle trouvait que le petit garçon était très élégant et il lui arrivait, quand elle était seule, avant de commencer ses gammes, de monter sur le tabouret et de caresser son manteau, en disant : « Quel joli manteau de velours a ce petit garçon ! » Un jour, le tabouret s'était renversé, elle était tombée sur le piano en faisant un grand bruit, Bonne-Maman était entrée et maman, en pleurant, lui avait avoué son secret. Elle en avait été si honteuse qu'elle ne l'avait jamais oublié, et le petit garçon était resté, pour elle, le principal personnage du tableau.

Ce tableau, dit Michel à Benedetto, sur son lit de mort, « doit être conservé à la maison, en souvenir, avec celui représentant les saints protecteurs de la famille ». Ce fut, en pensée, la dernière fois qu'il revint rue Saint-Jean.

A Vienne, dès que l'autorité de l'Etat avait été rétablie et qu'il avait eu à nouveau des interlocuteurs avec qui pouvoir négocier,

Michel avait repris la tâche entreprise avec Metternich et qu'il considérait comme le but de sa nonciature : la conclusion d'un concordat entre le Saint-Siège et l'Autriche.

Les temps, cette fois, lui étaient favorables. La secousse qui avait ébranlé l'empire des Habsbourgs en avait révélé les faiblesses et les lignes de fracture. Une clarification des rapports entre l'Eglise et l'Etat ne pourrait qu'aller dans le sens de la remise en ordre. Le vieil et incapable empereur Ferdinand avait été contraint d'abdiquer, et avait été remplacé sur le trône par son jeune neveu.

François-Joseph avait dix-neuf ans. Il portait tous les espoirs de rajeunissement du vieil empire. La statuette équestre qu'on fit alors de lui, et dont il offrit un exemplaire à Michel, rend efficacement la vivacité et la détermination qui devaient animer sa jeunesse, à l'aurore de sa longue vie. Le visage est fin, barré d'une moustache courte sur des lèvres effilées, volontaires. La redingote d'uniforme, ajustée à la taille, en accentue la sveltesse. Tout en contrôlant son cheval d'une main, l'arrêtant, il se retourne avec souplesse sur sa selle, au tapis frappé de ses initiales FJ surmontées de la couronne impériale, comme pour commander quelque action. Il s'en dégage une impression de fraîcheur et d'entrain qui devait être de bon augure pour le nouveau règne.

Le nonce commença par sonder le gouvernement pour l'abolition de la législation joséphine, premier et principal obstacle à tout concordat. Il s'appuyait sur la Constitution accordée en mars 1849, mais pratiquement jamais appliquée. Il entreprit, en même temps, de rallier le clergé de l'empire tout entier, pour qu'il présentât un front uni face à l'Etat.

Cette unité n'allait pas de soi. Avec le poids du temps et des situations acquises, la législation joséphiste s'était à ce point intégrée dans tous les domaines de la chose publique qu'elle avait des partisans résolus jusqu'au sein du clergé. La faiblesse de Rome confortait leurs arguments.

Avec l'archevêque de Vienne, Mgr Joseph Othmar de Rauscher, homme à la forte personnalité et aussi tenace que lui-même, Michel convoqua un synode des évêques de l'empire. Celui-ci se tint à Vienne du 27 avril au 17 juin 1849. Nombre des trente-cinq évêques présents, autrichiens, hongrois, italiens, bohèmes, montrèrent leurs réticences. Mais, avec l'appui déterminant de Mgr Rauscher, âme de la conférence, et de l'archevêque de Prague, Mgr Frédéric, prince Schwarzenberg, le nonce réussit à faire prévaloir le point de vue du Saint-Siège. Il fallait dissiper à jamais toute menace de schisme.

C'est par un vote unanime que le synode réclama, à sa conclusion, l'abrogation de la législation réprouvée. Le jeune empereur marqua son désir d'arriver rapidement à un accord et, dès l'année suivante, par les ordonnances d'avril 1850, il inaugura une nouvelle politique, en accordant à l'Eglise des statisfactions substantielles, notamment en matière scolaire. Il desserrait ainsi les liens existant entre l'Eglise et l'Etat. Ce fut interprété comme la fin du joséphisme et le premier pas vers le concordat.

De son exil Metternich fut l'un des premiers à en féliciter Michel et à l'encourager à aller, fermement, de l'avant.

« Bruxelles, ce 11 mai 1850. Monseigneur, j'ai été privé longtemps d'une occasion sûre pour vous adresser mes félicitations sur deux événements propres à vous causer de la satisfaction et vous ne mettez certainement pas en doute que tout événement pareil est partagé par moi dans votre esprit... Tous ceux qui connaissent l'histoire de mon long ministère savent que le règlement des questions si malencontreusement placées par les erreurs du règne de Joseph II... dans le code des lois de l'empire, a formé une tâche qui, dans le long cours de trente-quatre années, n'a cessé d'être regardée par moi comme la plus digne de mes soins...

« Je félicite l'empire et l'Eglise, ainsi que tous ceux qui ont eu le bonheur de contribuer à une aussi importante œuvre de raison et de justice, du succès obtenu. Ce succès, comme tous ceux que ces éléments emportent dans un temps comme le nôtre sur les œuvres de l'erreur, font un appel aux passions d'une masse égarée. Que les clameurs qui s'élèvent dans cette tourbe n'arrêtent pas les hommes de bien ; la victoire leur est assurée ! Cette lettre, Monseigneur, a la valeur d'une confession. C'est dans cet esprit que je vous l'adresse, et que je vous prie de l'entendre. »

« Bruxelles, ce 27 mai 1850. Monseigneur !... C'est avec une vive satisfaction que j'ai trouvé dans votre lettre la confirmation de la part active que le jeune empereur a prise à ce qui, vu les antécédents, a le caractère d'une opération césarienne, ou d'un coup de sabre de Scanderberg... Ce que je me permets de vous recommander, Monseigneur, c'est, dans la poursuite de l'œuvre salutaire, clairement posée aujourd'hui, de porter votre attention *à un fait*, que j'ai toujours tenu en regard parce qu'il m'a semblé prêter une arme utile aux défenseurs du bon droit. Ce fait est le suivant.

« La pire des conditions dans lesquelles puisse s'engager un gouvernement et par cela même la chose publique, c'est celle *de se trouver placé sous une législation inexécutable*. Telle a été la situation que *les ordonnances* de Joseph II et *la législation* de François Ier ont faites à l'empire. Les conséquences anticanoniques du code civil n'ont point été mises en exécution, par la très simple raison qu'elles ont été inexécutables...

« Vouloir l'impossible, c'est ne rien vouloir ; je sais bien que la faction doctrinaire ne se déclare point battue facilement ; il faut dès lors la forcer dans son dernier retranchement et ce retranchement doit être attaqué avec la question catégorique : "Voulez-vous être catholique ou cesser de l'être ?" A cette demande devra être jointe la déclaration "que l'Empereur et son peuple sont et veulent rester dans l'Eglise et ne pas se placer en dehors de l'Eglise et vivre dès lors avec elle en bon accord !" Mille voix crieront *pour*, sur une qui s'élèvera contre, et il se trouvera que cette voix sera celle d'un fou ou celle d'un esprit égaré mais d'un cœur franc... »

Après avoir erré de Londres à Brighton et de Brighton à

Richmond, Metternich s'était installé à Bruxelles, avec la princesse Mélanie, leurs trois filles et le cadet des garçons, dès que la situation s'était apaisée en Europe. Les communications y étaient plus rapides et directes qu'à Londres, il pouvait y recevoir plus aisément les visiteurs et les innombrables journaux, brochures et publications dont il faisait une consommation avide et qui alimentaient les commentaires de l'abondante correspondance qu'il entretenait aux quatre points cardinaux.

Metternich se plaisait en Belgique, « petit pays à grande vitalité » (20 juin 1850), « une espèce d'oasis »... « Quant aux distances, elles disparaissent pour ainsi dire ici. Nous avons les feuilles de Paris le jour de leur apparition et celles de Londres de la seconde édition de la veille. Il en est de même des voyageurs. Il n'est point rare de dîner ici le lundi et le mercredi avec un homme qui aura passé le mardi à Paris et y retournera le jeudi* » (26 octobre 1849).

Sa correspondance avec Michel se fait alors plus régulière et fréquente. Ce sont de longues lettres, parfois d'une dizaine de feuillets, jamais moins de quatre ou cinq, écrits de la même petite écriture nette, sans ratures, qui ne changera pratiquement pas jusqu'à sa mort. Il y parle très librement, avec souvent l'abandon de l'amitié, des événements politiques, de leurs acteurs, des grandes idées qui les agitent, de la question romaine surtout, et de l'occupation française à Rome, de la situation en Autriche, en Angleterre et dans les Etats allemands, des luttes de partis en Belgique, de lui-même, beaucoup, et de son action passée. Il a beau affirmer bien haut, et à plusieurs reprises, qu'il contemple désormais le spectacle du monde avec le regard froid de l'historien, il ne fait aucun effort pour dissimuler la passion avec lequel il le juge.

Sa chute lui a fait mal. Il en souffre encore. Il n'accepte pas l'idée qu'il ait pu se tromper. « Si j'avais à recommencer ma vie, je n'y changerais rien ; vous voyez, Monseigneur, que je mourrai dans l'impénitence finale* » (mars 1849). « J'ai fait durant quarante années et plus de l'histoire ; aujourd'hui je la récapitule. Ce soin ne m'impose aucune peine car si j'avais à recommencer ma vie, ce serait dans l'ornière dans laquelle j'ai marché... Plus je vis dans le passé et plus je me convaincs que je ne me suis pas trompé sur l'avenir* » (6 août 1849).

Il accepte encore moins que l'échec de son œuvre soit son échec personnel. Il s'identifie, avec hauteur, à ce qu'il appelle l'ordre des choses. « Ce que les faux esprits se sont ingéniés à qualifier de système de Metternich... n'est en réalité et ne peut être qu'un ordre des choses sur lequel le bien et le mal tiennent leurs parts respectives* » (12 novembre 1850). « Le remède qui jamais ne fait défaut, c'est la force des choses ; celle-ci finit toujours par mettre un terme au mouvement : malheureusement cette première des puissances ne marque-t-elle à l'avance ni la direction, ni le mode de la fin* » (26 octobre 1850).

Mais cette hauteur le quitte dès qu'il retrouve le terrain de ses combats, au fil des événements, contre les idéologues : « l'ineptie libérale et la rage radicale* » (31 mars 1849), ou ses adversaires humains, et d'abord Mazzini, « la révolution incarnée », « l'Erostrate rouge ». « Trois individualités offrent aujourd'hui le prototype des puissances infernales : Lamennais, Proudhon et Mazzini. Parmi les démolisseurs que je viens de nommer, Mazzini est le plus dangereux car il est doué de qualités pratiques* » (2 avril 1850).

Metternich noircira ainsi des centaines de feuillets de réflexions, de commentaires, de diatribes ou d'idées, dont il serait vain d'essayer ici de rendre le foisonnement par des extraits limités. Lorsqu'il raisonne des événements et non des hommes ses analyses rendent mieux justice, dans leurs longs développements, aux qualités de l'homme d'Etat qu'il était resté.

Les lettres que lui écrivait Michel devaient chercher à avoir un effet apaisant, d'après ce qu'en dit la princesse Mélanie qui y trouvait réconfort, même si elles étaient parfois, dit-elle, « empreintes d'une tristesse profonde ». On peut douter qu'elles aient été aussi politiques et, en tout cas, aussi virulentes. Toute la correspondance privée de Michel montre qu'il prenait toujours ses distances avec les faits, et surtout les faits politiques, dans « cette vie passagère et fugace », comme il l'écrit à Benedetto. Très profondément homme de prière, prêtre par vocation, il élevait les actes au niveau de la conscience.

On en devine quelque chose, à l'égard de Metternich, dans ce que Mgr Fantoni rapporte sur les lettres par lesquelles Michel l'encouragea à rentrer à Vienne. « Le nonce qui ne trouvait pas sage que le prince de Metternich prolongeât son exil, avait pris à cœur de convaincre son vieil ami. En sorte que, voyant que ses insinuations et ses raisonnements restaient sans effet, il lui écrivit enfin qu'il souffrait beaucoup de voir que le prince se préoccupât si peu de sa propre histoire, qu'un jour viendrait ou l'on pourrait dire qu'il était tombé, après une si longue carrière au service de l'Etat, sous le poids de la haine de ses concitoyens, à preuve qu'il avait été obligé à mourir en exil volontaire. Il n'en fallut pas plus. Le prince rentra à Vienne et, s'adressant aussitôt au nonce : me voici, lui dit-il, à votre citation. »

Metternich rentra à Vienne en septembre 1851. La nuit était tombée lorsque les lourdes berlines de voyage qui le transportaient, avec Mélanie et leurs enfants, entrèrent, le 24, dans le parc de leur villa du Rennweg, où rien n'avait changé. Michel était là, avec la sœur de Metternich et quelques amis intimes. « Nous retrouvâmes la villa telle que nous l'avions laissée ; les fleurs semblaient saluer notre retour. Ma belle-sœur Pauline, duchesse de Wurtemberg, le nonce et Adlau nous y attendaient », note Mélanie dans son journal.

Le lendemain, ministres et archiducs vinrent le voir. S'il ne retrouva pas le pouvoir, ni même une réelle influence, il fut repris par le courant des affaires publiques. On venait le consulter. Il faisait figure de Mentor. Michel était souvent l'hôte de la villa du Rennweg. Metternich, à son tour, lui rendait quelquefois visite à la nonciature ; on l'y vit prier dans la chapelle privée. « La fréquentation intime du nonce a indubitablement contribué à élever les sentiments catholiques de son âme », dit Mgr Fantoni.

Metternich avait repris l'habitude de lui faire porter de courts billets, en marge de leurs rencontres, pour poursuivre leurs réflexions ou lui envoyer un article ou un document susceptible de l'intéresser. Il lui écrira trois fois en deux jours, lors de la mort de Mélanie. Il lui demande parfois conseil. Une semaine que Michel est à la campagne, Metternich lui écrit pour lui demander d'urgence son avis sur une réponse à donner au chargé d'affaires de Nassau. De ses domaines de Koenigswart ou du Johannisberg, il lui enverra de nouveau de longues lettres, l'invitera à venir le rejoindre.

« Koenigswart, ce 30 juillet 1855... Vous ne mettez pas en doute, je l'espère, le bonheur que j'éprouverai si vous pouvez donner suite à votre projet d'excursion durant le mois d'août. Que le mot dit ne vous gêne pas toutefois ; vous avez de si utiles tâches à remplir que je leur subordonne avec componction les cas d'amitié... Que Dieu ait pitié du monde *en progrès*. C'est du fond de mon cœur et de celui de mes forêts que je remplace par ce vœu tout ce qui ressemblerait à des calculs politiques*... »

26

Marie-Thérèse de France, duchesse d'Angoulême, mourut à Frohsdorf, près de Vienne, le 19 octobre 1851. C'était la fille de Louis XVI et de Marie-Antoinette, la sœur du Dauphin. Elle avait soixante-treize ans. Michel était venu la voir le 15 et avait passé la nuit au château, alors qu'elle était encore parfaitement lucide, bien qu'alitée pour sa dernière et courte maladie.

Cette visite du nonce apostolique n'avait rien que de très naturel pour une personne de sang royal à ses derniers moments. Michel, de plus, était français et connaissait la duchesse d'Angoulême depuis longtemps.

Mgr Fantoni dit : « La duchesse d'Angoulême, tombée gravement malade à Frohsdorf, fit appeler le nonce Viale Prelà qui arriva de Vienne et lui apporta le réconfort de la Foi. » Mais il n'est pas certain, d'après les témoignages des contemporains, que ce soit elle qui lui ait demandé de venir, en ressentant, comme on l'a dit, l'approche de la mort. Le 15 octobre était la Sainte-Thérèse, sa fête ; le lendemain, le 16, était l'anniversaire de la mort de Marie-Antoinette, sa mère, sur l'échafaud. C'étaient deux dates qu'elle commémorait chaque année pieusement, avec la petite cour qui entourait, à Frohsdorf, les héritiers légitimes du trône, les derniers Bourbons de la branche aînée.

Mais le fait est que l'arrivée et le séjour du nonce en ces circonstances accréditèrent par la suite la rumeur selon laquelle la duchesse d'Angoulême lui aurait remis un « testament » contenant la solution de l'énigme du Temple.

On sait ce que l'on appelle ainsi. Les circonstances mystérieuses qui avaient entouré les derniers mois de la captivité, puis la mort, du Dauphin dans la prison du Temple ont permis d'avancer l'hypothèse qu'il avait pu y avoir substitution de personne et que Louis XVII avait pu s'évader. Plusieurs prétendants à la survivance se manifestèrent à la Restauration. De son vivant, la duchesse d'Angoulême eut elle-même affaire à vingt-sept ou vingt-huit faux Louis XVII qui l'appelaient leur sœur, dans l'espoir de s'en faire reconnaître. Elle les traita, tous, d'imposteurs. Mais l'un d'eux, au moins, Naundorff, réussit à rallier à sa cause de nombreux partisans, à l'époque. Son sort misérable ne découragea pas les autres, et les prétendants à la descendance du Dauphin ne manquent pas, aujourd'hui encore. Ce fut l'une des épreuves de la vie tragique de sa sœur.

Marie-Thérèse de France, alors Madame Royale, avait quatorze ans et son frère sept lorsque la Révolution les avait enfermés au Temple avec le roi et la reine, leurs parents. Seule survivante, sauvée par la chute de Robespierre et la fin de la Terreur, elle avait pu être échangée contre des députés conventionnels faits prisonniers par les Autrichiens, et elle s'était réfugiée à Vienne auprès de l'empereur d'Autriche, son oncle maternel. Mariée ensuite à son cousin germain Louis de Bourbon, duc d'Angoulême, fils aîné du futur Charles X, elle jouera son rôle avec dignité sous la Restauration, sans qu'il y ait lieu d'exagérer son influence.

Louis XVIII ne l'écouta guère et Charles X n'y pensa même pas. Quant au mot de Napoléon, trop souvent cité — « C'est le seul homme de la famille » —, ce n'est qu'une boutade, dans le contexte où il fut prononcé, pendant les Cent Jours, à propos de quelques harangues à Bordeaux. Mélanie de Metternich dit seulement, sans doute avec plus de jugement, qu'elle avait un « caractère revêche ».

Au château de Frohsdorf, où elle s'était réfugiée auprès de son neveu le comte de Chambord, prétendant légitimiste, après l'usurpation de la maison d'Orléans et la mort de son mari, ce n'était plus qu'une vieille dame malheureuse, toujours en grand deuil, obsédée par le souvenir de ses morts et de la tragédie de sa jeunesse.

Devant elle, on ouvrait les portes à deux battants, en annonçant : « La Reine ! » ; mais le simulacre de cour qui l'entourait troublait à peine sa vie monacale. Le château, dominant un hameau d'une dizaine de chaumières tout au plus, n'était qu'une grande bâtisse, sans aucun caractère princier, meublée modestement, et dont le seul ornement était un grand jardin à la française, dans le décor sévère et mélancolique des Préalpes styriennes.

On y était accueilli par un portier en livrée noire. Couleur de deuil étaient également les livrées des valets qui servaient à table la vingtaine de personnes composant la cour. Celle-ci comptait un aumônier permanent, l'abbé Trébuquet, et plusieurs gentilhommes qui étaient tour à tour de service. L'étiquette, régie par le duc de Blacas, était stricte ; mais les soirées se passaient généralement autour d'une grande table ronde, encombrée de toutes sortes de travaux de broderie que l'on envoyait aux loteries de bienfaisance, en France. Dans le hall, un grand tableau imprimé donnait les horaires des trains à la gare voisine de Wiener Neustadt, pour les nombreux visiteurs, la plupart desquels étaient français.

C'est dans ce petit monde disparate et confiné que l'ancienne prisonnière du Temple vécut ses dernières années. Il n'était pas favorable au secret, s'il y en avait eu un. Depuis longtemps, d'ailleurs, l'énigme du Temple n'intéressait plus les politiques, dont le relais avait été pris par les historiens. Naundorff était mort. La duchesse d'Angoulême n'avait jamais varié dans sa conviction que son frère était bien mort au Temple, comme elle l'avait écrit dès 1795, dans son mémoire du 14 octobre, puis, en janvier de l'année suivante, dans une lettre à son oncle Louis XVIII.

Son testament, écrit trois mois avant sa mort, le 1er juillet, ne mentionne même pas la question. Ce testament est connu. Il a été rendu public ; comme a été rendu public, quelques jours à peine après sa mort, le récit de ses derniers jours et de ses derniers moments, fait par un témoin oculaire présent au château de Frohsdorf.

La duchesse d'Angoulême avait été prise de malaise le 13 octobre au matin, pendant la messe. C'était une pleuro-pneumonie aiguë qui ne laissait aucun espoir, à son âge. Alitée, elle avait gardé tous ses esprits. Le 14, elle avait reçu la visite de l'archiduchesse Sophie, mère de l'empereur d'Autriche.

« Le 15 — raconte le témoin de Frohsdorf — jour de sa fête, le nonce apostolique, Mgr Viale, vint la visiter et célébrer la messe à Frohsdorf à son intention... Dans la nuit, son état s'aggrava d'une manière désolante... (Le 16) malgré cette nuit funeste, malgré le râle qui persistait, dès le matin, elle voulut s'élancer de son lit, afin d'aller prier pour sa mère. Nous parvînmes à la retenir, en lui disant que le nonce venait de célébrer le saint sacrifice pour Marie-Antoinette. « Témoignez-lui combien j'en suis touchée et reconnaissante », répondit-elle. M. l'abbé Trébuquet lui proposa alors d'accomplir les vœux de son cœur en recevant la communion en viatique ; elle saisit cette idée avec bonheur ; le calme rentra dans son âme, qui s'éleva vers Dieu avec la haute piété qui avait été sa vie habituelle. » Le 17, une rémission lui permit de ranger ses papiers avec M. de Montbel, son confident — « il s'agissait d'une liste de secours considérables qu'elle voulait faire distribuer à des personnes malheureuses » —, et de recevoir quelques visites. Elle mourut le 19, au matin.

Michel, qui avait quitté Frohsdorf le 16 après la messe, n'y revint que le 22, pour célébrer la messe des funérailles dans la chapelle du château [158].

De la nonciature, Michel envoya deux dépêches à la secrétairerie d'Etat, pour l'informer de la mort de la duchesse d'Angoulême. Je cite le texte de son registre de correspondance, corrigé de sa main :

« Vienne, ce 21 octobre 1851. Le jour du 19, munie des saints sacrements, la comtesse de Marnes, autrefois duchesse d'Angoulême, a cessé de vivre au château de Frohsdorf près de Neustadt.

« Cette princesse a succombé à une violente maladie inflammatoire qui n'a duré que trois jours.

« Les détails qui m'ont été donnés sur la mort de cette princesse sont réellement édifiants. Même dans son délire, elle adressait des prières au Seigneur en implorant la divine miséricorde sur son neveu, sur la France et sur elle-même ; et, reprenant ses sens, elle répétait constamment : Ayez pitié ô Seigneur de votre humble servante en ces moments qui doivent décider de mon éternité. C'est un nouveau malheur qui frappe la branche aînée de la maison des Bourbons. Ici, la mort de cette princesse est déplorée par tous, car tous admiraient en elle le modèle de toutes les vertus. Avec les sentiments, etc. »

« Vienne, ce 24 octobre 1851. Depuis que j'avais eu l'honneur de lui être présenté, la comtesse de Marnes m'avait constamment honoré de beaucoup de bonté. A la suite de sa mort, j'ai voulu montrer que j'honorais sa mémoire, c'est pourquoi je me suis rendu hier à Frohsdorf où j'ai célébré la sainte messe et exprimé mes condoléances au comte de Chambord.

« Je désire que votre excellence révérendissime soit informée de cette circonstance car il pourrait arriver que quelque journal en fasse mention et même que le gouvernement de la République française présente quelque doléance à ce sujet.

« Ce que j'ai fait n'a pas le moindre caractère politique. Je n'ai considéré la comtesse de Marnes que comme une dame éminemment distinguée par toutes sortes de vertus et admirable par la résignation chrétienne avec laquelle elle a supporté, tout au long de sa vie, les grands malheurs qui ont pesé sur elle. Telle a été mon intention, et nulle autre, en apportant le témoignage de mon respect à la défunte princesse.

« Le comte de Chambord a été très sensible, à vrai dire, à ma démarche auprès de sa tante défunte ; il m'a chargé de le placer aux pieds du Saint-Père et m'a remis en même temps une lettre par laquelle il fait part à Sa Sainteté du nouveau malheur qui le frappe avec la mort de la princesse. Je me fais un devoir de remettre à votre éminence la lettre du comte de Chambord, en la priant de la placer aux pieds du Saint-Père.

« Je dois ajouter que le prince se montre digne de son origine royale, en particulier pour les sentiments religieux qu'il professe et pour la dévotion dont il est pénétré à l'égard du Saint-Siège et de la personne sacrée de Sa Sainteté.

« Il ne me reste qu'à vous renouveler les sentiments, etc [159]. »

Pas plus dans ces dépêches que dans le récit du témoin de Frohsdorf il n'est question, on le voit, d'un deuxième testament, ce fameux « testament secret » que la duchesse d'Angoulême aurait remis au nonce apostolique à Vienne. Aucune allusion n'y est même faite à la possibilité qu'un tel document pût exister. Aucun contemporain n'en parle non plus. Je n'ai pu trouver quand l'hypothèse de son existence a été émise pour la première fois et par qui.

Le fait est cependant que cette hypothèse est depuis régulièrement évoquée par quelques historiens, par les avocats des prétendants à la succession et par la presse, sans source précise. On dit, et on répète ainsi, que la duchesse d'Angoulême aurait confié ce testament secret au nonce, pour qu'il le remette au Vatican, avec instruction de ne l'ouvrir que cent ans après sa mort, et que ce document révélerait le nom d'emprunt sous lequel le Dauphin aurait survécu après son évasion supposée du Temple. La dernière biographie de Madame Royale en fait encore état.

A l'expiration du délai de cent ans, en 1951, le Vatican a été interrogé de tous côtés. Il l'a été encore, plusieurs fois, depuis ; notamment en 1978, lors de l'apparition du dernier prétendant en date à la survivance du Dauphin, dans le canton des Grisons, en Suisse. Le Vatican a toujours catégoriquement démenti l'existence d'un tel document, en la qualifiant d'« affabulation récurrente ». Les recherches que j'ai moi-même faites au Vatican, au cours de mes nombreuses années romaines, notamment auprès du cardinal Nicola Canali, souvent mis en cause, et que j'ai connu à la fin de sa vie, confirment le résultat de la minutieuse enquête faite par Louis Hastier en 1949 : rien de tel ne se trouve au Vatican [160].

Si j'en parle ici plus longuement que la visite de Michel à la duchesse d'Angoulême, à Frohsdorf, ne paraît le justifier, c'est parce que, faute de l'avoir trouvé au Vatican ou ailleurs, on croit aussi pouvoir avancer que le supposé « testament secret » pourrait toujours se trouver dans les papiers personnels laissés par le nonce Viale Prelà. Quand on connaît la haute conscience dont Michel fit preuve tout au long de sa vie, l'hypothèse qu'il aurait pu garder un tel document, en taisant qui plus est son existence à la secrétairerie d'Etat, est une pure et simple absurdité.

Ses papiers personnels, en tout cas, sont là. Son frère Benedetto, présent à son chevet au moment de sa mort, et Paul-Augustin, leur neveu, les ont triés et empaquetés à l'archevêché de Bologne, avec les autorités ecclésiastiques et notariales compétentes, comme cela se doit à la mort d'un cardinal. Enfermés dans deux malles, ils sont restés intacts, pendant une centaine d'années, dans le grenier de la maison familiale de Bastia, sous l'amoncellement croissant de meubles écartés, avec d'autres malles de papiers de famille et le violon de Louis dans son étui de cuir noir. Outre la correspondance, les écrits variés, les documents touchant à sa carrière, les épais dossiers de papiers divers étaient encore enfilés par leur ficelle d'origine, avec la longue aiguille en fer courbe, qui avait servi à boucler les liasses — les *filze*, dit-on en italien — au lendemain de sa mort.

Pas plus que dans les documents officiels de sa nonciature à Vienne, rien, absolument rien, non seulement aucun document, mais pas un mot, pas même une allusion dans les papiers personnels laissés par le cardinal Viale Prelà ne permet de croire à l'existence d'un « testament secret » de la duchesse d'Angoulême.

27

Salvatore vieillissait bien. « Je vois que vous faites le jeune homme, vous allez à Rome, en revenez, retrouvez la maison, prêt à en repartir l'année suivante ; je m'en congratule avec vous. Quand reviendrez-vous à Figline ? » lui écrit Lambruschini.

La maison s'était remise de ses deuils. On avait rouvert les persiennes en grand. Bastia avait une salle d'Opéra, où de bons chanteurs venaient de Toscane jouer au Carnaval. Les chœurs étaient recrutés sur place. C'était l'événement de la saison. Louis n'en manquait aucun, et, quand l'opéra se donnait à Ajaccio, il prenait la diligence. Verdi *(Attila, Les Lombards)*, Bellini *(Norma)* Donizetti, Rossini, Mercadante : sept opéras entre 1850 et 1854. Il en a fait relier les livrets en volume, à ses initiales frappées sur le cuir vert, comme pour les livres auxquels il tenait.

Salvatore avait fait son domaine des deux pièces du troisième étage qui donnent sur le grand salon. Ouverte sur le port, la fenêtre de sa chambre encadre la mer et le plan d'eau sous la Citadelle, les collines, et le ciel, tableau d'ocres, de verts, de bleus, de gris, à l'harmonie paisible, dans la lumière changeante des heures plus ocre sous le soleil, plus gris sous la pluie, avec l'aplat argenté des toitures en lauzes qui marquent les reliefs. Du port, les bruits de voix montent en rumeurs confuses, que, de loin en loin, viennent couvrir les cloches de Saint-Jean, ou, plus lointaines, celles de Sainte-Marie.

Sa bibliothèque est dans l'autre pièce, qui donne sur la place : la haute nef ocre de Saint-Jean, les collines qui moutonnent vers les montagnes, le ciel immense et, en balcon sur leur rocher au milieu du maquis — silhouettes dorées dans la verdure, isolées —, Sainte-Lucie et son presbytère, où l'âme du bon abbé Santamaria continue à veiller sur les souvenirs de leur enfance.

A sa mort, Louis et Salvatore y avaient fait apposer une plaque de marbre sur l'un des piliers de la nef. « À Giuseppe Maria Santamaria, décédé le 17 décembre 1826, à l'âge de quatre-vingt-quatre ans, pour que son nom ne disparaisse pas de son église... Les frères Viale, fils de Paul-Augustin, en signe de souvenir et de reconnaissance pour leur excellent et fidèle parent. »

Une grande table en châtaignier, deux bibliothèques vitrées en acajou et de hauts rayonnages qui ceinturent les murs blancs presque jusqu'au plafond, un fauteuil à la Voltaire tapissé de velours rouge, d'autres fauteuils sans doute de part et d'autre de la cheminée en marbre gris, quelques chaises : c'est le refuge où il écrit, garde ses manuscrits, ses souvenirs ; où il reçoit ses amis. Ces derniers ont vieilli comme lui ; ils sont maintenant conseillers, présidents de Chambre ou magistrats sur le continent.

Leurs livres sont venus s'ajouter à ceux de Tommaseo, de Botta, de Renucci, des ouvrages de droit, des recueils de jurisprudence, dans les alignements de reliures sombres, au milieu desquelles les reliures en parchemin des Favalelli mettent une touche dorée. Anton Luigi Raffaelli, « qu'il aimait par-dessus tout autre », le conseiller Nasica, « ami de cœur », Pio Casale, Filippo Caraffa, l'abbé Guasco, Auguste nous les montre, l'été derrière les persiennes closes aux jalousies entrouvertes, l'hiver au coin du feu, autour de Salvatore qu'ils voyaient ainsi :

« En regardant le profil de cette tête vénérable, pleine de bonhomie, ombragée d'une abondante chevelure blanche, avec un nez légèrement recourbé et son menton proéminent, on ne pouvait s'empêcher de lui trouver une ressemblance, plus ou moins fidèle, avec les traits caractéristiques et très connus de Dante. C'était du moins l'avis de plusieurs de ses amis, et, certes, à des moments donnés, avec une certaine précaution de pose et de lumière, l'illusion était frappante. »

C'est à cette époque aussi, ou à peine plus tard, que le petit Sébastien Ponzevera, futur curé de Ville, le voyait, tel qu'il le décrira dans une lettre à Bonne-Maman, en 1913 : « Il faisait sa promenade tous les jours, de onze heures à midi, le long de la place Favalelli et sous les fenêtres de la maison paternelle, avant d'aller au palais de justice, beau vieillard dont la tête vénérable couronnée de longs cheveux blancs et la noble prestance symbolisaient l'ancienne magistrature. »

« A Bastia, raconte encore Auguste, sa renommée d'homme de goût et d'écrivain élégant, reconnu de l'autre côté de la mer, s'était répandue. On allait à lui pour le consulter sur les œuvres littéraires que l'on se disposait à publier. Il savait dire la vérité à tout le monde, avec une douce fermeté, sans jamais flatter l'amour-propre de qui que ce fût. Eloigné de toute jalousie littéraire, il rendait pleine justice au talent. Il aimait la jeunesse, aimait l'espérance, aimait encourager les premiers débuts. »

Sa réputation, dans une petite ville qui n'avait pas 20 000 habitants et où tout le monde se connaissait, dépassait le cercle des lettrés. On l'aimait bien dans le petit peuple qu'attirait la simplicité de ce notable sans parti, son abord facile, sur la place ou sur la traverse, et qui parlait corse en vieux Bastiais. Le tempérament insulaire est plus sensible aux faits qu'aux idées, et Salvatore vivait en sage. Sa réputation d'écrivain passait après celle de magistrat intègre et scrupuleux.

On venait parfois le chercher en privé, pour servir de « *paciere* », cette fonction de droit coutumier, toujours vivante dans le souvenir populaire, pour apaiser les querelles avant qu'elles ne dégénèrent. « On demandait souvent son intervention, et il ne la refusait jamais. Sa popularité l'aidait beaucoup dans cette mission », dit Auguste. Mais il ne la recherchait pas. Il connaissait bien la susceptibilité de ses compatriotes. « Il ne s'arrêtait jamais pour connaître les causes d'une altercation dans la rue. Il ne faut pas, disait-il, faire croire à ces gens que l'on s'intéresse à leur querelle. Très souvent, on envenime la dispute parce que, vis-à-vis du public, on ne veut pas paraître avoir le dessous. Il y a toujours du fanfaron chez les hommes, mêmes les plus braves, et il n'est pas bon d'exciter ce côté faible de notre humanité. »

Sa notoriété lui joua pourtant un mauvais tour en ville. Pendant une dizaine d'années, entre 1848 et 1858, Bastia fut inondée d'épîtres satiriques en vers, anonymes, « qui, dit Auguste, flagellaient les ridicules du jour, s'attaquaient aux fonctionnaires publics, inventant les fables les plus absurdes, les anecdotes les plus injurieuses pour la réputation des personnes les plus recommandables de la cité.

« On s'arrachait à Bastia ces factums, plus ou moins littéraires, d'une Muse facile, non dépourvue de quelque esprit, mais ignare de tout ce que le bon goût inspire, de ce que la grammaire exige, de ce que la correction la plus banale demande même aux écrivains de carrefour. C'étaient des terzines, des sizains, des huitains, d'une humeur caustique et méchante, mais desservie par une main inexpérimentée dans l'art de la versification et dans le maniement de la langue italienne. »

Bref, c'était mal écrit ; mais on s'amusait bien à Bastia. La curiosité publique cherchait, bien entendu, à identifier l'auteur de ce régal ; et d'aucuns finirent par l'attribuer à Salvatore lui-même. Il prit la chose avec indulgence. « Lorsqu'on lui parlait de sa prétendue paternité, il disait : les pauvres gens ; c'est leur ignorance qui les pousse à me croire l'auteur de ces sottises. Quand même je le voudrais, je ne saurais écrire en ce style bâtard et grotesque qui n'est ni italien ni français. » Le véritable auteur fut démasqué à la fin ; « il est bien connu à Bastia », dit Auguste ; mais il nous laisse sur notre curiosité, sans en dire le nom.

Les étrangers de passage venaient voir Salvatore comme une gloire locale, mais il les accueillait avec la même simplicité. « Deux gentilhommes toscans, arrivés au moment du déjeuner matinal, furent tout étonnés de voir qu'il déjeunait avec de la bouillie de farine de châtaignes et des figues sèches. C'est une garantie d'indépendance qu'un estomac bien discipliné. *Magna pars libertatis est bene moratur venter*, disait-il en riant, ajoutant l'à-propos de la citation de Sénèque à la vérité de sa remarque », raconte aussi Auguste.

Ferdinand Gregorovius arriva l'été 1852. Il était désorienté, à la recherche d'un grand sujet qui fût à la mesure de son esprit et de ses exigences. Se rendant à Rome, il avait fait un détour par la Corse, pour s'y retremper dans sa nature sauvage. « La Corse purifia et raffermit mon esprit. C'est elle qui mit la terre sous mes pieds », écrit-il dans son journal intime [161]. Il en ramena un livre, *Corsica*, récit de voyage et étude historique à la fois, qui sera son premier succès. « Salvatore Viale est le poète le plus fécond que l'île ait produit... Doué d'une infatigable activité littéraire, il a surtout bien mérité de ses compatriotes par ses illustrations de leurs mœurs nationales », y dit-il.

Il traduira lui-même et fera publier à Stuttgart en 1855 *Le vœu de Pietro Cirneo*, puis l'ajoutera, en appendice, à la deuxième édition de *Corsica*. « Cette œuvre magistrale... non seulement me paraît remarquable comme une peinture de caractère pleine d'originalité, parfaitement vraie même pour les Corses de nos jours ; mais c'est aussi une délicieuse œuvre d'art... », écrit-il dans sa présentation [162].

Gregorovius avait débarqué à Bastia le 14 juillet et avait été presque aussitôt rue Saint-Jean. Salvatore lui avait présenté ses amis, Raffaelli et Caraffa, entre autres, et l'avait initié aux subtilités de l'âme corse en lui fournissant une partie du matériau de son livre. Lorsque Gregorovius repartit le 5 septembre pour Rome, où il allait écrire sa monumentale *Histoire de Rome au Moyen Age*, Salvatore lui donna une lettre de recommandations pour Benedetto qui l'aidera, lui aussi, pour la rédaction de *Corsica*. Le journal de Gregorovius témoigne de son amitié pour tous deux. Salvatore a gardé plusieurs lettres de lui, avec l'édition anglaise de *Corsica* que Gregorovius lui a envoyée avec une érudite dédicace en latin : « *Viro doctissimo, poetae, equiti* [163]... »

Francesco Domenico Guerrazzi, l'ancien « dictateur » de Florence, arrivera l'année suivante, en avril 1853, mais en exil. Il restera trois ans à Bastia, surveillé par la police française, avant de s'enfuir à Gênes, pour reprendre le combat avec les Piémontais. Il habitait aux Milelli, à la sortie de la ville, une villa perchée dans le maquis au bout d'un raidillon rocailleux qu'il baptisera Bellacanzone, « Belle Chanson », car on n'y entendait que le bruit de la mer. Guido Colucci l'habitera plus tard, avec Edith et y peindra plusieurs de ses tableaux. « C'est une maison de campagne qui ressemble assez à une petite forteresse du Moyen Age », écrit Salvatore à Vieusseux. Guerrazzi y écrivit beaucoup.

Personnalité exaltée, c'était aussi un écrivain tumultueux, l'un des créateurs du roman historique italien. A Bastia, il termina sa *Béatrice Cenci*, écrivit une *Vie de Pascal Paoli*, une autre de Sampiero Corso et commença un roman, *L'âne*, qui aura du succès quand il paraîtra à Turin. Il y rend, dans la préface, hommage à Salvatore et à sa *Dionomachia*, qui l'avait en partie inspiré. « En ces temps où il m'arriva de devoir porter moi-même le bât, je lus, merveilleuse récréation pour l'âne bâtonné, la *Dionomachia* ou guerre de l'âne, de Salvator Viale, conseiller à la cour de Bastia, vraie coupe d'or [164] »...

Salvatore lui avait ouvert la maison. « Je me ferai un plaisir de venir vous saluer à la maison, le premier mai », dit un billet de Guerrazzi. « Mes souvenirs à toute la famille », lui écrira-t-il de Gênes. Salvatore l'aida dans ses recherches historiques sur la Corse, lui présenta ses amis et un neveu de Vieusseux, Charles Kock, employé à la fonderie de Toga. Mais il restera toujours sur la réserve à son égard. On sent comme une réticence dans la façon dont il en parle à Vieusseux. Ils avaient peu d'affinités littéraires, et tout les séparait en politique. Guerrazzi haïssait les modérés. Au temps où il était au pouvoir à Florence, ses partisans avaient failli faire un mauvais sort à Lambruschini, qu'ils avaient poursuivi jusqu'à Figline.

A Bastia, Guerrazzi fréquentait surtout les émigrés italiens et leurs amis corses politiquement engagés, tels que les frères Nicolas et Antoine Felix Santelli. Il s'enfuira fin septembre 1856. « Guerrazzi avait envoyé toute sa famille et ses domestiques en Toscane, ce qui attira la suspicion de la police d'ici ; et celle-ci l'a si bien surveillé qu'elle a fini par le perdre de vue, et maintenant ne le retrouve plus », écrit Salvatore à Vieusseux.

Salvatore aurait souhaité par contre que Tommaseo, également condamné à l'exil après la chute de Venise, revînt se réfugier à Bastia, au lieu de rester à Corfou, si loin de la Toscane. « Dites à Tommaseo qu'il serait toujours aussi bien accueilli et bienvenu à Bastia, où il trouverait calme et sécurité. Bien sûr, il devrait pour un certain temps renoncer à la politique et aux polémiques imprimées », écrit-il à Vieusseux. Tommaseo, qui était en train de devenir aveugle, préféra rester à Corfou, où il allait se marier avec Diamante Pavello.

« J'ai appris ici votre mariage avec beaucoup de contentement pour vous, et avec mélancolie pour moi, parce que je pense souvent au conseil que ma mère m'avait donné en rêve, et que je vous ai raconté. Mais qu'y faire, maintenant que je suis près de finir ma soixante-quatrième année ? » lui écrit Salvatore en septembre 1851.

Le souvenir de la femme forte et droite qu'avait été Maria Nicolaja lui revenait souvent à l'esprit ; avec l'âge, il l'avait ramené à la foi de son enfance. « Souvent, nous le surprenions avec un livre de prières à la main », raconte Auguste. Il était lui-même troublé dans sa foi et en parlait souvent avec son oncle.

« C'était sur les collines qui entourent Bastia, du côté de Ville di Pietrabugno ou de San Martino di Lota, assis sur l'herbe ou bien au bord de la mer, à la chute du jour, par une soirée radieuse de cette lumière sereine et translucide comme on en voit seulement sous le ciel diaphane de l'Italie, que nous nous livrions à ces colloques empreints d'une chaude amitié. Hélas, j'ai eu des doutes, il est vrai, nous disait-il ; mais, depuis la mort de ma mère, ma foi s'est ranimée. A mon âge, il faut croire, et certes le meilleur parti est de

287

rester dans la religion qu'ont professée tous ceux de ma famille qui m'ont précédé dans le chemin de la vie »...

« Une autre fois, je croirais être damné, nous disait-il en riant, si un ecclésiastique de l'espèce de ceux que j'ai connus à Paris venait m'assister à mes derniers moments. Qu'on m'entonne tout bonnement le *Proficiscere** avec l'accent de mon pays et non pas avec l'accent d'une langue étrangère. Je veux parler à Dieu comme j'ai parlé à ma mère. » « La mort de ma mère m'a rendu plus religieux qu'avant, et je peux dire : « *Mater mea derelinquit me — deus autem appropinquit me*** », écrit-il à Lambruschini en janvier 1850. Et à Tommaseo, sept ans après : « J'ai tenu parole à ma mère, après ces quelques vers que je fis pour elle. Moi aussi, je pourrai dire, mutatis mutandis, comme Chateaubriand : j'ai pleuré et j'ai cru. »

Le beau poème « A la mémoire de ma mère » qui, dans le choc du malheur, avait amorcé ce retour aux sources paraît en 1852, dans le premier recueil complet de ses œuvres[165]. C'est Vieusseux qui en surveille l'édition. Dans le premier volume, les inédits, outre le poème « A la mémoire de ma mère », sont « Les derniers vers d'Antonio Uberti » et « Orsino de Fozano ».

« Orsino... » est dédié à Lamartine et Salvatore publie, avec la dédicace, la lettre que Lamartine lui a écrit en réponse, en février 1850. « Je n'avais oublié, Monsieur, ni votre nom, ni votre talent ; je le retrouve avec plaisir, mûri et trempé par le temps. La Corse devrait avoir une poésie indigène et originale, comme son sol, son caractère et son héroïsme ; soyez ce poète : il ne vous manque pour le devenir que la foi en vous-même. »

Salvatore n'a pas publié cette lettre par un quelconque effet de vanité — c'est un sentiment qui lui était parfaitement étranger —, mais par naïveté. Il espérait renforcer ainsi sa position dans l'affaire que la municipalité venait de soulever contre la famille, pour le partage des biens immobiliers de la succession Favalelli. Il l'explique à Vieusseux en lui envoyant la lettre à imprimer. « Vous me connaissez assez pour comprendre qu'en ces circonstances, ce n'est pas la vanité qui me pousse à vous prier de la publier... » La lettre disparaîtra d'ailleurs de l'édition suivante.

La deuxième partie des *Œuvres* ne parut que deux ans après, en 1854. D'inédit, elle comprend une sorte de conte philosophique, qui est un hommage à Pascal Paoli : « Récit d'un voyage en mer, lors de la pleine lune de mars 1838. » Tommaseo écrira qu'il est « l'une des œuvres les plus notables écrites par Salvatore Viale ». Comme toujours, Salvatore s'inspire d'un fait réel, de cette anecdote électorale typiquement corse que nous avons déjà évoquée et qui avait défrayé la chronique jusqu'à Paris.

Aux élections législatives de mars 1838 à Bastia, les deux candidats, Joseph Limperani et Xavier de Casabianca, s'étaient

---

* La prière pour le grand départ.
** « Ma mère s'est éloignée, mais Dieu s'est rapproché de moi. »

retrouvés à égalité avec, à peu près, le même nombre de voix. (Le système était censitaire.) Ils s'étaient alors mis d'accord pour faire voter leurs partisans pour Pascal Paoli, mort en 1807. L'élection serait ainsi sûrement invalidée, ce qui laisserait un délai pour manœuvrer. L'affaire se passa bien ainsi. Il y eut de nouvelles élections en juin.

Limperani fut élu. Mais l'artifice fit scandale à Paris. L'Assemblée législative s'estima bafouée. On y dénonça, à la tribune, les mœurs électorales corses, les clans, ses pratiques. On connaît la chanson. Salvatore en avait été lui-même profondément choqué et l'avait dit à son ami Limperani. Mais quand il reprendra cette histoire sous la forme d'un dialogue posthume entre Pascal Paoli et un naufragé qui lui apprend l'incroyable nouvelle, ce fut pour la tourner à la gloire de celui qui, trente et un ans après sa mort, incarnait toujours, et lui seul, le bien et l'honneur de la patrie. En politique aussi, au soir de sa vie, il restait fidèle à l'idéal de sa jeunesse.

Salvatore continue à écrire beaucoup. Il termine une nouvelle historique, *Les bandits du Monte Rotondo*, qui est encore une histoire de vendetta, et reprend une sorte de petit roman, commencé depuis longtemps : *La malle du Comte Atanasio — voyage philosophique, littéraire, romantique et moral*, qui promène son héros à Rome, à Paris et en Corse. Tous deux resteront inédits [166].

Il entreprend d'autre part, l'œuvre qui, avec la *Dionomachia*, sera la plus importante de sa vie : *Etudes critiques de mœurs corses* [167]. Il y avait été encouragé par ses amis toscans, Lambruschini et Vieusseux surtout, depuis la publication, dans l'*Antologia*, de ses articles sur le rétablissement du jury en Corse ; et l'idée s'en inscrivait bien dans cette recherche morale et historique qui orientait tous leurs travaux.

Cet ouvrage, dit Salvatore, dressera un état des mœurs de son pays « pour l'utilité et l'enseignement de ses compatriotes » et non, comme tant d'illustres étrangers, « pour donner à ses lecteurs un peu de ce plaisir que les anciens recherchaient dans les jeux de gladiateurs ». Plusieurs chapitres de l'œuvre, sur la langue, sur l'histoire politique, seront publiés, au fur et à mesure, dans l'*Archivio Storico* et dans la *Revue de Florence*, avant d'être réunis en volume en 1859. Mais l'œuvre sera pratiquement terminée en mai 1855, comme il l'annoncera alors à Tommaseo :

« Je me suis appliqué à découper en chapitres et à mettre en ordre mes informations et mes observations sur la Corse, sous le titre de *Etudes critiques de mœurs corses*, sous l'angle notamment de la justice criminelle. Combien j'ai désiré votre présence et vos conseils dans le cours de ce travail ! Dieu merci, j'ai fini d'écrire le dernier chapitre, qui est le douzième. »

Ses projets étaient presque des projets de jeune homme. Aurait-il le temps de les réaliser ? Fin 1852, il décide de prendre sa retraite. Elle était fixée à soixante-dix ans dans la magistrature et il n'en avait que soixante-cinq. Mais depuis quelque temps déjà, il envisageait de se consacrer entièrement à son œuvre. Une autre raison le déterminera à la demander : celle d'ouvrir la carrière à son neveu Auguste.

Inscrit au barreau de Bastia, celui-ci n'avait jamais plaidé car il détestait le métier d'avocat. Il traînait sans rien faire, empêtré dans de vagues projets de mariage, entre son père veuf et son oncle célibataire qui s'inquiétaient pour son avenir. « A cause de son irrésolution permanente, il en a été du choix d'un métier comme de celui d'une épouse. L'une était laide, l'autre sans fortune, et celle-ci est ignorante, et celle-là mal fichue. En attendant, nous avons trente-quatre ans et la vie va à grands pas », confie Louis à Michel.

A Paris, Salvatore avait alors deux puissants appuis : Jacques-Pierre Abbatucci et Etienne Conti, tous deux anciens collègues à la cour de Bastia. Le premier était maintenant ministre de la Justice, le second sénateur et secrétaire particulier du prince-président.

C'est à Conti qu'il s'adresse tout d'abord : « Votre nouvelle situation et l'affection que vous m'avez manifestée à plusieurs reprises me poussent à reprendre plus sérieusement la proposition confidentielle que je vous fis une fois, de faire rentrer mon neveu l'avocat Auguste Viale dans la magistrature de première instance à Bastia en même temps que je demanderais ma pension de retraite... Je ne sais si vous jugerez opportun d'en dire un mot au prince-président de la République, dont j'eus l'honneur de rencontrer l'illustre père plus d'une fois à Florence, mais faites pour le mieux... » Le brouillon de sa lettre, en italien, se trouve dans son *zibaldone* des années 1851-1853, avec d'autres brouillons de lettres à Abbatucci sur le même sujet.

Un vaste mouvement de la magistrature était en préparation, ce qui facilita sans doute les choses. Auguste partit pour Paris fin mars 1852, avec une lettre pour Abbatucci. « Vous pouvez y compter » lui dit ce dernier ; mais aussi « La lettre de votre oncle ne va pas ainsi. Qu'il la fasse simplement et purement et je l'accepterai avec la condition qu'il m'a exprimée dans la lettre que vous m'avez remise. Vous savez ce que je pense à votre égard ; mais ce n'est pas l'usage de laisser dans les archives une demande officielle de retraite faite avec des conditions. »

Jour après jour, on peut ainsi suivre l'affaire dans les lettres qu'Auguste écrira, de Paris, presque quotidiennement, à Louis et à Salvatore et dont plusieurs sont fort longues (vingt-deux pages pour l'une d'elles). Abondantes en détails, elles peignent en même temps un amusant tableau de la petite foule insulaire qui assiégait les deux ministres corses du gouvernement, pour en obtenir quelque place. Auguste connaissait déjà les deux fils d'Abbatucci, Séverin et Charles, chef du cabinet de son père. Il avait invitation permanente aux soirées du samedi, chez le ministre, comme à celles de l'autre ministre corse, Casabianca.

« Samedi, il y avait beaucoup de monde, dont un quart de Corses... Abbatucci est un peu dégoûté par l'invasion de tous ces solliciteurs corses qui arrivent et augmentent chaque jour. L'autre soir, il chantonnait tout bas, en se frottant les mains : "On va se faire co...". »

Sur ces entrefaites, Casabianca perd sa place. « On ne lui reproche

290

qu'une trop grande prédilection pour les Corses, dont il a littéralement peuplé l'administration », écrit Auguste. « Ce qui est certain, dit-il encore, c'est qu'il existe de la part du gouvernement un grand refroidissement à l'égard des Corses. » Il en relève d'ailleurs lui-même le comportement arrogant, et « leurs inexcusables imprudences commises jusque dans les salons d'Abbatucci. »

Lamartine l'invite lui aussi à ses soirées. « J'ai vu Lamartine qui m'a très bien accueilli. Nous avons parlé de l'oncle Salvatore, pour lequel il a une grande et sincère estime. Il m'a invité à venir à ses soirées, ce que je ferai sans faute. » Ou encore : « A propos de Lamartine, que je vois souvent et qui est en train de travailler à une vie de Machiavel, il voudrait avoir les *Lettres familières* de ce dernier et demande si vous ne pourriez pas les lui procurer par l'intermédiaire de Vieusseux. »

Il revoit, d'autre part, d'anciens camarades de l'université d'Aix-en-Provence. A l'un d'eux, neveu du ministre Fortoul, il n'hésite pas à faire des ouvertures en vue d'un éventuel mariage avec sa belle-sœur, Clotilde Gabrielli, qui vit à Aix. C'est une riche héritière, sa dot est de 40 000 francs, et son père est de la famille des princes romains de ce nom, dit-il. Le 16 septembre enfin, on annonce les nominations dans la magistrature. Auguste est nommé juge au tribunal de première instance d'Embrun, dans les Hautes-Alpes.

C'est une très amère déception. Il espérait beaucoup mieux, à défaut de pouvoir être nommé en Corse. « Je mentirais si je disais que ma nomination m'a fait plaisir... J'espère que je saurai m'habituer à la ville que le ministre me destine », écrit-il à Louis. Le 24, il part pour Grenoble, où il prêtera serment, et annonce : « J'irai ensuite une dizaine de jours à Aix, pour essayer de conclure l'affaire G. [168]. »...

Le 26 septembre, Salvatore apprend que sa demande de retraite est acceptée. Il aura 2 600 francs par an. Ajoutés aux revenus de la famille, à la rente de 2 000 francs que Michel verse à Louis, et au fait qu'Auguste et Paul-Augustin ne sont plus à charge, c'est confortable pour Bastia et pour leur train de vie discret. Il est enfin libre, sans souci matériel. D'autant plus que l'affaire de la succession Favalelli est réglée depuis février.

La succession Favalelli est une affaire compliquée. Mais pour la famille, elle se résumait en un mot, presque un nom : la maison.

Depuis deux cent cinquante ans et plus, la famille l'habitait. Tous les siens y avaient laissé un souvenir ou une trace ; une partie de leur cœur, aussi. Plus encore que l'ancienneté de la famille, elle attestait sa permanence. Elle faisait partie de sa chair, de sa vie. C'était son abri, sa sauvegarde, comme la devise le disait, gravée sur le linteau de marbre. C'était, de plus, une belle maison, l'une des plus belles de Bastia à l'époque, grâce à la fortune et aux goûts fastueux de l'ancêtre Simon-Jean, le chevalier [169].

Déjà riche de la fortune de son père Salvatore, Simon-Jean

Favalelli avait reçu à vingt-trois ans, de son oncle Francesco Barbieri, une commanderie dans l'ordre militaire toscan de Santo Stefano. C'était l'ordre de chevalerie du grand-duché de Toscane, dont il formait la marine de guerre et dont le siège était à Pise. Simon-Jean en avait revêtu l'habit blanc et rouge frappé de la croix dans l'église de l'ordre, sur la place des Chevaliers. Ses armoiries — d'azur au chêne terrassé d'or, accosté de deux griffons affrontés du même — sont toujours dans la grande salle du conseil, au palais de la Carovane.

« Le 10 juin 1693, le seigneur Simon Giovanni Favalelli de Bastia en Corse fut revêtu de l'habit de chevalier soldat comme successeur pour la commanderie du chevalier commandant Francesco Barbieri, de Bastia, son parent. » Le dossier de Simon-Jean se trouve dans les archives de l'ordre [170]. Le procès-verbal des preuves de noblesse qu'il a produites atteste qu'il est « gentilhomme de vie, de mœurs et de qualités nobles correspondant à sa naissance, qu'il vit noblement, de belle et agréable apparence, sain de corps, bien dispos au métier des armes et aux exercices militaires, sans tache d'infamie ni d'origine infidèle. »

De plusieurs témoignages bastiais fournis comme preuves, on apprend qu'« il vit honorablement comme l'un des meilleurs citoyens de cette ville, élevé dans la pratique des arts libéraux et servi à la maison ». Tout cela avait été soumis au grand-duc, à Florence, qui avait donné son accord. Comme tous ceux qu'il a par ailleurs laissés à la maison, ces documents disent la grande fortune. Ils sentent aussi, il faut bien le dire, quelque peu le parvenu.

Rentré à Bastia, Simon-Jean avait en tout cas fait apposer son cimier et ses armes, avec la croix de l'ordre au-dessus du portail et, depuis, vivait fastueusement, en rêvant de gloire.

Ah ! comme il est beau, dans ses rêves, le jeune chevalier s'embarquant au soleil levant dans un port radieux comme ceux du Lorrain, poudroyant de lumière devant les palais blancs et harmonieux des souvenirs de Pise ! La mer clapote doucement sur les marches de marbre. Il sourit à son rêve intérieur. La brise qui se lève joue dans la dentelle de son jabot ; elle bat légèrement ses paupières qui regardent l'horizon glorieux, vers où partiront les galères. Il était né trop tard pour se battre avec elles à Lépante ; mais il avait l'avenir devant lui.

Au fait, embarqua-t-il jamais sur d'autres galères ? Les archives de l'ordre n'en disent rien. Mais, Livourne ou Bastia, le port était bien là, et ses mâts, et la mer qui fascine le regard, miroitant au soleil, infinie, sous les fenêtres de la maison où avant tant d'autres il s'accoudait pour rêver.

Son buste en marbre de Carrare, en habit de chevalier, l'air énergique, la bouche sensuelle, de longs cheveux bouclés encadrant des traits vigoureux, dit encore la haute idée qu'il avait de lui-même [171]. Son nom revient à plusieurs reprises dans les listes des prieurs de la confrérie de l'Immaculée Conception et dans celle de Saint-Roch. Dans Saint-Jean, une plaque de marbre, à la droite du chœur, dit la reconnaissance de Bastia pour son bienfaiteur.

Justement ! C'est là où Simon-Jean avait commencé à compliquer les choses pour la famille. Le testament de son père Salvatore, en 1698, était clair. Au cas où son fils mourrait sans enfants, la fortune des Favalelli irait en partie à son neveu Jean-Augustin Viale, fils unique de sa sœur, l'autre partie devant servir à doter les jeunes filles pauvres de la ville. Simon-Jean mourra en effet sans enfants. Mais il aura, entre-temps, accru la fortune de son père en épousant Fiordoria Franceschi, fille d'un armateur de Centuri, et très riche, elle aussi, à en juger par la liste de son trousseau et leur contrat de mariage.

Lorsque Simon-Jean mourut, en juillet 1725, « dans sa chambre à coucher du côté de l'Ormeau au midi, dans sa maison d'habitation de Terra Vecchia », il ajouta donc ses propres clauses à celles prévues par son père [172]. Le résultat fut que, après diverses péripéties, les couvents des jésuites et des missionnaires se crurent en droit de réclamer la part consacrée à doter les jeunes filles pauvres.

Il y eut un premier procès, que le conseil supérieur de la Corse trancha en faveur des Viale ; ceux-ci continuèrent à administrer les biens Favalelli dans l'indivision et à doter les jeunes filles. Après la Révolution, Paul-Augustin s'en était chargé pour les deux branches, son cousin Sébastien ayant émigré ; puis Salvatore et son cousin Antoine-Marie avaient pris la suite. En 1826, ils avaient vendu, sans contestation, le jardin de la maison pour l'agrandissement de la place. Les biens-fonds restaient alors considérables.

La « Déclaration des maisons appartenant à l'héritage Favalelli » rédigée en 1796 par Paul-Augustin comprend, en plus de la « *casa nobile Favalelli* » (dont deux étages étaient alors loués, meublés, au commissaire général anglais du royaume anglo-corse, Aschim), une dizaine de maisons autour du Canto dell'Olmo, le centre du Bastia d'alors, une quinzaine de boutiques et magasins et plusieurs terrains dans le périmètre urbain, dont la propriété du Casile.

Rien, ou presque, n'avait encore été vendu en 1826. La Révolution, en supprimant les ordres religieux, avait passé le relais de leurs anciennes prétentions au bureau de bienfaisance de la municipalité, mais une nouvelle alerte, en 1829, n'avait pas eu de suite.

Aussi le coup avait-il été d'autant plus brutal lorsqu'au mois d'août 1850, la municipalité, avec l'accord du préfet, avait soudain mis en demeure Salvatore et Antoine-Marie « de délaisser les biens Favalelli et de rendre compte de leur administration », puis les avait assignés devant le tribunal civil. Les temps avaient changé. Bastia s'urbanisait très vite. Les terrains et les immeubles Favalelli s'étendaient dans ce qui devenait le nouveau centre de la ville. Sur le domaine du Casile, vigne et maison de maître comprises, on bâtira bientôt l'Opéra, sa place, et le quartier qui l'entoure. Mais la municipalité agit avec une brutalité rare.

« Nous sommes dans la plus grande agitation ; on veut même nous prendre la maison », écrit Louis à Paolina. Pour protester, il démissionna de son poste à la mairie. On consulta des avocats à Aix, à Florence, à Rome. On imprima des mémoires. Salvatore y fit même une amère allusion dans sa dédicace d'*Orsino da Fozano* à

Lamartine. Mais que faire ? On ne pouvait que transiger. La famille garderait la maison, c'était le seul bien auquel elle tenait vraiment, plus quelques petits immeubles et terrains.

La transaction fut signée le 13 février 1852, rue Saint-Jean, à la maison, par Salvatore et sa cousine Antoinette-Marie Viale Gregorj, veuve d'Antoine-Marie. « L'affaire Favalelli s'est terminée de façon honorable et satisfaisante. Il en aurait coûté trop cher de faire un procès, et les tribunaux nous auraient assommés, car personne n'aurait eu le courage d'affronter l'opinion publique et les criailleries populaires », écrit Auguste à Daria.

Dans la maison sauvée, en fait de manifestations populaires on n'entendait, le mois suivant, que louanges, applaudissements, félicitations. « Même ceux qui avaient tenté de nous humilier étaient là », note Louis avec ironie dans son journal. Michel avait été créé cardinal.

La nouvelle, officiellement annoncée à Rome le 7 mars, était arrivée à Bastia le 10. « La grande et heureuse nouvelle nous a été donnée le matin du 10 par deux officiers de la garde noble, partis le 8 de Rome et embarqués sur le bateau de la compagnie Valery pour aller en France, porteurs de deux chapeaux rouges. Je ne peux pas te dire toutes les félicitations que nous avons reçues de nos parents et de nos concitoyens, même de ceux qui avaient tenté de nous humilier. Remercions la Providence », écrit Louis à Benedetto. A Michel, il tait l'allusion aux ennemis de la famille et ne parle que de la liesse qui amena à la maison « la foule des parents et concitoyens pour se réjouir avec nous. Bénis les enfants ! » Les frères, les sœurs, les neveux, tout le monde s'écrivit, se félicita.

Salvatore écrit à Benedetto : « Le souvenir m'est revenu de la prédiction de notre oncle le père Michel Cecconi, capucin, qui mourut à la maison quelques mois après la naissance de notre Michel, autant que je me souvienne, et qui avait prié grand-mère Maria Daria et notre mère de donner son prénom à l'enfant, en leur promettant qu'il veillerait sur lui et lui porterait bonheur et que nous nous en apercevrions avec le temps. Ce très pieux et très savant religieux, très estimé de son temps pour ses prédications, nous enseigna le catéchisme et les premiers rudiments de latin à Louis et à moi. Que son âme soit bénie. »

Heureux, soulagé, libre désormais de son temps, Salvatore part pour la Toscane, où il passera cinq mois de bonheur continu, d'abord chez Lambruschini, dans son paradis de San Cerbone, à Figline, puis à Florence, dans l'atmosphère amicale et studieuse du cercle de Vieusseux, son autre maison.

« Je suis ici depuis le 20 juillet, et, après trente-six ans de magistrature, je jouis enfin de la liberté de pouvoir rimailler sans me cacher et sans crainte d'être surpris en flagrant délit... Je vais préparer la réédition de mes œuvres en vers et en prose que vous connaissez déjà », écrit-il de Florence à Tommaseo qui est toujours à Corfou. C'est probablement l'édition de ses œuvres complètes que publiera Silvio Orlandini.

Avec Vieusseux et Capponi, il discute des *Etudes des mœurs corses* qu'ils souhaitent publier dans l'*Archivio*. Il prend la parole à la Società Colombaria, l'académie littéraire de Florence, il flâne beaucoup, fait de nouvelles connaissances, Gioacchino Rossini, entre autres, « plus porté sur le bon vin et le beau sexe que sur la musique ». Il habite derrière San Lorenzo.

C'est au cours de ce séjour heureux qu'il fait peindre son portrait par un bon peintre florentin de l'époque, Cesare Mussini, qui le représente dans sa grande robe rouge de conseiller, le rabat blanc cachant discrètement la Légion d'Honneur, une main gantée posée sur la toque noire, l'autre nue, montrant au premier plan la finesse de ses longs doigts. Le visage, encadré d'abondants cheveux blancs, est sévère, creusé de rides, mais reposé. Il semble comme surpris au moment de parler.

« Louis et Paul-Augustin ont insisté pour que je fasse peindre ici mon portrait en toge et appendices, c'est-à-dire en conseiller. Je l'ai fait faire par M. Cesare Mussini, professeur à l'académie des Beaux-Arts de Florence, et il sera terminé dans deux ou trois semaines. Il me paraît ressemblant et bien fait. Je ne le fais pas par vanité, mais comme souvenir de famille, pour la maison », écrit-il le 17 octobre à Benedetto. Et le 21 novembre : « Mon portrait est terminé et je l'enverrai bientôt à Bastia. On me dit qu'il est bien fait comme tableau et ressemblant comme portrait [173]. »

Au retour sa nostalgie de Florence est plus forte que jamais. « Après quatre mois de conversations avec vous et tous nos amis, et toutes les preuves que vous m'avez données de votre gentillesse amicale et active, je ressens à Bastia, et je le sentirai toujours plus, comme une privation, un besoin », confie-t-il à Vieusseux.

28

« Nous croyons opportun de vous faire connaître, vénérables frères, les deux cardinaux que nous avons réservés in petto depuis leur création, qui remonte au 15 mars de l'année précédente.

« Le premier en est notre vénérable frère Michel Viale Prelà, archevêque de Carthage, lequel s'est toujours distingué par une conduite irréprochable, une grande sévérité de mœurs, une inaltérable égalité de caractère, ainsi que par une intelligence supérieure et de vastes connaissances. Après avoir exercé avec une rare entente les fonctions de nonce apostolique auprès de SM le roi de Bavière, il a rempli la même mission auprès de la cour impériale de Vienne, et cela pendant plusieurs années dans des temps pleins de troubles, et au milieu de circonstances exceptionnellement difficiles. Il y apporta tant de tact, de prudence, de sagacité, de constance et de dévouement aux intérêts de l'Eglise, qu'ayant à un haut degré bien mérité du Saint-Siège, il sut en même temps s'attirer l'estime et la considération universelles [174]. »

C'est en ces termes que Pie IX annonça aux cardinaux, réunis en consistoire le 15 mars 1853, l'élévation de Michel à la pourpre. Il ne révéla pas pourquoi il l'avait gardée in petto, c'est-à-dire qu'il avait différé l'annonce publique de son élévation pendant un an. Ce fut sans doute pour des raisons politiques liées aux négociations du concordat avec l'Autriche.

« Me voici donc cardinal de la Sainte Eglise romaine. Plaise au Seigneur que cette nouvelle et sublime dignité opère pour mon bien ; non pour mon bien en cette vie, passagère et fugace, veux-je dire, mais dans l'autre, la seule vraie. Je te rermercie pour le petit tableau du Bassano, qui est un véritable trésor. Je regrette seulement que tu t'en sois privé pour moi », écrit Michel à Benedetto.

De partout mais surtout de toutes les capitales de l'empire et des autres Etats germaniques, lui arrivaient des témoignages et des félicitations plus chaleureux encore que l'occasion ne le demandait. Les évêques de l'empire feront graver son portrait le mois suivant, pour répandre son souvenir parmi les fidèles [175]. « Tu as déjà dû recevoir mon portrait en lithographie, qui est, dit-on, ressemblant, écrit-il à Benedetto le 16 mai. Ce portrait est pour moi précieux, car c'est un témoignage de leur attachement que m'ont donné les évêques de Croatie et d'autres évêques de cette monarchie qui ont insisté pour le faire faire. »

La nouvelle dignité de Michel laisse prévoir son prochain retour à Rome, à la curie. Elle semble le désigner tout naturellement comme le futur protecteur du catholicisme germanique auprès du pape, lui qui en avait été si longtemps sur place l'animateur. Les hommes politiques s'en réjouissent.

Metternich, l'un des premiers, lui écrit le 12 mars : « Je ne connais pas une individualité qui soit à même de vous remplacer dans le rôle que le sort vous avait appelé à remplir dans cet empire et dans le reste de l'Allemagne ! J'ai la confiance que votre esprit saura ne point se détacher du soin de veiller également à distance sur ces grands intérêts. Veuillez me continuer vos sentiments et compter jusqu'à mon dernier souffle sur ceux que vous me connaissez pour vous. » « Si sa nomination entraînait son départ, nous en serions fort peinés », note la princesse Mélanie.

Michel s'attendait lui-même à rentrer bientôt à Rome. Il l'avait quittée depuis quinze ans et était heureux de pouvoir vivre à nouveau en famille. Il commence donc à préparer son retour. La dignité de prince de l'Eglise exigeait des aménagements : elle impliquait un certain train de vie, et Michel était sans fortune personnelle.

Il fait des projets, écrit à Benedetto le 26 avril : « A Rome, j'aurai besoin de beaucoup de choses, et notamment de meubles et de carrosses. Peux-tu voir s'il y a quelque bonne dépense à faire ?... Pour la maison, à vrai dire (et que cela reste entre nous), nous pourrions attendre avant d'en prendre une. Dans un premier temps, on pourrait prendre un appartement provisoire ; je pourrais même en trouver un dans quelque couvent, en attendant, car s'agissant d'une maison où je devrai demeurer longtemps, si le Seigneur me prête vie, je voudrais trouver quelque chose qui me convienne vraiment... Mais je ne sais que te dire. L'époque de mon retour ne dépend pas de moi. » Et le 16 mai : « J'ai bien compris ce que tu me dis sur mon séjour ici. A cet égard, ma volonté est entre les mains du Saint-Père, et ce que SS décidera sera bien fait. »

Toutes les rumeurs de Rome prévoient son prochain retour. Benedetto les lui transmet en même temps qu'il prépare son installation. Il est très bien informé des nouvelles du Sacré Collège et de la curie, et même de certaines décisions confidentielles. On peut supposer que Pie IX, qu'il voit presque chaque jour, le lui a dit en personne.

Benedetto avait annoncé à Michel son élévation au cardinalat dès l'année précédente, lorsque le pape l'avait réservée in petto. « Je ne peux jusqu'à présent ajouter foi à ce que tu me dis dans ta dernière lettre au sujet de ma prochaine et, dis-tu, imminente promotion, car aucune indication dans ce sens ne m'a été donnée par qui serait autorisé à le faire », lui avait répondu Michel. La nouvelle s'étant, cependant, répandue, Benedetto avait été, depuis, le centre de ces mille petites intrigues qui entourent à Rome l'arrivée d'un nouveau prince de l'Eglise, dont il faudra organiser la maison sur le pied convenable à sa haute dignité.

En août, par exemple, il écrivait : « Le chevalier Barbizzi et beaucoup d'autres m'ont présenté des recommandations pour les places de gentilshommes de ta maison. J'ai répondu que je n'étais pas autorisé par toi à prendre des engagements. » Mais il était prévoyant : « En vue de ta très probable prochaine promotion, je pourrais peut-être déjà acheter douze fauteuils de damas rouge qu'on offre à bon prix dans la succession de feu le cardinal Castracani... » Ce n'était pas facile, à Rome, de vivre en cardinal, si on n'avait pas déjà quelque palais de famille.

A Vienne, pour le nouveau cardinal, la cour ajouta le faste de son cérémonial aux solennités de la liturgie. Le 30 mars, c'est l'empereur lui-même qui, dans l'église de la Hofburg, lui imposa la calotte pourpre apportée de Rome par un garde noble. L'après-midi fut consacrée aux visites de félicitations à la nonciature ; et le soir, de nouveau à la Hofburg, François-Joseph donna en son honneur un dîner de gala. On n'y entendit que louanges et proclamations de fidélité, de la part du jeune monarque comme du gouvernement tout entier. La presse de l'empire s'en fit abondamment l'écho. On pavoisa les bâtiments officiels en Hongrie. Pendant plusieurs jours encore, délégations, fanfares et cortèges fleuris se succédèrent sous les fenêtres de la nonciature, sur la Hofplatz.

Michel accueillit la gloire avec son habituelle simplicité ; elle ne lui tourna pas la tête. « Comme titre cardinalice, l'église de Saint-Crysogone, celle qui fut l'église des Corses à Rome, me plairait », écrit-il à Benedetto. Ce vœu était purement sentimental.

Saint-Crysogone, à l'entrée du quartier populaire du Trastevere, n'est pas une église particulièrement remarquable, sinon pour un Corse. Elle a été l'église de la « nation » corse jusqu'au XVIIe siècle. Les insulaires avaient alors l'honneur de former la garde pontificale. Mais cette garde corse avait un jour rossé les valets du duc de Crequi, ambassadeur de France, et Louis XIV avait exigé du pape, en châtiment, que la garde fût dissoute et les Corses dépossédés de leur église nationale. Les Corses ne l'avaient pas oublié. L'oncle Tommaso Prelà y allait souvent à la messe. Mais le pape donnera un autre titre cardinalice à Michel, celui de Saint-Grégoire-le-Grand, une bien plus superbe église, sur le mont Coelius.

Le choix de ses armoiries ne dépendait, par contre, que du nouveau cardinal. Michel releva celles de la famille : « D'azur à deux lions léopardés couronnés au naturel, l'un sur l'autre ; à la bande d'or, brochant sur le tout. » La famille n'avait plus eu l'occasion de les arborer depuis son arrivée de Gênes, n'ayant pas fait valoir ses droits à la noblesse au moment de l'annexion française. Ce sont les mêmes couleurs que Michel prendra pour la nouvelle livrée de ses domestiques, bleu clair à galon jaune, « un jaune paille, non un jaune soufre », précise-t-il à Benedetto. Ce n'est qu'une coïncidence, mais ce sont les mêmes couleurs que les armoiries des Favalelli sur la maison natale, et presque le même symbole.

Pour devise, il prendra les mots « *Suaviter et Fortiter* », empruntés à saint Paul. C'est une devise d'homme d'action. On pourrait la traduire très librement par « main ferme dans gant de velours ». Mais pour traduire la fermeté de son âme, c'est probablement la devise de la maison qui lui conviendrait le mieux, mystérieuse fidélité au sang. Le moment approchait où, loin des fastes des cours impériales ou royales, il allait être appelé à en subir l'épreuve, dans sa nouvelle dignité.

Malgré sa longue carrière diplomatique auprès de deux des cours princières les plus brillantes de l'époque, Michel était resté foncièrement, absolument, ce que l'on appelle un homme de Dieu. Il avait non seulement la foi, une foi enracinée bien au-delà de son enfance, dans les profondeurs de son âme latine ; il s'en remettait à la Providence jusque dans la conduite de sa vie personnelle.

On ne peut trouver dans celle-ci la moindre esquisse de manœuvre ou d'intrigue ; et lorsque, bientôt, les intrigues et manœuvres des milieux du Vatican hostiles au secrétaire d'Etat Antonelli essaieront de le pousser à la place de celui-ci, Michel refusera de seulement les écouter. Sa correspondance avec sa famille, mais surtout avec son frère Benedetto, confident de sa vie et son meilleur ami à Rome, est d'une limpidité parfaite à cet égard.

Les relations dont ils parlent sont des relations de famille ou d'amitié, évoquées sur le plan domestique des bonheurs et des malheurs privés. Il n'y est jamais question de recommandations ou de faveurs. Les informations données par Benedetto sur la cour pontificale sont toujours factuelles, sans ombre de ragot ni même de ce genre d'indications qui sont toujours utiles pour le déroulement d'une carrière. Benedetto était pourtant bien placé lui-même auprès du pape s'il avait voulu intriguer. Mais les deux frères étaient d'une égale intégrité.

Pas une seule fois dans sa carrière Michel n'a été tenté de penser que l'état ecclésiastique pouvait être également un moyen d'acquérir des honneurs flatteurs, un peu plus de confort mondain, un peu de ce qu'on appelle la richesse. Ce n'était pas toujours le cas, loin de là, au siècle dernier, dans ce milieu romain où les attraits du pouvoir temporel pouvaient être, pour les prêtres, autant de tentations les détournant de leurs responsabilité spirituelles.

Pie IX lui-même n'avait pas montré de vocation bien assurée jusqu'à son élévation à la pourpre, et même après. Devenu pape, il n'était pas toujours un prêtre exemplaire. Les médisances qui couraient sur lui, à Rome, avaient quelque fondement. Il ne sauvait même pas toujours les apparences. Salvatore avait noté, dans son voyage de 1849, plus d'un épisode peu édifiant sur la façon dont le pape se comportait à l'autel.

Quant à son secrétaire d'Etat, le cardinal Antonelli, ses mœurs faciles, son goût affiché pour les jolies femmes et leurs décolletés, le cynisme avec lequel il enrichissait son frère par la concussion la plus impudente, ses propres richesses étaient la fable de Rome.

Le carnet de voyage de 1854 est plus sévère encore que celui de 1849. Le frère du cardinal se livrait au trafic sur les céréales, avec sa protection. « Quand les prêtres s'acoquinent avec les voleurs, le mal est pire pour les prêtres ; car on tient les voleurs pour des incroyants, mais des prêtres on dit qu'ils sont athées » note Salvatore à Rome, à son propos [176].

Les récits et mémoires des contemporains sont également pleins de tels traits, et Pasquin rappelait que les Antonelli venaient du village de Sonnino, un repaire de brigands. Peu importerait que le cardinal ait eu ou non des enfants naturels. Il n'avait, apparemment, même pas de sentiments religieux. Ce n'est pas seulement sur le plan politique que le pouvoir temporel, dans ses dernières années, étalait son anachronisme de la façon la plus indigne de l'Eglise.

Ferme défenseur de ce pouvoir temporel sur le plan politique, et avant tout par devoir puisqu'il en était le représentant, Michel n'aura jamais été contaminé moralement par ses déformations romaines. A Rome, il n'aura passé que le temps de ses études, si l'on excepte les deux années au secrétariat d'Etat. Il semble n'avoir guère aimé « cet asile d'intrigues et de tromperies », ainsi qu'il l'appelait en 1827. Et encore eut-il la chance d'y travailler avec le rigoureux cardinal Lambruschini, modèle de foi et de caractère, auquel il restera fidèle toute sa vie. « Ce crucifix me sera cher, car il a appartenu au cardinal Lambruschini dont je vénérerai toujours la mémoire », écrit-il à Benedetto, en lui demandant de racheter un souvenir du cardinal à la mort de ce dernier en 1854.

Son tempérament corse, entier, austère, tenace, aura été, probablement pour beaucoup dans sa vertu, avec les exemples de simplicité et de droiture reçus dans sa jeunesse, en famille. Après Dieu, c'est cette dernière qui aura été son plus profond attachement, un attachement charnel sublimé, comme en témoigne le tableau des saints protecteurs de la famille, qu'il avait fait peindre à Vienne par le peintre Kupelwieser et dont il voulut qu'il revînt à la maison, après sa mort, pour y garder son souvenir parmi les siens.

Les saints et saintes Benoît, Nicolas, Augustin et Louis, Daria et Orsola, s'y tiennent de part et d'autre du trône de la Vierge Marie, le Sauveur, enfant, dans ses bras. L'archange saint Michel est debout devant le trône, l'épée dans une main. De l'autre, il désigne l'enfant Jésus qui bénit le petit groupe des saints et, avec eux, la continuité familiale des Viale qui portent leurs noms. Daria est agenouillée, à côté d'un lion.

C'est un lion qui a l'air d'un gros ours en peluche et paraît presque sourire. Aussi loin qu'on s'en souvienne en famille, il dispute la faveur des enfants au petit garçon en habit de velours de la cathédrale de Cologne.

Ce tableau, Michel l'avait placé dans sa chambre de la nonciature, à Vienne, puis dans son appartement privé, à l'archevêché de

Bologne, sans jamais le mêler à la collection de tableaux qu'il avait peu à peu constituée et qu'il montrait volontiers à ses hôtes.

La fréquentation des artistes, surtout celle des peintres et des sculpteurs, était son délassement préféré, sa seule distraction profane. Encore faisait-il tourner l'intérêt personnel qu'il leur portait à des fins d'édification religieuse. « Il goûtait intensément les beaux-arts et en était amateur à un point incroyable, écrit Mgr Fantoni. Il mit tout son pouvoir à en encourager l'étude, afin surtout d'en rendre l'inspiration chrétienne et morale... Il était en grande familiarité avec les artistes les plus renommés de toute l'Allemagne et les invitait souvent à sa table, leur inspirant même les thèmes des œuvres qu'il leur commandait, qui étaient d'habitude des thèmes religieux de grand sentiment, et avant tout autre celui de la Madone. »

Sa collection personnelle comprenait plus de cent tableaux et de nombreuses sculptures d'artistes alors renommés ou, pour certains, célèbres : Overbeck — qu'on appelait le « moderne Fra Angelico » —, Schrandolph, Führich, Hesse, Deger, Kupelwieser, auxquels s'ajouteront plus tard les Italiens Guardassoni, Torregiani et Galetti da Cento. Leurs œuvres représentent toutes des sujets tirés de la Bible ou des Evangiles, à l'exception de quelques portraits, avec, en effet, une majorité de scènes ou d'allégories de la vie de la Madone. Les tableaux restés dans la famille, ainsi que les deux catalogues imprimés du reste de la galerie, qui fut mise en vente publique, donnent une bonne idée de sa composition essentiellement germanique [177].

Ami des deux plus grands artistes romains de l'époque, le sculpteur Pietro Tenerani et le peintre Friedrich Overbeck, Michel avait commencé sa collection à Munich, où il avait retrouvé plusieurs peintres qui, avec Overbeck, avaient formé l'école dite des Nazaréens à Rome, sur le Pincio.

De retour d'Italie, ces Nazaréens jouaient maintenant un rôle prépondérant à Munich, dont, roi dilettante, Louis Ier voulait faire l'Athènes du Nord. Ils déterminaient l'esthétique du règne et en leur inspirant des sujets religieux, le nonce allait dans le sens de leurs préoccupations moralisantes. Il leur apportait plus qu'un encouragement. C'est à sa demande que Louis Ier confiera à Schrandolph les fresques de l'église de Saint-Boniface. C'est le même esprit des Nazaréens que Michel trouva ensuite à Vienne, où il accrut sa collection.

Plusieurs lettres d'Overbeck témoignent du rôle que Michel joua dans son inspiration. « J'ai fait ce qu'il était en mon pouvoir de faire ; mais la sublimité du sujet est telle que j'ai presque scrupule d'avoir eu le courage de l'entreprendre », lui écrit-il par exemple en décembre 1852, à propos d'un *Christ portant sa croix* que Michel lui avait commandé. Et, en avril de l'année suivante, en le lui envoyant : « Aussi je remercie de tout cœur votre éminence de m'avoir honoré de cette commande et je prierai le très Haut qu'elle puisse trouver dans mon faible travail, à cause de la sublimité du sujet, une source d'édification et de réconfort. »

Bien que les préraphaélites n'y soient pas restés indifférents, cette

301

peinture a sombré dans l'oubli, avec ce qui nous paraît être, aujourd'hui, son idéalisme naïf et son académisme sirupeux. Mais à l'époque, elle avait du moins le mérite d'incarner une recherche originale et moderne et ces artistes n'étaient ni médiocres ni dépourvus de talent, dans leur art de peindre tourné vers l'édification des esprits. Le chemin de croix de Führich, peint en 1846 pour l'église Saint-Jean du Prater, fut reproduit dans le monde entier.

En les encourageant, Michel encourageait une peinture vivante, la meilleure qu'il pût voir autour de lui parmi ses contemporains. Les fondements de son goût esthétique plongeaient bien au-delà, dans sa profonde culture autant que dans ses sentiments. Il admirait Giotto, à une époque où cette admiration n'allait pas de soi. C'est à ses recommandations insistantes que l'on doit la première publication photographique des fresques d'Assise, par les jeunes artistes Livio Mercuri et Nicola Ciferri, qu'il avait rencontrés en visitant la basilique, et qu'il patronnera auprès du gouvernement pontifical.

Dans l'intimité, Michel mènera une vie de plus en plus ascétique, indifférente aux biens matériels, rythmée par de longues heures de prières, en particulier à la Vierge, pour laquelle il avait une dévotion particulière. Sa table était frugale, sauf lorsqu'il recevait. Il ne s'occupera jamais lui-même de son train de maison ni de ses finances, donnant seulement pour instructions de faire la part large à la charité.

Sa « modestie » à Munich, sa « simplicité » à Vienne sont rapportées par tous ses proches, comme le sera sa « perfection chrétienne » à Bologne. La part de mysticisme que porte tout esprit religieux était en lui la plus forte. Même s'il faut faire sa part à l'hagiographie dans ce portrait, les traits en sont trop constants pour qu'ils soient seulement flattés. Les circonstances, autant que ses capacités, le portaient vers ces sommets où la solitude étreint la conscience de ceux qui vivent d'abord de leur vie intérieure.

Diplomate ou pasteur, il devait faire de la politique par la force des choses ; mais, prêtre, il vivait dans cette autre dimension de l'action où l'on est seul avec son âme, c'est-à-dire, pour un prêtre, avec Dieu. Bien que tracé quelques années plus tard, à Bologne, c'est peut-être ici que se place le mieux son portrait peint par Mgr Fantoni, dans l'isolement de sa nouvelle dignité :

« Il portait sur le visage et dans toute sa personne, un je ne sais quoi qui pénétrait l'âme de vénération et d'une sorte de contrition, à tel point que sa vue disposait aux émotions religieuses et vous portait à la vertu... La vertu était la plus naturelle de ses inclinations, et rien ne l'attirait plus au monde, en sorte qu'il était également prêt à être cardinal qu'à porter la besace des frères quêteurs. Il ne méprisait rien, cependant, et ne regardait en toute chose que le moyen de la faire servir au bien. C'est avec ces mêmes dispositions que, diplomate, il fréquenta les cours et tint lui-même une cour, et des plus recherchées par tous ceux qui s'assoient habituellement à la table des princes et des rois. Mais il n'en cultivait pas moins assidûment son esprit de piété et la prière était son pain quotidien, pour lequel il sut toujours se réserver le temps...

« Il était grand, mince, très gracile ; ses façons étaient toujours courtoises et dignes, mais la rapidité de son pas trahissait la vivacité naturelle de son caractère, laquelle, par ailleurs, ne se manifestait jamais sans être aussitôt contenue. Son front ample et son visage amaigri reflétaient vivement ses sentiments, tristes soucis ou sereines satisfactions. Il souriait facilement et toujours avec bienveillance ; mais ne riait jamais. »

29

L'église des Capucins de la Hofburg n'était qu'un éclat d'or, de vermeil, d'argent dans la lueur des cierges en buissons ; un prodigieux miroitement irisé de reflets éblouissants.

Chamarrés de bijoux, de grand-croix et de colliers, les uniformes, habits de cour, robes à traîne et chasubles brodées chatoyaient sous le damas cramoisi qui paraît les murs. De petits nuages d'encens répandaient leur parfum âcre mêlé à celui des fleurs. Dans l'écho des grandes orgues et des hymnes, on entendait les canons qui toussaient régulièrement sur la Josefplatz. Lorsque l'empereur de vingt-cinq ans passa l'anneau au doigt de sa jeune femme, les cloches de Saint-Etienne et celles des cent autres clochers de Vienne carillonnèrent la bonne nouvelle dans l'air clair du printemps. C'était le 24 avril 1854.

Elle avait dix-sept ans. Elle s'appelait Elisabeth, mais, depuis son enfance, on l'appelait Sissi. L'officiant était le vénérable prince archevêque de Vienne, le cardinal Joseph Othmar Rauscher. A ses côtés, Michel concélébrait à l'autel. Sissi, il l'avait connue toute petite, à Munich, dix ans auparavant ; espiègle gamine qui entrait parfois en courant dans le cabinet de travail de son oncle Louis, roi de Bavière.

Bien que cardinal, depuis un an déjà, Michel était resté à Vienne pour mener jusqu'à son terme la négociation du concordat, qu'il signera le 18 août 1855, au nom du Saint-Siège, avec le cardinal Rauscher, plénipotentiaire impérial. L'événement fit un effet considérable dans l'Europe entière.

C'était le premier concordat de l'après-Révolution. Le pouvoir civil, en Autriche, rendait sa liberté à l'Eglise. Il reconnaissait l'autorité absolue de Rome et du pape dans le domaine religieux et spirituel, en même temps qu'il renonçait à excercer toute tutelle politique. Le concordat autrichien servira ainsi de modèle à tous les Etats qui, après les bouleversements révolutionnaires, voulaient normaliser leurs relations avec le Saint-Siège. Le succès de la diplomatie vaticane était rendu plus éclatant encore, dans le cas particulier de l'Autriche, par la force de résistance que lui avait opposée le joséphisme. Celui-ci était anéanti. Non seulement l'Eglise autrichienne retrouvait sa liberté, mais toute tentation de schisme en était à jamais écartée. L'impact du concordat était également profond dans le domaine temporel.

Favorable à l'Eglise sur le plan religieux, le concordat avec l'Autriche renforçait du même coup la position de Rome sur le plan politique international, à un moment où le pouvoir temporel était remis en cause de toutes parts. Le *Times* de Londres écrit dans son éditorial : « Le concordat autrichien montre quelle puissance se trouve encore, là où beaucoup ne voient qu'atrophie et décadence ; et comment la papauté, dans une situation forte et vigoureuse, est fondée sur quelques-uns des plus profonds sentiments de l'humanité [178]. »

Metternich avait été l'un des premiers à féliciter Michel.

« Koenigswart, 21 août... J'en félicite et l'empire et l'Eglise, j'étends le même sentiment à l'Europe entière. Elle acquiert par le fait un gage de paix morale au milieu du désarroi moral et matériel dans lequel elle se trouve engagée. Vous connaissez, Monseigneur, l'attachement que je vous porte, et qui ne s'éteindra qu'avec mon dernier souffle*. »

Et le 25 : « Je compte le grand événement auquel votre nom se trouvera toujours attaché parmi les triomphes les plus éclatants de la vérité remportés sur l'erreur... Acceptez, Monseigneur, mes plus sincères félicitations pour le rôle que la Providence vous a assigné dans un triomphe qui dépasse de beaucoup les limites de l'empire, et que le *Nunc demitte* que vous avez prononcé dans votre lettre amicale justifie si bien. »

Les catholiques et tous les partisans de la souveraineté pontificale acclamèrent en effet le concordat comme une grande victoire, et Michel fut salué en héros. Dans toute l'Europe, on imprima son éloge, avec le texte ou des résumés du document. Il reçut d'innombrables adresses. On vanta ses mérites dans les sermons du dimanche, dans les conférences organisées pour commenter l'événement, notamment dans les pays protestants, en Prusse et en Angleterre.

A Londres, son ancien condisciple, le cardinal Wiseman, devenu archevêque de Westminster, tint plusieurs assemblées à Sainte-Marie-the-Moorfields, dans lesquelles il fit son éloge, en rappelant les qualités montrées par Michel dès sa jeunesse. Tout autre fut l'accueil des radicaux en Europe, et surtout en Italie, où la presse piémontaise notamment fut d'une violence extrême.

On estimait, dans ce camp, que le concordat avait fait la part trop belle à l'Eglise. Au moment où Cavour réclamait ouvertement la fin du pouvoir temporel, ce concordat paraissait au contraire renforcer ce dernier. Une fois de plus, Michel fut violemment attaqué, et d'autant plus fort qu'en Italie même plusieurs Etats envisageaient de conclure également un concordat, notamment en Toscane.

« On craint à Florence que le grand-duc ne cède à un concordat à la Viale-Prelà, que la curie romaine voudrait nous faire avaler », écrit Vieusseux à Tommaseo, en août 1857.

Son œuvre à Vienne s'achevait ainsi sur un triomphe. Dans les temps calamiteux que l'Eglise traversait, Michel lui avait donné l'une de ses rares victoires. Sa réputation à Rome et en Europe était au plus haut. En famille, on disait que la prédiction du grand oncle franciscain s'était maintenant pleinement réalisée : Michel était l'une des lumières de l'Eglise.

Michel pourtant n'était pas un homme heureux. Pour la première fois de sa vie — et la seule —, l'avenir lui apparaît dans l'ombre de la tristesse. Il ne peut retenir un cri de cœur.

« Mes rêves de finir mes jours au sein de ma famille sont partis en fumée », écrit-il à Benedetto le 19 août, quatre jours après la signature du concordat. Il ne rentrerait pas à Rome. Pie IX l'avait choisi pour le siège de l'archevêché de Bologne. Ce n'était pas encore officiel. Le pape le lui avait annoncé par une lettre autographe, fait exceptionnel, et qui pouvait même paraître flatteuse ; mais, de toute façon, il n'aurait pu refuser.

« 25 juillet 1855. Monsieur le cardinal, depuis que le siège archiépiscopal de Bologne est resté veuf de son pasteur, qui l'a gouverné pendant plus d'un demi-siècle, j'ai beaucoup prié le Seigneur afin qu'il daignât m'éclairer pour pourvoir ce siège d'un archevêque capable de veiller à ses besoins. Je ne doute donc pas que le choix que je vais faire de votre digne personne pour un poste si important sera béni par Dieu, et qu'il vous accordera tous les bienfaits et les grâces qui vous seront nécessaires pour remplir ces obligations. De mon côté, j'entends vous donner une marque d'estime et de confiance, et je suis persuadé que vous accepterez pleinement, comme vous l'avez fait en tant d'autres et si diverses occasions. Dans cette confiance, je vous impartis notre apostolique bénédiction. Datum Romae apud S. Petrum 28 julii 1855. (signé) Pius PP IX.

« PS. Vous comprendrez facilement que l'annonce que je vous donne n'empêche pas l'importante poursuite des négociations pour le concordat et que seul l'heureux espoir de sa prochaine conclusion me donne motif de vous informer de votre susdite destination. Pius PP IX. »

L'écriture est relâchée, sans caractère, comme le style. La lettre, sur papier ordinaire même pas filigrané, ferait la plus mauvaise impression venant d'un inconnu. Elle dut sans doute frapper Michel de stupeur, quand il eut fini de la lire. Il ne s'attendait pas à aller ailleurs qu'à Rome, son seul souhait.

Sa réponse fut des plus évasives, autant que pouvait se le permettre un cardinal pour faire entendre au pape que son choix

Sig.r Cardinale

Da che la Sede Arcivescovile d'Bologna
rimase vedova del suo Pastore che per
oltre mezzo secolo la governò, pregai
molto al Signore affinchè si degnasse
illuminarmi per provvedere quella Sede
di un Arcivescovo che potesse supplire
ai bisogni della medesima. Non dubito
pertanto che la scelta che vado a fare
della di Lei degna Persona per tale
importante officio sarà da Dio benedetta,
accordando a Lei tutti i lumi e le grazie
che Le sono necessarie per adempire le
obbligazioni. Per parte mia intendo di
darle un contrassegno di stima e di fiducia,
e sono persuaso ch' Ella mi corrisponderà
pienamente come ha fatto finora in
tante e si svariate occasioni.
Con questa non dirò fiducia, ma certezza Le
Compatto di cuore l'Apostolica Benediz.
Datum Romae apud S. Petrum dè 28. Iulii 1855.
Pius PP. IX. P.S. Ella comprenderà

Pie IX à Michel

n'était pas le bienvenu. « Je n'aurais pas fait moi-même un tel choix », répondit-il à Pie IX. Mais avant la fin du mois, Pie IX lui confirma sa décision et Michel obéit.

Michel à Benedetto : « Vienne, le 19 août 1855. Mon frère très cher, cette lettre te sera remise par Mgr Valenziani que j'ai envoyé à Rome pour y apporter le concordat. Je crois que le moment approche où, après quinze ans, il me sera permis de t'embrasser et d'embrasser notre chère sœur, mais je ne sais pas si la consolation me sera donnée de vivre en famille. Le pape (et que cela reste entre nous, si tu ne le savais pas par ailleurs) m'a écrit une lettre autographe pour m'indiquer qu'il était sur le point de me choisir pour le siège archiépiscopal de Bologne.

« J'ai répondu que je n'aurais pas fait moi-même un tel choix, mais que ma volonté était entre ses mains, et qu'il pouvait disposer de moi comme il l'entendait. La charge serait lourde, mais si le Seigneur me l'impose il me donnera aussi la force de la supporter. »

Puis, le 30 août : « Vienne, le 30 août 1855. Mon frère très cher, le sort de mon avenir est décidé ; le Saint-Père m'impose l'archevêché de Bologne, et j'obéis. Le poids qui m'est imposé est grand, mais en faisant la volonté du Saint-Père je suis assuré de faire la volonté du Seigneur. Mes rêves de finir mes jours au sein de ma famille sont partis en fumée. Qu'il plaise au Seigneur de me donner les grâces qui me sont nécessaires pour faire un peu de bien et pour me rendre utile à son Eglise... »

Il est à peu près certain, en fait, que le choix de Bologne fut imposé non par Pie IX, mais par le cardinal Antonelli, soucieux d'écarter de Rome un rival.

Secrétaire d'Etat depuis sept ans, Antonelli était non seulement impopulaire, mais ses adversaires s'étaient multipliés à l'intérieur même du Sacré Collège. Le retour à Rome de Michel, auréolé de ses succès et de sa haute réputation spirituelle, était une bonne occasion pour s'en débarrasser. La rumeur en courait avec insistance depuis le début de l'année, assez fort pour que la presse s'en fasse l'écho à travers l'Europe.

C'était assez pour inquiéter Antonelli, homme sans envergure mais habile. Il ignorait sans doute à quel point Michel convoitait peu sa place.

« Les journaux disent que le cardinal Antonelli s'est retiré des affaires et que je vais être appelé à lui succéder. Jusqu'à présent je ne sais pas si la première chose est vraie, mais je peux t'assurer que bien loin de désirer la seconde, j'espère bien que cela n'arrivera pas », écrit Michel à Benedetto, le 26 février.

Et le 20 mars : « Je suis bien content que les bavardages de Rome sur ma personne aient cessé. Le Seigneur m'a fait une grande grâce en me préservant de l'ambition. Je ne sais combien de temps il me reste à vivre, mais ce que je désire ardemment, après trente ans d'une vie errante et même fatigante, est d'avoir une vie tranquille ; non pas une vie d'oisiveté, qui me serait insupportable, mais une vie libérée de trop lourdes responsabilités. »

Les rumeurs avaient peut-être cessé, mais le projet continuait à faire son chemin dans le Sacré Collège. On dit même que Pie IX l'aurait vu aboutir d'un bon œil, pourvu qu'il ne fût pas mis dans l'embarras vis-à-vis d'Antonelli, qu'il n'aimait pas mais craignait. Quoi qu'il en soit, et deux précautions valant mieux qu'une, Antonelli avait jugé plus sage d'éloigner Michel de Rome en l'envoyant à Bologne.

Ce sera l'explication la plus répandue à Rome, lorsque Michel y arrivera pour y recevoir le chapeau. Salvatore s'en fera l'écho, en notant plus tard dans l'un de ses calepins, au sujet de la nomination de son frère : « Il n'y a pas d'exemple, de mémoire d'homme, à Rome, qu'un nonce qui a passé trente ans loin de Rome, puis a été fait cardinal, ait été envoyé loin de Rome, comme cela arriva à mon frère à Bologne. »

C'est aussi l'explication que retient l'*Encyclopédie catholique*, publiée par le Vatican : « Le cardinal Michel Viale Prelà fut nommé à Bologne... siège auquel on voulut avec insistance qu'il ait été destiné par le cardinal Antonelli, pour éloigner de Rome le plus habile diplomate pontifical, et éviter que le pape ne lui confiât la secrétairerie d'Etat [179]. »

La nomination de Michel à Bologne fut annoncée officiellement par Pie IX le 28 septembre 1855 ; mais le nouvel archevêque ne quitta pas encore Vienne. Il devait présider le synode exceptionnel convoqué pour définir les modalités d'application du concordat à travers la mosaïque de diocèses, de rites et de nations que formait l'immense empire.

Le synode s'ouvrit dans la cathédrale Saint-Etienne le 6 avril 1856. Ce fut un moment exaltant : trois cardinaux, onze archevêques, quarante-six évêques ou ecclésiastiques des divers rites latin, grec, uniate, y représentaient sept peuples dans l'unité profonde de leur foi catholique triomphante. Michel en clôtura les travaux, le 18 juin, par une allocution en latin qui était un hymne de fidélité à Rome et qui arracha des larmes aux participants, car c'était en même temps un adieu.

Sa dernière visite à la Hofburg fut également émouvante. Les jeunes souverains l'y accueillirent comme un père, puis François-Joseph lui remit la plus haute décoration de l'empire, l'ordre de Saint-Etienne. En cadeau personnel, il lui donna une croix pectorale et un anneau épiscopal en diamants. « Ces emblèmes, Monseigneur, serviront à vous rappeler un pays où vous avez puissamment contribué à cimenter l'union si bienfaisante et nécessaire entre le sacerdoce et l'empire et où vous avez eu le bonheur d'apposer votre nom à un acte mémorable destiné à faire époque dans l'histoire de l'Eglise d'Autriche », dit-il.

Par Trieste, Ancône et Lorette, où il s'arrêta deux semaines pour faire retraite et prier au sanctuaire de la Vierge, Michel arriva à Rome le 12 septembre, dans la soirée [180].

Bien qu'il fût déjà tard, Pie IX le reçut aussitôt en audience privée, au palais du Quirinal, et le retint suffisamment longtemps pour relancer les rumeurs sur l'avenir dont on le créditait. Il vit ensuite Antonelli et, le lendemain, retourna au Quirinal, dans la matinée, pour l'audience solennelle dans la salle du trône. Benedetto, Daria et Salvatore, arrivé depuis le 9 juin, y assistaient. Puis ce furent plusieurs jours de visites de chaleur, ainsi qu'on nomme à Rome les visites faites au nouveau cardinal par tout ce qui compte en ville — curie, Sacré Collège, gouvernement, corps diplomatique, princes romains et étrangers distingués — dont on peut imaginer la curiosité.

Pietro Tenerani, que Michel avait eu l'occasion de patronner à Munich, vint le voir plusieurs fois, renouant leurs amicales relations de jeunesse. Avec Thorwaldsen, il était maintenant célèbre, successeur consacré de Canova, et l'on fréquentait son atelier, au Pincio, comme le temple de la sculpture contemporaine. Il réussit à convaincre Michel de venir y poser pour sculpter son buste. « Grâce que j'implorai pour pouvoir lui témoigner ma très grande reconnaissance et ma vénération... », écrira-t-il à Benedetto, en lui en faisant cadeau, plus tard [181].

Je ne sais d'où vient le surnom de « Grand Momo » sous lequel on désignait, enfants, ce buste à la maison, et depuis des générations. « Petit Momo » était le buste de Pascal Paoli, plus petit en effet. Maman elle-même ignorait d'où venaient ces surnoms ; peut-être, disait-elle, venaient-ils de ce que, dans l'ombre où ils se tenaient autrefois, dans la lumière chiche des quinquets et des feux de bois, ils avaient l'air, dans leur blancheur, de fantômes.

Le grand jour enfin arriva : le 18 septembre.

Le matin, l'éminentissime et révérendissime cardinal, en consistoire public, puis en consistoire secret, dans la chapelle Pauline, reçut du pape le chapeau cardinalice, le pallium de l'église métropolitaine de Bologne et le titre presbytérial romain des Saints-André-et-Grégoire au mont Coelius. Puis le pape le garda à nouveau longuement dans ses appartements privés. Tout cela peut se lire, dans le plus pittoresque vocabulaire du rituel romain, dans les numéros du *Giornale d'Italia*, organe officiel du Saint-Siège, qui le publie en première page.

Il faut y ajouter les couleurs : cardinaux en cappa magna, l'immense manteau pourpre que les caudataires soutenaient derrière eux, gentilshommes à fraise qui leur faisaient escorte, hallebardiers jaune et bleu, cent prélats en blanc, mauve ou cramoisi, et toute la pompe orientale que cette cour étalait encore autour du haut trirègne d'or, sous les éventails en plumes d'autruche hérités du pharaon.

L'après-midi du même jour, en carrosse de gala à ses armes, suivi de l'escorte d'honneur de trente autres carrosses, l'éminentissime et révérendissime se rendit à Saint-Pierre vénérer les reliques des apôtres Pierre et Paul. Le soir, enfin, le maître de la garde-robe de Sa Sainteté lui apporta le chapeau.

C'était un autre rite, mais plus débonnaire et, comme tel, très prisé des Romains. Cardinaux, prélats, princes diplomates s'y pressaient, mais également la famille et les amis. Non seulement Salvatore, Benedetto et Daria étaient là, avec deux amis bastiais arrivés avec Salvatore, Pio Casale et Anton Luigi Raffaelli, mais toute la colonie corse de Rome se bousculait dans les grandes salles du couvent de Saint-André-de-la-Valle, où Michel s'était installé. La question de la réception qu'il devait lui-même offrir l'avait préoccupé, à Vienne, car il voulait faire bien les choses et il n'avait cessé de poser des questions à Benedetto jusqu'à ce que tout fût au point, carrosses, livrées des domestiques et leurs chapeaux, invitation aux dames, etc.

Je ne le suivrai pas dans ses éphémères mondanités, pour le rejoindre plus rapidement à Saint-Grégoire-le-Grand, l'église cardinalice par laquelle il sera désormais romain jusqu'à la mort, et dont il prend possession le 29 septembre le jour de ses cinquante-huit ans.

Benedetto est là, et Daria, mantille noire sur la tête, et Salvatore, avec ses longs cheveux blancs, tous trois agenouillés au premier rang devant l'autel et le trône épiscopal de Michel. Louis seul est absent, cloué par la goutte à Bastia.

Ils sont là tous les trois devant le petit frère et sa haute dignité, apparemment lointain dans la solennité de la liturgie, toujours si proche pourtant, dans l'humilité de leurs prières. *Non nobis domine...*

Salvatore, et ses longs cheveux blancs autour du visage osseux, souriant de tendresse, peut-être aux souvenirs de ces années lointaines où il avait guidé ses premières lectures, rue Saint-Jean, à la mort de leur père. Daria, probablement la plus fière des trois, dans sa révérence dévote pour tout ce qui touchait à la gloire de l'Eglise et aux pratiques de la religion. Benedetto enfin, regard clair, joues creuses, cheveux en brosse, blancs — son portrait en redingote noire doit dater de ces années-là, avec son ruban de commandeur du Saint-Esprit — qui vient, lui aussi, d'atteindre un rang éminent. Le pape l'a nommé, en mai, son médecin personnel, en attendant de lui donner le titre d'archiatre pontifical à la mort du vieux Carpi.

Et lui, Michel, le visage un peu plus pâle que d'habitude, les traits un peu plus tendus, hiératique sous la mitre, la crosse pastorale à la main. On pourrait facilement la peindre, la scène qu'ils forment, dans la nef grise et ocre, en ce 29 septembre 1856. Leurs portraits, tels qu'ils étaient alors, sont là, côte à côte, qui gardent leurs regards.

Mais ce qu'un tableau de la scène ne pourrait sans doute pas rendre, c'est l'harmonie qui régnait entre eux, la qualité de leurs rapports familiaux, qui, pourtant, donnent son véritable sens à la scène. « J'habite ici chez mon frère Benedetto. J'y jouis de la douceur des affections familiales qui sont si fortes dans le cœur de nous autres insulaires », écrit Salvatore à Vieusseux.

30

Au-dessus de la mitre et de la crosse dorées, le dais ondoyait au rythme lent de la procession. De San Petronio au Dôme, à travers ces quelques centaines de mètres de beauté rouge qui forment le cœur de la ville, le nouveau cardinal archevêque faisait son entrée dans Bologne. C'était la Toussaint de 1856. Il allait lentement, fastueusement, en prince de l'Eglise, mais dans la froideur marquée de la population. La foule était surtout de paysans, accourus avec bannières et curés, par paroisses entières. Mais il y avait, en haie d'honneur, les baïonnettes et les uniformes blancs de l'armée autrichienne. Les salves de ses canons couvraient les envolées de cloches.

Bologne était une ville occupée. Deuxième capitale des Etats pontificaux, métropole de la Romagne, la province la plus riche et la plus turbulente, les Autrichiens la tenaient sous le joug, comme les Français tenaient Rome. Universitaire et marchande, son élite, gibeline de tradition, vibrait encore des soulèvements de 1831, de 1845, de 1848, écrasés dans le sang. Elle supportait impatiemment l'anachronisme du lointain et rétrograde gouvernement pontifical.

L'arrivée du nouvel archevêque laissait indifférents ceux qui ne lui étaient pas hostiles. Pour les étudiants et la majorité des bourgeois, il avait mauvaise réputation. « La réputation qui accompagne notre nouveau pasteur n'est pas des plus flatteuses. On le dit affectionné aux jésuites et prêtre trop zélé. Son œuvre en Autriche, avec le trop célèbre concordat, parle assez pour lui à cet égard ! » note, au soir de cette journée, le notaire Enrico Bottrigari, patriote libéral, mais des plus modérés : il deviendra conservateur sous les Piémontais [182].

Comme pour confirmer sa fâcheuse réputation « autrichienne » auprès des patriotes, le nouveau cardinal-archevêque commença d'ailleurs par commettre un impair ; il ne lui était pas imputable, mais l'effet fut le même. L'empereur François-Joseph et Sissi faisaient à Venise leur première visite officielle dans les provinces

312

italiennes de l'empire. C'est Michel que le pape envoya pour l'y saluer en son nom. Etant donné les rapports personnels entre l'empereur et l'ancien nonce à Vienne, le choix, pour Pie IX, allait de soi. Mais à Bologne, il fit le plus mauvais effet.

A peine arrivé, voilà que le nouveau pasteur quittait ses brebis bolonaises pour aller embrasser leur boucher, chef suprême des troupes d'occupation. « L'empereur François-Joseph est arrivé à Venise, où il est fêté officiellement comme le maître. Notre archevêque s'est rendu là-bas pour lui présenter ses hommages », note Bottrigari.

Il note aussi, en janvier : « Le bruit court en ville que, à la suite de certaines destitutions ordonnées sans égards par l'éminentissime cardinal-archevêque dans les bureaux de la curie, on ait jeté des pierres contre les fenêtres de sa chambre à coucher. Quelle que soit la vérité, je dirai qu'il est certain que l'opinion publique ne lui est pas propice. »

Cette affaire des pierres dans les carreaux du nouvel archevêque de Bologne — d'autres dirent qu'on en lança aussi contre sa voiture — fut en tout cas présentée comme une manifestation politique par la presse, et non seulement en Italie. Auguste le lut dans *Le Siècle*, à Montmorillon. « Il paraît que les Bolonais ont fait un mauvais accueil à notre cardinal. *Le Siècle* du 8 courant dit que la population aurait lancé des pierres contre sa voiture et que l'émotion, ajoutée à son extraordinaire activité, lui aurait provoqué une maladie de poitrine », écrit-il à Salvatore en février. La famille est en émoi ; entre Rome et Bastia, plusieurs lettres se croisent, datées du 14, du 16 et du 17 février.

Salvatore écrit à Benedetto : « Confiant dans la prudence et l'expérience de notre frère, je crois qu'il ne voudra pas faire d'autres innovations que celles absolument nécessaires dans des choses passées là-bas dans les mœurs depuis plus d'un demi-siècle, ne serait-ce que parce que certaines innovations pourraient être dangereuses, en plus d'être vaines. Je te l'ai déjà écrit et te le répète avec insistance par pure affection familiale. »

Michel, pourtant, ne s'occupait pas de politique, pas même d'administration. Il y avait pour cela, à Bologne, un légat pontifical, représentant du pouvoir temporel, alors que les fonctions du cardinal-archevêque étaient purement pastorales et spirituelles. Mais c'est vers ce dernier que tous les yeux se tournaient, car il était plus qu'un pouvoir, un symbole. On ne pouvait, du reste, imaginer plus grand contraste avec son ascétisme et sa rigueur que la jovialité du légat, Mgr Camillo Amici.

Ce monseigneur était d'ailleurs tout ce qu'il y a de plus laïc. Il montait à cheval, faisait de la musique, organisait de joyeuses soirées où il faisait servir d'abondants rafraîchissements. Le lendemain de son arrivée, en juin, il s'était promené en ville, tout seul, pendant deux heures, chapeau bourgeois sur la tête, en regardant les devantures des boutiques.

« On raconte sur lui beaucoup d'excentricités, qui le distinguent comme un original de premier ordre », note Bottrigari. Sa popularité n'en rendait que plus évidente la froideur de la ville envers l'archevêque. Un historien contemporain, esprit partisan il est vrai, écrit : « Mgr Amici, empressé à se rendre populaire... aurait bien lâché les rênes, mais il était retenu par la crainte du cardinal Antonelli et il avait en face de lui Michel Viale Prelà, cardinal-archevêque de la ville, Corse hautain et irascible, en grande faveur auprès du Souverain Pontife et du secrétaire d'Etat à cause du concordat conclu à Vienne [183]. »

Il est certain, en tout cas, que l'archevêque trouva peu de réconfort dans la petite élite très active qui faisait l'opinion publique en Romagne. Il pouvait compter sur leur sympathie de catholiques, non sur leur aide. Le comte Giuseppe Pasolini et Marco Minghetti étaient tous deux anciens ministres de Pie IX, membres du cabinet « libéral » formé par ce dernier en 1848. Déçus par le retournement du pape et sa politique réactionnaire, ils préconisaient des réformes radicales et commençaient à se tourner vers le Piémont.

Pasolini était celui-là même qui avait inspiré les premières idées « libérales » de Pie IX, alors que celui-ci n'était encore qu'évêque d'Imola. Marco Minghetti, ami de Cavour, avait contribué, avec ce dernier, à poser ouvertement le problème de l'avenir du pouvoir temporel, en marge du Congrès européen qui venait de se tenir à Paris sur la fin de la guerre de Crimée. Il deviendra l'un des premiers présidents du conseil d'Italie, lorsque les Piémontais en auront fait un royaume unifié.

Le comte Joachim Napoléon Pepoli était encore moins favorable au cardinal-archevêque. Petit-fils du roi Murat et de Caroline Bonaparte, il était cousin de Napoléon III. Immensément populaire, qui plus est, pour s'être battu en 1848 à la bataille de la Montagnola contre les Autrichiens. Son palais de la via Castiglione, où il vivait sur un pied princier, servait de rendez-vous à tous les adversaires déclarés du régime pontifical.

Non loin de Bologne enfin, à Ravenne, complotait Luigi Carlo Farini, qui avait écrit tant de mal sur Michel dans son livre sur *L'Etat romain* encore tout chaud [184]. Ancien directeur de la Santé publique dans le gouvernement de Pellegrino Rossi, il deviendra gouverneur de Romagne à la prochaine insurrection. Tous savaient qu'un nouveau conflit entre Autrichiens et Piémontais était inévitable ; et l'ancien conspirateur de Romagne, Louis-Napoléon, était maintenant empereur des Français. Louis-Napoléon, dont les troupes occupaient Rome « pour protéger Pie IX », projetait certes, encore, ces années-là, de faire de l'Italie une confédération présidée par le pape, avec un royaume à Florence pour le cousin « Plonplon ». Mais la diplomatie européenne s'essoufflait de plus en plus vainement derrière le grand élan populaire vers l'unité nationale qui enfiévrait la péninsule.

L'appel au Risorgimento emporterait tout, car il était celui de la jeunesse. Michel fut accueilli par les sifflets des étudiants, à l'université, dont l'archevêque était archichancelier. « Les sifflets montaient au ciel... Impolitesse grossière, peut-être, mais

314

impolitesse courageuse au milieu des prêtres et des Autrichiens »,
nota un témoin.

Tout autre était, par contre, le sentiment de la masse paysanne,
aveuglément croyante, et d'une bonne partie du petit peuple dont
l'attachement pour le pape et son représentant s'enracinaient dans
une superstition venue du fond des âges. La religion était encore sa
seule culture. Sa foi s'exaltait dans les fêtes et les traditions.

Les tournées pastorales du cardinal-archevêque étaient autant
d'apothéoses. Il y avait toujours foule aux solennités religieuses.
Sous les fenêtres de Michel, l'étroite rue de l'archevêché, au chevet
du Dôme, retentissait alors d'hymnes et de cortèges aux flambeaux.
Les scènes que décrit Mgr Fantoni, témoin oculaire lui aussi,
sonnent aussi vrai que celles, inverses, notées par le notaire
Bottrigari. Tous se retrouvaient d'ailleurs, paysans et bourgeois,
croyants et incroyants, dans la dévotion locale pour la Madone de
Saint-Luc, qui trône là-haut, dans son sanctuaire dominant la ville
et vers lequel montait, et monte encore, la population tout entière
aux jours d'allégresse ou de grand péril.

L'image sacrée a été peinte, du vivant de la Vierge, par saint Luc
l'évangéliste, dit la légende. Un ange l'a aidé à finir le visage.
L'image — en fait, une icône, d'origine byzantine — est protégée par
une parure d'argent et de pierres précieuses, dans laquelle sont
enchâssés les dons le plus précieux qu'on lui fait. Au centre brille
de tous ses diamants, par sa taille et son éclat, la croix pectorale
donnée par l'empereur François-Joseph à Michel. L'anneau pastoral
est à côté.

« Le lendemain de son arrivée à Bologne, le cardinal-archevêque
monta en train de gala, avec tous les siens, au sanctuaire de la
Madone de Saint-Luc ; et après avoir célébré la messe devant l'image
sacrée et prié longuement, il ôta de son doigt le plus précieux de ses
anneaux et le lui laissa... Le 10 juin 1858, il consacra là-haut,
solennellement, le diocèse tout entier à Marie ; et, ôtant de son cou
la croix pastorale toute en brillants, il en fit don à la protectrice
céleste », raconte Mgr Fantoni.

Un autre geste rendit l'archevêque populaire dans les campagnes,
qu'il s'était aussitôt mis à parcourir en tournée pastorale, dans une
berline de voyage ouverte à tous les vents. En Romagne, les bandes
de brigands étaient nombreuses et agressives, dans les contreforts
des Apennins surtout, et on lui avait donné une escorte de
gendarmes à cheval.

Un dimanche qu'il avait prêché à Bazzano, gros bourg au pied des
montagnes où il avait passé la nuit, les gendarmes crurent bien faire
en rudoyant, pour l'écarter, la foule des paysans enthousiastes qui
ne voulaient pas le laisser partir et l'étouffaient presque. « Eloignez-
vous, leur cria l'archevêque, dorénavant vous ne m'accompagnerez
plus ; je ne veux plus d'escorte. » L'anecdote se répandit et accrut
sa réputation. Après l'indolence sénile de son prédécesseur, la
Romagne retrouvait enfin un pasteur actif et courageux.

Actif, il l'était au-delà de ses forces et de ce que sa constitution fragile paraissait lui permettre. « Il ne fut jamais vraiment en bonne santé, même pas lors de ses visites pastorales aux paroisses de campagne et dans les montagnes les plus élevées, au cours desquelles il se laissait entraîner par des efforts qui paraissaient incroyables pour un corps si las et presque exténué », dit Mgr Fantoni. Les lettres que son entourage adressait à Benedetto, en particulier celles du chevalier Nannini, son intendant, donnent le même témoignage.

Michel supportait mal le dur climat de Bologne, excessif en hiver comme en été. Il avait les bronches fragiles et, depuis quelques années déjà, sa santé s'en ressentait de plus en plus souvent avec l'âge. Pasqualini l'avait mis en garde, à Vienne. Benedetto s'en inquiétait. Dès le premier hiver de son arrivée, une grave maladie de poitrine l'avait tenu longtemps alité. « On dit que ses prêches trop fréquents, ses nombreux discours dans le Dôme ont contribué à le rendre malade », note Bottrigari.

Mais ce « zèle », qui agaçait les bourgeois comme Bottrigari, était au contraire pour le clergé et les fidèles, un apostolat qui les galvanisait. Le tableau peint par Fantoni est tout autre. Le diocèse était en jachère. Le prédécesseur de Michel, le cardinal Oppizzoni, était mort de vieillesse après avoir régné plus de cinquante ans, et de plus en plus mollement. Sur son lit de mort, il avait lui-même souhaité « une main et un esprit plus fermes » pour lui succéder.

Le nouvel archevêque avait tout à reprendre pour raffermir la doctrine, rénover les structures, renforcer l'instruction dans une population de 400 000 âmes troublées par les idées révolutionnaires, y compris dans le bas clergé. Avec l'aide des jésuites, dès avril, Michel lança une campagne de missions (« inaugurées au Dôme avec une pompe plus théâtrale que sacrée », persifle Bottrigari) jusque dans les villages de montagne les plus reculés. Il organisait lui-même les prédications, en donnait les thèmes et se rendait sur place le dernier jour, pour les conclure par un office solennel, dans tout l'éclat de sa dignité. A Bologne même, il réforma le programme d'études du grand séminaire, créa un deuxième petit séminaire, organisa des réunions mensuelles du clergé et ranima les travaux de l'Académie ecclésiastique, partout présent, prêchant d'exemple.

Dans son privé, raconte Mgr Fantoni, il menait une vie ascétique. Il se levait avant le jour pour prier longuement. « Dès le début, l'opinion de la sainteté de sa vie était un sentiment universel très vif, à Bologne comme dans les villages les plus lointains. Sa maîtrise de soi, sa bienveillance et sa mansuétude n'étaient jamais en défaut, bien que son caractère fût peut-être des plus vifs et énergiques. Il avait de la volonté et savait l'imposer. Mais il était manifeste qu'il faisait attention à faire prévaloir le *suaviter* sur le *fortiter*, mots de la devise qu'il avait adoptée en inversant avec sagesse le texte original. »

L'hiver 1856-1857 fut très dur. La température était glaciale. Il neigeait encore le 22 mars. Au retour d'une visite pastorale, Michel rechuta. Il était alité lorsqu'on annonça que Pie IX avait quitté Rome, soudain, pour venir en Romagne.

31

Un grand espoir se leva parmi les libéraux modérés, dans l'Etat pontifical tout entier. Cette soudaine visite en Romagne, la province la plus turbulente, ne pouvait être qu'un acte politique. Pie IX venait sûrement annoncer les réformes tant réclamées, même par les plus raisonnables.

Réformer pour survivre : il n'avait plus le choix. La question du pouvoir temporel, posée par Cavour à l'Europe, était devenue la question romaine. Les baïonnettes autrichiennes et françaises qui soutenaient encore le pape partiraient un jour. Que se passerait-il, alors, en Italie ? Quelle place et quel avenir y aurait le Saint-Siège ? Cavour avait posé la question dans une « note verbale » remise au trois puissances, l'Autriche, la France et l'Angleterre, en marge du congrès de Paris d'avril 1856. Il internationalisait le problème. L'écho en avait été énorme en Italie. Le pape s'en était d'autant plus ému qu'il avait de bonnes raisons de croire que la « note » avait été rédigée à Bologne, par Minghetti et ses amis. Il ne venait donc sûrement pas en Romagne pour une simple visite pastorale, encore moins pour se promener, disait-on.

Pie IX s'était mis en voyage le 4 mai 1857, avec une suite d'une quarantaine de personnes. Il y avait plusieurs cardinaux, les principaux dignitaires de sa cour mais pas un seul ministre civil.

Partout où il passait, le spectacle était le même : arcs de triomphe, cérémonies, bénédictions, ovations de la foule. Partout, aussi, on lui remettait des adresses et des pétitions sur les réformes locales souhaitées. Elles étaient d'un ton modéré et ne se hasardaient que rarement, prudemment, sur le terrain politique. Le souhait général était l'émancipation de l'influence cléricale qui dominait l'administration des communes. L'entourage les prenait, les mettait de côté. Le Saint-Père les examinera à Bologne, disait-il. Ceux qui insistaient étaient éconduits. On n'écoutait que les concerts de louanges. Dans plusieurs villes, on refusa même de réunir le conseil municipal, par crainte de quelque couac. Il en alla ainsi jusqu'à Bologne, où l'on entra le 9 juin. Là aussi une pétition était prête. Le sénateur de la ville, le marquis Luigi Davia, pusillanime, n'osa même pas la présenter.

Les Autrichiens avaient levé l'état de siège pour l'occasion, mais le commandant suprême des forces impériales en Italie, le maréchal Gyulai, et son état-major chamarré étaient au premier rang de toutes les cérémonies. Mgr Amici avait eu du mal à le convaincre de ne pas déployer ses troupes et leurs canons sur la Piazza Maggiore, devant San Petronio. L'accueil populaire fait au pape avait été chaleureux les premiers jours, grâce aux paysans, qui l'avaient acclamé avec enthousiasme lorsqu'il avait ceint la Vierge de Saint-Luc d'une couronne d'or, payée sur sa cassette.

Puis les paysans étaient retournés à leurs travaux, et les Bolonais s'étaient mis à attendre l'annonce des réformes espérées. On les attendit pour le 21 juin, anniversaire de l'élection de Pie IX, puis pour le 29, jour de la Saint-Pierre.

Chaque fois, la foule se précipitait aux colonnes ; mais rien, toujours rien, « et rien, c'est vraiment peu », note Bottrigari. Alors on se désintéressa de l'auguste personne. A l'espoir succéda la rancœur, puis l'indifférence. Au *Te Deum* de la Saint-Pierre, dans le Dôme, il y avait le grand-duc de Toscane, la duchesse de Berry, l'état-major autrichien ; mais de foule point. Les paysans ne s'étaient pas dérangés. Il y eut peu de vivats.

Le pape resta à Bologne jusqu'au 17 août. Comme il était bonhomme et qu'il se promenait souvent à pied, il eut un succès de sympathie personnelle ; mais il n'inspirait plus confiance ni même de respect. Comme le feu prit à un autel latéral de San Petronio, au cours d'une cérémonie où il était, on se mit à dire qu'il était « *jettatore* » : il avait le mauvais œil.

Un jour, cependant, il accepta de recevoir ses anciens ministres, Pasolini et Minghetti. Il voulait surtout savoir si Minghetti était bien l'inspirateur de la « note verbale » de Cavour. Au lieu de les écouter, il ressassa les déboires de sa période libérale.

« Les peuples ne sont jamais contents, j'ai fait une expérience trop douloureuse », dit-il ; et encore : « Malheur aux gouvernements libéraux qui ressembleraient au Piémont antichrétien ! » Minghetti insista : la protection de l'Autriche et l'absence de Constitution créaient un danger d'explosion permanent. « Eh bien, la Providence y pourvoira », dit Pie IX. Lorsque le vieux comte Pasolini prit congé : « Alors, monsieur le comte, vous aussi vous me quittez ? », lui dit le pape. « Non, Saint-Père, ce n'est pas nous qui vous quittons, mais vous qui nous abandonnez », répondit son ancien confident [185].

En quittant Bologne, le 17 août, Pie IX n'avait pas lu une seule des milliers de suppliques, adresses et pétitions qui lui avaient été remises tout au long du voyage. On les mit en caisse et on les envoya à Rome.

Michel, malade à nouveau, n'avait guère pris part à la visite et aux cérémonies. « La maladie m'a empêché d'aller à la rencontre du Saint-Père », écrit-il à Benedetto le 6 juin. Il se leva pour l'accueillir à son arrivée à Bologne, le 9, sur le parvis du Dôme, entouré de quatorze archevêques et évêques. Par un effort de volonté, il put encore se tenir debout, le lendemain, au couronnement de la Vierge de Saint-Luc solennellement transportée dans ce même Dôme, sa cathédrale. Mais il était à bout de forces. Le 11, il ne put se lever. On crut sa vie en danger.

« J'ai reçu le Saint-Père à la porte de ma cathédrale, le 9. Le soir, au palais du légat, les portes et les fenêtres étaient ouvertes de partout aux courants d'air et je pris mal... Le lendemain, de nouveau à la porte de ma cathédrale, un courant d'air glacial m'a donné une nouvelle bronchite. J'assistai à la messe du Saint-Père et au couronnement de la Vierge de Saint-Luc, puis dans l'après-midi à la bénédiction sur la place San Petronio, après quoi j'allai moi-même donner là bénédiction à la foule avec l'image de la Vierge sur les marches de San Francesco. Il y avait un vent violent. Je transpirais beaucoup... Maintenant je vais mieux. Carpi est venu plusieurs fois me voir... » Michel n'a pu reprendre la plume que le 18 pour écrire de nouveau à Benedetto. Mais il n'allait pas mieux.

Le professeur Pietro Carpi, archiatre pontifical, venait le voir deux fois par jour. Il tenait Benedetto au courant, par courrier et, quand l'état de Michel s'aggravait, par le télégraphe, tout juste installé entre Bologne et Rome. Benedetto en a gardé les larges feuilles, aux messages laconiques, avec l'en-tête de la direction supérieure des télégraphes pontificaux. Le 22 juin, Carpi lui envoie un rapport clinique de trois grandes pages, écrites serré :

« Rien de pathologique, tant dans les bronches que dans les poumons... Connaissant bien le tempérament de votre frère et la prédisposition, je dirai presque héréditaire aux affections catarrhales, et l'état de faiblesse de son estomac, il est inutile que j'insiste sur cet argument. Mais je crains pour l'avenir, si le cardinal ne modère pas ses efforts, ce que je lui ai dit clairement, et je l'ai dit également au Saint-Père pour qu'il l'oblige, en conscience, à changer le système de vie pratiqué jusqu'à présent...

« Il aurait besoin d'aide et je crois qu'un seul vicaire n'est pas suffisant pour un diocèse aussi étendu, d'environ 400 000 âmes, et dont on peut dire qu'il n'a pas eu d'évêque depuis près de cinquante ans. Le Saint-Père, qui est venu le voir, est pénétré de cette vérité et je crois qu'il pourra beaucoup sur l'esprit du cardinal. »

Pie IX s'était déjà rendu trois fois auprès de Michel dans sa chambre de malade, et la veille encore, avec toute la cour, en sortant du *Te Deum* à San Petronio, pour l'anniversaire de son élection. Il était, chaque fois, resté plus d'une heure, l'entourant de prévenances et de recommandations pour sa santé, l'invitant notamment à venir passer l'hiver à Rome. A la fin du mois, le traitement intensif du Dr Carpi, à base de lait, ayant fait quelque effet, Pie IX l'avait obligé à partir à la campagne en convalescence.

Michel à Benedetto

« Je suis à la campagne depuis huit jours ; le Seigneur a voulu m'humilier. *Sit nomen Domini benedictus* », écrit-il à Benedetto le 3 juillet de Bartalia, dans les collines. Ce sera la seule allusion à la crise morale qu'il devait vraisemblablement traverser. Les paroles de Pie IX avaient été cependant rapportées, et la rumeur courut à Bologne que le pape ramènerait le cardinal-archevêque à Rome pour lui permettre de se soigner sous un ciel plus clément. Le *Giornale d'Italia* fit de la rumeur une information, en juillet.

Les adversaires du cardinal Antonelli recommencèrent alors leur campagne et l'on approcha Benedetto, qui, prudemment, l'écrivit à Michel, en lui annonçant qu'il allait venir le voir. Le refus de Michel d'être mêlé à une telle intrigue fut catégorique :

Michel à Benedetto : « Bologne, 28 juillet 1857... Quant à ma condition ici, je te prie de n'en parler avec qui que ce soit ; en cela je suis seul juge de ce que je dois faire. Nous en parlerons de vive voix, mais je te dis que nous pourrons nous trouver en désaccord. C'est le Seigneur qui m'a placé à la tête de ce diocèse ; il sait ce qu'il fait, et je reste là où le Seigneur m'a placé. »

« Bologne, 30 juillet 1857... Je vais te parler maintenant de ceux qui manifestent de l'intérêt pour ma personne. A cet égard tu dois être très réservé et rester sur tes gardes parce que je ne veux servir ni de motif ni de prétexte à des intrigues. Il se pourrait que tout l'intérêt que l'on montre pour moi n'ait en vue que de faire opposition soit à un système, soit à des personnes ; tu dois donc faire très attention, et cela je te le dis, bien que je te sache avisé et prudent. Tu sais ce que j'en pense et ce que je t'ai écrit dans ma dernière lettre est l'expression de ma détermination. Je n'ai jamais rien demandé, et je continuerai à me conduire ainsi tant que je vivrai. »

Quel récit il y aurait à broder, entre l'ascétique cardinal, malade, qu'une partie du Sacré Collège voudrait manœuvrer, et l'habile secrétaire d'Etat, amateur de tous les biens de ce monde. Etudiants, ils avaient été condisciples au Collegio Romano, dans les années 1820.

Louis, arrivé à l'improviste, fut troublé de voir son frère tellement changé. Mais il le vit peu. C'était le 23 juin. Michel, très faible, tenant à peine sur ses jambes, s'apprêtait à partir pour Bartalia, « humilié » de céder à la maladie en s'éloignant de Bologne et du pape. Le matin, il avait trouvé à son réveil un petit billet à l'écriture familière. Louis lui annonçait qu'il était arrivé la veille au soir, « incognito », précisait-il ; je ne sais si c'est avec emphase ou naïveté. Michel envoya aussitôt un domestique le chercher et les deux frères, qui ne s'étaient pas revus depuis vingt ans, tombèrent « avec une égale émotion » dans les bras l'un de l'autre.

« Je le trouvai en mauvaise santé et préoccupé par la présence du Saint-Père. Au cours de ce premier entretien, qui dura une heure environ, je lui fis diverses propositions sur les affaires de famille. Nous convînmes que je resterais incognito », note Louis dans son journal intime. D'après ses lettres écrites de Bologne, parmi ces affaires de famille figurait de nouveau le projet d'obtenir pour Paul-Augustin le poste de « consul de Toscane, d'Autriche, de Parme, Plaisance et Guastalla » à Bastia, pour lequel Michel aurait dû le recommander au cabinet autrichien, un projet de mariage pour Nicoline, et un crédit à rembourser. Michel paraît l'avoir écouté d'une oreille distraite. Ils se revirent le lendemain. Michel lui remit une traite de 2 000 francs, lui dit qu'il partait le soir même pour Bartalia et qu'il lui enverrait une voiture le chercher le lendemain.

La voiture ne vint pas et Louis repartit le 27, avec l'impression qu'il n'avait pas été traité comme il convenait au frère aîné de son éminence révérendissime le cardinal-archevêque de la ville. Les lettres sont écrites au crayon, sur papier à en-tête de l'« Hôtel Brun, pension suisse, ancien Grand Hôtel Bologne », d'une écriture tremblée. « J'écris au crayon parce que ma main n'a pas assez de force pour tenir une plume », dit Louis à Benedetto. Lui non plus n'était pas très vaillant. Il souffrait de la goutte et s'était mal remis d'une mauvaise chute du haut d'une terrasse, due à un étourdissement, dans la propriété de Belgodere.

Lorsque Pie IX partit, le 17 août, Michel l'accompagna jusqu'à Florence avec Benedetto. Celui-ci avait passé plusieurs jours à Bologne. « J'avais besoin de connaître son véritable état de santé et lui donner des conseils avant que le pape ne reparte. Ma visite lui a été profitable par les conseils, et très utile pour l'influence qu'elle a eue sur son moral. J'ai trouvé notre cardinal convalescent. Il a beaucoup maigri ; mais il ne tousse plus et n'a pas d'altération aux poumons. Il a retrouvé son teint ordinaire, et il est aujourd'hui parfaitement rétabli... Ici, nous avons trouvé Paul-Augustin, qui a un peu maigri à cause des fièvres dont il a souffert. Notre cardinal l'a vu avec beaucoup de plaisir et l'a invité à aller passer quelques jours chez lui, à Bologne », écrit-il de Florence à Salvatore.

« Etant à Florence, j'ai eu le bonheur d'y trouver l'oncle Benedetto et d'y faire la connaissance de notre oncle le cardinal. Il m'a invité à passer quelques jours à Bologne, où je me suis rendu le 28. J'y suis resté jusqu'au 6 septembre et nous sommes aussi allés à Bartalia, sa maison de la campagne », note Paul-Augustin dans son journal. Il le tient, ces années-là, de façon irrégulière et succincte.

A part un court voyage à Paris, en octobre 1855, pour voir l'Exposition et faire la connaissance de la femme d'Auguste, il est toujours par monts et par vaux à travers la Corse, pour les travaux des ponts et chaussées. C'est une situation qu'il n'aime pas : « Toujours dehors, souvent à cheval, passant une grande partie de l'année dans la nature, et même plusieurs mois de suite dans des coins où souffle le mauvais air. »

C'est le cas à Porto-Vecchio, où il surveille cette année-là l'assèchement des marais pour la construction de la route. Dans une de ses lettres, Salvatore lui recommande une parente des Rigo, Mme Rocca-Serra, qui voudrait construire un remblai pour protéger ses terrains marécageux. Est-ce l'époque où Paul-Augustin fera la connaissance de Paolina, dans la maison du bastion ? Dès janvier de l'année suivante, les Rocca-Serra qui viennent à Bastia apportent des nouvelles de Paul-Augustin à la maison.

« Le golfe de Porto-Vecchio me plaît plus que celui d'Ajaccio ; mais on est ici entouré de tous côtés par des marais et il n'y a presque pas de terrains cultivés. Partout, il y a des forêts encore intactes... Ma seule compagnie est un naturaliste français, ce qui sert aussi à mon instruction », écrit-il à Benedetto. Bien qu'il assure se « délecter de minéralogie, géologie et sciences naturelles », son travail dans une nature encore sauvage ne devait évidemment pas avoir beaucoup d'attraits pour sa vocation d'architecte, hantée par les souvenirs de Rome.

Mais il a gardé son caractère heureux. « Votre disciple Paul-Augustin réussit très bien dans les ponts et chaussées et a l'estime de tous. Il réjouit notre famille », écrit Salvator à son vieux maître Tommaseo. Et, après tout, Rome et la Corse, si opposées soient-elles, n'ont-elles pas en partage le même pouvoir fascinant d'une prodigieuse beauté ?

Sur le mur de sa chambre, sous plusieurs épaisseurs de papier, on a retrouvé deux grands paysages peints à fresque dans les tons ocre et verts de la campagne romaine, et la même lumière. Au premier plan, des colonnes alignées pourraient être aussi bien un souvenir de Rome que celles de la maison des Flach à Rogliano, qui sait ?

Le voyage de Pix IX en Romagne avait été une immense déception. A Bologne, le pape avait rendu la situation encore plus difficile pour ceux qui le représentaient. On avait perdu tout espoir de réformes. Les conservateurs eux-mêmes se détournaient du pouvoir temporel. La jeunesse, les libéraux, tous ceux qui n'attendaient plus que l'occasion de reprendre les armes se ralliaient au Piémont. Celui-ci était fort, maintenant, de l'alliance française.

L'air était à la guerre. De son palais de la rue Castiglione, quartier général des rebelles, à quelques jets de pierres du palais du légat, Joachim-Napoléon Pepoli écrivait à son cousin l'empereur que l'Italie était mûre pour l'insurrection. L'élite catholique elle-même condamnait le gouvernement romain. Le vieux comte Pasolini n'était pas le seul à s'être détaché de Pie IX. Un homme aussi fidèle à l'Eglise que Tommaseo avait pris le même chemin. Ses œuvres étaient à nouveau à l'Index. Il avait rallié Turin, retrouvant dans le combat politique toute la violence de son tempérament de lutteur.

Les polémiques autour de l'action de Michel à Bologne ne l'avaient pas laissé indifférent. De Turin, il écrit à Salvatore une longue lettre, qui peint bien les sentiments de tous ces catholiques libéraux qui se sentaient trahis par Pie IX, c'est pourquoi je la transcris largement :

« Turin, 24 juin 1857. Mon cher Viale. Ce que je vais vous dire, vous l'aurez sans doute déjà fait pour l'amour et de la justice et de l'Italie, pour l'honneur de votre frère et celui de votre famille tout

Caro Viale

6. del 41 ven.

Pregovi e quanti amano la lessica e non vogliono male a me, scrivate al più presto, il significato delle voci che qui è noto, in cuore de' luoghi delle persone e di fatti. Sto mettendo insieme le canzoni corse: ma per non so quale sventura l'ultime mie si è smarrito, quello delle canzoni del Ginnalla in abci. Ditemi se ... molte e quali Luigi se ne rammentava meglio che l'ebbe la mano. Anzi pregate il Grimaldi, salutandomelo teneramente, voglia inviarci l'... di tutti i corti ... fatta menzione onorevole e grata. ...

[...]

Tommaso

Niccolo' Tommaseo à Salvatore

entière ; et vous l'aurez fait bien mieux que je ne puisse le dire ; et je ne prétends certainement pas vous suggérer quoi que ce soit...

« J'estimerais donc qu'il ne serait pas inutile que vous représentiez comme pensée et expérience amère d'hommes honnêtes et religieux et tranquilles, ni faibles, ni craintifs, ni partisans, ce que vous aurez sans doute déjà représenté à votre frère comme étant votre propre pensée. Bien qu'il soit cardinal et créature de Lambruschini, bien qu'il soit dévoué à l'état de choses présent, et bien que le camp adverse ait beaucoup fait, en vérité, pour éveiller soupçons et craintes parmi les prêtres, il a cependant assez de jugement et de conscience pour reconnaître que l'état des choses dans ce pays n'est ni honorable pour qui gouverne, ni juste, ni stable ; que sans la force d'autres princes, sans la force, veux-je dire, de la terreur, le pape ne pourrait régner ; que ses protecteurs sont des hôtes dangereux, et qu'il a eu et aura certainement à s'en plaindre, à s'en méfier et à se repentir de les avoir appelés ; que les dettes croissent et le ressentiment public avec ; qu'il n'y a plus ni principes, ni espoir, ni remède ; que, si les choses durent ainsi, Autrichiens et Français devront rester à perpétuité tels des serviteurs patrons ; qu'en attendant, les esprits s'aigrissent et se corrompent de plus en plus ; que plusieurs prélats, par l'exemple de leur luxe, de leur prodigalité et d'autres défauts plus scandaleux encore, multiplient les raisons de se plaindre, avec raison ; que la justice est mal administrée, que le peuple est ignorant et le clergé inculte. (...)

« Votre frère dira : que puis-je y faire ? Et il aura raison. Mais il peut faire beaucoup en ne faisant pas ; et c'est en cela que votre conseil fraternel, et quasiment paternel, peut être grandement utile à d'autres en même temps qu'à lui. Puisque Dieu l'a fait archevêque, qu'il soit archevêque, c'est-à-dire pasteur ; et qu'il oublie qu'il a été homme de cour : qu'il ne se mêle pas de gouvernement, mais qu'il soit médiateur entre le gouvernement et le peuple ; qu'il se préoccupe de former un clergé fort de vertu, de connaissances de modestie, d'abstinence ; qu'il favorise, autant qu'il le pourra, les institutions utiles au peuple et qui peuvent concilier au gouvernement le respect, ou du moins, l'indulgence.

« Vous savez que beaucoup d'hommes intègres désirent tout cela ; et, après le lui avoir dit en votre nom, dites-le-lui en leur nom ; en taisant mon nom, bien entendu. Saluez tous les vôtres, et donnez-moi de vos nouvelles. Et croyez à mon affection reconnaissante [186]. »

La réponse de Michel fut brève et cinglante. « Bologne, août 1857... L'anonyme de Turin se donne le mérite facile d'offrir des conseils, mais je crois qu'il n'est pas contre la modestie de dire que je n'en ai pas besoin, comme tu le sais bien. Ce correspondant parle des désordres qu'il voit parmi nous et semble ne pas voir ceux dans lesquels est plongé le Piémont ; à cela je vois qu'il est aveugle. »

Le trait pouvait paraître dur. Tommaseo était, en effet, aveugle physiquement. Salvatore pourtant n'avait pas dit son nom, qui ne figure dans aucune des cinq lettres de Salvatore, Benedetto et Michel à la maison, sur ce sujet. N'était-ce qu'une coïncidence, ou Michel sut-il que l'auteur était Tommaseo ? Celui-ci, en tout cas, le crut. Il le reprocha vivement à Salvatore. La vivacité des réactions des trois frères montre combien ils étaient profondément blessés des calomnies que la presse, en particulier piémontaise, déversait sur Michel.

La polémique étant dépassée, je n'en citerai que quelques phrases pour leur intérêt psychologique. Benedetto à Salvatore (après avoir cité quelques-unes de ces calomnies) : « Rome, 29 août 1857... Dites-moi si ces mensonges, publiquement et impudemment répandus, ne doivent pas écœurer tout lecteur honnête, et si ceux qui les colportent méritent d'être soutenus par l'autorité de l'intelligence et du nom d'un bon écrivain ? » Salvatore à Tommaseo : « Bastia, 14 décembre... Je devais vous transcrire ce que dit Benedetto. J'y ajoute ma plus expresse et nette réprobation pour la publication de ces infamies, que personne n'a réfutées ni punies. » Tommaseo à Salvatore : « 3 janvier 1858... Est-ce cela une réponse à ce que je disais sur les erreurs de Rome, si vous ne voulez pas les appeler d'un nom plus sévère ; erreurs dont la pourpre d'un cardinal, si vénérable soit-il, ne peut changer la couleur [187]. »

A peine remis, Michel avait repris sa tâche de pasteur avec un zèle croissant, dans une sorte d'emportement religieux, comme s'il savait que le temps lui était désormais compté. Ni les critiques ni les conseils ne paraissent avoir prise sur lui pour l'amener à ménager sa santé.

Le pape lui-même n'y arrive pas. « Ayez soin de votre santé et essayez au moins de venir passer la période la plus froide de l'hiver à Rome », lui écrit Pie IX, le 30 septembre, de sa large écriture relâchée. Michel a noté sa réponse au dos de la lettre : il se rendra à l'appel du Saint-Père « lorsque les médecins le jugeront nécessaire, ou même opportun ».

A Benedetto, dont l'inquiétude va croissant à mesure que l'hiver approche et qui le presse également de venir à Rome, il répond par le même refus.

« Bologne, 10 octobre 1857... Le Saint-Père a daigné m'inciter, dans une lettre personnelle, à passer au moins cette année les mois les plus froids de l'hiver à Rome. Très sensible comme je l'ai été à une attention aussi bienveillante de sa tendresse souveraine, je lui ai répondu que j'en profiterais au cas où les médecins le jugeraient nécessaire, ou seulement opportun... Je suis en train de terminer très heureusement mes visites pastorales hors de la ville pour cette année, et ma santé y a gagné, parce que je me sens vraiment bien. Je poursuis les exercices pour mon clergé et un peu plus tard je commencerai les visites aux paroisses urbaines... »

« Bologne, 20 octobre... j'apprécie les conseils que tu me donnes de me rendre à Rome. Je te rappelle en insistant ce que j'ai eu l'honneur d'écrire au Saint-Père, et tu connais bien mes sentiments à ce propos, puisque nous avons parlé de cette éventualité lorsque tu étais ici... »

« Bologne... octobre. Le jeune sculpteur Galletti da Cento, élève de Tenerani, me parlait du buste que l'excellent Tenerani a voulu faire de moi, et il ajoutait qu'il faudrait étoffer un peu les joues, parce que mon visage est bien moins émacié qu'il ne l'était. Le fait que je me trouve dans un état aussi vigoureux, au moment où on m'incite tellement à me rendre à Rome, est pour moi un signe évident que je dois rester près de mon troupeau bien-aimé qui est l'objet de tous mes soins et auquel j'ai consacré ma vie, car il a été manifestement confié à ma faiblesse par la volonté de Dieu. Je passerai donc l'hiver à Bologne. »

On pourrait aussi penser peut-être que ce refus obstiné de se rendre à Rome, ne serait-ce que pour reprendre des forces qui manifestement s'épuisaient, masque en réalité, dans son inconscient, quelque volonté plus obscure, car l'obéissance à la Providence, à ce point, ne suffit plus à l'expliquer.

Ce même mois d'octobre, Michel refuse également un autre poste, aussi prestigieux que l'archevêché de Bologne et certainement plus agréable et plus calme : le patriarcat de Venise.

Le siège était vacant, et François-Joseph, qui détenait une sorte de droit de patronage, avait demandé à Michel de l'accepter. Ce siège avait une grande importance pour l'Autriche : Venise faisait partie de l'Empire. L'épisode est resté secret, le désir de l'empereur s'étant heurté au refus catégorique du cardinal. Mais Michel en a gardé trace dans ses papiers personnels avec, notamment, copie de sa réponse. Celle-ci éclaire bien la démarche quasi mystique par laquelle il pensait que la volonté de Dieu était qu'il meure à Bologne, pasteur de ce diocèse :

« Tenu par un lien sacré, je ne suis pas en mesure d'accepter la très honorable charge que votre Altesse daigne m'offrir. Un lien sacré me lie au diocèse de Bologne et je me suis entièrement soumis à la lourde charge d'en être le pasteur car j'ai reconnu que telle est la volonté de Dieu... et que je dois rester à Bologne pour y vivre et pour y mourir. »

Cette réponse est adressée à l'archiduc Ferdinand-Maximilien d'Autriche, le 16 octobre.

Le 15, le chevalier Schertzenlechmer, conseiller aulique, était arrivé à Bologne et avait demandé au cardinal-archevêque de bien vouloir lui fixer une heure pour la remise d'une lettre « très urgente » de l'archiduc. Celle-ci accréditait officiellement le messager et exprimait « le doux espoir » que la réponse qu'il venait chercher ne serait pas différente du souhait impérial.

Sur l'entretien, Michel a rédigé l'aide-mémoire suivant, le lendemain, au dos du double feuillet de la demande d'audience du conseiller : « Le 15, je reçus du conseiller Schertzenlechmer le message qui se trouve sur la première page de ces feuillets. Je répondis aussitôt que je verrais avec plaisir le conseiller, immédiatement s'il le désirait (il était cinq heures du soir) et que je serais prêt à le recevoir jusqu'à neuf heures. Ledit personnage se rendit auprès de moi et, après les compliments d'usage, me remit la lettre de l'archiduc qui est ici jointe. Je la lus et priai le conseiller d'avoir l'obligeance de me dire de quoi il s'agissait.

« Il me répondit que l'archiduc et l'empereur étaient pénétrés de la plus sincère estime à mon égard et qu'ils désiraient extrêmement que j'acceptasse le patriarcat de Venise. Le conseiller fit valoir beaucoup de raisons pour me convaincre de donner mon accord à l'offre qui m'était faite, ce à quoi je répondis en faisant valoir de très graves raisons en sens contraire, après avoir exprimé ma profonde reconnaissance pour ce nouveau trait de bienveillance de Sa Majesté et de Son Altesse impériale et royale à mon égard.

« Mon interlocuteur ayant à nouveau insisté à plusieurs reprises, je lui dis que je prierais le Seigneur pour qu'il daignât m'éclairer et le lendemain, 16, j'eus un nouvel entretien avec M. Schertzenlechmer, auquel je communiquai le contenu de ma réponse à l'archiduc. Il s'en montra très contrarié et fit de nouveaux efforts pour me faire revenir sur ma résolution, mais inutilement [188]. »

L'hiver fut encore plus rigoureux que le précédent. Le Pô gela sur toute sa largeur à Ferrare. On n'avait pas vu un tel froid depuis 1788 ni autant de morts dans les familles les plus distinguées de la ville, note Bottrigari. Le 17 mars 1858, il gelait encore.

« Le froid est maintenant incompréhensible. Cette année restera mémorable », note-t-il encore. On attribua cette rigueur aux taches solaires. En mai, une chaleur tout aussi excessive remplaça le froid. « La chaleur commença dans des proportions insolites. Il faisait 30 degrés à Bologne. » Et le 14 mai, à seize heures : 31 degrés. Le cardinal-archevêque eut une série d'indispositions, dont la répétition le prostra.

Il était à bout de forces lorsque survint en juin le drame de l'enfant Mortara, que le Grand Inquisiteur du Saint-Office à Bologne — cela existait encore — avait fait enlever à ses parents israélites parce qu'il avait été baptisé en secret. Des gendarmes pontificaux le conduisirent à Rome, où on le mit dans un couvent. L'affaire fit une impression considérable en Europe et aux Etats-Unis. Avec son relent de barbarie moyenâgeuse, elle discrédita un peu plus le pouvoir temporel, dont les gendarmes avaient exécuté l'enlèvement. L'Alliance israélite universelle mobilisa l'opinion publique. Napoléon III, alerté par son cousin de Bologne, saisit l'occasion pour prendre un peu plus ses distances d'avec Pie IX. Cavour triomphait.

Le Grand Inquisiteur, le père dominicain Pier Gaetano Feletti, dira avoir reçu ses ordres directement de Rome, lors de son procès, en mars 1860. Le nom du cardinal-archevêque ne fut même pas cité ; mais, étant la plus haute autorité religieuse à Bologne, Michel se trouva au cœur de la tempête dans l'opinion publique. Il en fut bouleversé.

Salvatore vint en juillet lui apporter le réconfort de sa présence fraternelle. Dans l'épreuve de la souffrance physique et morale que son frère traversait, il retrouvait le rôle apaisant du père qu'il avait tenu auprès de lui, il y avait si longtemps déjà, dans son enfance. L'amour serein pour le petit frère reprend le dessus sur l'admiration un peu intimidée que suscitait maintenant « notre cardinal » en famille. Ils avaient tous deux les cheveux blancs ; mais leurs sentiments n'avaient pas changé, malgré l'éloignement. « Dans l'absence, je sens plus fort en moi cette affection familiale qui est chez nous, Corses, la passion dominante, surtout quand on peut s'honorer, comme moi, des vertus morales de nos proches, et conformes à l'état de chacun. Quant à la politique, nous ne sommes pas en assez bonne position pour en juger », avait écrit Salvatore à Tommaseo, à propos de Michel, en février.

Benedetto lui avait demandé d'insister pour que Michel acceptât enfin de se ménager et évitât de passer un troisième hiver à Bologne. Salvatore s'y emploie, mais en vain. « Notre cardinal m'a accueilli avec une grande affection dans son palais. Son aspect m'a paru assez bon, bien qu'il soit très amaigri. Une petite toux le prend de temps en temps... Mais il dit qu'il doit rester à Bologne », écrit-il à Benedetto.

Au Quirinal, on ne comprenait pas l'obstination de Michel. Benedetto à Salvatore : « La santé du cardinal exigerait de sa part un peu plus de prudence et de discernement pour proportionner les efforts à ses forces. Ici aussi, tous le disent et il devrait se persuader qu'il ne pourra pas continuer longtemps sans tomber à nouveau malade. »

Du moins, la visite de Salvatore lui fit-elle moralement du bien. Michel à Salvatore : « Bologne, 17 juillet 1858. Je t'écris ces quelques lignes pour te dire la grande satisfaction que j'ai éprouvée en te donnant la sainte communion. La mémoire de notre excellent père est sacrée pour nous tous ; essayons d'en imiter les vertus et la piété qui étaient en lui réellement édifiantes. »

32

Pendant trois jours, les troupes autrichiennes assourdirent Bologne de leurs fanfares et de leurs chants. Ce n'étaient que prises d'armes, parades, retraites aux flambeaux. Les officiers cassaient leurs verres, le soir, dans les cafés, en portant des toasts à la victoire. Aux défilés devant le général, sur la Piazza Maggiore, les troupes criaient : « Guerre ! guerre ! » en guise de hourra. On était début mai, en 1859. Impatientée par les provocations piémontaises, l'Autriche avait franchi la frontière.

Les Bolonais restèrent calmes, mais la ville vibrait. Des étudiants partaient s'enrôler dans l'armée piémontaise. On s'échauffait en d'interminables discussions, jour et nuit. A l'Opéra, comme dans toute l'Italie, on criait aux grands airs « Viva Verdi ! » même si c'était du Rossini. Le nom suffisait, maintenant, comme cri de ralliement à Victor-Emmanuel, roi d'Italie : V.E.R.D.I.

Ivre de gloire militaire depuis qu'il avait fait la guerre de Crimée dans le camp des vainqueurs, le petit Piémont ne cachait plus son ambition d'unifier l'Italie sous son roi. Le Risorgimento n'était plus qu'une entreprise dynastique, mais avait enfin une véritable armée. On ne doutait pas de la victoire. La France entrait dans la guerre aux côtés du Piémont. Mais à Bologne, on avait quelques inquiétudes pour la suite.

Le Saint-Siège était neutre. Les Piémontais n'encourageaient pas la population à se rebeller contre lui et conseillaient la patience. Ils craignaient les républicains autant qu'ils détestaient les Autrichiens. Napoléon III était tout aussi prudent. « Nous n'allons pas en Italie pour ébranler le pouvoir du pape que nous avons reporté sur le trône, mais pour le soustraire à la pression étrangère », avait-il proclamé. Il avait envoyé un corps d'armée en Toscane, sous les ordres du cousin Plonplon, le prince Jérôme Napoléon, dont on savait qu'il allait épouser la fille de Victor-Emmanuel, Clotilde, et qu'on cherchait un royaume à leur donner.

Mais, une fois encore, les fortunes de la guerre coupèrent court à la diplomatie. La première victoire, Palestro, le 30 mai, fut aux

Piémontais. L'Italie tout entière l'acclama comme une victoire nationale. Le 4 juin, les Français écrasaient Gyulai à Magenta.

Fanfares en tête, étendards déployés, chantant en chœur qu'ils allaient à la victoire, les régiments autrichiens commencèrent à quitter Bologne les uns après les autres, appelés en renfort sur le front. La population les regardait défiler en silence. Il n'y eut pas d'incidents. Le légat pontifical, le cardinal Giuseppe Milesi, qui avait remplacé Mgr Amici depuis un an, avait pris contact avec le comte Pepoli et ses amis pour préparer la relève du pouvoir. Ils avaient le souci commun d'éviter tout risque de révolution.

Le 12 juin, dans la nuit, le détachement autrichien de garde devant le palais du gouvernement, sur la Piazza Maggiore, s'en alla à deux heures. Les noctambules assis sur les marches de San Petronio ne virent pas de garde montante. Le poste resta vide, devant la place déserte. A trois heures, apparut un petit détachement de gardes municipaux et de pompiers. On réveilla la ville. On accourut de partout, en chantant, en criant : « Vive l'Italie », « Vive Victor-Emmanuel ».

Dans la tiédeur de la nuit d'été, on s'embrassait, on dansait, on brandissait des drapeaux vert blanc rouge, avec d'énormes cocardes à la boutonnière ou au chapeau. A six heures du matin, la place était noire de monde, on ne pouvait plus remuer. Sous les vivats, on enleva les armoires pontificales du portail du palais. On hissa le drapeau tricolore. La Romagne avait cessé d'être au pape. Après avoir solennellement protesté, mais satisfait que tout se soit passé décemment, le cardinal dit adieu au comte Pepoli et quitta la ville avec une escorte de dragons.

Une junte provisoire, formée par Pepoli et la municipalité, prit sa place. Son premier acte fut d'adresser un télégramme à Turin, pour demander au roi d'exercer la « dictature » — un vieux terme hérité des Romains — en Romagne. Puis la junte envoya une députation au cardinal-archevêque. Bottrigari, qui était partout à la fois ce jour-là, avec l'allégresse que l'on devine, note : « Plusieurs membres de la junte de gouvernement se sont rendus dans la journée auprès du cardinal-archevêque pour l'informer de ce qui était arrivé et le rassurer sur les excellentes dispositions du gouvernement provisoire, non seulement à l'égard de sa personne, mais également à l'égard de l'exercice de son autorité ecclésiastique. »

Mgr Fantoni, qui était aux côtés de Michel, rapporte sa réponse : « Je suis évêque ; rien au monde ne pourra me faire sacrifier ma mission. Il y a des limites au-delà desquelles je n'irai jamais : ma conscience n'appartient qu'à Dieu. »

« Cela dit — poursuit Bottrigari —, le cardinal-archevêque fit fermer le soir même le grand portail de son palais, et on ne vit pas la moindre lumière aux fenêtres, ni dedans, ni dehors ». Au milieu de la ville illuminée *a giorno* par les torchères en façade et les flambeaux des cortèges populaires, dans le tintamarre de la grande fête patriotique qui enfiévrait la rue, le palais de l'archevêché, obscur et silencieux, s'enfonça dans la nuit.

Le lendemain, Michel écrit à Benedetto : « Bologne, 14 juin 1859. Ce que l'on prévoyait déjà depuis longtemps est arrivé. Les Autrichiens à peine partis, on a descendu les armoiries du pape et le cardinal Milesi, invité énergiquement à partir s'en est allé, aussitôt, hier à dix heures du matin. Tout le monde arbore la cocarde tricolore italienne. La garde municipale et les pompiers occupent le poste de garde du palais du légat, et la garde de la prison et du mont de piété a été confiée à des jeunes gens armés de fusils de chasse, qui, à vrai dire, se conduisent bien. Hier après-midi, le marquis Luigi Tanari et le prince Simonetti sont venus m'assurer de l'appui de la junte dans l'exercice de mon ministère, etc.

« Je leur ai dit que mon devoir m'imposait de m'abstenir de tout geste qui pourrait avoir un caractère d'adhésion à l'état actuel des choses et que l'occasion de le montrer se présentait le jour même. La ville devait être illuminée le soir ; et je leur déclarai que je ne ferais pas illuminer le palais archiépiscopal contre ma conscience. Il me semble qu'ils ont compris mes raisons et ils se sont limités à dire qu'ils espéraient que je ne ferais rien de contraire au nouvel ordre des choses. Je leur répondis que j'étais évêque et que, comme tel, je resterais étranger aux affaires politiques...

« Hier au soir, donc, toute la ville illumina, par amour ou par crainte de se faire remarquer. Des groupes commencèrent à parcourir la ville avec des torches, et des musiques, en chantant des hymnes patriotiques et en criant "Viva Cavour", suivis d'une foule immense. Le palais archiépiscopal était dans une obscurité totale. Entre sept et huit heures, le commandant de place fit dire à mon portier de fermer immédiatement les grilles de la cour, pour ma tranquillité, ce qui fut fait sur-le-champ. A dix heures, un cortège avec torches et musique vint devant la grande grille ; la foule chanta et lança les mêmes cris que partout ailleurs, puis s'en alla. Ainsi se termina la journée, où l'on fit, dit-on, grande consommation de vin...

« Les cinq membres du comité veulent certainement maintenir l'ordre ; mais si les éléments de désordre commencent à s'agiter, je doute que l'on puisse éviter des mouvements. Je crois qu'il n'y a d'autre solution que de faire venir ici un de ces corps français qui se trouvent en Toscane... Tu ne dois pas te faire de souci pour moi, car je n'ai rien à craindre. Du reste je vais très bien ; mais étant donné les circonstances je ne reprendrai mes visites apostoliques à la campagne qu'à la fin du mois [189]... »

Metternich était mort la veille, 11 juin, à Vienne, en se promenant dans le parc de sa villa du Rennweg.

Ses lettres avaient continué à parvenir régulièrement à Michel, témoignant de la fidélité du vieil homme d'Etat. « Vous me manquez, Monseigneur, comme la lumière manque à ceux qui détestent les brouillards et comme le grand air manque à ceux dont le jeu des poumons réclame cet air... Je suis rentré dans mes habitudes casanières, à l'égard desquelles il me serait difficile de rien vous apprendre, et je me flatte que Votre Eminence ne met pas en doute que son départ de Vienne pèse dans le sens de ma retraite... par le sentiment pénible qu'éprouve tout homme doué d'une conscience droite, par la perte d'un étai de ce bien, le premier de tous les biens* », disait, le 17 décembre 1856, la première adressée à Bologne.

Sa dernière lettre, la dernière en tout cas qui soit restée à la maison, est du 7 février de l'année suivante : huit pages, d'une écriture à peine plus petite, mais toujours aussi claire et nette. Metternich s'inquiète des nouvelles qui courent sur la santé de Michel : « Je n'ai pas besoin de vous le dire pour que vous en soyez convaincu, que je ne cède le pas à personne à l'égard de l'amitié et de la vénération que je vous porte et que dès lors tout ce qui vous regarde a pour moi le plus vif intérêt. » Il parle ensuite pêle-mêle de Napoléon Ier, de Napoléon III, du parlementarisme, des radicaux... « Vous êtes habitué à mes rabâchages ; je me dispense dès lors de vous demander des excuses pour ceux que je vous donne à lire. Veuillez agréer, Eminence, l'hommage renouvelé de ma vénération et d'une inaltérable amitié*. »

L'annonce de la mort de Metternich arriva à Michel dans la solitude de sa nouvelle situation et le désarroi de son entourage.

« Après le 12 juin, dit Mgr Fantoni, s'ajoutant à l'extrême fatigue de son corps, un nuage de tristesse se forma sur son visage, sur lequel n'apparut plus jamais cette lumière sereine que nous avions l'habitude de voir si abondante en lui. »

Maintenant que le légat pontifical était parti, le cardinal-archevêque restait seul garant des droits du Saint-Siège en Romagne. Même si Michel ne se voulait que pasteur, son attitude, quelle qu'elle fût, devenait un acte politique. Elle fut parfaitement claire dès ce premier jour. C'était « non » ; non au coup de force, non au pouvoir illégitime. Il ne pouvait en être autrement. Il le dira aussi clairement au roi lui-même, lorsque celui-ci fera son entrée à Bologne, l'année suivante :

« Quand j'eus l'honneur d'être créé cardinal, je fis le serment solennel de fidélité inviolable au Saint-Siège *usque ad effusionem sanguinis inclusive*... Par ce serment, je me suis engagé à maintenir, autant qu'il est en mon pouvoir, l'intégrité du territoire pontifical, et l'Emilie y est expressément nommée. Pourrais-je donc apporter mon adhésion au roi Victor-Emmanuel pour ce qui est de l'autorité qu'il exerce aujourd'hui dans cette province ? Non. Jamais. Je trahirais ma conscience [190]. »

Sa conscience n'était pas celle d'un tiède. « Nous l'avons, nous aussi, entendu accuser d'exagération, de violence, pour ses refus. La violence n'est pas dans le non, quand non est la seule réponse possible ; elle est le fait de celui qui la provoque », dit Mgr Fantoni.

Mais, à partir de ce moment, sa vie sera celle d'un reclus volontaire.

Michel ne sortait du palais de l'archevêché que pour les solennités religieuses ou pour ses tournées pastorales en province. Il refusera de célébrer les Te Deum demandés par les autorités à l'occasion des grands événements patriotiques qui se succédaient. Il refusera même d'y assister, pour que sa présence ne pût être interprétée comme une adhésion tacite au nouveau régime. Sur ses instructions, le clergé se conduira de même, laissant l'autel, dans de telles occasions, aux aumôniers militaires.

Ravenne, Ferrare et les autres provinces qui formaient ce qu'on appelait les Légations, avaient suivi l'exemple de Bologne dès que les régiments autrichiens les avaient quittées. Au-delà de la rivière Cattolica, il y eut des affrontements avec les troupes pontificales, qui avaient reçu l'ordre de donner un coup d'arrêt à la marche de l'insurrection vers Rome. A Pérouse, le 14 juin, les Suisses du général Schmidt réprimèrent un soulèvement dans le sang. Michel réprouva leur brutalité. « Les événements de Pérouse sont déplorables ; plût à Dieu qu'ils ne suscitent haine et vengeances pour l'avenir », écrit-il à Benedetto.

Pie IX, dans un excès de son caractère émotif et instable, se laissait emporter par une réaction de peur. Lui qui avait refusé de faire tirer sur les Autrichiens, laisse maintenant ses troupes tirer sur ses propres sujets. Lui-même fulmine, multiplie les notes diplomatiques et les mandements comminatoires. Le 20 juin, devant les cardinaux réunis en consistoire, il lance le mot de « sacrilège » contre les insurgés et rappelle que ceux qui usurpent les pouvoirs du Saint-Siège tombent *ipso facto* sous le coup de l'excommunication majeure.

A Bologne, le calme régnait. La guerre était loin. La population était heureuse d'être débarrassée de la gabegie cléricale, et le nouveau pouvoir s'organisait. Des officiers piémontais étaient arrivés. On préparait la venue de Massimo d'Azeglio, commissaire royal, délégué par Victor-Emmanuel.

« Quelques militaires piémontais sont arrivés ici, une soixantaine entre officiers et sous-officiers. On attend d'Azeglio d'un jour à l'autre. Tout est, d'ailleurs, paisible. Avant-hier, on a illuminé la ville pour les nouvelles victoires, et l'on a entendu des cris de mort aux calotins. Mais il n'y a rien à craindre. Je suis très tranquille et ne m'occupe que de questions touchant à mon ministère... La population est plutôt froide et l'on se moque des hommes de la junte. Les portefaix du faubourg Saint-Pierre ont arboré un drapeau blanc et jaune avec la Vierge au centre et chantent : "Viva Pio Nono, vive les cardinaux, à bas les libéraux et ceux qui les suivront." Mais ne te fais pas trop d'illusions sur ce genre de manifestation... », écrit Michel à Benedetto le 23 juin. Il lui écrit presque tous les jours. Il a dû le faire tôt le matin, ce jour-là, car il ne parle pas de l'incident qui allait l'opposer peu après aux nouvelles autorités, le premier d'une longue série.

C'était la fête du Corpus Domini, l'une des fêtes religieuses les plus populaires. Bottrigari note dans son journal : « L'archevêque n'avait pas invité les autorités, ni à la cérémonie religieuse, ni à la procession, et la Junte avait donné ordre qu'on plaçât les sièges prévus au premier rang et averti qu'elle serait présente. La cérémonie à peine terminée, l'éminentissime alla ôter ses vêtements pontificaux et quitta San Petronio sans saluer, comme elle l'aurait dû, les autorités civiles et militaires, parmi lesquelles il y avait trois officiers piémontais... On peut imaginer dans quel état d'esprit le *porporato* porta ensuite l'hostie consacrée à travers les rues de la ville, où l'on voyait sur les magasins et aux fenêtres de très nombreux drapeaux tricolores. »

Michel relatera l'incident à Benedetto le lendemain : « Tout est toujours tranquille. On dit que les hommes qui sont actuellement au pouvoir sont découragés par le peu d'empressement qu'aurait rencontré leur députation auprès de Napoléon. On dit même que cette dernière n'aurait pas été reçue par l'empereur, qui n'aurait vu que Pepoli, et seulement en sa qualité de parent. Hier, j'ai fait la procession du Corpus Domini comme d'habitude. Les hommes du pouvoir désiraient que je les invite à y participer ; j'ai répondu que je n'invitais ni ne chassais personne. Ils voulaient également venir me chercher à la porte de mon appartement ; mais je les remerciai. Ils sont intervenus en arrivant à l'église après que je m'y fus déjà installé, et ils ont suivi la procession. »

Sans violence, par sa seule fermeté, le cardinal-archevêque incarnait ainsi à Bologne le refus du fait accompli.

Autour de lui, il y avait peu de monde ; mais il n'était pas isolé. Il avait la satisfaction de voir que le clergé, en ville comme dans les paroisses de campagne, suivait ses directives, contre la volonté du gouvernement. La population accourait toujours nombreuse aux fonctions religieuses qu'il continuait à célébrer avec éclat.

Son autorité et son attitude courageuse lui valaient d'autre part le respect des autorités, avec lesquelles il lui fallait négocier les délicats problèmes que la nouvelle situation posait dans de multiples domaines, tels que ceux de l'enseignement, de l'assistance hospitalière ou des bonnes œuvres, dans tous les domaines, en fait, de la vie civile que leur laïcisation transformait.

Il se savait de plus soutenu par une grande partie de l'opinion publique catholique, non seulement en Italie mais en Europe, pour qui les événements de Bologne avaient valeur de test pour l'avenir. D'innombrables lettres et témoignages lui en parvenaient.

« Votre Eminence a été placée par la Providence en première ligne du combat, et donne au monde catholique le grand exemple d'un courage inébranlable, fondé sur la foi », lui écrit le cardinal Rauscher, archevêque de Vienne. L'une des premières lettres qu'il reçut, et l'une des plus touchantes dans son français hésitant, est celle de l'archevêque de Cologne, son vieil ami le cardinal Geissel, celui du tableau :

« Cologne, 30 juin 1859. Eminence révérendissime, depuis deux mois il ne se passe pas un jour que je ne pense à Votre Eminence, me demandant à moi-même avec anxiété comment il lui va et en quelle situation elle se trouve maintenant où des événements si grands et hélas si désastreux se développent dans sa ville et son diocèse. Mon Dieu, en quels temps terribles sommes-nous tombés !

« Voilà une guerre inattendue, acharnée et sanglante qui vient se jeter dans les pays les plus beaux de la terre. Et quelle guerre et pour quelle cause ! Trois puissances qui devraient être éternellement alliées, puisqu'étant catholiques elles devraient avoir la même base d'existence et de développement, se jettent l'une sur l'autre, se déchirent et se détruisent en versant des torrents de sang, et en semant la misère et la mort dans de vastes provinces. C'est vraiment à fendre le cœur ! et à faire désespérer de tout ce qui est saint et cher à l'humanité.

« Et quand je pense que tous ces maux se sont surtout jetés sur la contrée où Votre Eminence se trouve, cela me serre le cœur... Mais en tout cas, si la Providence, en ses conseils imperscrutables, voulait permettre que votre ville fût encore visitée par d'autres épreuves plus tristes, je vous invite et vous conjure, pour ce cas, de vous retirer dans notre pays et d'attendre chez moi le rétablissement des choses. Je n'ai pas besoin d'assurer, car Votre Eminence le sait, que je la recevrai dans ma maison à bras ouverts comme un frère, et que tout ce qui est à moi, sera à lui.

« Quelque triste que me serait pour vous cette réception chez moi, cependant et sous toutes les circonstances je vous la ferai du fond de mon cœur. Prions le bon Dieu qu'il daigne écarter cette chance douloureuse ; mais si cependant elle arrive, je compte que Votre Eminence accepte l'invitation, que je lui fais avec l'amour et l'attachement d'un frère [191]... »

« Commissaire royal », Massimo d'Azeglio arriva le 11 juillet, au nom de Victor-Emmanuel. C'était comme une promesse d'unité avec le Piémont.

L'explosion de joie populaire dépassa celle du mois précédent, au départ des Autrichiens. Les chants guerriers des volontaires locaux et des bersagliers piémontais portaient au paroxysme l'exaltation patriotique de la foule. Entre la fontaine de Neptune et les marches de San Petronio, ce n'était qu'une clameur continue, dans une marée de torches et de drapeaux tricolores. On avait illuminé la ville jusqu'aux toits.

Seul le palais de l'archevêché restait plongé dans l'obscurité. « Non seulement l'archevêque n'a pas fait illuminer, mais il a même fait éteindre le fanal de la cour d'honneur », s'indigne Bottrigari. La foule hurlait et menaçait, maudissant Pie IX et l'archevêque. On secoua la grande grille, la police intervint, la foule alors alluma des centaines de lumignons et de chandelles de suif qu'elle accrocha à la grille. Dans la nuit, des petits groupes excités vinrent casser des carreaux à coups de pierres. La presse en fit de gros titres, exagérant l'affaire.

L'aventurier Griscelli, encore souvent cité comme témoin crédible, en fait, dans ses *Mémoires*, une description épique. C'était un Corse, de Vezzani, mais agent double ou triple franco-piémontais. Il raconte donc qu'il était ce soir-là l'hôte du cardinal à dîner, « comme compatriote ». Voilà les émeutiers dans l'escalier. Griscelli, tout seul, dit-il, les affronte, tire un coup de pistolet et les met en fuite. « Le cardinal, qui avait tremblé un moment pour sa personne, riait à gorge déployée [192]... » Il se vante. Griscelli était présent en effet, avec d'ailleurs un autre compatriote, le commandant Arrighi de Casanova, officier de liaison français, mais son récit, dommage pour le pittoresque, est pure invention. Personne ne franchit les grilles et le cardinal se retira dans sa chambre à son heure habituelle, dix heures et demie, tranquille.

Mgr Fantoni, qui ne l'avait pas quitté de la soirée, écrivit dès le lendemain un récit détaillé à Benedetto, pour couper court aux exagérations des journaux. C'est lui qui avait introduit Griscelli, mais après dîner.

« A dix heures et demie, les choses paraissant paisibles, le cardinal lui donna congé et se retira dans son appartement. Le Français, cependant, ne quitta pas le palais et resta encore longtemps dans la cour : le fracas recommençait, en effet, et lui, s'approchant à plusieurs reprises de la grille menaça la mort à qui aurait essayé d'entrer. J'ai su après qu'au-dehors le commandant Arrighi de Casanova faisait la ronde avec quelques autres Français pour empêcher qu'on entre dans la cour. C'est incroyable comme ces messieurs protègent le cardinal et comme ils sont furieux de la conduite de ceux qui devraient empêcher ce genre de choses de se produire. »

« Toute la fête n'avait d'autre signification que d'inaugurer le pouvoir piémontais à Bologne », dit également Mgr Fantoni dans une autre lettre, écrite le 13, à un monseigneur de la curie romaine, lequel l'a donnée à Benedetto. Il y décrit ainsi l'attitude de Michel au cours de ces journées : « Vous avez certes pu apprécier vous-même les qualités de ce très noble caractère, sur lequel le plus grand danger ne peut rien, face à ses convictions et au sentiment de sa dignité ; mais croyez-moi, dans les moments difficiles, le cardinal Viale s'élève à un degré de hauteur et de force d'âme qui oblige à s'exclamer : c'est ainsi que sont les grands hommes [193]. »

Ce genre d'incident ne troublait pas Michel. Des événements bien plus graves se préparaient, il le savait. « Je reste étranger à la politique, mais illuminer aurait été aussi faire de la politique. Le raisonnement que je t'ai exposé plusieurs fois déjà valait exactement pour l'arrivée d'Azeglio. La guerre a été très sanglante ; nous allons avoir la paix, mais je doute qu'elle dure ; il y a une grande irritation dans le parti italien », écrit-il à Benedetto, le 15.

Irritation était un mot faible. A travers toute l'Italie, les patriotes criaient à la trahison. « Je n'ai pas de mots pour dire la funeste impression que les conditions de la paix font à Bologne. Le peuple maudit Napoléon. »

L'empereur avait arrêté la guerre après Solferino et traité avec François-Joseph. Il lui abandonnait Venise. La Lombardie était purement et simplement annexée au Piémont. Quant à l'unité de l'Italie, le traité de paix — qui sera signé en octobre à Zurich — prévoyait que la péninsule formerait une confédération sous la présidence honoraire du pape. L'armée française continuerait à le protéger à Rome. A Turin, Cavour, indigné, démissionna. Des manifestations populaires éclatèrent partout.

A Bologne, les patriotes proclamèrent une Fédération de l'Italie centrale unissant dans une ligue militaire la Romagne, la Toscane et l'ancien duché de Modène. On nomma un gouvernement provisoire. Le 1er septembre, l'assemblée souveraine de Romagne, qui venait d'être élue, proclama solennellement la déchéance du pouvoir temporel pontifical. Le 6, elle vota à l'unanimité l'union avec le Piémont. Victor-Emmanuel, qui avait jusque-là temporisé, fut obligé d'accepter et, le 2 octobre, les armoiries de la maison de Savoie étaient hissées sur l'ancien palais du légat.

Les *Te Deum* d'action de grâces se succédaient à San Petronio. Chaque fois, le gouvernement y assistait au complet, avec le commissaire royal piémontais, les généraux, les drapeaux. La foule enthousiaste débordait sur le parvis et remplissait la grand-place.

Le 1er septembre, l'officiant était l'aumônier des pompiers municipaux ; le 8, l'aumônier d'un régiment toscan ; le 2 octobre, un aumônier militaire piémontais. Aucun autre membre du clergé n'y assistait. On ne vit même pas le surplis d'un seul chanoine du chapitre.

Le cardinal-archevêque avait ostensiblement quitté la ville pour une tournée pastorale en province. La bonne saison finissait. Il faisait mauvais temps. Au moment de donner la bénédiction avec le Saint-Sacrement, dans la petite église de Gessomontano, Michel s'évanouit et tomba à terre. On dut le transporter dans la sacristie, où il fut longtemps avant de se remettre.

La nouvelle situation politique avait du moins le mérite de la clarté. Le dialogue entre les autorités et le cardinal-archevêque pouvait donc reprendre, du moins sur le plan administratif. Les occasions s'en multipliaient, par la force des choses, avec le temps et les progrès de la laïcisation de l'administration dans tous les domaines. D'Azeglio avait été presque aussitôt remplacé, comme commissaire royal, par Cipriani, fin juillet, auquel Farini avait succédé en novembre.

Usant de tous ses talents de diplomate, Michel réussit auprès d'eux à obtenir l'atténuation de plusieurs mesures jugées exorbitantes, et la révocation de quelques autres, reconnues expéditives. Les dossiers de sa correspondance et de ses démarches, conservés dans les archives de l'archevêché, montrent que son énergie était restée intacte. Cipriani ayant, par exemple, imposé une censure préventive sur tous les mandements ecclésiastiques, Michel protesta aussitôt vigoureusement. Non, dit-il, on ne peut censurer l'archevêque dans ses rapports avec le clergé ou les fidèles. La négociation dura deux mois. Cipriani finit par céder. « Tous les textes donnés à l'imprimerie qui porteront la signature de l'archevêque ou de son vicaire général seront exonérés de la censure », annonce-t-il lui-même à Michel [194].

Leonetto Cipriani était Corse, né à Centuri, dans le Cap, en 1812. Louis connaissait bien sa famille, avec laquelle il était en relation d'affaires à Livourne, où les Cipriani avaient un important comptoir. Combattant de l'expédition d'Alger, puis de tous les combats du Risorgimento, bonapartiste, ami de Napoléon III, devenu monarchiste piémontais, il reviendra mourir, sénateur du royaume d'Italie, dans son village natal [195]. Il avait alors quarante-sept ans. C'est une figure attachante. Mais il ne semble pas que ses relations avec Michel soient allées au-delà d'une froide estime réciproque. Le cardinal-archevêque restait inflexible sur les principes. Fidèle au pape, il ne pouvait reconnaître la moindre légitimité au pouvoir *de facto*.

Après la paix de Villafranca, le haut commandement français en Italie essaya de s'entremettre. Après tout, Michel était né citoyen français. Un diplomate, puis un général « d'une grande puissance étrangère », dit Mgr Fantoni — et ce ne peut être que la France — lui furent ainsi tour à tour envoyés en mission de conciliation. Le général se présenta en mission officielle, et porteur, dit-il, d'une lettre de grande importance. Le cardinal-archevêque refusa de le recevoir, à sa grande surprise, et bien qu'il revînt à la charge plusieurs fois. Quant au diplomate, Michel lui opposa un silence obstiné.

Mgr Fantoni raconte aussi cette anecdote : « Un illustre personnage, passant par Bologne, voulait percer son opinion politique. N'arrivant à rien, il finit par lui demander si, du moins, son éminence espérait. "Oui, j'espère", lui répondit aussitôt le cardinal, d'un ton résolu. Le visiteur, heureux, le poussant à en dire plus : "J'espère dans le Seigneur", ajouta le cardinal, faisant taire l'inopportune curiosité. »

Mais son corps le trahit de plus en plus souvent. Ses dernières tournées pastorales l'ont physiquement épuisé. L'hiver qui commence le trouve sans forces. Pour la première fois il avoue son épuisement. « Je suis rétabli, mais je sens le besoin de consolider ma fibre bien affaiblie ; et je me ménage beaucoup, d'autant plus que nous allons vers la mauvaise saison », écrit-il à Benedetto le 29 novembre.

Ses moments de plus grande faiblesse entament son moral. Il s'angoisse dès que tardent les lettres de Benedetto, son grand réconfort. Ses propres lettres sont de plus en plus courtes, l'écriture de plus en plus menue. Elles se terminent maintenant par deux mots, comme une imploration : « Aime-moi. » Au-delà des mots, on y lit son immense solitude. A Bastia comme à Rome on s'alarme, avec un grand sentiment d'impuissance devant sa volonté, son refus, encore répété, de quitter Bologne pour venir à Rome. Salvatore écrit à Benedetto, le 9 décembre : « J'apprends avec une peine extrême que notre cardinal a l'esprit abattu. Tout le monde admire sa fermeté d'âme ; mais pour la conserver, il faudrait qu'il n'aille pas trop contre le courant. Il ne faut pas qu'il croie devoir tout porter sur ses épaules. »

Avec la prière, ses seules consolations sont d'ordre esthétique. Le jeune peintre bolonais Guardassoni « qu'il aimait comme un fils », dit Fantoni, vient souvent lui rendre visite. De Rome, Galletti da Cento lui envoie une statue de marbre de la Vierge qu'il trouve très belle et place dans sa chambre, à côté d'une copie de la *Madone à l'enfant endormi*, de Guido Reni, qu'il aimait particulièrement. L'original, volé à Bologne en 1855, venait d'être retrouvé à Londres et on l'avait ramené solennellement dans son église de Saint-Bartholomé, en procession, musique municipale et autorités en tête.

« La municipalité a voulu montrer ses idées religieuses à la ville. L'archevêque, malade, n'a pu participer à la procession, mais il l'a attendu à la porte du temple », note Bottrigari. Tenerani, qui a fait cadeau de son buste à Benedetto, lui dit sa vénération, en le remerciant du cadeau, une coupe ancienne précieuse, que Michel lui a envoyée en remerciement.

Pour les fêtes de Noël, les lettres de vœux venues de l'Europe entière s'entassent sur son bureau. Il y en a même une de Napoléon III, qui l'appelle, protocolairement, « mon cousin ». « Soyez persuadé que ma sympathie vous est acquise », dit-il. Mais le monde doit paraître bien lointain au cardinal-archevêque, dans l'ombre qu'il sent approcher. Fallait-il qu'il fût épuisé pour écrire à Benedetto, la veille de Noël : « Demain, par égards pour ma santé, je m'abstiendrai de célébrer la grand-messe et de faire l'homélie. »

33

Le plébiscite pour l'annexion de la Romagne au Piémont eut lieu trois mois plus tard, en mars. Depuis janvier, l'ancien Etat du pape formait déjà, avec les ex-duchés de Modène et de Parme, la province royale d'Emilie. Dès la fin de la guerre contre l'Autriche, la Fédération de l'Italie centrale avait été enterrée.

Des bandes de jeunes gens et d'anciens volontaires n'avaient-ils pas commencé à crier : « Vive la république ! Vive Garibaldi ! » devant le palais du gouvernement, à Bologne ? Farini les avait fait arrêter. A un vétéran des combats du Janicule, on ordonna d'ôter la médaille de la défense de Rome. Pour couper court au danger républicain, le Piémont, monarchiste et conservateur, était pressé d'en finir. L'enjeu du plébiscite fut habilement formulé. Il y avait deux bulletins : « Annexion à la monarchie constitutionnelle du roi Victor-Emmanuel II », et « Règne séparé ». Les partisans du pape, évincés, préconisèrent l'abstention.

Le jour du vote, on se rendit aux urnes en cortège, par profession, par quartier, précédés de fanfares et de drapeaux tricolores, en arborant des rubans vert blanc rouge au chapeau avec un seul mot : « Annexion ». Le résultat fut écrasant. En Emilie : « Annexion » : 426 006, « Règne séparé » : 756. L'enthousiasme populaire redoubla lorsque Farini annonça la prochaine visite du roi.

Victor-Emmanuel signa le décret d'annexion le 18 mars. Le 21, tout Bologne était au *Te Deum* à San Petronio ; mais à l'autel, il n'y avait que les aumôniers des régiments piémontais. Pie IX avait solennellement proclamé qu'il ne renoncerait jamais à son Etat de Romagne. Le 26 avril, il lança l'excommunication majeure. Elle frappait pratiquement tous ceux qui, par action ou même intention, concouraient au nouvel ordre des choses. Soupçonneux, désormais, à l'égard de Napoléon III et de la protection de ses troupes, il décide de lever une armée formée de catholiques étrangers et qu'organisera Mgr de Mérode avec un général français légitimiste, Lamoricière.

Au cardinal-archevêque de Bologne, qui se trouvait pourtant au cœur de la tempête, le pape s'était borné à envoyer, le 13 mars, une courte lettre autographe pour tout encouragement : « Monsieur le cardinal, au milieu des progrès de la plus abominable confusion et contradiction, je crois opportun de répéter une ligne de réconfort... Le réconfort, je le reçois de Dieu et de plusieurs millions de catholiques et je désire qu'il se répande abondamment dans l'âme de ces évêques qui se trouvent au milieu du combat, comme vous vous y trouvez vous-même... Je vous bénis de tout mon cœur, avec l'ensemble du clergé et avec tous les bons fidèles de l'archidiocèse ; et gardons toujours notre confiance en Dieu. » Au dos de la lettre, Michel a simplement noté : « Répondu moi-même le 21. »

Benedetto était auprès de lui depuis le début du mois d'avril. Inquiet du délabrement de sa santé, il était venu le soigner et lui apporter son aide, pour le cas où, comme on pouvait le craindre, les autorités piémontaises décideraient de s'en prendre directement à l'archevêque et de l'arrêter.

« Zio Benedetto est parti pour Bologne réconforter notre cardinal dans ces difficiles circonstances. Le nouveau gouvernement exige qu'on fasse acte d'allégeance à sa nation, ce qu'il ne peut accepter. On ne sait pas quelles seront les mesures que prendront ceux qui gouvernent là-bas ; mais, connaissant leurs exigences et le caractère du cardinal, nous sommes dans la plus grande appréhension », écrit Louis à Paul-Augustin, à Porto-Vecchio.

Michel était effectivement en danger. La loi piémontaise s'appliquait désormais à Bologne avec toute sa rigueur. Elle ne faisait pas d'exception pour les plus hautes autorités ecclésiastiques, comme l'avait éprouvé le propre archevêque de Turin, Mgr Franzoni, arrêté en 1850 et jeté en prison. A Bologne même, le premier acte du directeur général de la police piémontaise avait été d'emprisonner le père dominicain Feletti, le Grand Inquisiteur de l'affaire Mortara. Salvatore avait écrit à son ami Raffaele Lambruschini, maintenant sénateur du royaume d'Italie, comme Ridolfi et Capponi, pour qu'il intervienne auprès de Farini, au cas où... « Ne craignez rien. On a pour principe de ne pas mettre en embarras les évêques et d'avoir pour eux tous les égards... Pour le bien de l'Italie et de la religion, je souhaiterais cependant que la cour de Rome soit gouvernée par des idées plus nobles, plus sages et vraiment chrétiennes », répond Lambruschini le 22 avril.

Le 26, pour éviter de se trouver à Bologne au moment de l'arrivée du roi Victor-Emmanuel, Michel quitte la ville avec Benedetto et se réfugie dans la résidence d'été de l'archevêché, à la Corvara. C'était une grande bâtisse, ouverte aux courants d'air, au sommet d'une colline. Il fallait atteler les bœufs de la ferme en contrebas à la berline de l'archevêque pour aider ses chevaux à gravir la pente.

Il faisait encore froid. Michel y arriva épuisé. Il toussait beaucoup. « Le mal avait fait de tels progrès que l'on désespérait de lui voir retrouver la santé. Sa force d'âme et son courage laissaient croire à une amélioration possible avec la belle saison et le changement d'air. Vain espoir, l'air de la campagne ne fut d'aucun profit et lui fit peut-être du mal », dit Mgr Fantoni dans le récit des derniers jours de Michel, qu'il enverra à la famille [196]. La rumeur se répandit à Bologne que l'archevêque était mourant et qu'il n'avait plus la force de monter en voiture pour rentrer.

La visite du roi Victor-Emmanuel était terminée. Elle s'était déroulée, du 1er au 4 mai, dans l'enthousiasme populaire que l'on imagine. Cavour était à ses côtés, revenu au pouvoir, héros de l'unité italienne. Avant de partir, par courtoisie pour le roi, Michel avait adressé au général aide de camp du souverain une lettre pour ce dernier expliquant que son absence était dictée par ses principes et ne voulait pas être un affront personnel [197].

Il n'y avait pas eu de *Te Deum* à San Petronio, seulement une visite du roi, sans messe. Des ralliements commençaient pourtant à se produire dans le clergé. A Pâques, un père capucin avait fait scandale en terminant son prêche par un retentissant. « Que Dieu bénisse l'Italie et l'auguste et magnanime roi Victor-Emmanuel ! » devant les chanoines effarés.

A l'université, le roi avait trouvé, qui l'attendaient dans la dernière salle, un petit groupe d'ecclésiastiques, avec le recteur du collège, don Giovan Battista Bontà. Celui-ci l'avait salué en invoquant, avec embarras, « la Providence et ses obscurs dessins », qui conduisaient le roi de Sardaigne à régner en Romagne. Quoique ambigu, c'était un acte de soumission.

Le roi parti, Michel fit l'effort de reprendre la route dès que ses forces le lui permirent, le 8. Il savait que ces jours étaient désormais comptés. Mais il ne voulait pas que l'on pût dire un jour que le siège de Bologne était vide à la mort de son archevêque. Il toussait beaucoup. Il avait perdu tout appétit et ne se nourrissait plus. « Sur son visage et dans la prostration de toute sa personne, il montrait que de jour en jour ses forces diminuaient », dit Fantoni. A Nannini son intendant, Michel dit qu'il ne souffrait pas et qu'il sentait seulement une extrême faiblesse.

Le 10, il ne put se lever. « Nous voici aux portes de l'éternité », répétait-il. Le 12, il dicta son testament au notaire, entouré des témoins ; puis, seul à seul avec Benedetto, son héritier fiduciaire, il lui fit ses dernières recommandations. La maison eut ainsi l'une de ses dernières pensées. Les tableaux des saints de la famille et celui de Cologne devaient y être envoyés pour y garder son souvenir, dit-il. Benedetto avait prévenu ses frères. Louis était lui-même alité, avec une fièvre pernicieuse qui avait dégénéré en fièvre tierce après une attaque de goutte plus violente que les précédentes. Salvatore prit le premier bateau, le 13.

Le 13, un dimanche, était l'une des fêtes de la Madone de Saint-Luc. On l'avait solennellement transportée au Dôme, où se pressait une foule considérable de fidèles venus adorer l'image sacrée et prier pour leur archevêque.

C'était aussi le douzième anniversaire de la Constitution piémontaise, le *Statuto*, et l'habituel *Te Deum* patriotique de remerciements devait se dérouler à San Petronio. Depuis une semaine, les autorités avaient averti qu'aux termes de la loi piémontaise le clergé était obligé d'y assister, sous peine de prison pour le plus haut responsable. Au nom de Michel, son vicaire général, Mgr Ratta, n'en publia pas moins une circulaire demandant aux prêtes de s'abstenir. A San Petronio, il n'y eut que Mgr Bontà et quelques rares ralliés.

Le *Te Deum* terminé, on envoya donc les gendarmes à l'archevêché. Il en allait de même dans toutes les provinces annexées par le Piémont. A Bologne, ne pouvant décemment arrêter l'archevêque sur son lit d'agonie, les gendarmes s'emparèrent de Mgr Ratta et le conduisirent en prison. Il s'en fallut d'une petite heure pour qu'en quittant l'archevêché la troupe avec son prisonnier ne croisât la lente procession du chapitre de la cathédrale et de milliers de fidèles qui, la torche au poing, portaient le viatique au mourant.

Le cardinal-archevêque avait demandé lui-même à le recevoir ainsi avec solennité, pour pouvoir dire un dernier adieu à son diocèse. Il était dans un état d'extrême faiblesse mais lucide. Comme il craignait de ne pouvoir parler assez haut, il avait dicté son dernier message à l'autre vicaire général, Mgr Ganzi, qui le lut à sa place. C'était un appel à rester « indissolublement unis au centre de l'unité, colonne de la vérité, la chaire de saint Pierre, le pontife romain ». Aux mots « j'offre ma vie en holocauste », les dizaines de personnes qui, le cierge à la main comme le voulait le rite, se trouvaient dans la chambre, éclatèrent en sanglots. Les plus proches du lit se jetèrent à genoux pour lui baiser la main.

L'émotion gagna la foule qui se pressait dans l'antichambre et dans les salons, au premier étage, puis les fidèles qui emplissaient la cour d'honneur et débordaient dans l'étroite rue Altabella. Lorsque la procession s'en retourna, tout le monde pleurait. Au Dôme, la foule commença une veillée de prières pour son archevêque devant la Madone de Saint-Luc.

Michel passa le 14 en recueillement et en prières, Benedetto près de lui. Dans la soirée, il reçut l'extrême onction en participant paisiblement au rite. Peu après minuit, il demanda aux personnes qui priaient autour de lui de dire les paroles à voix plus haute pour pouvoir s'unir en pensée aux oraisons. Le prêtre qui l'assistait, puis toutes les personnes présentes, en pleurant l'implorèrent de les bénir, ce qu'il fit en élevant la main tremblante, en silence, avec sérénité.

Puis il demanda un de ses livres de dévotion, un petit *Chemin de Croix* en allemand qui ne l'avait jamais quitté depuis sa nonciature à Lucerne [198]. Il demanda aussi ses lunettes, réussit à se les mettre lui-même avec effort sur le nez, ouvrit le livre en le tournant vers la lumière et y lut la prière au Christ mis au tombeau.

Sa lecture terminée, il demanda à tous de réciter trois *Pater* et trois *Ave* à saint Michel archange, puis, avec la même sérénité, rendit son âme à Dieu. Il était deux heures du matin, le 15 mai 1861 [199].

Benedetto n'avait pas quitté son chevet. Salvatore arriva le lendemain et ne put que baiser sa main glacée. Le corps, en vêtements d'archevêque, avec la crosse, la mitre et le pallium, était exposé dans une chapelle ardente, dans l'un des salons du premier étage, proche de la chapelle privée, pour que la foule pût lui rendre un dernier hommage. Les obsèques solennelles eurent lieu au Dôme, où on l'enterra dans le pilier en face de l'autel de la Vierge, comme il l'avait lui-même demandé.

Le gouvernement avait interdit à la municipalité, aux professeurs de l'université et à quelque autorité civile que ce fût de prendre part aux cérémonies funèbres ; mais la population s'y pressa en masse, avec des délégations venues de toute la province avec leur clergé. La foule était telle que les autorités s'en inquiétèrent comme d'une manifestation. « Bien que l'on ait fait les funérailles avec la plus grande prudence, on a voulu leur donner la signification d'une démonstration politique », dit le compte rendu de *La Civiltà Cattolica* [200].

A l'archevêché, on s'arracha les menus objets qui lui avaient appartenu pour les conserver comme des reliques : ses crayons, ses plumes, les images pieuses qu'il gardait dans son bréviaire. L'un de ses camails fut mis en morceaux, que l'on se partagea.

Dans l'imagination populaire, les circonstances auréolaient sa mort du rayonnement de la sainteté.

Chaque cérémonie a fait l'objet d'un acte notarié, nettement calligraphié sous une couverture bleutée, par le notaire capitulaire et deux autres notaires de Bologne. Ils décrivent avec la plus grande précision les vêtements et ornements de Son Eminence révérendissime le cardinal-archevêque dans son cercueil, la fermeture de ce dernier, sa collocation provisoire et son inhumation définitive. D'autres actes notariés, outre le testament dicté en présence de sept témoins, évoquent d'autres images fugitives, telle la liste nominative des cent une personnes qui « prirent la torche en la cathédrale Saint-Pierre le 19 mai » pour les funérailles. L'inventaire de ses biens forme dix-neuf grands cahiers, où chaque objet est décrit et sa valeur chiffrée.

C'est un peu de la vie quotidienne de Michel qui s'y dessine, prenant de la couleur : la disposition de son appartement privé, les meubles, les tableaux, la livrée des domestiques bleu et or, « aux armes de la famille », la cave aussi avec « 320 bouteilles de bordeaux, mais seulement 3 de champagne ». Michel laissait 13 300 écus. Ce n'était pas une fortune, pour un prince de l'Eglise. En fait, compte tenu du passif, il mourait presque pauvre.

Le fisc piémontais ne s'en jeta pas moins sur la succession. C'était une bonne occasion pour montrer qu'un cardinal n'était plus un personnage sacré. Le litige finira par être résolu l'année suivante — après diverses péripéties tenant à ce que Benedetto ne voulait pas non plus reconnaître le pouvoir piémontais —, grâce à la compréhension de Marco Minghetti, devenu ministre de l'Intérieur.

Paul-Augustin avait rejoint Benedetto à Bologne, tandis que Salvatore retournait à Rome auprès de Daria. (« Pour l'amour du ciel, mon frère très cher, ne t'angoisse pas comme tu le fais facilement », écrit celle-ci à Benedetto). Ensemble, Paul-Augustin et le « *buonissimo zio* » trient les papiers, préparent les caisses à envoyer à Rome ou à Bastia. Paul-Augustin lui parle de ses projets de mariage. Paolina Rocca-Serra lui plaît, mais une autre aussi, une Bastiaise, et il hésite. « Je souhaite que tu fixes bien tes idées sur le choix d'une compagne et tu as raison de consulter ton oncle.. », lui écrit Louis.

Ensemble également, ils font les démarches pour la construction du monument pour le tombeau de Michel. C'est Paul-Augustin qui le dessinera et en fera le plan, dès qu'il sera de retour à la maison. « Voici le projet du monument, je l'ai dessiné grandeur nature sur un mur, et il me semble qu'il fait un bel effet », écrit-il de Bastia à Benedetto, en septembre, en lui envoyant plan et dessin avec les cotes précises et ses conseils pour l'exécution. Tenerani s'offrit de lui-même à faire le buste, d'après la copie en plâtre qu'il avait gardée. C'est Mgr Fantoni qui en surveillera l'exécution par le marbrier Floridiano Vidoni, et qui enverra à Benedetto le projet de l'inscription que l'on peut y lire : ... *magna agressum maiora molientem*... Elle évoque la tristesse du temps où Michel s'éteignit, lui que la grâce et la noblesse habitaient.

34

Louis se remettait lentement. La fièvre était tombée ; mais la goutte le faisait souffrir. Il avait fait l'effort de se lever, de s'habiller, de recevoir au salon la petite foule qui l'avait envahi pendant quatre jours. Nunzia était venue de Pino pour l'y aider, avec Angéline et Nicoline. Paolina aussi était là, arrivée en vacances d'Alger avec Pierre. Toute la ville avait défilé en visites de deuil, les cousins Prelà, les parents plus lointains, les familles alliées, comme on dit, les amis, les autorités, le clergé et les congrégations, et les femmes du marché et tout le petit monde de Terra Vecchia, de Saint-Jean et du port, graves et familiers, comme on l'est dans l'île en présence de la mort.

Les curieux aussi, comme toujours, badauds et à peine discrets. C'était l'occasion de voir l'intérieur de la maison, d'y saisir un reflet de l'événement du jour : la mort d'un cardinal, de ce cardinal bastiais que certains se souvenaient avoir vu, enfant, jouer sur la place ou servir la messe à Saint-Jean. Beaucoup de racontars couraient sur sa fortune et sur la succession. « Ici on en entend dire, chaque jour, de plus grosses l'une que l'autre sur la succession de notre bon cardinal. Mais nous laissons dire les curieux... » dit Louis à Salvatore. Il ne peut tenir la plume ; l'écriture est celle de Nicoline, à qui il dicte ses lettres, une jolie écriture, fleurie de volutes discrètes.

Pendant quatre jours, ce fut dans l'escalier un brouhaha continu. On entendait les voix résonner très fort sous les voûtes, devenir murmure devant la porte entrouverte. Louis restait assis dans un fauteuil, le faux col trop large autour de son cou amaigri, les deux mains posées sur le pommeau de la canne. Parfois, il faisait le mouvement de se lever au-devant du visiteur ; mais il se rasseyait aussitôt ; les jambes lui faisaient mal. Il retenait longuement des mains entre les siennes ; il frottait trois fois ses joues rugueuses contre d'autres joues, qui se penchaient pour de lentes accolades.

Il entendait distraitement « Son Eminence... », « *il reverendissimo porporato...* » ; il pensait « Michel... » et sa propre faiblesse lui donnait envie de pleurer. Nicoline ou Paolina le prenaient

347

doucement par le bras, le ramenaient vers sa chambre. Du petit salon où les femmes se tenaient, venait la rumeur apaisante de la récitation du rosaire.

Puis la maison retomba dans le silence. Avec le retour des beaux jours et les premières chaleurs, Louis faisait l'effort de s'habiller le matin, comme s'il devait sortir. Mais il n'allait pas plus loin que le fauteuil, que l'on avait poussé devant la fenêtre, dans la bibliothèque. Il regardait les couleurs du jour déteindre sur la place, bruissante des cris du marché le matin, des jeux d'enfants l'après-midi. Jusque tard dans la nuit, des airs de guitare ou des chants en paghiella montaient du cabaret Au Coin de l'Ormeau.

La solitude ne lui pesait pas. Il savait qu'il était arrivé au soir de sa vie et son esprit actif l'accueillait avec une sorte d'apaisement. « Au retour, si tu passes par Livourne, pourquoi ne viendrais-tu pas dans ta maison natale embrasser ton frère, peut-être pour la dernière fois ? » écrit-il à Benedetto, toujours à Bologne. Et à Paul-Augustin : « Je ne veux plus entendre la ritournelle qu'il ne faut pas faire de dettes. Tu verras lorsque tu auras une famille à maintenir dignement ! »

Quand la goutte le faisait trop souffrir et le tassait dans son fauteuil, Louis ne voyait plus que le ciel zébré d'hirondelles et, au loin, par-dessus les toits de l'autre côté de la place, la haute colline de Ville di Pietrabugno et la tache claire de Sainte-Lucie. Le temps, alors, n'était plus marqué, par-dessus le bruissement continu de la place, que par les cloches de Saint-Jean ; et tout était bien.

Le médecin de la famille, Terigi, était plutôt optimiste. Un jour, en passant devant le piano, Louis en joue quelques notes, d'une main. Il demande qu'on lui apporte son violon, le soulève mais ne peut le tenir. Un autre jour, en montant sur la terrasse au bras de Nicoline, il fait le projet de retourner avant la fin de l'été à Belgodere, à l'époque des figues noires qu'il aime tant. Il prend plaisir aux nouvelles d'Auguste. Il avait été le voir à Montmorillon, en octobre 1857, après la naissance de sa première fille, Marie-Sébastienne. Les parents de sa belle-fille l'avaient reçu dans leur maison à Lussac-le-Château, et il s'y était trouvé bien. Sa correspondance, toujours dictée à Nicoline, qui tient aussi le grand registre où elle en consigne l'essentiel, est encore considérable.

Les lettres du compère Vanneschi ont cessé d'arriver. Giuseppe est mort. L'une de ses dernières lettres, le 18 août 1855, disait combien il avait été attendri et attristé à la fois d'apprendre qu'Auguste allait se marier, le mois suivant. « J'avais fait le projet, qui me semblait merveilleux, de lui voir, un jour, épouser ma petite Augusta, quand elle serait en âge, et que la différence d'âge entre eux se ferait moins sentir... » Augusta avait alors quinze ans, vingt de moins qu'Auguste.

De jour en jour, la chaleur se faisait plus forte, la lumière plus dure, le cri des hirondelles plus strident au ras du toit de la maison où elles avaient fait leurs nids sous les combles. Derrière les persiennes fermées la maison restait dans la pénombre, fraîche.

Dans la lumière qui filtrait des jalousies, Louis lisait ou, plus souvent, le livre posé sur les genoux, le pouce gardant la page, poursuivait de vagues rêveries qui le faisaient sourire.

Ses traits s'étaient creusés. Les cheveux toujours ramenés à plat sur le front étaient entièrement blancs, comme les favoris sous les pommettes que sa maigreur accusait. De sa physionomie de beau ténébreux, il ne restait que l'éclat des yeux, qui brillaient — ou était-ce la fièvre ? — sous les sourcils encore noirs et drus. Le 28 juillet, on célébra le service funèbre pour le cardinal à Saint-Jean. Les quatre confréries de la ville, torches allumées à la main, chantèrent l'office des morts autour du catafalque symbolique. Toutes les autorités étaient présentes et la foule débordait de l'église sur la place. « La journée fut d'une grande tristesse et affliction pour moi » écrit-il à Paul-Augustin.

Il n'avait pu descendre à Saint-Jean. Derrière la jalousie relevée, il avait écouté les cloches et les chants qui venaient jusqu'à lui ; mais il avait reconnu peu de monde dans la foule qu'il avait regardée entrer par le porche latéral. Il le notera d'une écriture tremblée, dans son journal. Ce sera l'avant-dernière ligne qu'il y écrira.

Le 5 août, cependant, il put assister au second requiem pour Michel, célébré avec la même solennité à Sainte-Marie, dans la citadelle. Paolina et Pierre repartirent pour Alger. Paul-Augustin rentra de Bologne, apportant des médicaments donnés par Benedetto. Celui-ci écrivait souvent, suggérant tel ou tel traitement. « Louis est hors de danger, mais la convalescence sera longue », écrit-il de Bologne à Salvatore et à Daria, le 20 septembre. Mais, le 30, Paul-Augustin lui annonce : « Papa est en fin de vie. Une fièvre pernicieuse de mauvais caractère l'a abattu. » « Sinapismes aux jambes. Très peu d'espoir », lui télégraphie Benedetto.

Quelques jours après, le 7 octobre, Louis mourait. Il a été enterré dans sa bien-aimée terre de Belgodere, à côté de Marie-Sébastienne. Le caveau de famille, dans le nouveau cimetière créé par la ville au bord de la mer, n'était pas prêt. « Nous y ramènerons tous les nôtres, qui à Belgodere ne sont pas bien », dit Paul-Augustin, qui l'a dessiné. Il est au nom de Louis. « Une extraordinaire affluence de monde » participa au service funèbre, organisé par le conseil de fabrique de Saint-Jean, dont Louis faisait partie.

Salvatore ne s'attendait pas à une fin si rapide et fut atterré. Il avait prévu de passer l'hiver à Rome, mais décide aussitôt de rentrer. « J'ai perdu mon Mentor, le compagnon de toute ma vie », écrit-il à Lambruschini avant d'embarquer à Livourne.

La mort de Louis, après celle de Michel, lui a porté un coup, pour lui aussi, mortel. En novembre, il est de retour à Bastia. « L'oncle Salvatore est bien arrivé, Dieu merci. Sa santé est assez bonne ; mais il a besoin de beaucoup de soins pour la préserver », annonce Nicoline à son frère. Il commence à faire froid ; avec en plus, l'humidité de la mer. C'est la mauvaise saison pour les bronches et celles de Salvatore étaient déjà atteintes. Il était resté quarante jours alité, avec de fortes fièvres, l'hiver précédent.

La pensée de la mort, de sa mort — il était l'aîné — n'avait cessé de le hanter depuis. « Avant de mourir, je ne veux plus me consacrer qu'à la correction de mes œuvres », écrit-il, à peine remis, à Vieusseux. Désormais, elle l'obsède. « J'ai le deuil dans le cœur. Aimons-nous, comme dit l'Evangile, *usque ad mortem* », dit-il à Lambruschini. Son dernier calepin est rempli de prémonitions lugubres. Un matin, il note qu'il a été réveillé par la sensation que Louis lui tapait sur l'épaule. « Chaque fois que je me réveille, il me semble voir mon frère », note-t-il un autre jour. Il voit aussi Michel, dans son sommeil. Il rêve de naufrage, de l'incendie de la maison.

Calfeutré dans la bibliothèque, où le feu reste allumé toute la journée dans la cheminée, Salvatore se plonge dans le travail comme dans un refuge contre ses obsessions. Il corrige les épreuves de l'édition complète de ses œuvres qu'Orlandini est en train de faire imprimer à Florence. Il finit de relire le manuscrit de la biographie de Michel envoyé par Mgr Fantoni pour l'édition bastiaise. « J'en trouve bons le style et l'inspiration, et je dois vraiment féliciter le brave Fantoni. J'ai un peu corrigé le texte, çà et là ; mais peut-être pas assez. Ici, on n'appréciera pas que Fantoni ait rappelé l'origine génoise de la famille Prelà et de la nôtre », écrit-il à Benedetto.

Il reprend surtout ses *Etudes sur les mœurs corses*, qu'Atto Vannucci avait réunies en volume en 1859 après en avoir publié plusieurs chapitres dans la *Revue de Florence*. L'édition avait été distribuée par Vieusseux à Florence, où elle avait été très bien accueillie, par Gino Capponi et Tommaseo notamment. « Merci pour tout le bien que vous me dites de mes études critiques sur les mœurs corses. Je voudrais les corriger encore et les présenter dans un autre ordre », avait-il écrit à Tommaseo en mars ; et en avril : « Quand je pourrai venir passer quelques jours à Florence, nous parlerons de la meilleure façon de rééditer mes études critiques sur la Corse, auxquelles je voudrais ajouter le douzième chapitre : "De la malice criminelle". Mais j'aurai besoin d'un peu de temps encore pour les corriger. »

Son départ brusqué pour Bologne l'avait interrompu. Ce travail, il le reprend maintenant, avec la volonté de l'achever. Son manuscrit, avec une nouvelle disposition des chapitres, et le douzième, inédit, a quelque chose d'émouvant : ses corrections s'interrompent à la moitié de l'ouvrage, le dernier auquel il aura travaillé [201].

Le plus ambitieux aussi, avec la *Dionomachia*, dont il retrouve l'élan juvénile, mais avec la sagesse que donne l'expérience d'une vie. C'est une œuvre grave, sans équivalent dans l'abondante littérature consacrée à la Corse à cette époque, et qui porte témoignage de l'intérieur sur la grandeur de son âme, jusque dans ses défauts, qu'elle voudrait corriger.

« C'est un livre de petit volume, mais lourd d'histoire et de civisme. Le plus remarquable de ses travaux et destiné à durer le plus longtemps, écrira Tommaseo. Parce qu'en analysant ce qu'a de plus singulier la Corse, tellement qu'une image plus fidèle n'a jamais été donnée par un historien ou un poète, il touche à ce qu'a d'universel la nature humaine, avec la clarté et le naturel d'un Tacite [202]. »

« De l'usage, en Corse, de la langue maternelle », — *lingua patria*, écrit-il en italien —, ce titre de l'un des chapitres illustre bien combien Salvatore était, maintenant, isolé dans son combat pour un renouveau culturel en Corse. La patrie, désormais, c'était la France ; et la France avait commencé à éliminer la langue italienne, source et protection du dialecte corse et de la culture ancestrale. « La langue d'un peuple est l'expression complexe de sa façon de penser et de sentir, de ses coutumes civiles et domestiques ; c'est le dépôt, en quelque sorte, de ses traditions, de son histoire, de sa littérature, de tout ce qui fait, en grande partie, la patrie.

« En changeant de langue, un peuple perd son identité et sa personnalité. Il contribue lui-même à s'en dépouiller ; et, ce faisant, il perd la conscience de soi, cette foi en lui-même dans laquelle réside sa valeur. Ces Corses qui se plaignent aujourd'hui encore de la conquête française de 1768 sont obligés d'y consentir et d'y coopérer, pour ainsi dire, par chacune de leurs paroles [203] », dit-il.

La mort ou la vieillesse avaient dispersé le petit groupe des lettrés bastiais, ses contemporains, ses amis. Renucci, Gregorj, Nasica étaient morts ; Pasqualini aussi, à Paris. Raffaelli s'était retiré, amer, dans son domaine de Bistuglio. Grimaldi, Caraffa, Pio Casale vieillissaient, comme lui, isolés, découragés. La nouvelle génération cultivée s'exprime en français ; elle n'est plus une relève pour la culture corse, qui reflue alors vers les villages, s'anémie, lentement ramenée aux chants rauques des bergers.

Physiquement aussi, Salvatore se sentait très seul, sous son grand portrait en toge écarlate qui, dans la bibliothèque, lui renvoyait son image, célèbre mais délaissé. « Ecrivez-moi souvent ; je n'ai d'autre compagnie, ici que celle de nos deux nièces et de vos lettres », écrit-il à Benedetto et à Daria.

Paul-Augustin était à Porto-Vecchio pour les travaux d'assèchement des marais. Il était souvent l'hôte de la maison du Bastion. Jules Rocca-Serra — selon l'usage italien, on ne portait pas encore la particule en Corse —, le fils aîné, avait épousé une petite parente Viale, Camille Rigo. Mais Paul-Augustin y était avant tout attiré par Pauline, l'avant-dernière des neuf enfants. Entre elle et Paul-Augustin, il y avait du tendre.

Il s'en était ouvert à son père avant de partir pour Bologne. « La famille s'accorde bien avec la nôtre, à moins qu'elle n'ait eu quelque affaire criminelle ; mais l'important est que la jeune fille soit en bonne santé et puisse te donner des enfants robustes, ce à quoi je tiens beaucoup... Il faut que la famille continue », avait répondu Louis. Mais Paul-Augustin hésitait encore ; il n'arrivait pas à franchir le pas. Un autre parti le tentait à Bastia : Emilie C., une amie de Nicoline. Salvatore ne veut pas l'influencer dans son choix, mais souhaite lui aussi que Paul-Augustin se marie pour continuer la famille. Paul-Augustin avait déjà trente-six ans. « Fais ce que ton cœur et ta position t'inspirent ; mais conduis-toi en homme mûr, ce que tu es désormais », lui dit-il.

Depuis la mort de Louis, il se sentait les responsabilités d'un père. « Ta famille était la mienne, et elle l'est plus que jamais, maintenant », lui avait-il écrit de Rome. Pour l'aider dans son choix, il prend des renseignements sur Pauline. « Chez les Rigo, tout le monde me dit qu'elle est d'un tempérament agréable... La famille a peu d'argent comptant, mais beaucoup de terres. Ce sont des choses que tu dois savoir mieux que moi, là-bas, car la terre se voit. Ce sont des gens des villages ; mais la famille a, je crois, beaucoup d'influence ; et une preuve en est la nomination de Jules comme juge de paix grâce aux Rigo-Casabianca... »

Les Rocca-Serra venaient en effet de l'intérieur, où ils avaient gardé de solides attaches dans les villages du sud, aux traditions encore féodales. Gros propriétaires à Porto-Vecchio, ils étaient les chefs de la branche locale d'une famille des montagnes du Sartenais, dont les origines et l'influence paraissaient sortir de la nuit des temps.

Il fallait voir tante Marie Carrega imiter sa grand-mère en racontant que la famille a pour ancêtres deux géants, Cleonte et Macchiavone, dont on peut voir les portraits grossièrement sculptés dans l'une des maisons ancestrales, à Serra di Scopamene. La famille sortait, en tout cas, de la maison de la Rocca qui, au Moyen Age, avait un moment dominé l'Au-delà des Monts. Ses titres de noblesse avaient été reconnus par lettres patentes de Louis XV en 1772, après l'annexion française.

« *Gente di paesi* », gens de l'intérieur de la Corse profonde, ils l'étaient restés aussi de tempérament. C'est un Rocca-Serra de la branche de Sartène, Jérôme, un lointain cousin, qui avait tué les deux fils Pietri d'une seule décharge de son fusil à deux coups, après avoir été lui-même blessé dans la rencontre : le coup double dont s'était inspiré Mérimée pour le fameux épisode de *Colomba*.

Il ne fallait d'ailleurs pas parler de Mérimée en famille. On attribuait à son indiscrétion l'assassinat de Jérôme qui avait suivi la parution de son petit roman. Le souvenir en était encore trop frais. Pour faire entrer le cercueil de Jérôme dans l'église de Sartène, les Rocca-Serra avaient dû faire une brèche dans le mur latéral de celle-ci, afin de ne pas passer sous les fenêtres de l'abbé Pietri qui avait, disait-on, commandité l'assassinat. Et la preuve en est que l'abbé s'était, depuis, rasé la barbe !

Ce n'étaient d'ailleurs que des épisodes de la vendetta collective qui avait mis à feu et à sang les deux quartiers de Sartène, Borgo et Santanna, pendant la monarchie de Juillet ; une illustration des mœurs locales, somme toute.

Il y avait loin, psychologiquement, de ce genre de famille seigneuriale au sang vif à celles de la bourgeoisie commerçante bastiaise, paisiblement imprégnées de culture italienne. Nicoline était farouchement opposée à l'idée d'un mariage avec Pauline. « Nous nous apparenterions avec un tas de paesani. Et puis, ils ne pourront te donner que des terres et où ? chez le diable !... Emilie est d'une bonne famille bastiaise et sa parenté est entièrement bastiaise, et cela veut dire beaucoup. Elle n'a aucun défaut physique, elle est avenante et elle aurait environ 20 000 francs de dot. » Nicoline revient plusieurs fois à la charge : « Tu dois épouser Emilie », et insiste sur les mots : « Et puis, avec elle, tu auras une bonne parenté bastiaise. »

Nicoline doit en dire autant à l'oncle Salvatore, car celui-ci paraît se laisser influencer par le même raisonnement : « Je dois te dire que j'ai, à beaucoup d'égards, une excellente opinion de l'honorable famille Rocca-Serra ; mais pour la proximité de la parenté, des relations et des intérêts, puisque tu me demandes mon sentiment, je préférerais un parti à Bastia », lui écrit-il fin février. Mais Paul-Augustin est à Porto-Vecchio, près de Pauline. Emilie est très loin, comme l'était Bastia, en ces temps où le plus court trajet se faisait encore par mer en lourd bateau à voile.

Il doit se sentir bien seul, dans ce petit bourg perdu, cerné de marécages et de forêts, où la présence douce et attentive de Pauline doit être d'un tel réconfort. Mais surtout, à Porto-Vecchio, à côté de Pauline, il y avait sa mère, l'impérieuse signora Anna Maria, qui veillait au grain.

« 'A signora » Anna Maria : avec révérence, on ne l'appelle jamais autrement, aujourd'hui encore, en famille, lorsqu'on évoque parmi ses deux cents et quelques descendants les savoureuses anecdotes qui gardent la mémoire de sa forte personnalité. Elle était elle-même une Rocca-Serra par le sang, cousine de son mari Camille, conseiller général qui l'avait laissée veuve à quarante-cinq ans avec neuf enfants.

Du haut de l'ancien bastion des remparts, où les Rocca-Serra avaient orgueilleusement planté leur maison comme une forteresse, elle avait tenu seule la position politique jusqu'à la majorité de son fils Jean-Paul — il avait treize ans à la mort de son père — puis avait continué à régner sur leurs alliances et leurs terres. Difficile de lui résister, quand elle avait décidé quelque chose ; et elle paraît avoir été fermement décidée à marier Pauline, la sixième fille et l'avant-dernier de ses enfants, qui allait sur ses vingt-six ans, à Paul-Augustin.

Neveu d'un cardinal et du médecin du pape, héritier de trois oncles célibataires, une grande et belle maison à Bastia, capitale économique du département, des biens dans les collines : c'était un beau parti. « La signora Anna Maria est une femme de bon sens et de cœur ; mais elle est très habile. Il faut que tu fasses attention à tes intérêts », écrit Salvatore lorsque Paul-Augustin lui annonce, en mars, qu'il s'est enfin déclaré. Plusieurs lettres de « 'a signora » Anna Maria, proposant d'échelonner le versement de la dot (« après avoir mûrement examiné l'état de mes finances, voici tout ce que je peux faire présentement... ») prouvent qu'elle devait être, en effet, redoutable en affaires. De 16 000 francs, la dot sera d'ailleurs ramenée à 12 000. Salvatore, cloué à Bastia par une grippe, ne prendra aucune part aux discussions.

Le mariage est fixé au 29 avril, à Porto-Vecchio. Paul-Augustin rentre pour quelques jours à Bastia, et le cœur de Pauline le suit. Grâce à elle, enfin, l'amour fait irruption dans l'austère correspondance familiale. C'est sa première lettre :

« Portovecchio, 16 avril 1861. Mon bien-aimé Augustin, maintenant permettez-moi de vous dire combien je vous aime, et d'épancher mon cœur avec vous seul. Depuis votre départ, que vous dirais-je ? Je ne vis plus. Les journées sont bien longues, et c'est surtout vers une heure, vous me comprenez. Si votre passion pour moi est si forte, elle ne l'est pas moins en moi, pour vous. Je voudrais bien vous en dire davantage... Mais laissez-moi vous serrer contre mon cœur. » Pauline écrit en français, d'une écriture bien formée. Sa fraîcheur de sentiments et sa spontanéité se lisent entre chaque ligne. C'est elle qui, la première, abandonne le vous pour le « tu », dès la lettre suivante. « ... P.S. Pardonnez-moi ce tutoiement à la fin de ma lettre, mais comment te traiter de vous, quand je t'aime. »

Le 29, à neuf heures et demie du matin, Pauline et Paul-Augustin se marièrent dans l'église de Porto-Vecchio, qui portait le nom aimé de Saint-Jean. Nicoline en revint conquise par sa belle-sœur. Elles avaient le même esprit vif et rieur. « Notre nièce Nicoline, qui a été assister au mariage, me dit que la jeune femme a un caractère doux et qu'elle est avenante et bonne ménagère », écrit Salvatore à Benedetto, le 2 mai.

A la maison, on s'affaire pour préparer l'appartement du quatrième étage destiné aux jeunes époux. On en profite pour rénover la maison tout entière ; on y dispose les tableaux arrivés de Bologne ou ramenés de Rome par Salvatore. On retapisse, on change les meubles. C'est Nicoline qui ordonne et surveille tout.

L'oncle Salvatore, parfois, ronchonne. « Zio ne voulait pas que l'on cire le salon ; j'ai quand même fait venir Morone, mais je peux t'assurer que ce sont parfois de vraies batailles. » Salvatore s'est levé ; il est content : « Les affaires de la maison marchent bien grâce à Nicoline, qui n'abandonne jamais les ouvriers des yeux. » Le 2 juin, elle peut enfin annoncer : « Laus Deo, tout est fini, tout est consommé. Vous pouvez arriver quand ça vous chante ! »

« Augustin est arrivé ce matin avec son épouse Pauline. La jeune femme est agréable à voir, d'une taille plutôt grande pour une femme, et m'a paru robuste. Elle est bonne et douce, et très capable de s'occuper d'une maison, ayant été élevée à mener une vie familiale. Comme tu le sais, elle appartient à une des familles les plus distinguées de Corse et a une bonne et nombreuse parenté. » C'est ainsi que Pauline fait son entrée à la maison, le 5 juin, par la plume de Salvatore, dans une lettre à Benedetto.

Elle est grande, mince, avec un visage fin, presque menu, aux pommettes hautes, au petit nez, avec une bouche aux lèvres pleines, qu'encadrent des cheveux très noirs, tirés en bandeaux vers la nuque. Son teint est blanc, diaphane, peut-être un peu trop pâle. Elle porte un caraco de velours bordé d'astrakan, sur une jupe à crinoline en taffetas. Dans l'atelier de monsieur Graziani, « peintre et photographe », elle ne sourit pas et paraît même plutôt distante, le visage légèrement tourné de profil, un coude appuyé sur la balustrade.

Paul-Augustin, au contraire, a l'œil brillant, le regard vif, l'air réjoui. Le pouce de la main gauche dans le gousset d'où pend une chaîne de montre à breloque, il porte beau, avec sa grosse moustache noire, très droit dans sa redingote et le gilet bien ajusté sous le col cassé. Je peux dire, tout de suite, qu'ils s'aimaient et qu'ils étaient heureux ensemble.

« Mon cher ange... j'attends ton arrivée comme une terre sèche attend la pluie... », écrit Pauline, le jour où Paul-Augustin repart sur les routes.

35

La belle saison, l'installation près de lui du jeune ménage amoureux ravigotaient l'oncle Salvatore. Il quitte sa redingote d'hiver en drap de cuir noir et sa robe de chambre en tartan pour reprendre ses promenades quotidiennes autour de la place, parfois au bras de Pauline ou de Nicoline. Dans sa beauté rénovée que rehaussent les grands tableaux aux tons pourpres dans leurs cadres dorés, la maison revit, avec le rire des deux jeunes femmes et l'animation qu'y apporte Paul-Augustin.

Ses absences, dans la Casinca ou le Cap, parfois en Balagne, durent moins longtemps. Pauline ne s'y habitue pas : « Augustin bien-aimé, hier au soir j'ai été jusqu'à huit heures à la fenêtre, pour te voir arriver, et, ne te voyant pas, je n'ai pu retenir mes larmes » ; mais la vie familiale retrouve sa paisible harmonie et de grands bouquets la fleurissent à nouveau. « J'ai été cueillir les amandiers du jardin de Belgodere... »

Dans son atelier installé sur la terrasse, du côté où l'on voit les îles à l'horizon, Paul-Augustin peut donner plus de temps, le soir, aux projets d'architecture qu'on lui commande : réfection de la belle église de Vescovato ou de celle de L'Ile-Rousse, construction, à Bastia, d'un bureau de l'octroi, aménagement de la rampe du jardin sous la citadelle et, le plus cher à son cœur, la restauration et l'achèvement de la façade de Saint-Jean, son Saint-Jean, qui n'a encore qu'une tour et pas de tympan. On lui a promis la place d'architecte de la ville quand elle sera libre.

Dessinés avec la rigueur et l'élégance apprises à l'académie Saint-Luc, agréablement coloriés de bleu, d'ocre, de vert et de rose, certains de ces projets — comme celui du cimetière, tout obélisques, péristyles et coupoles — paraissent préparés en pensant à Rome plus qu'à Bastia ; mais sans doute étaient-ils aussi pour rêver...

Puis il y eut, enfin deux grandes nouvelles. Pauline attendait un enfant. « Nous l'appellerons Louis, si c'est un garçon ; et Louise-Marie-Sébastienne, si c'est une fille, pour garder la mémoire de mes bons parents », annonce Paul-Augustin à Benedetto. Ce dernier est à l'honneur.

Pie IX lui confère officiellement le titre d'archiatre pontifical, en septembre, le Dr Carpi venant de mourir. « Je me félicite de la haute distinction que le Saint-Père a voulu te donner. Mais tes nouvelles fonctions et ton âge doivent te conseiller de diminuer tes autres activités. Le souvenir de notre oncle Thomas devrait te servir de règle », lui écrit Salvatore.

Benedetto débordait d'activités. Précurseur de la médecine psychosomatique, il avait entrepris en 1859 la réforme du traitement des maladies mentales en modernisant l'hôpital de S.M. della Pietà alla Lungara, dont le pape l'avait nommé directeur.

Avec l'aide de Pie IX, qui voulait en faire l'un des plus modernes d'Europe et suivait personnellement le projet, il agrandissait et aérait les locaux, ouvrait des ateliers de divers métiers, achetait des terrains sur le Janicule, dont la villa Gabrielli, et créait une grande ferme pour mettre en pratique ses idées sur une thérapeutique par l'amélioration de l'environnement.

Les malades les moins agités étaient promenés en voiture à la campagne ; on les emmenait au théâtre, où plusieurs loges leur étaient réservées. Plus tard, innovation que l'on trouva hardie à l'époque, il fera engager un maître de musique « pour voir si celle-ci pourrait servir à rendre un peu de paix à ces âmes troublées », dit l'une des Histoires de l'hôpital de Santo Spirito, dont S.M. della Pietà dépendait. « On forma de cette façon un orchestre de trente musiciens qui, tous les après-midi du jeudi et du dimanche, offraient les délices d'un réconfort spirituel dans l'ensoleillée villa Gabrielli et dans les cours-jardins de l'édifice rénové [204] ».

Benedetto poursuivait, parallèlement, ses travaux de chimie, dont il publiait régulièrement les résultats dans ses communications à l'académie des Lincei, et ses cours de médecine clinique, dont les premières années avaient été réunies en volume. Il y avait aussi ses obligations à la commission supérieure d'hygiène et de santé de l'Etat pontifical, au collège des médecins, au Pie Institut de secours pour les médecins et chirurgiens de Rome, et dans diverses organisations charitables. Tout cela représentait une activité considérable. Et l'instabilité émotive de Pie IX, accrue par les tensions que la situation politique provoquait en lui, appelait souvent Benedetto auprès du pape, certains mois il le voyait presque quotidiennement.

« Je me réjouis de l'honneur fait à votre frère Benedetto. Si le médecin de Pie IX pouvait parler, il serait à même de faire de singulières révélations. De toute façon, il lui arrivera d'assister à la dernière scène du drame romain, soit avant, soit après la mort du pontife. Napoléon ne pourra tolérer longtemps encore la situation qui lui est faite à Rome », écrit Vieusseux à Salvatore le 1er octobre 1861.

La dernière scène du drame romain se mettait en place, en effet, rapidement. Les Etats du pape étaient réduits à la seule ville de

Rome protégée par les canons français. Les Piémontais avaient envahi et annexé tout le reste de l'année précédente, pour couper l'herbe sous les pieds de Garibaldi.

Les Chemises rouges avaient conquis la Sicile, abattu le royaume de Naples et, remontant du sud, menaçaient de prendre Rome dans la foulée et d'y installer la république. Effrayé par une telle perspective et bousculé une fois encore par la pression populaire, le Piémont avait donc déclaré la guerre au pape, en septembre 1860. Le 11, l'armée pontificale de Lamoricière avait été battue à Castelfidardo. Le 20, contournant Rome, Victor-Emmanuel était arrivé sur le Volturno. Garibaldi s'y trouvait déjà. Ils s'étaient serré la main.

On en a fait un tableau sublime, avec de beaux chevaux, tout d'unité patriotique. Le fait est que la progression révolutionnaire des Chemises rouges était stoppée et que le Piémont confisquait leur élan. « Si nous n'étions pas arrivés très vite au Volturno, la monarchie était fichue », dira Cavour. Enfermé dans Rome, de plus en plus irritable, dépressif et nerveux, Pie IX n'y avait gagné qu'un sursis.

Comme la majorité des modérés libéraux, Salvatore s'était rallié à la perspective d'une unité italienne réalisée par la monarchie piémontaise. L'essentiel était que l'unité se fît. « Le droit d'un peuple à choisir son propre Etat doit être reconnu à l'Italie par le congrès (de Paris), parce qu'il faut y créer une nation égale à toutes les autres », écrit-il à Vieusseux en 1859 ; et en 1860 : « Je ne voudrais pas que le projet de l'unité italienne soit écarté, et que chacun en prenne une partie, comme la France, qui a commencé par prendre Nice et la Savoie, deux des principales frontières. »

Bien qu'approuvant la fermeté de Michel à Bologne, il avait admis la nécessité de l'annexion de la Romagne et des Légations. Il applaudit celle du grand-duché de Toscane, pour laquelle Capponi et Lambruschini avaient joué un rôle actif.

Mais l'unité devait s'arrêter pour Salvatore aux portes de Rome. « Gaete est prise. Que cessent donc ces guerres civiles, et vive l'Italie », dit-il à Vieusseux lorsque Garibaldi atteignit la frontière pontificale du Latium.

Ses fréquents voyages à Rome — il y allait presque chaque année, depuis 1849 — l'avaient convaincu de la faillite du pouvoir temporel. Son *Etat politique et moral de Rome en 1854*, rédigé sur place cette année-là, rejoignait déjà les plus sévères condamnations d'un Tommaseo ou d'un Lambruschini. « Il connaissait bien le tort que la cour de Rome portait au Saint-Siège et, après la mort de son frère, le cardinal, il en parlait ouvertement », reconnaîtra Tommaseo ; Salvatore n'en estimait pas moins qu'un minimum de souveraineté temporelle était nécessaire à la liberté du pape. Pour le reste, il acceptait la leçon des faits.

A Benedetto, qui refusait d'écrire à Turin, dans le conflit sur la succession de Michel, pour ne pas avoir à appeler Minghetti « ministre du roi d'Italie », Salvatore conseille plus de souplesse : « Il y a déjà eu un roi d'Italie, en 1814, et ce titre, reconnu par le

Souverain Pontife, ne signifiait pas qu'il s'étendait à l'Italie tout entière. »

Mais comme tout cela paraissait lointain à Salvatore ! Victor-Emmanuel avait été proclamé roi d'Italie en mars. On était en octobre, aux derniers beaux jours de l'année. Le ventre de Pauline commençait à s'arrondir doucement. L'air était plus frais, sur la place. Il venait de recevoir le volume de ses œuvres complètes publié à Florence[205]. En le feuilletant, il pouvait faire le bilan de sa vie d'écrivain. La présentation lui plaisait. « Je suis reconnaissant à l'Orlandini pour l'amour, la patience et le soin avec lesquels il a mené à bien ce travail », écrit-il à Vieusseux.

Ce dernier lui annonce que la prochaine livraison de l'*Archivio storico* contiendra l'un de ses essais sur la Corse que l'animateur de la revue, Gino Capponi, trouve excellent[206]. Salvatore lui répond avec modestie : « Je suis reconnaissant de ce que pense le marquis Capponi de mon texte sur les changements des régimes politiques en Corse, et son jugement spontané me fait plaisir. Je souhaite que vous le lui disiez ; mais en passant, pour ne pas avoir l'air de rendre louange pour louange. »

L'air restait tiède et ensoleillé. Le beau temps se prolongeait par une de ces lumineuses « *ottobrate* » qui font parfois de l'automne la plus belle saison de la mer Tyrrhénienne. A Florence, la grande exposition industrielle et artistique, tant attendue, venait d'être inaugurée par le roi Victor-Emmanuel, en septembre. C'était le symbole de la nouvelle Italie, de son unité. Son titre ambitieux dans sa simplicité l'annonçait : « L'exposition italienne ». Salvatore se sentait bien. Il décide d'aller la voir.

C'est l'occasion de revoir ses amis toscans, qui vieillissent comme lui. Pour combien d'entre eux ce serait la dernière fois ? pense-t-il. Niccolini était mort en septembre. Le premier, avec Lambruschini, il l'avait accueilli à Florence et encouragé, lui donnant confiance en son talent. Il avait été pour beaucoup, sans doute, dans l'orientation de sa vie. « Après trente ans d'amitié avec notre pauvre Niccolini, sa mort est pour moi une nouvelle affliction », écrit-il à Vieusseux. A Livourne, Salvatore s'arrête deux jours pour voir Guerrazzi, l'ancien dictateur de Toscane, perdu de vue depuis son exil en Corse. Ils parlent politique « très librement », note-t-il. Leurs anciennes divergences ont été tranchées par les faits.

Arrivé le 10 à Florence, il tombe le soir même dans les bras de Vieusseux. Celui-ci a quatre-vingt-trois ans ; il est un peu sourd et commence à perdre la mémoire. Lambruschini, Capponi, Salvagnoli, Tommaseo lui font fête ; Tommaseo surtout, récemment rentré d'exil, qu'il n'a pas revu depuis vingt ans et qu'il retrouve aveugle, calfeutré chez lui, dans un petit appartement encombré de livres jusqu'aux plafonds, Lungarno n° 7989, à côté du pont alle Grazie. Dans la chaleur de ces amitiés et l'harmonie familière de la ville, Salvatore se sent revivre. « A Florence, je retrouve l'appétit », note-t-il. Il va voir plusieurs fois l'exposition avec Lambruschini. Devant une rôtissoire perfectionnée, pleine de courroies et de poulies, Lambruschini lui dit : « La broche est l'image du roi, qui a l'air de tout faire et ne fait rien du tout. »

Mais ses amis sont frappés de sa tristesse profonde. Tommaseo qui, ne pouvant voir son visage, sent mieux son âme au travers de sa voix, écrira : « On lisait en lui une sorte de douleur calme, parce que constante, entre la résignation et le désespoir, qui, à la percevoir, vous bouleversait. Il parlait de littérature, de choses qui intéressaient ses amis, et même de l'actualité ; mais, sous les mots, il y en avait un que l'on sentait monter, et que les lèvres n'osaient pas exprimer : dans sa voix, il y avait quelque chose qui sentait les larmes [207]. »

Fin octobre, le 23, Salvatore est de retour à Bastia. Il retrouve avec plaisir la maison, ses neveux affectueux et attentifs, l'espoir que porte Pauline, Nicoline, pour qui on fait un projet de mariage, Angéline plongée dans ses livres de dévotion, Paul-Augustin, heureux de ses travaux d'architecte, le tranquille réconfort des vies familiales harmonieuses. « Ici, nous allons tous bien, y compris Pauline qui attend le petit héritier... Je me réjouis beaucoup de l'honneur que s'est fait Benedetto avec l'amélioration matérielle et morale des asiles d'aliénés. Je crains seulement, pour sa santé, l'excès de ses occupations. » Sa dernière lettre à Benedetto et à Daria, le 27, sur le papier encore bordé de noir pour les deuils de Michel et de Louis, est tracée d'une écriture tremblée.

Début novembre, le 4, il sortit après déjeuner pour sa promenade quotidienne. Il faisait très froid. Paul-Augustin lui conseilla de rester à la maison, mais il ne l'écouta pas. Dès qu'il fut dehors, il se mit à tousser. Il rentra, se mit au lit, fut pris de nausées avec de la fièvre, et vomit. Les médecins diagnostiquèrent un embarras gastrique et prescrivirent des purgatifs. On lui donna un peu de pulpe de tamarin, avec de la quinine ; puis de la gomme et six grains de calomel.

La fièvre augmenta ; il cracha un peu de sang. Paul-Augustin, alarmé, rappela les médecins ; mais ceux-ci l'assurèrent qu'il n'y avait pas de danger. Sentant sa faiblesse augmenter, Salvatore dicta à Nicoline une note avec la liste de ses œuvres inédites prêtes pour la publication. Il dit ce qu'on devait en faire et les dispositions à prendre pour certaines d'entre elles « à ne publier que beaucoup plus tard et avec beaucoup de circonspection ». Le 22, il fit appeler le notaire et lui dicta son testament calmement. A chacun il laissait un de ses objets familiers en souvenir. Il confia sa bibliothèque et ses manucrits à Paul-Augustin. Puis, sentant que ses forces l'abandonnaient, il demanda qu'on allât chercher son vieil ami l'abbé Guasco, curé de Sainte-Marie. Il se confessa et communia, à sept heures et demie du soir, « avec dévotion et une grande force d'âme ». Quand il l'attira vers lui pour l'embrasser, l'abbé Guasco se mit à pleurer.

Salvatore mourut le lendemain, entouré de tous les siens. « Il a gardé ses sentiments jusqu'à dix minutes avant d'expirer et l'on peut dire qu'il s'est vu mourir. Sa mort a été vraiment angélique », écrit Paul-Augustin dans le récit qu'il fit de ses derniers jours à Benedetto et à Daria.

On l'enterra dans le jardin de Belgodere, le surlendemain, après un service solennel à Saint-Jean auquel toute la ville assista. Ce fut un enterrement modeste, strictement familial, avec quelques amis intimes seulement. « Pour la fosse à Belgodere : 1,75 franc », lit-on dans le compte des funérailles.

Presque aussitôt, une commission se constitua en vue de lui ériger un monument. Les promoteurs en étaient ses amis Anton Luigi Raffaelli, Pio Casale, Philippe Caraffa et quelques autres. « Ce monument sera digne du poète éminent qui fut la plus belle gloire de la Corse », disait le manifeste pour les souscriptions qui étaient reçues chez Fabiani. De Florence, ses amis et les académies et sociétés savantes dont il était membre demandèrent à y participer. La commission, discrètement sermonnée par le préfet, remercia de ce témoignage si flatteur et déclara qu'il était « plus convenable et digne de donner à cette souscription un caractère exclusivement national ».

Puis, comme toujours en Corse, la politique locale s'en mêla. « Les aristocrates ne veulent pas aller souscrire chez Fabiani, qui est du parti démocrate ; et les démocrates ne veulent pas souscrire non plus car ils disent que l'oncle Salvatore n'est pas de leur parti », écrit Paul-Augustin à Benedetto. Ce dernier aurait aimé voir son frère enterré à l'intérieur de Saint-Jean, ou dans l'église de Sainte-Lucie, à Ville di Pietrabugno, en souvenir de leur enfance. Paul-Augustin avait l'intention de le ramener dans le caveau familial qu'il était en train d'achever au nouveau cimetière. « Les monuments publics sont peu respectés, en Corse », dit-il.

Mais la souscription ayant été généreuse, on ne put refuser l'hommage public. Son buste avait été commandé à Florence au sculpteur Lazzarini. La ville offrant l'esplanade au centre du cimetière, à quelques mètres d'ailleurs du caveau familial, la dépouille mortelle de Salvatore fut bientôt transférée sous son monument [208].

« Le ciel était pur, la mer calme, le soleil resplendissait et la délicieuse campagne de Bastia était éclairée en teinte douce. On apercevait dans le lointain la crête neigeuse des montagnes. C'était une de ces journées splendides de printemps en plein hiver, comme on en voit si souvent en Corse, une de ces journées qui font rêver de Dieu, d'art et de liberté. Délices et inspirations de notre poète, ces splendeurs de notre ciel, ces beautés de notre sol faisaient la consolation de ses vieux jours. Avec quel amour il les contemplait...

« On a découvert le buste, chacun a reconnu le poète... A la mémoire du poète national, de l'intègre magistrat, du vertueux citoyen, de l'ardent patriote : c'est la première fois que l'on rend en Corse des honneurs solennels à la vertu modeste et au talent littéraire. » L'Observateur de la Corse décrivit ainsi l'inauguration. Ce fut une cérémonie officielle et familiale à la fois, le 22 janvier 1865 [209].

Al suo poeta
Salvatore Viale
la Corsica

Son regard est tourné vers la mer, vers les îles et l'horizon familier où par grand vent, l'hiver, on peut voir la Toscane. Sur le monument que lui a adressé l'hommage public de son île, ces simples mots, en italien, sonnent comme un adieu plus encore qu'un éloge. La Corse a renoncé à sa chance d'unir deux cultures, les plus harmonieuses pourtant de notre mère la Méditerranée.

36

Rome, septembre 1870. La foule est en fête sur l'esplanade de Termini, où aboutit le nouvel aqueduc. Au milieu des bannières, des fanfares, des vivats, Pie IX sourit largement, de tout son visage rond, débonnaire, pour quelques heures oubliant ses tracas. Les tribunes officielles qui entourent le trône sont à peine moins élevées que celui-ci. Les gardes nobles sont nerveux, les gendarmes pontificaux sur le qui-vive. Ils craignent quelque manifestation subversive. L'armée française est partie et les Piémontais campent sous les murailles.

Au premier rang des tribunes, il y a le sénateur de Rome, des cardinaux, des ministres, dont celui des armées, et les principales autorités du Capitole, avec Benedetto. Outre ses fonctions d'archiatre pontifical, il est membre du conseil municipal de Rome et vice-président de la commission spéciale pour la santé publique. La nouvelle adduction d'eau est en grande partie son œuvre.

L'eau vient des lointains monts Simbruni, de cette région sauvage du Latium où le jaillissement des sources s'entoure d'un mystère sacré, aujourd'hui encore, comme au sanctuaire de Vallepietra et de sa sainte trinité de vieillards barbus. C'était l'antique Acqua Marcia des Romains, qui l'avaient nommée ainsi en l'honneur du prêteur Marcius. On l'a rebaptisée Acqua Pia, en hommage à Pie IX. Marcia, en italien, veut dire pourrie. De pourrie à pieuse, Pasquin n'a pas manqué le jeu de mots facile. Et voilà que l'eau arrive enfin, elle jaillit de sa *mostra* comme d'une fontaine.

La marchesina Cavalletti, fille du sénateur de Rome, court en sautillant en apporter un gobelet au pape. Celui-ci l'embrasse. Il boit. Il a bu ! La foule jette des fleurs, lance des vivats, les fanfares font beaucoup de bruit, Pie IX rit, s'épanouit. Il fait un petit discours. Il dit qu'il est content qu'on ait remplacé Marcia par Pia. Les vivats redoublent. Le gobelet passe de main en main, disparaît dans la foule. Il est déjà devenu un souvenir, peut-être même une relique.

On est le 10 septembre. C'est la dernière fête du pape, sa dernière cérémonie officielle dans Rome [210]. Le 20, les canons piémontais

363

défonceront les murailles de la ville et les bersagliers entreront par la brèche de Porta Pia.

Bien placé pour assister au dernier acte du drame romain, comme l'avait prévu Vieusseux, Benedetto n'y jouera aucun rôle. Il suivra Pie IX dans sa réclusion volontaire au Vatican. Président de l'académie des Lincei depuis 1867, il refusera d'entrer dans l'académie royale d'Italie, qui en prendra la place et les biens, et participera au Vatican à la fondation de l'académie pontificale des Nouveaux Lincei, dont il restera le président jusqu'à sa mort. Après la prise de Rome, il sera démis de sa direction de l'hôpital psychiatrique par une décision subalterne.

Sa réputation lui vaudra bientôt d'être à nouveau consulté par les -autorités. Celles-ci n'avaient pas oublié qu'il avait soigné avec un égal dévouement à Santo Spirito les blessés garibaldiens après la bataille de Mentana en 1867, comme pendant le siège de Rome en 1849. Son disciple, Guido Baccelli, qui prend la relève, lui reste profondément attaché et le consulte souvent pour les réformes des conditions d'hygiène de la ville, pour lesquelles il avait tant fait. Les plaques apposées à sa mémoire, dès après son décès, à Santo Spirito, à Saint-Jacques-des-Incurables, à S.M. della Pietà, et à Saint-Sauveur-du-Latran portent encore témoignage, aujourd'hui, de la considération dont il continua à jouir malgré le changement de régime.

Il ne vivait d'ailleurs pas en reclus, avec Daria, dans la maison de la Piazza san Pantaleo où il avait installé la galerie de tableaux de Michel, avec le buste sculpté par Tenerani qui accueillait les visiteurs sur sa colonne de porphyre. La remise abritait un coupé et un phaéton. Le prince Caetani, don Michelangelo, renommé pour ses études sur Dante, était de ses amis.

Franz Liszt fut de ses relations, lorqu'il vint prendre les ordres mineurs, en 1865, et habita quelque temps au Vatican, chez Mgr de Hohenlohe, grand aumônier du pape. Ensemble ils parlèrent de Michel, chez qui Liszt avait joué un soir du piano, au palais de la nonciature à Vienne. Il le revit lorsque l'abbé Liszt, portant soutane et lisant le bréviaire, se retira dans le cloître de Sainte-Françoise-Romaine pour y écrire son *Requiem*.

Cette même année 1865, Benedetto avait assisté à une cérémonie particulièrement émouvante pour lui : l'inauguration du buste de Tommaso Prelà, dans la galerie des médecins célèbres qui orne la loggia intérieure du palais du commandeur de Santo Spirito. L'oncle Tommaso s'y trouve en compagnie de Saliceti, de Sisco et de Giuseppe De Matthaeis, parmi vingt-trois autres visages figés dans le marbre et comme pétris de lumière, là-haut, entre le bleu du ciel et l'ocre orangé du palais.

Leurs traits, sculptés d'après des gravures de leurs portraits, ne sont guère ressemblants ; mais Benedetto y aura sans doute été moins sensible qu'au plaisir de les voir ainsi réunis, côte à côte, comme peut encore s'en réjouir celui qui se souvient de leurs rapports d'amitié, du temps où ils étaient vivants [211].

L'enfant de Pauline et de Paul-Augustin, que Salvatore n'avait pas eu la joie de voir naître, ne vécut que quelques mois. C'était une fille que l'on baptisa à Saint-Jean, Louise-Marie-Sébastienne. Le parrain était Benedetto, la marraine Daria. Elle fut suivie de cinq autres petits frères et sœurs, en huit ans. Deux seulement survécurent, Anne-Marie-Sébastienne et Michel-Benoît.

Anémiée, épuisée, Pauline mourut deux semaines après la naissance du dernier, qui ne vécut que quelques heures, le temps d'être baptisé, à la maison, Salvatore. C'était le 9 novembre 1870. Elle avait trente-six ans.

... *Et requiem aeternam dona eis Domine.* Dans la haute nef grise et or de Saint-Jean, une fois de plus remplie à l'appel de la mort, Paul-Augustin est seul à son banc, à toucher le catafalque, et il ne voit que lui. Il pleure. Il est croyant, mais ne se résigne pas. Sa lumière s'est éteinte, Pauline est morte, après tant de morts, tant d'enfants. Il le ressent comme une injustice. Dans son journal intime, la page n'est qu'une plainte désespérée. Du côté des femmes, au premier rang, Marie-Angèle et Marie-Nicole encadrent la petite Marie-Sébastienne, que gêne la mantille noire qu'elle n'ose enlever. Elle a six ans. Michel, qui n'en a pas deux, est resté à la maison avec la nourrice. Sur le parvis, les condoléances durent longtemps. On a emmené Marie-Sébastienne à la maison, d'où l'on entend encore monter le murmure de la foule. Entre Angéline et Nicoline, Paul-Augustin retient ses larmes. En levant les yeux, il voit les persiennes fermées, la haute façade de la maison aveugle jusqu'à la terrasse.

Le glas sonne dans l'air frais de l'hiver qui commence. Il sonne plus fort que jadis, semble-t-il. Saint-Jean a son deuxième clocher, construit sur les plans de Paul-Augustin, qui a aussi redessiné et achevé la façade. Oh, peu de chose : le tympan, avec la dédicace au saint protecteur, et de fausses colonnes pour mieux équilibrer les volumes. Un projet beaucoup plus ambitieux, avec des niches et des statues baroques, n'avait pas été retenu par économie.

Se dit-il que c'était cela son destin, que toute sa vie aboutissait là, à cette œuvre modeste, mais que tant de souvenirs familiaux sublimeraient à jamais ? Il a été enfin nommé architecte de la ville, et n'a plus à la quitter pour courir les routes.

Son dernier voyage, il l'a fait avec Pauline en Toscane pour lui montrer Florence. Ils avaient fait le projet d'aller jusqu'à Rome voir Benedetto et Daria ; mais Pauline était trop faible. Elle était rongée par le mal qu'on appelait alors consomption. Sa dernière promenade avait été pour aller au jardin de Belgodere. Les oranges n'avaient jamais été aussi belles. Pauline le disait chaque fois qu'on lui en apportait un panier, pour étancher sa soif, lui rendre un peu de vigueur, allongée au lit en attendant le petit Salvatore. De Rome, le *buonissimo zio* écrivait souvent de longues lettres pleines de conseils pour la soigner.

Benedetto souffrait d'emphysème. Une bronchite aiguë l'emporte en 1874, le 27 mars.

On lui fit des obsèques splendides, auxquelles participèrent tous ceux qui comptaient à la curie et dans le corps médical, et qui étaient ses amis. Guido Baccelli, avec un grand lyrisme, fit l'éloge de ses vertus, dit la gloire du savant et la charité de l'homme de bien : « Il avait l'âme corse, c'est-à-dire généreuse et forte, purifiée par une irréprochable morale... Par la sérénité avec laquelle il accueillit la mort, dans sa confiance en Dieu, il nous a donné une dernière leçon pour nous apprendre à mourir[212]. » Tous les journaux firent son éloge. Avec Benedetto, Rome perdait une de ses illustrations médicales. Santo Spirito inscrivit son nom sous le porche du palais du commandeur, sur la plaque qui garde la mémoire de ses plus grands bienfaiteurs.

Il avait souhaité être enterré dans le petit cimetière attenant, auprès de Maria Nicolaja, sa mère. Mais le terrain était condamné par l'extension prévue de l'hôpital et Daria le fit enterrer dans le quadriportique du cimetière du Verano, dans un tombeau aussi monumental que somptueux, tout en pilastres, frises et chapiteaux, couronnes, guirlandes et têtes de chérubins, avec, au milieu du tympan, une très belle statuette de la Vierge à l'Enfant, entre les saints Luc et Benoît. L'inscription funéraire déroule les sonores périodes de son latin entre deux blasons aux armes de la famille. Elle rappelle même l'adduction de l'Acqua Pia. « Sa sœur Daria apposa en pleurant », dit la dernière ligne[213].

Daria y consacra une fortune et vendit pour cela la galerie de tableaux, une partie de la bibliothèque, coupé, phaéton et chevaux, ne gardant que les souvenirs de famille. Je la soupçonne de ne pas s'être préoccupée des papiers de Michel et de Salvatore qu'avait Benedetto et qui disparurent après sa mort pour réapparaître, il y a une vingtaine d'années seulement, à l'abri heureusement de la Bibliothèque nationale de Florence et du musée du Risorgimento à Milan.

Paul-Augustin eut à peine le temps de pleurer le *buonissimo zio*. Lorsque les souvenirs qu'il léguait à ses neveux arrivèrent, Paul-Augustin n'était plus là. Deux mois après la mort de Benedetto, une violente montée de fièvre l'avait emporté, subitement, le 28 mai. Il n'avait pas cinquante ans. Sans doute, les séjours passés dans certaines régions les plus malsaines de l'île, à dessiner les routes ou assécher des marais, avaient-ils miné sa santé. Mais on a toujours su en famille qu'il ne s'était jamais remis du chagrin d'avoir perdu Pauline. Il venait d'achever la tombe de famille au cimetière, et il y fut le premier enterré.

Quelques jours après la messe de ses funérailles à Saint-Jean, arriva de Florence une lettre qui lui annonçait la mort de Niccolo' Tommaseo. Ils étaient restés en correspondance et la dernière lettre qu'il en avait reçu était du 12 janvier. Vieillard aveugle, que l'on voyait passer lentement, la main posée sur l'épaule d'un petit enfant, chaque matin, pour se rendre à la messe à Santa-Maria delle Grazie, Tommaseo avait travaillé jusqu'à ses derniers jours.

A son humble enterrement, le 2 mai au soir, à San Remigio, un autre vieillard se cachait derrière un pilier pour qu'on ne vît pas ses larmes. C'était Gino Capponi. Avec Ricasoli, il était le dernier survivant de cette heureuse petite bande de lucides et courageux Toscans qui avaient tant fait pour l'honneur de l'Italie.

Entre Piero et Vincenzo, ses fidèles domestiques, Daria survécut encore quatre ans, menant une vie retirée dans le grand appartement qu'hantait un omniprésent monseigneur. Elle avait, paraît-il, un air de princesse. « Le service de mes funérailles sera assuré par cent frères capucins, il y aura douze torches autour du cercueil et l'on dira quarante messes dans la paroisse... »

Le ton impérieux de ses dernières volontés donne peut-être une idée de la façon dont elle régentait sa maison. Elle devait faire très « madame sœur de cardinal », et ce n'était pas rien, à Rome. « De ma belle robe, que je n'ai portée qu'une seule fois, on fera une chasuble que l'on donnera à l'église de San Pantaleo, en témoignage de reconnaissance pour les commodités que j'y ai toujours trouvées pour remplir les devoirs de ma religion. » On l'enterra comme elle l'avait voulu, auprès de Benedetto, dans le monument du Verano.

Cette même année 1878 disparaissait Pie IX. Il avait quatre-vingt-six ans et en avait régné trente-deux, l'un des plus longs pontificats de l'histoire. Il y avait deux ans seulement que le cardinal Antonelli était mort, qu'il avait gardé jusqu'au bout comme secrétaire d'Etat, qu'il avait supporté, plutôt, par facilité d'abord, puis par indifférence de vieillard. Cloîtrés tous deux dans le palais du Vatican, Antonelli habitait l'étage au-dessus de celui du pape. « Qui est le supérieur ? » demandait Pasquin. Même en vieillissant, Antonelli n'avait pas trouvé le chemin de la foi. Pie IX fut soulagé d'apprendre, lorsque le cardinal tomba malade, qu'il avait demandé à recevoir les derniers sacrements.

En apprenant sa mort, « Basta, qu'on n'en parle plus », dit simplement le pape.

Dans aucune des photographies du gros album à fermoir, on ne les voit sourire. En voici une où ils sont tous les quatre ensemble. Marie-Sébastienne tient une poupée, Michel un cerceau. Elle a douze ans et lui neuf. Entre eux, Angéline est assise, la tête penchée sur un livre posé sur son pauvre bras paralysé, et qu'elle ouvre d'un geste maladroit, de la main gauche. Derrière elle, très droite, Nicoline pose une main sur son épaule. Elle n'a encore que trente-sept ans, le chef de la famille. A ce rôle elle a sacrifié sa vie et ne se mariera pas. J'éprouve une grande tendresse à les regarder ; à voir Nicoline si droite, sereine, entre les petits orphelins et l'infirme. Sa grand-mère Maria Nicolaja serait fière de lui voir porter son nom.

Les mois d'été, les enfants les passaient chez leur grand-mère, « 'a signora Anna Maria », à Porto-Vecchio ou à Quenza, dans la fraîcheur des montagnes boisées. Le jour de l'Assomption de Marie, sa fête, elle recevait l'hommage des fermiers et des électeurs des Rocca-Serra sur la place de Porto-Vecchio, assise devant le portail de la maison. On y venait des villages lointains, en bruyantes délégations. Sa trentaine de petits-enfants se tenaient autour d'elle, assis par terre sur des lits de feuillages et devaient y rester jusqu'à la fin du défilé.

Une autre grande fête, pour les enfants, était le départ de la gondole de la tante Julie, la sœur cadette de « 'a signora Anna Maria ». Tante Julie s'était mariée à Cervione, à l'autre extrémité de la côte orientale, et deux fois par an on lui envoyait la moitié des produits des domaines restés indivis. De la plaine et des montagnes, des caravanes de mulets les amenaient jusqu'au port ; et c'était comme regarder charger l'arche de Noé.

Partout, toujours il y avait « Cordiolo », l'ange gardien des garçons. Il s'appelait Giovanni, mais on l'appelait ainsi, qui signifie à peu près l'homme au cordon, parce qu'il portait toutes les clefs des placards, des caves et des resserres passées dans un cordon qui pendait sur sa cuisse et faisait teinter l'impressionnant trousseau à chacun de ses pas. Il était aussi l'homme qui avait vu le bandit. Le bandit se cachait, ou vivait discrètement plutôt, comme tant d'autres, dans la forêt de l'Ospedale, au-dessus de Porto-Vecchio. Un jour, on ne sait pourquoi, il avait commencé à graver au couteau dans les troncs des arbres. « A bas le juge de paix », qui était Jules, l'aîné des fils de « 'a signora ».

« Attacca » (« attelle »), dit celle-ci à Cordiolo, aussitôt qu'elle l'apprit, et elle se fit conduire à l'endroit où elle savait pouvoir trouver le bandit. « Tu es ici chez moi, lui dit-elle — la forêt de l'Ospedale lui appartenait en partie —, si tu graves encore une seule fois A bas le juge de paix, je te chasse. » Et le bandit n'avait jamais recommencé, disait Cordiolo.

La voici elle aussi dans l'album, le visage plein, le front très haut sous la capote à rubans bordée de ruché, un paletot de lainage sur sa jupe à crinoline, telle qu'elle était quand elle venait en visite à Bastia. Son expression est toute d'assurance et de volonté, l'expression qu'elle avait peut-être en écrivant cette lettre à Paul-Augustin :

« Portovecchio, 15 février 1875. Mon cher fils, mon berger Orso Giovanni Andreani, qui viendra vous voir demain avec la présente, a un beau-frère qui passe aux assises le 22. On lui reproche d'avoir tiré un coup de fusil sur un individu, mais il est innocent, car l'individu qui a été blessé a beaucoup d'ennemis. Je vous le recommande, à vous et à votre parent Semidei, pour que vous fassiez tout, auprès des jurés que vous connaissez, pour qu'il en sorte libre, car il est innocent. Votre mère Anna Maria Vve Roccaserra. » Mais ses lettres à Pauline et à Paul-Augustin, et ensuite à Nicoline, écrites d'une large écriture dans un italien au style rugueux mais sans faute, montrent aussi qu'elle était une mère aimante et une grand-mère attentive pour ses petits-enfants qu'elle appelait tendrement Mariuccia et Micheluccio.

Les mois passés auprès d'elle étaient de vraies vacances, au milieu des nombreux cousins de la tribu, si loin de l'austérité de la maison de Bastia, peuplée seulement de bustes et de portraits et de housses en drap blanc dans les salons fermés.

C'est le mois de mai. Du portail de la maison à celui de Saint-Jean, la rue tapissée de fleurs et de feuillages embaume de tous les parfums du maquis sur le passage du cortège. A vingt et un ans, Marie-Sébastienne a rencontré Félix et l'a aussitôt épousé. Félix est un Ferrandi, fils aîné de l'une de ces familles de notables ruraux de la Castagniccia sur qui reposait la Corse de Pascal Paoli. Il est grand ; il a le regard franc dans son visage ouvert, barré d'une grosse moustache, les épaules larges et la taille fine dans son uniforme de médecin militaire. Il a passé son doctorat de médecine à Paris. Mobilisé en 1870, tout jeune, il a pris part aux derniers combats de l'armée de la Loire.

Un sang vigoureux et neuf réveille la maison. On a enlevé les housses, rouvert en grand les fenêtres. Félix emmène Marie-Sébastienne dans le nid d'aigle de sa famille, sur le piton de Ciglio. C'est la première fois que Marie-Sébastienne monte à cheval. Les bagages suivent à dos de mulet. Puis ils partent au-delà de la mer, à Saint-Denis, où sa carrière conduit Félix et où ils emmènent aussi Nicoline et Michel. Nicoline revit. A la cinquantaine, elle n'a pas un cheveu blanc. Les voyages l'amusent ; elle retrouve la gaieté de sa jeunesse.

Michel a le don des mathématiques. Mais il tousse, d'une mauvaise toux qui inquiète. L'oncle Auguste lui écrit longuement qu'il est l'espoir de la famille et qu'il doit s'en montrer digne. Michel le sait, comme il sait qu'il est le dernier Viale du nom. Malgré le mal qui le ronge, il travaille beaucoup. A vingt ans, il est admissible à l'école Polytechnique. Mais il est épuisé. Malgré les soins de Félix, il ne peut se présenter à l'oral. Sa dernière photographie le montre tassé dans un grand fauteuil, le dos soutenu par un coussin brodé. Il est pâle, émacié, les yeux brillants de fièvre. Un an, encore ; puis la mort.

Quatre enfants leur sont nés, quand Marie-Sébastienne et Félix peuvent enfin rentrer à Bastia et rouvrir la maison. Marie y reçoit à son jour, le mardi, dit le carnet de moleskine où sont notés les « jours » de ces dames de la société. Elle participe aux diverses œuvres de bienfaisance de la ville, préside une société littéraire, la « Salvatore Viale », organise des concerts d'amateurs. Félix a installé son cabinet médical dans l'ancienne saletta. Il est bon. Les plus démunis trouvent souvent un louis sur leur table, après sa visite. On lui demande de faire de la politique ; mais cela ne l'intéresse pas. Il se borne à accompagner le cousin en tournée électorale du côté de Saint-André-de-Cotone, où l'on vénère *u' sgio chirurghju*. Il va parfois, à cheval, jusqu'à Ciglio, voir ses vignes ; Marie-Sébastienne, elle, va souvent au jardin de Belgodere.

Les enfants ont grandi. Ce sont des jeunes gens. Avec leurs amis ils montent des saynètes dont ils rédigent les textes à l'encre mauve sur des cahiers d'écolier, en s'inspirant de la vie locale. Celle-ci est agréable, sous ce ciel clément, dans ce milieu aisé où l'époque laisse encore le temps de vivre, entre l'Opéra où jouent les troupes venues d'Italie, le Cercle, les bals de charité ou de la sous-préfecture, et les visites entre une trentaine de familles qui se connaissent et se marient entre elles depuis deux cents ans.

C'était un petit monde heureux, disent les survivants aujourd'hui ; un petit monde clos, en tout cas, que la Grande Guerre va briser. Félix, chef du service de Santé de la Corse, présidera la commission militaire de réforme. Son fils Paul sera parmi les premiers à partir pour le front avec Louis Villa, son ami, et Jean, qui sera tué, comme Sauveur Prelà, le dernier du nom, et tant d'autres, qu'il n'est qu'à regarder nos monuments aux morts, dans le plus petit village, pour voir combien ils furent nombreux, et trop, pour un si petit pays, et si pauvre...

37

Le salon est dans la pénombre ; mais peut-être est-ce un effet de la photographie. Dans l'angle, on aperçoit un poudroiement de lumière sur le haut rideau de la fenêtre. Elle vient du Vieux Port, c'est la lumière du matin. Félix a mis son uniforme à brandebourgs, la croix à l'emplacement du cœur. Marie-Sébastienne est assise. Elle se tient de profil. Son beau visage encore sans rides, mais qui commence à s'empâter, est tourné vers quelque chose qu'on ne voit pas et qu'elle paraît regarder ; mais peut-être le détourne-t-elle pour cacher son émotion. Autour d'elle, ses trois filles ont le même chemisier blanc, discrètement brodé, le même visage fin et grave, Marie-Angèle, Marie-Joséphine, Marcelle. Elles regardent devant elles, elles regardent le portrait de Paul qui est à la guerre. Il avait été porté disparu en novembre 1914, dans l'une des premières attaques, celles en pantalon rouge, ces boucheries. On l'avait cru mort. Ah ! il est en vie ! Du fort d'Ingolstadt où il est prisonnier, il a envoyé sa photographie que Félix a mise en évidence, derrière lui. Quand il recevra celle-ci, à son tour, il pourra voir ainsi que sa place est gardée, quoi qu'il arrive, parmi les siens. Loulou tient un livre à la main, Angèle est debout, Maman assise au piano ; sans doute pense-t-elle aussi à Louis, son fiancé, qui est au front. Aux murs, les portraits de famille font une tache sombre. On reconnaît celui de Benedetto à son cadre. Seul le buste de Michel fait une tache claire, dans le miroir ouvert sur d'autres portraits, sur d'autres contours imprécis comme des évocations.

Mon histoire de famille s'arrête ici, dans la pénombre du salon que le souvenir d'êtres chers emplit encore de leur vie. Le Vieux Port est déjà dans l'ombre, qui gagnera bientôt les fenêtres et la place où je suis ; cette place où nous nous tenions, de part et d'autre de la cheminée, quand leurs voix évoquaient pour moi, comme d'autres ici même l'avaient fait avant elles et pour elles, la présence familière de Louis et de Salvatore et de Paul-Augustin, de tous ceux que je viens, à mon tour, d'essayer d'évoquer. J'ai longtemps hésité à le faire, par crainte du péché d'orgueil de vouloir ressusciter leurs vies, de les trahir et de les perdre. La vie des autres n'appartient à personne, et même la vie des nôtres n'appartient qu'à eux-mêmes, je le sais ; mais non le souvenir qu'ils nous laissent, la seule part d'éternité dont on peut être sûr, dans l'amour de ceux qui le gardent avec eux.

La nuit tombe ; une autre nuit. Edouard et Louis jouent dans la pièce à côté, avec Monique, et la maison retentit de leurs rires, de leur vie ; mon cœur. En terminant ces pages qui leur sont, avant tout, destinées, quelque chose d'obscur monte en moi et m'étreint, à quoi je m'abandonne ; comme une appréhension mais aussi un espoir, celui de survivre, un jour, encore un peu, avec eux.

Annexes

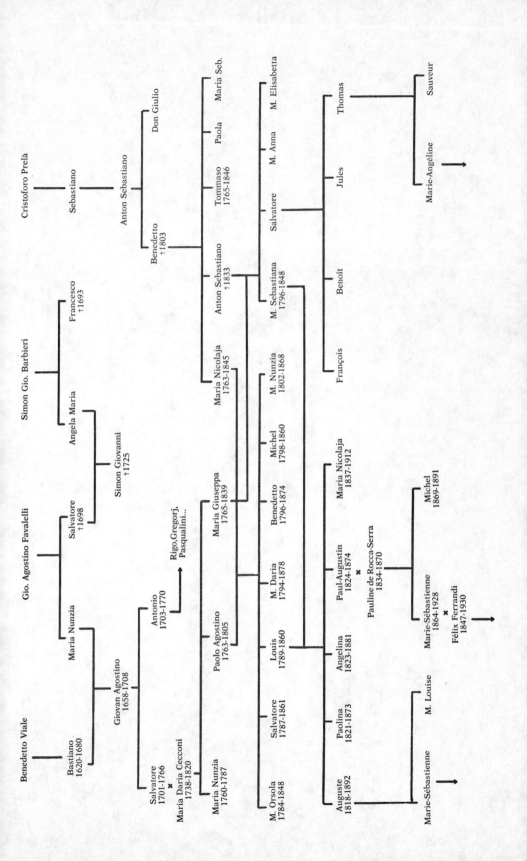

Sources

Les sources essentielles de cette histoire sont nos archives de famille.

Bibliographie : les ouvrages ou autres documents utilisés sont indiqués en note, avec leurs références. L'abondance des titres en italien déroutera peut-être le lecteur français ; mais elle a l'intérêt de montrer à quel point la culture, en Corse, s'enracinait en Italie jusqu'au milieu du XIXe siècle.

Sources complémentaires inédites :

— Bibliothèque nationale centrale, Florence (Archivio Salvatore Viale et fonds Capponi, Lambruschini, Tommaseo, Vieusseux).
— Bibliothèque du musée du Risorgimento, Milan (Archivio cardinale Michele Viale Prelà).
— Archivio Segreto Vaticano, Cité du Vatican (archives des nonciatures de Lucerne, Munich, Vienne).
— Archives d'Etat, Rome (archives de l'université de Rome, Miscellanea Benedetto Viale).
— Archives d'Etat, Pise (Archives de l'ordre des chevaliers de Santo Spirito)
— Archives de l'archevêché de Bologne.

Notes

1. Les documents cités sans référence se trouvent dans les archives de la famille (AVF : Archives Villa Ferrandi). Sauf indication contraire, ils sont inédits.

2. Salvatore Viale, né le 6 septembre 1787, à Bastia, avait en réalité seize ans révolus en octobre 1803.

3. « Biografia di Salvatore Viale », dans *L'Utile-Dulci. Foglio periodico scientifico, letterario, artistico, teatrale*, Imola. Première partie, 1re année, n° 5, 20 juin 1842. Deuxième partie, 1re année, n° 6, 30 juin 1842. Bien que rédigée à la troisième personne, c'est une autobiographie. Le brouillon autographe est dans les archives de Salvatore (AVF).

4. « Componimento ditirambico per un pranzo campestre », dans *Saggio di poesie e versi di S. Viale*, Paris, A. Boucher, 1828.

5. « Cenni biografici dell'Archiatro Cav. Tommaso Francesco Prelà », extrait de l'*Album*, 13e année, Rome, Typographie des Beaux-Arts, 1846, p. 14. Le texte est signé des initiales D.R.

6. Salvatore a ajouté cette phrase dans la marge d'un exemplaire de *L'Utile-Dulci* dans ses archives.

7. Lettre de Lord Hervey, ministre plénipotentiaire britannique à la cour de Toscane, à Lord Grenville, secrétaire d'Etat au Foreign Office, Florence, 14 septembre 1793. Dans *Sources de l'Histoire de la Corse au Public Record Office de Londres*, par Dorothy Carrington, libr. La Marge, Ajaccio, 1983, p. 257.

8. Pascal Paoli à l'abbé Poletti, Londres, 25 juillet 1803. *Lettere di Pasquale De' Paoli, con note e proemio di N. Tommaseo*, Gio. Pietro Vieusseux éditeur, 1846, p. 583. Cette lettre a été communiquée à Tommaseo par Salvatore.

9. Le chevalier A.-F. Artaud de Montor, *Histoire de la vie et du pontificat du pape Pie VII*, Paris, A. Le Clère, 1836 ; *Storia di Pio VII, scritta da A.F. Artaud.*, 3e éd., Milan, Giovanni Resnati libraire, 1846.

10. « Documents sur les troubles de Bastia », dans *Bulletin de la Société des Sciences historiques et naturelles de la Corse (BSSHNC)*, 158e fasc., Bastia, février 1894.

11. Le *Journal* de l'abbé Benedetti a été publié par Davide Silvagni dans *La Corte e la Società romana nei secoli XVIII e XIX*, Florence, 1881. (Réédité par Biblioteca di Storia Patria, Rome, 4 vol., 1971.)

12. Salvatore Viale, *Zibaldone 1814*. Le *zibaldone* est un recueil de notes, réflexions, mélanges, etc., miscellanée d'écrits divers ou fourre-tout littéraire. Salvatore en a laissé une trentaine, datés de 1803 à 1860, dans ses archives.

13. Le rapport de Mgr Arezzo a été publié pour la première fois, en 1881 par Davide Silvagni dans *La Corte e la Società romana...*, ouvr. cité, t. III, ch. I.

14. En Corse, Salvatore Viale l'Ancien (1701-1766) est à l'origine de la branche aînée (Viale Prelà) ; Antoine (1703-1770), de la branche cadette (Viale Rigo, Viale Gregorj). Dans les deux branches, le nom patronymique Viale s'est éteint, respectivement, en 1891 avec Michel Viale Prelà, et en 1910 avec Charles Viale. Pour l'ascendance génoise, documentée jusqu'à Ansaldo Viale en 1197, voir notamment : Federico Federici, *Origine delle famiglie di Genova e di Corsica*, 1528, Ms Bibliothèque

universitaire, Gênes ; Agostino Della Cella, *Famiglie di Genova antiche e moderne...*, 1782, Ms. Bibliothèque Universitaire, Gênes ; *Dizionario storico blasonico delle famiglie nobili e notabili italiane*, Compilé par Com. G.B. di Crollalanza, Pise, 1886-1890. (Crollalanza confond les carrières de Salvatore Viale et de Tommaso Prelà) ; *Notizie della casa Viale di Bastia*, 1830 env., Ms AVF. Aucune des nombreuses familles Viale ou apparentées qui existent actuellement à Bastia n'a jamais été apparentée à celle-ci. Le patronyme Viale est assez répandu en Ligurie.

15. *Della vita del Cardinal Michele Viale Prelà — Arcivescovo di Bologna — Commentario*, Bologne, impr. S. Maria Maggiore, 1861. — *Della vita del Cardinal Michele Viale Prelà — Arcivescovo di Bologna — Commentario*, Bastia, Fabiani, 1861. L'œuvre, publiée sans nom d'auteur dans les deux éditions, est de Mgr Francesco Fantoni, qui fut le secrétaire particulier du cardinal à l'archevêché de Bologne. De nombreuses lettres de Mgr Fantoni à Salvatore Viale et plusieurs documents contemporains l'attestent. Voir aussi R. Aubert, *Le pontificat de Pie IX*, t. 21 de l'*Histoire générale de l'Eglise*, Tournai, Bloud et Gay, 1952.

Mgr Fantoni a été le secrétaire du cardinal-archevêque selon le *Diario Ecclesiastico* (Annuaire ecclésiastique) du diocèse de Bologne, en 1857, 1858, 1859 et 1860. Il était docteur en théologie et chanoine du chapitre de la cathédrale. Il mourra à Bologne en 1893. C'est à l'édition de Bastia que je me réfère chaque fois que je cite Mgr Fantoni dans le cours du texte. Le manuscrit de cette édition a été relu et corrigé par Salvatore (voir p. 402).

Pour la biographie de Michel Viale Prelà, voir aussi Oreste Ferdinando Tencajoli, *Cardinali corsi. Michele Viale Prelà. 1798-1860*, avec une bonne bibliographie. *Corsica Antica e Moderna*, 4e année, Livourne, 1935.

16. Lettres de Salvatore Viale à Benedetto, Bastia, 20 mars 1853, et de Louis Viale à Paul-Augustin, Bastia, 16 mai 1860. Mgr Fantoni le rapporte aussi, tenant sans doute l'anecdote de Michel lui-même.

17. *Scene e arie ah chi piace l'allegria, del Sig. Marco Portogallo. Presso Vincenzo Freddi, copista di musica in Livorno.* Autres fournisseurs habituels : *Gio. Chiari, rigatore di carta da musica nella Condotta di Firenze, Copisteria di musica Marelloti Meucci e c., in faccia alle Scalere di Badia, in Firenze,* etc., *Bataille de Marengo, pour Forte Piano, par B. Viguerie. L. V.*

18. *Salvatore Viale — Sonetto dedicato al merito grande e alla pietà della Signora Lucia Viale in Rigo*, Bastia, Batini, 1808 ; *Salvatore Viale — Sonetto dedicato alla pietà della Signora Lucia Pasqualini in Dias*, Bastia, Batini, 1809.

19. Onze registres de correspondance, d'août 1810 à août 1860, sont restés dans les archives de Louis à la maison. La série est complète de 1839 à 1860. Il en manque quelques-uns entre 1811 et 1832 et entre 1833 et 1839. L'ensemble comprend environ 4 000 lettres. A quoi s'ajoutent un millier de lettres originales adressées à la famille, son journal intime tenu de 1809 à 1860 et divers calepins.

20. *Papetto* : petite pièce de monnaie valant 20 baïoques ou 22 sous de France. Le *grosso* valait 15 baïoques. Cela fait 65 baïoques en tout, soit un demi-écu environ.

Cardinal Bartolomeo Pacca, *Memorie storiche del ministero, dei due viaggi in Francia e della prigionia nel forte di S. Carlo alle Fenestrelle*, Modène, 1834 ; Journal de l'abbé Benedetti, D. Silvagni dans *Là Corte e la Società romana...*, ouvr. cité ; Artaud de Montor, *Histoire de la vie et du pontificat du pape Pie VII*, ouvr. cité.

21. Francesco Ottaviano Renucci, *Storia di Corsica*, Bastia, Fabiani, 1833, vol. II. Renucci donne le chiffre de 424 prêtres déportés. Salvatore donne 319, dans une note du Ms. de la *Serie ragionata degli avvenimenti accaduti in Bastia... 1814*.

22. Salvatore Viale, « Per la miracolosa pioggia... del beato Bartolomeo Lombardi », dans *Scritti in verso e in prosa di Salvatore Viale. Raccolti per cura di F.S. Orlandini*, Florence Felice Le Monnier, 1861. De nombreuses autres poésies sur le prieur Lombardi se trouvent parmi les inédits de Salvatore.

23. « La Corsica. Da un carme latino del professor Carlo Felici », dans *Scritti in verso e in prosa di Salvatore Viale...* ouvr. cité.

24. *Serie ragionata degli avvenimenti accaduti in Bastia dagli II aprile fino ai 28 maggio 1814*, Florence, imprim. Bonducciana, MDCCXIV, voir ci-après p. 85 et note 34.

25. Ces cours serviront de trame à son livre *Dei Principj delle Belle Lettere* (éditions de Livourne, 1839, Bastia, 1848, Florence, 1861). Voir également Renée Luciani, « Pratique et théorie de l'enseignement des belles-lettres en Corse selon Salvatore Viale, *Etudes corses*, n° 1, 1re année, 1973, Klinksieck, Paris.

26. *Il Rimedio, o sia una mascherata nel Carnovale del 1811. Farsa in due atti.* Cette comédie sera publiée dans *Scritti inediti di Salvadore Viale*, Trieste, I. Papsch,

1845. En 1846, Salvatore y ajoutera un troisième acte, resté inédit, pour une représentation envisagée à Florence, mais qui n'eut pas lieu.

27. Dix-sept manuscrits distincts, de la première édition, au propre ou en brouillon, la plupart fragmentaires, sont restés dans les archives de Salvatore. La majorité porte pour titre *La Carogna*. Le plus curieux est celui daté du 12 novembre 1812. Le cahier était destiné à de tout autres textes. C'était à l'origine le « Livre Maître » du couvent des Capucins, dans lequel ces derniers avaient commencé à marquer en 1780 les messes hebdomadaires prévues pour leurs bienfaiteurs. Salvatore a recopié ses vers à la suite. Pour la publication de la *Dionomachia*, voir ci-après p. 106.

28. *Dionomachia*, chant VIII, note I. Les poésies d'Alessandro Petrignani seront publiées en 1844 chez Fabiani, à Bastia.

29. Niccolo Tommaseo le rapporte dans *Canti popolari toscani, corsi, greci e illirici*, Venise, 1841.

30. F. Pitti-Ferrandi, « Un emprunt forcé en Corse en 1814 », *BSSHNC*, nos 477-480, 3e trim. 1925.

31. Le récit de Luigi Figarella se trouve, manuscrit, parmi les documents utilisés par Salvatore pour écrire la *Serie ragionata degli avvenimenti...*, ouvr. cité.

32. Portraits de Tommaso Prelà. Il en existe au moins deux « en habit violet ». L'un, en pied, est au musée du palais des gouverneurs à Bastia. Le deuxième, en buste, à la bibliothèque. Il existe aussi une gravure tirée de ces portraits, reproduite dans « *Cenni biografici dell'Archiatro Cav. Tommaso Francesco Prelà* », ouvr. cit. Voir PMV ; « Tommaso Prelà ». *BSSHNC*, n° 647, 1985.

33. *Il boa di Plinio, congettura su la storia della vaccinazione, discorso letto all'Accademia dei Lincei di Roma nell'Adunanza del 5 agosto 1824 dall'accademico Cavaliere Dottore Tommaso Prelà Archiatro di Pio VII P.M.*, Milan, impr. G.G. Destefanis, 1825. Cette œuvre fut rééditée plusieurs fois, en Italie et en Europe, notamment à Paris dans les *Annales universelles de Médecine*. Pour la 4e édition, en 1826, l'*Antologia* de Vieusseux, à Florence, lui consacrera deux articles, en mars et en novembre, affirmant : « Ce mémoire éminent donne une impulsion nouvelle aux gouvernements et aux médecins pour répandre la pratique de la vaccination. » Voir *Antologia*, vol. XXI, n° 63, Florence, mars 1826, et vol. XXIV, n° 71-72, novembre-décembre 1826.

34. *Serie ragionata degli avvenimenti accaduti in Bastia dagli II aprile fino ai 28 maggio 1814*, Florence, impri. Bonducciana, MDCCCXIV. Sur le manuscrit de Salvatore voir *BSSHNC*, n° 645, 1983. D'après sa correspondance, le tirage de cette édition a dû être de mille exemplaires environ.

35. Lettre de Salvatore Viale à Niccolo' Tommaseo, Bastia, 14 avril 1841 dans Fonds Tommaseo, Bibliothèque nationale centrale de Florence (Fonds manuscrits). Toutes les lettres de Salvatore à Tommaseo, à Vieusseux, à Lambruschini, etc., citées sans référence, se trouvent à la Bibliothèque nationale centrale de Florence (BNC), dans les Fonds manuscrits correspondants.

36. Cardinal Bartolomeo Pacca, *Relazione del viaggio di Papa Pio VII a Genova nella primavera dell'anno 1815 e del suo ritorno a Roma*, Modène, 1834.

37. J.-F. Simonot, *Lettres sur la Corse*, Paris, Chaumerot jeune libraire, 1821.

38. Dans les notes manuscrites préparées pour la réédition à Florence de la *Serie ragionata degli avvenimenti...*, ouvr. cité.

39. « Sullo stile della versione poetica dell'Iliade di Melchior Cesarotti, osservazioni critiche lette in Roma nell' Accademia Tiberina gli 11 marzo 1816 », dans *Saggio di prose e versi di S. Viale*, Paris, Anthelme Boucher, 1828. (Réédité dans *Dei principj delle Belle Lettere...*, Bastia, 1848, et dans *Scritti in verso e in prosa...*, Florence, 1861.)

40. « Canzonetta dell'avvocato Salvador Viale di Bastia » dans *Versi epitalamici, ai nuovi sposi, avv. Domenico Chiodi e Costanza Cormelles, romani*, Rome, MDCCCXVI, impr. Luigi Perego Salvioni.

41. « In morte di Maria Orsola Viale, 24 novembre 1848 », Ms. Archives Salvatore Viale (AVF) et Archivio Salvatore Viale (BNC), Florence, FNA, 1139-1150.

42. *Pel giorno onomastico delle Signore Marchesa Marianna Gualtieri, contessina Marianna di Marsciano e Anna Lambruschini. — Alla gioventù — Idillio*, Viterbe, 1815, Domenico Rossi, impr. de l'académie des Ardenti.

43. Dans « Il baule del conte Atanasio, viaggio filosofico e letterario », Ms. Archives Salvatore Viale (AVF), et Archivio Salvatore Viale (BNC), Florence.

44. Dans *L'Utile-Dulci*, ouvr. cité.

45. *Dionomachia — Poemetto eroi-comico — con note*, Londres, 1817. Sur cette première édition voir aussi PMV, *BSSHNC*, n° 645, 1983.

46. *Archivio Storico Cittadino. Livorno. Governo Civile. Corrispondenza ministeriale. Filza 120. A 1822. Copia-lettere del Governatore*, vol. 1376, A 1822, n° 304. Voir ASC, a VII, n° 2, 1931. Livourne.

47. « Poesia in occasione del sequestro fatto dalla polizia in Bastia di varii esemplari della prima edizione della Dionomachia », Ms. BNC, Florence (Fonds Salvatore Viale).

48. Réalier-Dumas, *Mémoire sur la Corse*, Paris, Planchon, 1819. P.-A. Sorbier, *Esquisse de l'histoire et des mœurs de la Corse*, chez A. Hardel, imprimeur de l'Académie, Caen, 1848. Je ne cite que ces deux ouvrages car ils sont dans la bibliothèque de Salvatore, avec les *Lettres sur la Corse* de J.-F. Simonot (Chaumerot, Paris, 1821). La bibliographie sur ce sujet pourrait remplir plusieurs pages, à commencer par les *Recherches historiques et statistiques sur la Corse, par M.F. Robiquet, ancien ingénieur en chef des ponts et chaussées*, Rennes, Duchesne libraire, 1835. (Réédité en 1983 par la libr. Benelli, Paris.)

49. Robert Benson, *Sketches of Corsica, or a journal written during a visit to that island in 1823 ; with an outline of its history, and specimen of the language and poetry of the people*, Londres, Longman, 1825.

50. « Poesie di Anton Luigi Raffaelli » dans *Poesie di alcuni moderni autori corsi, raccólte e ordinate per cura del Dott. Regolo Carlotti, con notizie biografiche e due lettere e un componimento di N. Tommaseo*, Florence, succ. Le Monnier, 1870.

51. « Componimento ditirambico per un pranzo campestre », dans *Saggio di poesie e versi di S. Viale*, ouvr. cité.

52. « Poesie di Salvatore Viale » dans *Poesie di alcuni moderni autori corsi...*, Le Monnier, 1870, ouvr. cité.

53. Pour les relations de Salvatore Viale avec les écrivains toscans et italiens, voir Marie-Joséphine Ferrandi Viale, *Salvatore Viale et ses relations italiennes*, diplôme d'études supérieures, université de Grenoble, 1927. Les lettres de Lambruschini, Tommaseo, Vieusseux, Nicolini, Capponi, etc., à Salvatore se trouvent dans ses archives AVF. 528 lettres de Salvatore à Vieusseux, Tommaseo et Lambruschini se trouvent à la BNC de Florence, dans les fonds correspondants. Voir aussi Atto Vannucci, *G.B. Niccolini*, Florence, Le Monnier, 1861.

54. Stendhal, « Rome, Naples et Florence » et « Promenades dans Rome », dans *Voyages en Italie*, Gallimard, Bibliothèque de la Pléiade, Paris, 1973, p. 455 et 1091.

55. « L'an 1818, le 3 juillet, dix heures du matin, devant Carbuccia, maire, est comparue la nommée Barba Renata Gagliary blanchisseuse laquelle nous a présenté un enfant de sexe masculin né depuis trois jours environ... trouvé hier à trois heures du matin dans la place de la sous-préfecture dite Sant'Erasmo, emmailloté de chiffons blancs, auquel il a été donné le prénom d'Auguste... » En marge, également : « Par acte de mariage dressé en cette mairie le 9 avril 1821 entre M. Louis Viale, propriétaire, et la demoiselle Marie-Sébastienne Prelà... il a été reconnu et légitimé l'enfant Auguste... » Mairie de Bastia, registre de l'état civil 159, 3 juillet 1818.

56. Paolo Pecchiai, « Una parvenza d'Accademia corsa a Roma e l'eredità del dott. Giuseppe Sisco alla città di Bastia », dans *Corsica antica e moderna*, n°s 5-6, sept.-déc. 1936, Livourne.

57. *Dionomachia — poemetto eroi-comico di Salvador Viale — Seconda edizione notabilmente corretta, accresciuta ed illustrata*, P. Dufart, libraire, quai Voltaire n° 19, Paris, 1823. L'illustration est une gravure hors texte signée Periale.

58. Stendhal, « Courrier anglais », publié par H. Martineau. Le Divan, Paris, 1935. *New Monthly Magazine — Historical Register — Foreign publications*, p. 158 : « La Dionomachia, poemetto eroi-comico di Salvadore Viale ».

59. Henri Martineau, *Le cœur de Stendhal. Histoire de sa vie et de ses sentiments*, Paris, Albin Michel, 1983, t. II.

60. *Antologia*, t. XVII, janvier-février-mars 1825, « Dionomachia, poemetto eroi-comico di Salvador Viale, Parigi, Dufart, 1823 ». Il y eut aussi un compte rendu dans la *Gazzetta di Firenze* du 4 juin 1825 : « ... ce gracieux poème, écrit avec brio, facilité et élégance, loué par les journaux de Paris et d'Italie... »

61. *Saggio di poesie di alcuni moderni autori corsi*, fascicule I, Bastia, 1827, impr. A. Gio. Batini figlio, imprimeur du roi (poésies de Salvatore Viale, Vincenzo Giubega, Vincenzo Biadelli, Antol Luigi Raffaelli, Andrea Pasqualini).

62. Correspondance entre Salvatore Viale et A. Colonna d'Istria, in « U Fucone. Revue de littérature et d'études corses », *Bulletin de la Société littéraire Salvatore Viale*, n° 1, Bastia, 1er trim. 1926.

63. M. J. Ferrandi Viale, *Salvatore Viale et ses relations italiennes* ouvr. cité.

64. *Il Giaurro. Frammento di novella turca scritto da Lord Byron e recato dall'inglese in versi italiani da Pellegrino Rossi*, par G.J. Paschou imprimeur libraire, Genève, 1818. L'exemplaire donné par Pellegrino Rossi se trouve dans la bibliothèque de Salvatore.

65. *Saggio di prose e versi di S. Viale*, ouvr. cité.

66. Auguste Viale Prelà, « Salvatore Viale », Ms, 94 p.

67. « Sul ristabilimento del giurato in Corsica. Prima lettera al Sig. Raffaele Lambruschini », *Antologia*, vol. 41, n° 123, mars 1831. — « Sul ristabilimento del giurato in Corsica. Seconda lettera al Sig. Raffaele Lambruschini », *Antologia*, vol. 43, n° 132, décembre 1831. — « Ragguagli storici e critici sopra l'istituzione del giuri in Corsica », *Temi*, fasc. 71-72, Impr. Barbera, Florence (sd). Les articles dans l'*Antologia* ne sont pas signés, mais simplement marqués par un astérisque, pour respecter le devoir de réserve auquel était tenu Salvatore en tant que magistrat français.

68. *Saggio di poesie di alcuni moderni autori corsi*, fasc. II, Bastia, impr. Batini, 1828 ; *Saggio di prose e versi di S. Viale*, ouvr. cité ; « Sul saggio di poesie di alcuni moderni autori corsi di Salvador Viale », dans *Antologia*, vol. 35, n° 105, Florence, sept. 1829 ; « Sul saggio di prose e versi di Salvador Viale », dans *Antologia*, vol. 38, n° 113, Florence, mai 1830.

69. Salvatore Viale, *Studi critici di costumi corsi*, Florence, impr. Mariani, sd (1858). Voir ci-après p. 289 et note 167.

70. Stendhal, *Vie de Napoléon* ; G. Flaubert, *Voyages dans les Pyrénées et en Corse* ; Honoré de Balzac, *La vendetta* ; Prosper Mérimée, *Matteo Falcone, Mœurs de la Corse*. Balzac se rend en Corse en 1838, Mérimée en 1839, Flaubert en 1840.

71. Salvatore Viale, *Dionomachia*, 1817, ouvr. cité ; F.O. Renucci, *Novelle storiche corse*, Bastia, Fabiani, 1827 ; Salvatore Viale, *Il rimorso, ossia l'ultima vendetta*, Bastia, Fabiani, 1832 ; Regolo Carlotti, *Tre novelle morali tratte dalla storia patria*, colla giunta *di alcune poesie contadinesche in dialetto corso*, (Salvatore Viale) Bastia, Fabiani, 1835 ; Giovan Vito Grimaldi, *Novelle storiche corse*, Bastia, Fabiani, 1855.

72. M. Valéry, *Voyages en Corse, à l'île d'Elbe et en Sardaigne*, Paris, librairie de L. Bourgeois-Maze, 1837.

73. Salvatore Viale, « Il rimorso, ossia l'ultima vendetta. Novella storica », dans *Saggi di poesie di alcuni moderni autori corsi*, fasc. III, Bastia, Fabiani, 1832.

74. Sur les chants populaires corses : S. Viale, *Saggi di poesie di alcuni moderni autori corsi*, fasc. III, ouvr. cité, 1832 ; Regolo Carlotti, *Tre novelle morali... Colla giunta di alcune poesie contadinesche in dialetto corso.* (S. Viale) ouvr. cité, 1835 ; N. Tommaseo, *Canti popolari toscani, corsi, illirici, greci. Raccolti e illustrati da N. Tommaseo*, Venise, 1841. impr. Girolamo Tasso ; S. Viale, *Saggio di versi italiani e di canti popolari corsi, con note*, fasc. IV et V, Bruxelles, H. Tarlier, 1843 ; Giovan Vito Grimaldi, *Novelle storiche corse. Vi si aggiungono i canti popolari corsi, riordinati e ristampati per cura dell'editore medesimo che li raccolse e pubblico' nel 1847* (S. Viale), Bastia, Fabiani, 1855 ; *Canti popolari corsi, raccolti da Edith Southwell Colucci*, Livourne, R. Giusti, 1933 ; S. Viale, *Canti popolari corsi*, Arnaldo Forni édit. Bologne, 1984. (Réédition du recueil de 1843.)

75. Lettre de Salvatore à N. Tommaseo, Bastia, 30 janvier 1843. BNC Florence (Fonds Tommaseo).

76. *Della vita del cardinale Michele Viale Prelà...*, ouvr. cité.

77. Salvatore Viale, « Impressioni di un viaggio in Svizzera » dans *Scritti inediti di Salvadore Viale, corso*, I. Papsch & C., impr. du Lloyd Austr., Trieste, 1845.

78. Exemplaire dit « Tavernier » des *Promenades dans Rome*. Stendhal parle à plusieurs reprises du prof. De Matthaeis (dont il orthographie mal le nom) dans les *Promenades dans Rome* et dans son *Journal*. Stendhal, *Œuvres complètes*, nouvelle édition établie sous la direction de Victor Del Litto, Cercle du Bibliophile, M. Champion, impr. Paris, 1968. *Promenades dans Rome* : t. III ; *Journal* : t. V.

79. Dans *Ricordi di Roma — 1854. Ricordi sopra il colera di Roma nel 1845*, 68 p. Ms. ouvr. cité.

80. Benedetto Viale, « Ragguagli e osservazioni per servire alla storia medica del colera morbus d'Ancona, dalla fine di agosto ai primi di ottobre del 1836 », Ms. Archives de Benedetto Viale (AVF).

81. *Diario di Roma*, n° 83, Rome, 15 octobre 1836. Les observations de Benedetto Viale et de son collègue Agostino Cappello sur le choléra ont été aussitôt diffusées sous la forme d'une lettre circulaire imprimée distribuée aux journaux à travers l'Italie. Voir la *Gazzetta privilegiata di Venezia*, n° 236, du 19 octobre 1836 : « Hier

sont arrivés à Venise plusieurs exemplaires d'une lettre circulaire en lithographie, datée d'Ancône et signée des célèbres médecins romains Viale et Cappello... sur la véritable cause du choléra morbus. »

82. *Dei principj delle Belle Lettere. Libri due di Salvatore Viale*, impr. Eugenio Pozzolini. Livourne, 1839.

83. *Il voto di Pietro Cirneo, narrazione tratta da un manoscritto inedito, e l'Ultima vendetta, novella storica di S. Viale. Seconda edizione riveduta e corretta*, Bastia, Fabiani, 1837 ; *Le vœu de Pietro Cirneo et le Remords, ou la Dernière vengeance. Nouvelles historiques corses, traduites de l'italien de S. Viale, la première par M. Arena, la 2ᵉ par P. Capelle*, Bastia, Fabiani, 1837.

84. Le rapport Mottet a été publié dans Xavier Versini, *La vie quotidienne en Corse au temps de Mérimée*, Hachette, Paris, 1979.

85. Sur le conclave pour l'élection de Grégoire XVI : *Diari dei Conclavi dal 1829 al 1830-1831, di Monsignor Pietro Dardano, corretti e annotati da D. Silvagni*, Florence, impr. de la *Gazzetta d'Italia*, 1879 ; D. Silvagni, *La Corte e la società romana...* ouvr. cité (t. IV, ch. IV et V).

86. Gaetano Morone, *Dizionario di erudizione storico-ecclesiastico*, 109 volumes, Dalla Tipografia Emiliana, Venise, 1840-1879.
Tommaso Prelà est à l'article *Medico*, vol. 44, p. 106-143 (1847).

87. *Esposizione di fatto documentata su quanto ha preceduto e seguito la deportazione di Monsignore Droste, archivescovo di Colonia*, 116 p. (sd). Œuvre de Mgr Michel Viale Prelà, sans date ni nom d'éditeur, mais présenté, par la déclaration liminaire, comme un document officiel du Saint-Siège, en réponse au *Staatsschrift* du gouvernement prussien : « ... C'est pourquoi le Saint-Siège s'est trouvé dans la nécessité de faire connaître le véritable état des choses par le présent document. »

88. Portraits de Michel Viale Prelà : 1. Photographie, Rome 1846 ; 2. Photographie, Vienne 1849 ; 3. Médaille en bronze, Vienne 1850 ; 4. Lithographie, Vienne 1853 ; 5. Tableau à l'huile (concordat) ; 6. Tableau à l'huile (cardinal) ; 7. Buste en marbre par P. Tenerani, Rome 1857 ; 8. Diverses gravures, d'après la photographie de Vienne, 1849 ; 9. Buste par P. Tenerani, Dôme de Bologne. (Le portrait qui se trouve dans la galerie des archevêques du palais archiépiscopal de Bologne, qui est souvent reproduit, n'est pas authentique. Il a été peint entre 1922 et 1952, d'après une gravure de la photographie de 1849, lorsque le cardinal Nasalli Rocca a fait refaire la galerie.)

89. Portraits de Benedetto Viale : un tableau à l'huile et deux photographies. On peut les dater des années 1850 à 1860, sur la base de l'une des photographies, prise à Bologne (Fotographie Bertinazzi, via Venezia, Bologne) où Benedetto ne s'est rendu qu'en 1858 et en 1860. La deuxième photographie est signée « Giulio Betti, photographe piazza San Carlo al Corso, Rome ». Les trois portraits le représentent à peu près au même âge, aux alentours de la soixantaine.

90. « Il Commendatore Professore Benedetto Viale Prelà. Cenni biografici del Prof. Vincenzo Diorio, seguito da un catalogo del lavori del medesimo C. re P. re B. Viale Prelà », extrait des Actes de l'académie pontificale des Nuovi Lincei, XXVIIᵉ année, session du 26 avril 1874, Rome, Impr. des sciences mathématiques et physiques, 1874.

91. ʹ« Catalogo dei lavori del Comm. re Prof. re Benedetto Viale Prelà, compilato da B. Boncompagni », dans *Il Commendatore Professore Benedetto Viale Prelà. Cenni biografici...*, ouvr. cité.

92. Salvatore Viale, « Il prognostico, in occasione della luminaria in Roma dei 15 agosto 1837 veduta dall'atrio dello spedale di San Giacomo al Corso, dopo la pubblica processione del giorno medesimo in onore dell'Assunta », Ms (AVF).

93. *Saggio di epigrammi greco-italiani del Dott. Giacomo De Dominicis*, Rome, 1832 ; *Nuovi saggi di epigrammi greco-italiani del Dott. Giacomo De Dominicis*, Rome, 1841.

94. Le testament de Tommaso Prelà est du 15 août 1831, le codicille du 20 septembre 1841. Testament et codicille sont reproduits in extenso dans *Ricognizione e apertura del testamento e codicillo del fu Cavaliere Dottor Prelà, ad istanza dell'Illustrissimo Signor Pietro Angelini, a di ventotto febbraio 18 quarantasei*, Acte du notaire Filippo Malagricci, notaire public du collège du tribunal du capitole, Rome, 28 février 1846. Archives d'Etat, Rome, Archivio storico Capitolino et Archives Prelà (AVF).

95. Extrait des registres des délibérations du conseil municipal de la commune de Bastia. « Séance du 12 juillet 1829. Objet de la délibération : Bibliothèque léguée par M. Prelà à la ville de Bastia. » « Le conseil... a délibéré à l'unanimité ce qui suit : 1. Un emplacement approprié en tout à son objet sera préparé pour recevoir ce legs mémorable qui associe le nom de Prelà aux véritables bienfaiteurs de leur pays ; 2. La

Bibliothèque s'appellera Bibliothèque Prelà ; 3. Une rue ou place de Bastia portera le même nom ; 4. Un monument en marbre surmonté du buste de M. Prelà attestera la reconnaissance de ses concitoyens et décorera la première salle de la bibliothèque. »

96. Le testament de Joseph Sisco est du 28 septembre 1829, le codicille du 19 janvier 1830. Ils sont reproduits dans *Paolo Pecchiai : una parvenza d'Accademia corsa a Roma...*, ouvr. cité. Voir aussi « La fondation Sisco », dans *Mémoire historique sur les Institutions de France à Rome*, par Mgr Pierre Lacroix, Imp. édit. Romana, Rome, 1892. Le legs Sisco figure toujours dans les livres comptables des Pieux Etablissements français à Rome et à Lorette, mais les dévaluations successives ont rendu son montant purement symbolique.

97. *Confronto della Religione e Pietà delle antiche nutrici o balie latine con le nutrici o balie cristiane. Discorso letto nell'Accademia Sabina per celebrare i Natali di Roma, dal Cav. Dottore Tommaso Prelà, fu archiatro del Pontefice Pio VII di gloriosa memoria*, Rome, impr. de la RCA, 1835. Autres éditions : Pesaro, 1833, Rome, 1838.

98. Académie médico-chirurgicale de Berlin. Académie Joséphine de Vienne. Académie des Sciences, Lettres et Beaux-Arts d'Anvers. Académie des Sciences de Turin. Académie de Médecine et Physique de Florence. Académie des Georgofili de Florence. Académie médico-chirurgicale de Naples. Académie de l'université de Venise. Chevalier de l'ordre de Saint-Michel, France. Couronne de Fer, Autriche. Chevalier de l'ordre des SS. Maurice et Lazare, Sardaigne, etc.

99. Niccolo' Tommaseo, *Diario intimo*, a cura di R. Ciampini, Einaudi, 1946 (Ms. BNC, Florence). Les citations de ce chapitre sont également extraites de *Fede e Bellezza*, Venise, 1840, et de *Scintille*, Venise, 1841. Voir aussi Raffaele Ciampini, *Vita di Niccolo Tommaseo*, Florence, Sansoni, 1945, et O.F. Tencajoli, *Niccolo Tommaseo e la Corsica*, Archivio Storico pour la Dalmatie, fasc. 32, Rome, nov. 1928.

100. Niccolo' Tommaseo, *Salvatore Viale e la Corsica*, *Archivio Storico Italiano*, nouvelle série, t. XV, p. 11, Florence, 1861.

101. *Canti popolari toscani, corsi, illirici, greci.. Tommaseo*, ouvr. cité.

102. « Alberto Corso » sera publié dans *Saggio di versi italiani e di canti popolari corsi*, fasc. IV, Bruxelles, H. Tarlier, 1843, « Gli ultimi versi di Antonio Uberti », dans *Componimenti in verso e in prosa di Salvatore Viale di Bastia*, Florence, impr. de la Galiléenne, 1852 ; *Dei principj delle Belle Lettere. Libri due di Salvatore Viale, coll'aggiunta d'un ragionamento e di due lettere del medesimo spettanti allo stesso argomento*, 2e éd., Bastia, Fabiani, 1848 ; *Dionomachia, Poema eroi-comico di Salv. Viale. Terza edizione ricorretta*, Bruxelles, H. Tarlier, 1842. (Cette édition a, en fait, été imprimée à Livourne, chez Eugenio Pozzolini. Une lettre de Pozzolini à Salvatore précise que l'indication « Bruxelles » n'a été mise que pour éviter d'avoir à soumettre l'ouvrage à la censure du Buon Governo toscan, de même que la première édition, en 1817, avait été datée de Londres. Les autorités du grand-duché de Toscane étaient indulgentes et le bureau de censure ferma les yeux, cette fois aussi. Il n'en allait pas de même dans les Etats du pape, où la censure s'exerça sévèrement jusqu'à la fin du pouvoir temporel. Un exemplaire de cette troisième édition de la *Dionomachia* fut saisi par la police pontificale dans le bagage de Salvatore lui-même, en 1850, à Civitavecchia. Note dans le *Zibaldone* 1850 : « 12 septembre 1850. De Livourne à Civitavecchia. La douane et la police ont dit vouloir ouvrir les malles. Parmi mes livres et manuscrits, on m'a séquestré la 3e édition de la *Dionomachia*, avec de nombreuses corrections et variantes, et la farce *Il Rimedio*. J'ai protesté. Mais il a fallu que je coure, en haletant, chez le délégué, Mgr Schiavo, qui avait souvent ri à la lecture de la *Dionomachia*, à Rome, et qui, du coup, m'a fait rendre tous mes manuscrits. »

103. *Lettere di Pasquale De Paoli, con note e proemio di N. Tommaseo. Volume unico*, Florence, Gio. Pietro Vieusseux éditeur, 1846.

104. « Relazione inedita di un viaggio per pare nel plenilunio del 1838 », dans *Componimenti in versi e in prosa di Salvatore Viale di Bastia. Parte seconda*, Florence, coi tipi della Galilejana, 1854. Voir ci-après, p. 288.

105. N. Tommaseo, *Salvatore Viale e la Corsica*, ouvr. cité. Voir également les lettres de Salvatore à Tommaseo et à Vieusseux, mars et avril 1841 (BNC, Florence).

106. N. Tommaseo, *Salvatore Viale e la Corsica*, ouvr. cité, *Canti popolari toscani, corsi...*, ouvr. cité.

107. Le palais de l'académie de Saint-Luc — académie des Beaux-Arts de Rome — était à l'époque contigu à l'église de Saint-Luc-et-Sainte-Martine, au Forum. Le palais a été démoli, dans les années 1930, pour faire place à la Via dei Triumfi, voulue par Mussolini. L'académie, avec sa galerie, sa bibliothèque et ses archives, se trouve aujourd'hui au palais Carpegna, près de la fontaine de Trevi.

108. D'après le registre de correspondance de Louis pour les années 1843-1844, où ces lettres sont recopiées parfois in extenso.

109. Les dépêches diplomatiques de Michel se trouvent dans l'Archivio Segreto Vaticano, fonds « Nonciature de Lucerne », « Nonciature de Munich », « Nonciature de Vienne ». Plusieurs dossiers de minutes de cette correspondance, dictées à un secrétaire et corrigées de sa main, ont d'autre part été conservés. La plupart de celles de la nonciature de Lucerne et de la nonciature de Munich se trouvent dans les archives privées Michel Viale Prelà (AVF). Celles de la nonciature de Vienne sont dans l'Archivio Cardinale Viale Prelà, Bibliothèque du Musée du Risorgimento, à Milan.

110. *Etude de perspective — Vue intérieure de la cour du palais de la Valle à Rome — Rome, 1845* (66 × 100).

111. « Delle cagioni e degli effetti della moderna letteratura romanzesca. Lettera prima al Sig. Raffaello Lambruschini », dans *Guida dell'Educatore*, Florence, janvier 1845. La « Lettera seconda » paraîtra dans le *Guida dell'Educatore* de décembre 1847. Toutes deux seront réimprimées dans *Dei principj delle Belle Lettere...*, ouvr. cité, en 1848 et 1861.

112. *Florillegio scientifico, letterario, artistico dei tempi presenti e passati, compilato dal Dr Celestino Vozona*, Trieste, A spese di Vincenzo e Dal Torzo. I. Papsch & C., impr. du Lloyd Austr., 1845. Les fasc. III, IV, VI et IX contiennent les œuvres qui seront publiées, cette même année, sous le titre *Scritti inediti di Salvadore Viale corso*, Trieste, I. Papsch & C., impr. du Lloyd Austr., 1845. I. Papsch publiera également, en 1846, un recueil de *Novelle corse* (Trieste, 1846) qui comprend, de Salvatore : « Il rimorso o sia l'ultima vendetta » et « Notizie sulla vita di F.O. Renucci ». Autres auteurs : N. Tommaseo, Gio. Vito Grimaldi, Regolo Carlotti, F.O. Renucci.

113. L'épitaphe de Maria Nicolaja, au cimetière de Santo Spirito in Saxia, est reproduite dans Vincenzo Forcella, *Iscrizioni delle chiese e altri edifici di Roma dal secolo XI fino ai nostri giorni*, ed. Ermanno Loescher & C., Rome, Turin, Florence, 1869-1884 (14 vol.). Tome VI, n° 1528, et t. XIII, XIe partie.

114. « Alla memoria di mia madre — Carme — 21 dicembre 1845 », Publié dans *Componimenti in versi e in prosa di Salvatore Viale — Parte Prima*, Florence, 1852.

115. *Ricognizione del cadavere e apertura del testamento del fu Cavaliere Dottore Prelà...*, ouvr. cité. Copie dans les Archives de Benedetto Viale (AVF), à qui elle avait été remise en tant qu'héritier de Maria Nicoloja, l'une des légataires.

116. L'épitaphe de Tommaso Prelà, à San Teodoro al Palatino, est reproduite dans Vincenzo Forcella, *Iscrizioni delle chiese e altri edifici...* ouvr. cité, t. X, n° 506.

117. Les résultats des quatre scrutins du conclave pour l'élection de Pie IX ont été publiés, notamment dans Giacomo Martina S.J., *Pio IX. 1846-1850*, Université grégorienne, éd. de l'Univ. grégorienne, Rome, 1974. Voir aussi R. Aubert, *Le pontificat de Pie IX. 1846-1878*, t. 21 de l'*Histoire de l'Eglise des origines jusqu'à nos jours*, Tournai, Bloud & Gay, 1952.

118. Archives du cardinal Michel Viale Prelà, Bibliothèque du musée du Risorgimento, Milan, Dossier 7.

119. Benedetto Viale *Cognizioni necessarie per la formazione di un ospedale di dementi*, Rome, 1846. Ms. dans les Archives Benedetto Viale (AVF).

120. Dans Paolo Prunas, « Niccolo Tommaseo e il Cardinale Michele Viale Prelà », *Archivio Storico di Corsica*, avril 1934, Livourne.

121. *Traité de prononciation et d'orthographe italiennes à l'usage de la jeunesse. Par L. V.*, Livourne, Imprimerie des artistes typographes, 1845.

122. La photographie porte, côté face, les mentions manuscrites : « Photographie. Koberwein. 1849. » C'est un tirage sur papier, à partir d'un négatif, rehaussé de couleur dans les chairs, représentant Michel en archevêque de Carthage, nonce apostolique à Vienne.

123. Toutes les lettres de Metternich citées se trouvent dans les Archives privées Michel Viale Prelà (AVF). La majorité (ici marquées d'un astérisque) sont inédites. Quelques-unes ont été publiées dans Boyer d'Agen, *Une dernière amitié de Metternich*, Paris, Editions et Librairie, 1919.

124. « Journal de la princesse Mélanie de Metternich », dans *Mémoires, documents et écrits divers laissés par le prince de Metternich, Chancelier de Cour et d'Etat, publiés par son fils le prince Richard de Metternich, classés et réunis par M.A. Klinkowstroem*, 8 vol., Paris, Plon et Cie, 1880-1884.

125. Luigi Carlo Farini, *Lo stato romano dall'anno 1815 al 1850*, Ferrero et Franco édit., Turin, 1850-1851.

126. Nicomede Bianchi, *Storia documentata della diplomazia europea in Italia dall'anno 1814 all'anno 1861*, 8 vol., éd. de Union typographique d'Edition, Turin-Naples, 1865-1872.

127. Constantin de Grunwald, *La vie de Metternich*, Calmann-Lévy, Paris, 1938. Le comte d'Usedom, ministre de Prusse à Rome et ami de Metternich, avait proposé une médiation de son pays, qui fut mal interprétée. Michel fut soupçonné, à tort, d'y avoir été favorable.

128. « La lettre jointe » mentionnée par Metternich est publiée dans *Mémoires, documents et écrits divers laissés par le prince de Metternich...*, ouvr. cité, t. VII, n° 1681. La lettre de Lutzow : n° 1680.

129. *Histoire des Révolutions de l'Empire d'Autriche, années 1848 et 1849, par Alphonse Balleydier*, Guyot frères, Paris, 1853.

130. Salvatore Viale, *Viaggio a Roma ai primi settembre 1849*, ouvr. cité. Le camauro est un bonnet de velours rouge, bordé de fourrure blanche, réservé au pape

131. Davide Silvagni, *La Corte e la Società romana...*, ouvr. cité. Et *Histoire de la Révolution de Rome, tableau religieux, politique et militaire des années 1846 à 1850 en Italie, par Alphonse Balleydier*, A Paris, au Comptoir des Imprimeurs unis, Comon, 1851.

132. Sur l'action de Michel en défense des diverses congrégations menacées d'expulsion ou de dissolution à cette époque, voir *Una notte in Vaticano. Carme. A sua A. R. Monsignor Michele Viale Prelà, arcivescovo di Cartagine, Nunzio apostolico presso S. Maestà I.R.A. l'Imperatore d'Austria. Omaggio di riconoscenza della Congregazione dei padri mechitaristi di Vienna. MDCCCLII.*

133. Giacomo Martina, S.J., *Pio IX. 1846-1850*, ouvr. cité, p. 237 et suiv., que je suis de près ici et dans les pages suivantes.

134. Le texte de l'allocution pontificale du 29 avril 1848 est publiée, notamment dans A. Pougeois, *Histoire de Pie IX*, Paris, 1877-1886 (6 vol.), t. II, p. 31.

135. Giacomo Martina, S.J., *Pio IX. 1846-1850*, ouvr. cité, p. 251.

136. *Ibid.*, et Salvatore Viale, *Viaggio a Roma ai primi settembre 1849*, Ms., ouvr. cité.

137. La preuve que le départ du nonce n'eut pas lieu à son initiative mais à la demande de l'empereur se trouve dans la lettre suivante, adressée par l'archiduc François-Charles d'Autriche à Michel : « A son Excellence l'Archevêque de Carthage et nonce apostolique. Insprück, le 20 mai 1848. D'ordre de l'Empreur, j'ai l'honneur de vous avertir, Monsieur le Nonce, que Sa Majesté ayant transporté sa Cour à Insprück, elle désire vous y voir auprès d'Elle. Je vous prie en même temps de vouloir bien vous charger de cette communication vis-à-vis de Messieurs vos collègues qui seront aussi vus avec plaisir... » (Signé : François-Charles.) Archives Cardinal Michel Viale Prelà, Bibliothèque du Musée du Risorgimento. Milan, Dossier 7.

138. Les lettres du cardinal Soglia, secrétaire d'Etat, au nonce à Vienne se trouvent dans Archives du cardinal Michel Viale Prelà, Bibliothèque du musée du Risorgimento, Milan, dossier 7 a.

139. L'un de ces tracts, reproduisant un extrait du journal *L'Italia del popolo*, Rome, 30 juin 1848, avec la dépêche en clair et la dépêche en chiffre, se trouve dans Archives du cardinal Michel Viale Prelà, Bibliothèque du musée du Risorgimento, Milan, Dossier 6.

140. Cette fable de la duplicité dont la diplomatie vaticane aurait fait preuve en ces circonstances est encore quelquefois reprise dans des ouvrages pourtant sérieux, par ex. dans Giulio Andreotti, *Ore 13, il Ministro deve morire*, Rizzoli, Milan, 1974, et BUR 1981, p. 38.

141. Giacomo Martina, S.J., *Pio IX. 1846-1850*, ouvr. cité, p. 260.

142. Archives du cardinal Michel Viale Prelà, Bibliothèque du musée du Risorgimento, Milan, dossier 7 a.

143. *Enciclopedia Cattolica*, Ente per l'Enciclopedia Cattolica e per il libro cattolico, Città del Vaticano, 1954, p. 1352.

144. F. Charles-Roux, *Rome, asile des Bonaparte*, Hachette. Paris, 1952, p. 195.

145. Salvatore Viale, *Viaggio a Roma ai primi settembre 1849*, Ms., ouvr. cité.

146. « Ultimi versi di Antonio Uberti » et « Orsino da Fozano, frammenti di una novella corsa », dans *Componimenti in versi e in prosa di Salvatore Viale di Bastia. — Parte Prima*, ouvr. cité. Pour la réponse de Lamartine à la lettre de Salvatore, voir plus bas, p. 288.

147. *Dei principj delle Belle Lettere, libri due di Salvator Viale, coll'aggiunta d'un ragionamento e di due lettere del medisimo spettante allo stesso argomento. Seconda edizione corretta e accresciuta*, Bastia, Fabiani, 1848.

148. « Corsica e Italia nel periodo del Risorgimento », *Archivio Storico di Corsica*, Livourne, 1939, t. I.

149. *In morte di Maria Orsola Viale — 24 novembre 1848*, Ms., ouvr. cité.

150. Giacomo Martina, S.J., *Pio IX. 1846-1850*, ouvr. cité, p. 341.

151. Archives du cardinal Michel Viale Prelà, Bibliothèque du musée du Risorgimento, Milan, dossier 1.

152. *Versi funebri di Andrea Pasqualini*, Milan, Giuseppe Redoelli, 1850.

153. « Mio ritorno in Toscana. Note sopra le cose di Livorno », dans *Viaggio a Roma ai primi settembre 1849*, Ms., ouvr. cité.

154. *Della vita del Cardinale Michele Viale Prelà. Commentario*, ouvr. cité, p. 40.

155. La lettre de Michel au prince Schwarzenberg, président du conseil, se trouve dans Archives du cardinal Michel Viale Prelà, Bibliothèque du musée du Risorgimento, Milan, dossier 1.

156. Les dépêches concernant les affaires de Pologne et les démarches auprès de l'empereur de Russie se trouvent dans Archives du cardinal Michel Viale Prelà, Bibliothèque du musée du Risorgimento, Milan, dossier 2.

157. Une chasuble de Michel, bordée d'or sur lamé d'argent, semblable à celle qu'il porte sur le tableau, a été donnée par Benedetto à l'église Saint-Jean de Bastia, en souvenir du cardinal. On peut la voir exposée dans le petit musée de l'Oratoire de la confrérie de la Conception.

158. « Récit des derniers moments et testament de Madame la Duchesse d'Angoulême », dans *L'ami de l'ordre*, Paris, 30 octobre 1851 ; A. Nettement, *Récit des derniers moments et testament de la fille de Louis XVI*, Paris, 1851. Et du même, *La vie de Marie-Thérèse de France*, 2e édition, Paris, 1859.

159. Les dépêches de Michel à la secrétairie d'Etat sur la mort de la duchesse d'Angoulême se trouvent dans Archives du cardinal Michel Viale Prelà, Bibliothèque du musée du Risogirmento, Milan, dossier 2 (n° 651 et n° 654).

160. Louis Hastier, « *La double mort de Louis XVII*, Paris, 1951. Du même, *Nouvelles Révélations sur Louis XVII*, Paris, 1954.

161. Ferdinand Gregorovius, *Römische Tagebücher*, traduction italienne : *Diari romani. 1852-1874*, Franco Spinosi, Rome, 1969.

162. Ferdinand Gregorovius, *Corsica*, Stuttgart, 1853, trad. française : *Corsica*, imp. E. Ollagnier, Bastia, 1883, t. I ; « Le vœu de Pietro Cirneo », traduit par Gregorovius en allemand, a été publié dans le *Morgenblatt* de Stuttgart en novembre 1855. Voir Gregorovius, *Diari romani*, ouvr. cité, 26 nov. 1855.

163. Ferdinand Gregorovius, *Wanderings in Corsica*, Edimbourg, Thomas Constable and Co, 1855.

164. Francesco Domenico Guerrazzi, *L'asino*, Turin, 1856. Voir également Ersilio Michel « F.D. Guerrazzi, esule in Corsica », extrait de la revue *Liburni Civitas*, Livourne, sd, et Leonardo Mordini « Lettere di F.D. Guerrazzi à Salvator Viale », dans *Archivio Storico di Corsica*, Livourne, 1931, n° 7. Une correspondance Guerrazzi-Salvatore se trouve dans les *Carte Guerrazzi* de la Bibliothèque Labronica de Livourne. Voir ASC, n° 2, 1931.

165. *Componimenti in versi e in prosa di Salvatore Viale di Bastia, raccolti per la prima volta in un volume diviso in due parti, colla giunta d'alcuni scritti inediti del medesimo*, Florence, coi tipi della Galilejana di M. Cellini e C. « Parte Prima », 1852 ; « Parte seconda, con appendice di canti popolari corsi scritti e annotati dall'autore », 1854. La « Parte seconda » de cette œuvre, imprimée en 1853, paraît ne pas avoir été mise dans le commerce. Elle ne se trouve dans aucune bibliothèque publique. Les exemplaires restés à la maison sont sous couverture muette. Une lettre de Salvatore à Benedetto précise : « Florence, le 10 octobre 1853... Le petit volume de mes œuvres que je t'ai envoyé n'est pas publié. Je n'en ai fait imprimer que cent exemplaires, qui sont tous dans l'atelier du typographe, sauf un exemplaire que j'ai envoyé à Pasqualini, un à toi et un à Francesco Spada. »

166. « I banditi di Monterotondo. » Les archives de Salvatore (AVF) contiennent plusieurs manuscrits en brouillons de cette œuvre, sous plusieurs titres. Un manuscrit se trouve également dans l'Archivio Salvatore Viale à la BNC de Florence.

« Il baule del conte Atanasio I°, viaggio filosofico e letterario. » Les archives de Salvatore (AVF) contiennent quatre manuscrits de cette œuvre, qui figure sur la liste des ouvrages prêts pour publication, dictée par Salvatore à Nicoline sur son lit de mort. Un manuscrit se trouve également dans l'Archivio Salvatore Viale de la BNC de Florence.

167. *Studi critici di costumi corsi*, Florence, Mariani, sd (1859). Cette édition, la seule publiée, comporte onze essais formant autant de chapitres. La correspondance de Salvatore indique qu'une 2e édition, comportant le 12e chapitre, était en préparation chez l'éditeur lorsqu'elle fut interrompue par la mort de l'auteur, en novembre 1861.

168. Je laisserai là Auguste, qui ne reviendra plus à la maison qu'une ou deux fois, en vacances. Il se mariera sur le continent où il fera toute sa carrière de magistrat. Il mourra à Poitiers le 16 juin 1892. Auguste a publié deux recueils d'essais : *Etudes morales et littéraires*, Paris, E. Dentu, 1860, et *Art et critique*, Paris, E. Dentu, 1880, ainsi qu'une nouvelle : « Le château Saint-Ange, souvenirs de jeunesse d'un prisonnier politique », dans *La Revue des Deux Mondes* du 1er juillet 1858. Quatre poésies en italien ont été publiées dans *Poesie di alcuni moderni autori corsi...*, Florence, 1870, ouvr. cité.

169. La maison a été achetée le 25 juin 1592 par Sansonetto Pietro da Cardo, aïeul maternel de Salvatore Favalelli : « *Una casa posta al porto di Terravecchia della Bastia... per lire quatrocentocentidue di danari monete di Genova* », devant le notaire Cattaneo. Simon-Jean Favalelli l'a rachetée le 15 décembre 1693 : « *La Casa all'Olmo e il giardino e villa al Castagno... per scudi 3 000* » devant le notaire Matteo Cristofani. Copie de ces deux documents, faite en 1715, se trouve dans le registre des actes notariés concernant les biens immobiliers de la famille Favalelli de 1592 à 1715. Archives Favalelli (AVF). L'inventaire Viale de 1796 désigne la maison comme « *Casa nobile Favalelli nella strada del canto dell'Olmo che porta a San Giovanni* ». L'appellation « Au coin de l'Ormeau » avait été conservée jusque dans les années 1960 par le café qui s'y trouve.

170. Les archives de l'ordre se trouvent à Pise. Archivio di Stato, Archivio del Sacro Militare Ordine dei Cavalieri di Santo Stefano. *Processo di Provanza de vita et moribus Simo Gio. Favalelli della Bastia successore in Commenda di suo Padronato*, Serie Provanze di Nobiltà. Filza 68. Idem : Serie Apprensione d'Abito n° 1188. Voir aussi Gino Guarnieri, *I cavalieri di Santo Stefano*, Pise, Nistri-Lischi, 1960, et Gino Guarnieri, *L'Ordine di Santo Stefano nella sua organizazzione interna*, vol. IV, Giardini, Pise, 1966. (Favalelli y est orthographié Faraletti, sans doute par une mauvaise lecture du Répertoire Fulger.)

171. Le buste de Simon-Jean Favalelli en habit de chevalier de l'ordre de Santo Stefano se trouve au musée du palais des gouverneurs à Bastia.

172. Testament de Salvatore Favalelli : 13 novembre 1698. Testament de Simo Gio. Favalelli : 2 juillet 1725. Voir *Legs Favalelli*. *Résumé raisonné sur les prétentions élevées par la Commission de l'Hospice de Bastia, remplaçant le Bureau de bienfaisance, contre les Viale*, Bastia, Fabiani, sd (1850). Et *Sur les questions proposées par les héritiers de feu le Chevalier Simon-Jean Favalelli, au sujet du legs fait par ledit Chevalier pour la dotation des jeunes filles. Consultation de M. Ange Carnevalini*, Bastia, Fabiani, 1853. La sœur de Salvatore Favalelli, femme de Bastien Viale, est prénommée Marie-Annonciade dans l'arbre généalogique du Legs Favalelli.

173. Le portrait de Salvatore est signé et daté, au-dessus de la manche droite : « *Cesare Mussini dip. in Firenze anno 1853.* » Il porte, au dos : « *Salvatore Viale, Consigliere alla Corte d'Appello di Bastia. Cavaliere della Legion d'Onore. 1853.* » Avec son portrait de jeunesse peint à Rome en 1816, ce portrait est le seul authentique que l'on ait de lui. Il a servi de modèle aux gravures tirées après sa mort (notamment celle publiée pour la première fois en 1863 dans l'*Histoire de la Corse* de l'abbé Galletti et toujours reproduite depuis) et au buste de son monument, sculpté par le sculpteur florentin Lazzarini. Sur le faux Salvatore du musée de Bastia, voir *BSSHNC*, fasc. 645, 1983. Cesare Mussini, peintre d'histoire et portraitiste, né en 1804, était peintre de la cour du grand-duc de Toscane et professeur à l'académie des Beaux-Arts de Florence.

174. « Extrait de l'allocution prononcée par Sa Sainteté Pie IX dans le Consistoire secret tenu à Rome le 7 mars 1853 », Rome, mars 1853. Texte latin et traduction française officielle. La date indiquée sur cet extrait imprimé — qui est dans les archives privées de Michel — est bien le 7 mars.

175. Le portrait lithographié de Michel est signé Kniehuber 1853, Vienne, Ber L. T. Neumann. Certains exemplaires, dont celui de la maison, ont été rehaussés de couleurs à la main, notamment dans le visage et le camail pourpre.

176. Salvatore Viale, *Ricordi di Roma 1854. Sopra lo stato politico e morale di Roma verso la fine dell'anno 1854*, Ms.

177. La collection de tableaux de Michel, *Galleria dei quadri dei più celebri pittori*

viventi della Germania, appartenuta già all'E. mo Cardinale Viale Prelà, Arcivescovo di Bologna, Rome, Catalogue sd (100 numéros). — *Vente volontaire aux enchères, le mardi 16 avril prochain à onze heures du matin à la salle des ventes publiques ; dirigée depuis 1856 par MM. Luchini père et fils... située Via dei Crociferi 10 et 11, de la Gallerie de Tableaux portant les noms des peintres les plus célèbres de l'Allemagne, ayant appartenu à feu le Cardinal Viale Prelà, ancien nonce à Vienne...*, Rome, Olivieri, Catalogue sd (57 numéros).

178. Dans Giacomo Margotti, *Le vittorie della Chiesa nel primo decennio del pontificato di Pio Nono*, impr. de l'archevêché, Milan, 1857.

179. *Enciclopedia Cattolica*, ouvr. cité, vol. XII, p. 1352.

180. Pour le séjour à Lorette, voir *La Civiltà Cattolica*, 13 septembre 1856. Par coïncidence, l'académie des Parteni célébrait cette semaine-là le concordat et Michel assista à la séance. Voir *Il Concordato dell'Austria colla S. Sede e la pace in Oriente*, esercizio accademico di poesia, che danno i soci parteni del Collegio convitto di Loreto nel settembre 1856, Lorette, T. Rossi, 1856.

181. Le buste de Michel par Pietro Tenerani, est signé, au dos : « *P. ro Tenerani F. va 1856* ». Il a été donné par Tenerani à Benedetto en 1859. Voir correspondance de Benedetto, Michel et Tenerani ; Mgr F. Fantoni, *Della vita del Cardinale Michele Viale Prelà*, ouvr. cité ; Oreste Raggi, *Della vita e delle opere di Pietro Tenerani*, Florence, Le Monnier, 1880.

182. Le journal d'Enrico Bottrigari n'a été publié qu'en 1960 : *Enrico Bottrigari. Cronaca di Bologna 1845-1871. A cura di Aldo Berselli. Fonti e ricerche per la storia di Bologna*, Zanichelli edit., Bologne, 1960, 4 vol.

183. Luigi Zini. Cité par Paolo Prunas, *Niccolo Tommaseo e il Cardinale Michele Viale Prelà*, ouvr. cité.

184. Luigi Carlo Farini, *Lo stato romano dall'anno 1815 al 1850*, ouvr. cité. Voir plus haut, p. 215.

185. Davide Silvagni, *La Corte e la Società romana...*, ouvr. cité, t. IV, p. 188.

186. La lettre originale de Tommaseo est dans les Archives de Salvatore (AVF). Elle est reproduite dans Paolo Prunas, *Niccolo Tommaseo e il cardinale Michele Viale Prelà*, ouvr. cité, p. 261.

187. La lettre de Michel est inédite. La polémique est largement traitée par P. Prunas, ouvr. cité.

188. Sur l'offre du patriarcat de Venise, les documents laissés par Michel dans ses Archives privées (AVF) sont : lettre de l'archiduc Ferdinand-Maximilien d'Autriche, datée de Monza, le 13 octobre 1857 ; billet du conseiller aulique chevalier Schertzenlechmer ; brouillon de la lettre de réponse de Michel à l'archiduc Ferdinand-Maximilien ; aide-mémoire rédigé par Michel et daté du 16 octobre 1857.

189. La lettre se trouve dans Archives du Cardinal Michel Viale Prelà, Bibliothèque du musée du Risorgimento, Milan, dossier 7.

190. Leonardo Mordini, « Una lettera inedita del Cardinale Viale Prelà », dans *Archivio Storico di Corsica*, t. IV, Livourne, 1936.

La lettre est adressée au général Morozzo della Rocca, premier aide de camp du roi Victor-Emmanuel II. « Bologne, 26 avril 1860. Excellence. Vous serez étonné de recevoir une lettre de l'archevêque de Bologne, mais je sens la nécessité de vous ouvrir mon cœur afin que ma position politique à l'égard du Roi Victor-Emmanuel soit bien claire pour Sa Majesté... »

191. La lettre du cardinal Geissel se trouve dans Archives du cardinal Michel Viale Prelà, Bibliothèque du musée du Risorgimento, Milan, dossier 7.

192. Giacomo Francesco Griscelli, *Mémoires*, Bruxelles-Genève-Londres, 1867 (sans nom d'éditeur).

193. Les deux lettres de Mgr Fantoni se trouvent dans Archives du cardinal Michel Viale Prelà, Bibliothèque du musée du Risorgimento, Milan, dossier 7.

194. Les documents sur les démêlés entre l'archevêque et les autorités piémontaises se trouvent dans l'*Archivio Arcivescovile* de Bologne, palais de l'Archevêché (dossier août-septembre 1859). Voir également Rodolfo Fantini « Scontri tra autorità ecclesiastiche e civili di Bologna nei primi anni dell'Unità », *Bollettino del Museo del Risorgimento*, Bologne, III, 1958.

195. Leonetto Cipriani, *Memorie della mia vita, pubblicate e annotate de Leonardo Mordini*, Zanichelli, Bologna, 1934. Voir également : *Archivio Storico di Corsica*, t. X, Livourne, 1934.

196. Mgr Francesco Fantoni, *Intorno agli ultimi momenti dell'E. mo Cardinale Viale Prelà, arcivescovo di Bologna*, Ms. (AVF).

197. Leonardo Mordini, *Una lettera inedita del Cardinale Viale Prelà*, ouvr. cité. Voir ci-dessus, p. 333.

198. *Das Licht und die Liebe der Welt*, Lucerne, 1833.

199. Sur la mort de Michel, voir Mgr. F. Fantoni, *Intorno agli ultimi momenti dell'E. mo Cardinale Viale Prelà*. Ms. ouvr. cité, et *Della vita del Cardinale Michele Viale Prelà*, ouvr. cité. Testament de Michel : Bologne, 12 mai 1860, Francesco Fanti notaire.

200. *La Civiltà Cattolica*, Rome, 9 juin 1860.

201. *Studi critici di costumi corsi*, ouvr. cité. Voir ci-dessus p. 289 et note 167.

202. Niccolo' Tommaseo, *Salvatore Viale e la Corsica*, ouvr. cité.

203. « Dell'uso della lingua patria in Corsica. » Avant de former un chapitre des *Studi critici di costumi corsi*, cet essai avait été publié dans *Archivio Storico Italiano*, nouvelle série, t. VI, p. 11, Florence, 1857.

204. Pietro De Angelis, *L'ospedale apostolico di Santo Spirito in Saxia*, Typographie d'édition d'Italia, Rome, 1956. — Benedetto Viale, *Rapporto statistico del manicomio di S. Maria della Pietà di Roma, per gli anni 1861 e 1862*, Archives Benedetto Viale (AVF).

205. *Scritti in verso e in prosa di Salvatore Viale, di Bastia. Raccolti e ordinati per cura di F.S. Orlandini*, Le Monnier, 1861. Florence, La *Dionomachia* sera publiée en français en 1921 par *La Nouvelle Revue* de Paris, juillet-décembre 1921, t. 54, 55 et 56. Pour la bibliographie complète des œuvres de Salvatore, voir « Catalogue raisonné des œuvres imprimées de Salvatore Viale », *BSSHNC* 1986.

206. « Dei mutamenti dei reggimenti politici in Corsica ». Cet essai, qui forme également un chapitre des *Studi critici di costumi corsi*, paraîtra dans l'*Archivio Storico Italiano*, nouvelle série, t. XIV, p. 11, Florence, 1861. Le numéro de l'*Archivio*..., paru après la mort de Salvatore, contient également sa nécrologie, rédigée par Tommaseo.

207. Niccolo' Tommaseo, *Salvatore Viale e la Corsica*, ouvr. cité.

208. *Inauguration du monument élevé à la mémoire de Salvatore Viale*, Bastia, Fabiani, 1865. — *Monumento eretto in Bastia a Salvatore Viale*, Florence, Bencini, 1865.

209. *L'observateur de la Corse*, Bastia, 27 janvier 1865 ; *L'Avenir de la Corse*, Paris, 15 février 1865.

210. Raffaele De Cesare, *Roma e lo stato del Papa. 1850-1870*, Rome, 1906 ; Ch. Sylvain, *Histoire de Pie IX*, t. III, ouvr. cité.

211. Les bustes des médecins célèbres, dans la galerie du palais du commandeur de l'archihospital de Santo Spirito ont tous été sculptés entre 1860 et 1868 par le sculpteur Achille Fabbri, à l'initiative de Mgr Achille Ricci, commandeur de l'archihospital à l'époque. Sur les vingt-sept bustes d'origine, il n'en reste qu'une vingtaine. Voir également *Brevi illustrazioni ai busti dei medici celebri posti nell'attico dell'Arcispedale di Santo Spirito in Saxia*, par Antonio Zappoli, Menicanti, Rome, 1868.

212. Petru Giovacchini, *Archiatri pontifici corsi*, Rome, Associazione gruppi di Cultura corsa, 1951.

213. Le tombeau de Benedetto est l'œuvre du sculpteur romain Luigi Fiorani. Les inscriptions en l'honneur de Benedetto à l'hôpital de S. Salvatore al Laterano et à S. Giacomo degli Incurabili sont reproduites dans Vincenzo Forcella, *Iscrizioni delle chiese e d'altri monumenti di Roma...*, ouvr. cité, vol. VIII, n° 483 et vol. IX, n° 297.

Table

Cet ouvrage a été composé par Facompo
et imprimé par la S.E.P.C. à Saint-Amand-Montrond (Cher)
pour le compte des éditions Presses de la Renaissance

Achevé d'imprimer en septembre 1985

Dépôt légal : septembre 1985.
N° d'Impression : 1518.
Imprimé en France